FUENTES GENERALES
PARA EL
ESTUDIO DE LA LITERATURA COLOMBIANA

GUIA BIBLIOGRAFICA

PUBLICACIONES DEL INSTITUTO CARO Y CUERVO
SERIE BIBLIOGRAFICA
VII

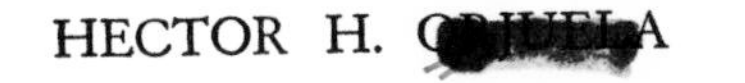

HECTOR H. [illegible]

FUENTES GENERALES PARA EL ESTUDIO DE LA LITERATURA COLOMBIANA

GUIA BIBLIOGRAFICA

BOGOTA
1968

Imprenta Patriótica del Instituto Caro y Cuervo — Bogotá

DEDICATORIA

A MI ADMIRADO AMIGO

JOSÉ MANUEL RIVAS SACCONI,

DIRECTOR DEL INSTITUTO CARO Y CUERVO,

CON SINCERO AFECTO Y RECONOCIMIENTO.

INTRODUCCION

El presente libro viene a llenar un vacío en la bibliografía colombiana que hasta la fecha carecía de una fuente de referencia destinada a orientar al investigador en los trabajos literarios. La publicación de esta *Guía* era indispensable en nuestro país donde la falta de libros de consulta dificulta en grado sumo la labor de documentación y la preparación de obras de alguna trascendencia.

Por su carácter, organización y contenido, el tomo constituye un extenso ensayo de bibliografía crítica. Con él se quiere brindar al erudito, al investigador, al estudiante y a todo aquel que se interese en el estudio de las letras nacionales una fuente de referencia que responda plenamente a las exigencias de la moderna investigación literaria.

La organización del libro concuerda con el fin propuesto y con el deseo de ofrecer una guía útil y adecuada para los trabajos literarios que requieran la consulta de fuentes generales. Cada sección ha sido establecida teniendo en cuenta las necesidades inmediatas del investigador y su inclusión en el plan de la bibliografía obedece, por lo tanto, al criterio a que nos hemos ceñido en todo el volumen.

El cuadro completo del contenido de la obra se abarcará consultando el *Indice general*. Una breve explicación sobre las divisiones más importantes de la *Guía* ayudará, no obstante, a precisar el alcance, fin e índole de la misma. A través de toda la bibliografía hemos establecido, dentro de cada parte principal, secciones con subdivisiones que agrupan en primer término el material relativo a Colombia exclusivamente, y a continuación las fuentes generales o extranjeras, según el caso.

BIBLIOGRAFÍAS GENERALES. — Comprende, como el título lo indica, bibliografías literarias de tipo general que incluyen publicaciones colombianas o que constituyen obras de consulta de interés para el investigador. Las bibliografías de carácter más específico, sobre épocas, movimientos, géneros literarios, etc., irán en su división correspondiente.

CATÁLOGOS Y GUÍAS DE ARCHIVOS, BIBLIOTECAS, LIBRERÍAS Y EDITORIALES. — Aparecen en esta parte del volumen fuentes sobre los archivos, bibliotecas, librerías y editoriales de Colombia y del exterior. El material se ha organizado en tres grandes divisiones: I. *Catálogos y guías de archivos;* II. *Catálogos y guías de bibliotecas;* III. *Catálogos y guías de librerías y editoriales.*

DICCIONARIOS DE LITERATURA Y GUÍAS VARIAS. — Figuran aquí — además de los diccionarios y enciclopedias que contienen información literaria — las siguientes divisiones de fuentes varias: *Listas de tesis; Preceptiva literaria, Métodos y técnicas de investigación; Manuscritos; Anónimos y seudónimos; Institutos y organizaciones culturales.* Lo relativo a fuentes varias encierra información de mucha utilidad, que a menudo no se halla en las obras de referencia más completas que existen para el estudio de la literatura hispanoamericana.

BIOGRAFÍAS. — El material biográfico se presenta en dos divisiones principales: *Enciclopedias y diccionarios con información bio-bibliográfica* y *Biografías, bio-bibliografías y genealogías colectivas.*

COLECCIONES, ANTOLOGÍAS Y COMPILACIONES DE MISCELÁNEA LITERARIA. — Se incluyen en esta parte de la *Guía* – separadas las colecciones de las obras antológicas – algunas fuentes de miscelánea literaria. Aunque aquí aparecen numerosas antologías y compilaciones nacionales y extranjeras, en las secciones de colecciones, en cambio, sólo figuran las publicadas en Colombia. Las extranjeras son numerosísimas y su incorporación en la bibliografía hubiera alargado excesivamente el trabajo. Las colecciones, antologías y compilaciones de carácter particular, sobre géneros, épocas, movimientos literarios, etc., se encontrarán en la división correspondiente.

HISTORIA Y CRÍTICA DE LA LITERATURA. — Esta es una de las partes más extensas e importantes de la obra y se ha organizado en cuatro grandes secciones: I. *Historias de la literatura;* II. *Crítica literaria* (con dos subdivisiones: *Crítica sobre literatura colombiana* y *Crítica sobre literatura general*); III. *Estilística y lingüística en la crítica literaria;* IV. *Influencias y relaciones entre las literaturas.* La escogencia de las fuentes sobre *Crítica literaria* exigió una larga labor de consulta y un criterio de selección para distinguir las finalmente incluídas aquí de las que aparecen más adelante en la parte de la *Guía* que presenta el ensayo como género literario. Es claro que estas dos secciones se complementan entre sí y que el criterio empleado sólo se explica por las necesidades inherentes al plan del libro. De preferencia figuran bajo *Crítica literaria* aquellas obras que se ocupan, total o parcialmente, de escritores colombianos o de temas generales que atañen a nuestra literatura, y las que estudian teorías o sistemas de crítica literaria. En la sección sobre el ensayo (*Estudios,* p. 674-98), y en lo que ella puede contener de material de crítica propiamente dicha, aparecen en cambio – separados los autores nacionales de los extranjeros – estudios que no consideran escritores colombianos o que tratan aspectos y características de la literatura en general, o de las literaturas extranjeras, y trabajos que se relacionan más específicamente con la historia de las ideas y la cultura y con el ensayo como género literario. Las fuentes de crítica para épocas, movimientos, géneros literarios específicos, etc., deben buscarse en las secciones correspondientes.

La siguiente gran división de esta parte del volumen, *Estilística y lingüística en la crítica literaria,* consta de fuentes teóricas y de referencia que pueden ser de alguna utilidad al considerar los aspectos estilísticos y lingüísticos en el estudio de las obras, y de libros básicos, por conocidos especialistas, que ayudan a orientar los trabajos que requieran la aplicación de este tipo de análisis crítico.

Finalmente la sección *Influencias y relaciones entre las literaturas* sitúa al investigador en el campo de la literatura comparada y en un ámbito de crítica de mayor amplitud. En su primera subdivisión figuran, por países, fuentes selectas que atañen a las relaciones de nuestras letras con las literaturas foráneas, y en la segunda, también por países, las que se ocupan de las relaciones generales de las letras hispanoamericanas con las extranjeras.

Epocas y Movimientos Literarios. — Esta parte del libro facilita el estudio de la literatura nacional desde el punto de vista histórico, ya que las diferentes divisiones en ella establecidas siguen de cerca su proceso evolutivo: I. *Epoca de la colonia y la independencia;* II. *Romanticismo;* III. *Costumbrismo, regionalismo, realismo y naturalismo;* IV. *Modernismo;* V. *Postmodernismo y literatura contemporánea.* Cada una de dichas secciones acoge obras relativas a la literatura colombiana exclusivamente y, en subdivisiones independientes, el material general escogido entre los estudios de mayor trascendencia que existen para estos períodos en la bibliografía literaria de Hispanoamérica.

GÉNEROS LITERARIOS. — Aparecen aquí las fuentes generales sobre los géneros literarios tradicionales más importantes, a saber: I. *Poesía;* II. *Novela, cuento y cuadro de costumbres;* III. *Drama;* IV. *Ensayo.* Cada una de estas categorías presenta tres divisiones principales: *Bibliografías; Antologías y compilaciones; Estudios.* Otros géneros no han sido considerados independientemente, *v. gr.* la oratoria que tiene sus manifestaciones más características en oraciones y discursos políticos y forenses, que no pueden hallar cabida en la presente obra, y en piezas religiosas, algunas de las cuales encajan en la división de la *Guía* destinada a la literatura religiosa. Los pocos discursos con temas puramente literarios que figuran en el volumen se han incorporado a varias secciones de acuerdo al criterio de clasificación que rige todo el trabajo. Para los estudios correspondientes al ensayo hemos separado las obras de autores colombianos de las escritas por extranjeros. En vista de que este género tiene en Hispanoamérica un alcance tan vasto y abarca obras de diverso carácter, hemos tratado de limitar nuestra selección a estudios literarios u obras afines, a monografías sobre el ensayo, y a trabajos acerca del desarrollo de la cultura y la historia de las ideas. En lo posible se ha prescindido del ensayo científico e histórico y del estrictamente filosófico o sociológico. Como advertimos atrás al explicar el contenido de la sección *Crítica literaria,* ésta en parte se complementa con el material relativo al ensayo.

LITERATURA FOLCLÓRICA Y POPULAR. — Dedicamos esta división de la *Guía* a las relaciones que existen entre folclor y literatura. Comprende aquellas obras generales que por su carácter participan a la vez de lo folclórico y lo literario. El material está organizado en tres grandes secciones: I. *Bibliografías y obras de referencia;* II. *Antologías y compilaciones;* III. *Estudios.*

LITERATURA RELIGIOSA.— La bibliografía sobre literatura religiosa es muy abundante y lo que aquí incluímos es tan sólo una selección de algunas fuentes generales fundamentales, colombianas y extranjeras, para referencia básica del investigador. Las obras aparecen clasificadas en tres divisiones principales: I. *Bibliografías;* II. *Antologías y compilaciones;* III. *Estudios.*

TRADUCCIONES. — Además de las fuentes bibliográficas de consulta y de una sección dedicada a las antologías y compilaciones de traducciones, figura en esta parte del volumen una breve selección de estudios sobre el arte y la técnica de traducir y sobre las versiones que en lengua española se han hecho de algunas obras de notables escritores extranjeros.

IMPRENTA Y PERIODISMO. — Concluye nuestra *Guía,* en lo que respecta al contenido bibliográfico, con las fuentes relativas a la imprenta y al periodismo. El material se clasifica en tres grandes secciones: I. *Bibliografías;* II. *Indices de revistas y publicaciones periódicas,* en que se agrupan los índices de varias publicaciones colombianas importantes y los de unas pocas revistas de interés para la literatura hispánica; III. *Estudios.*

Es natural que algunas obras que aparecen en una división determinada de la *Guía* deban figurar también en otra u otras secciones por tratarse de trabajos que abarcan más de un campo de estudio. En estos casos, y cuando se ha considerado indispensable la repetición de una fuente en otro lugar del volumen, la incluímos en forma abreviada y con una remisión a la página en que se encuentra la ficha principal. Estas remisiones no sólo ayudan a relacionar las partes del libro que tienen alguna afinidad en tema y contenido sino que sirven para complementar ciertas secciones para las cuales no hay abundantes fuentes bibliográficas. No sobra advertir aquí que la inteligente utilización de esta *Guía* para los trabajos de carácter más serio requiere la consulta de todas las divisiones directamente relacionadas con el tipo de investigación que se haya emprendido.

Para facilitar el manejo del presente libro hemos incluído en él varias secciones complementarias, a saber: *Siglas y abreviaturas,* en que figuran las siglas de bibliotecas, obras, instituciones, etc., y las abreviaturas generales; *Revistas y periódicos empleados,* que agrupa los títulos de las publicaciones periódicas en que se hallan los artículos incorporados en la *Guía;* un extenso *Indice onomástico,* que remite a las páginas, preparado por el autor; una lista de *Corrigenda* y el *Indice general.*

El contenido del volumen revela su plan y vasto alcance que permiten no sólo emprender trabajos monográficos de carácter limitado, en que no se necesite una documentación muy completa, sino también estudios más ambiciosos para los cuales se deba utilizar una extensa bibliografía o haya que penetrar en el ámbito de las literaturas extranjeras.

La presentación de las fichas en la *Guía* depende del tipo de obra a que corresponden y obedece a los requisitos establecidos por el Instituto Caro y Cuervo para los trabajos bibliográficos. En ciertos casos transcribimos las fichas completas, tal como aparecen en los catálogos de la Biblioteca del Congreso de Washington (*v. gr.* las de estudios y tesis en microfilme), pero más a menudo hacemos ligeros cambios y omisiones con el fin de abreviar y unificar los asientos bibliográficos. La información complementaria que se agrega a continuación de la ficha principal: contenido, valoración crítica, etc., se da en diferentes lenguas según la fuente de procedencia. En lo posible incluímos anotaciones y juicios – propios y de extraños – para los estudios más importantes. Otros no los necesitan y el título indicará su tema y contenido. Para los comentarios valorativos sobre las obras hemos empleado diversas fuentes y las opiniones de un buen número de críticos y especialistas, quienes por esto merecen nuestro reconocimiento. Entre las obras que el autor utilizó con más frecuencia para los comentarios deben destacarse la *Bibliografía de bibliografías colombianas (Bbcs),* de Gabriel Giraldo Jaramillo, segunda edición corregida y puesta al día por Rubén Pérez Ortiz, y el *Handbook of Latin American Studies.* Como sería difícil precisar en esta última publicación el nombre del especialista que ha emitido cada juicio en particular, dado que en el *Handbook* han colaborado muchos críticos a través de los años, hemos preferido identificar las citas correspondientes a esta fuente con la sigla *Hdbk,* seguida del número o año del tomo del cual se extrajo la información. Consideramos que los numerosos comentarios valorativos que se han incluído sobre los estudios fundamentales aumentan en buena medida el valor que el libro puede tener como obra de orientación crítica.

No se ha considerado indispensable en el presente volumen numerar las fichas. Los asteriscos que preceden algunos nombres y títulos en toda la *Guía* se emplean para señalar los autores y publicaciones más importantes. Este procedimiento puede ser de especial utilidad para los investigadores que sólo quieran consultar las obras fundamentales. Para cada fuente que aparece en la bibliografía se indican algunas bibliotecas nacionales y extranjeras donde se encuentra la publicación. Este dato se suministra por medio de siglas colocadas al final de la ficha. Un trazo oblicuo separa las siglas de bibliotecas nacionales de las correspondientes a las extranjeras. Sólo unas pocas obras incorporadas en el volumen no han podido localizarse en alguna de las bibliotecas consultadas. En estos casos incluímos, en el extremo derecho y bajo la ficha principal, el nombre del crítico que respalda la existencia de la fuente o una sigla que identifica la obra de la cual se extrajo el dato. Por lo regular las publicaciones que figuran sin siglas se hallan en la biblioteca del autor y no se han localizado en otra parte.

La preparación de este libro requirió el manejo de muchas fuentes de referencia, nacionales y extranjeras, y la consulta de numerosas guías literarias y de los trabajos que, como el nuestro, no son simples recopilaciones de material bibliográfico, sino estudios que tienen como fin orientar al investigador literario. De los trabajos que se refieren a un país en particular examinamos para elaborar el plan de este tomo, entre otros, el volumen de Luis Florén Lozano, *Obras de referencia y generales de la bibliografía colombiana,* en que sólo se dedican unas pocas páginas a la sección de literatura; el breve artículo de Pedro Grases, *Fuentes generales para el estudio de la literatura venezolana,* que apareció en la *Revista Nacional de Cultura* (núm. 81, julio-agosto de 1950, p. 86-99); las *Fuentes bibliográficas para el estudio de la literatura chilena,* de Raúl Silva Castro, ensayo que en realidad constituye una bibliografía de las letras chilenas; *Guide de l'étudiant en littérature française,* de E. Bouvier y P. Jourda; *Manuale per lo studio critico della letteratura italiana,* preparado por T. L. Rizzo, y *Bibliographical Guide to the Study of the Literature of the United States,* de Clarence Gohdes. Entre las obras de alcance más general consultamos el extenso *Manuel de l'hispanisant,* de Raymond Foulché-Delbosc, que ofrece especial interés para el estudio de la literatura española, y varias publicaciones hechas en los Estados Unidos: *A Handy Bibliographical Guide to the Study of the Spanish Language and Literature, with Consideration of the Work of Spanish-American Writers, for the Use of Students and Teachers of Spanish,* de William Hanssler; la guía de Thomas Rossman Palfrey y otros, *A Bibliographical Guide to the Romance Languages and Literatures* y *A Guide to the Studies in Spanish American Literature,* de Nina Lee Weisinger.

Con ninguno de los trabajos mencionados puede compararse nuestra *Guía,* que se ocupa exclusivamente de las publicaciones generales y que por sus características ya anotadas resulta ser un estudio *sui generis* entre las obras de su misma clase y un novedoso ensayo en el campo de la bibliografía de las letras hispánicas. Creemos, sin temor a exagerar, que hasta la fecha no existe para ninguna de las literaturas de los países hispanoamericanos una fuente de obras generales tan completa como la presente.

En la selección y clasificación de las numerosas publicaciones que integran le *Guía* primó el criterio del autor que no ha intentado dar cabida en ella a todo el material disponible y se ha esforzado para que cada obra aparezca en la sección que le corresponde. A veces nos hemos permitido ciertas libertades en la escogencia y clasificación de algunos estudios que no encajan plenamente dentro de una categoría específica pero que son, no obstante, útiles para el investigador en el lugar que se les ha asignado. En toda la bibliografía hemos evitado incorporar obras que en realidad se ocupan de temas no literarios o de disciplinas diferentes a las que abarca el plan del libro. Se exceptúan de esta norma algunos tratados históricos, en especial los que figuran en el material relativo a la época colonial y a la literatura religiosa, y unos pocos ensayos de sociología y filosofía. Aunque se alcanzaron a recoger en el volumen trabajos recientes, la *Guía* en general sólo incluye datos sobre fuentes selectas publicadas hasta 1965 inclusive.

Durante los años que duró la investigación para este libro visitamos numerosas bibliotecas de Colombia y del extranjero. En la sección destinada a las *Siglas de bibliotecas* aparecen los nombres de todas ellas. En Colombia utilizamos en especial la Biblioteca del Instituto Caro y Cuervo en Yerbabuena, donde el autor examinó el rico fondo colombiano que contiene, la Biblioteca Nacional, la Biblioteca "Luis Angel Arango" y la Biblioteca "Antonio Gómez Restrepo". En los Estados Unidos buena parte del trabajo se llevó a cabo en la Biblioteca del Congreso de Washington, en la "Columbus Memorial Library" de la misma ciudad, y en diversas bibliotecas universitarias: Columbia, Virginia, Kansas, UCLA Southern California, etc. Para la compilación de la *Guía* no se visitaron bibliotecas europeas. Los interesados en localizar algunas obras en bibliotecas españolas pueden consultar la extensa *Bibliografía de la literatura hispánica,* de José Simón Díaz. Cabe advertir que esta bibliografía, que aún está en curso de publicación, contiene escaso material sobre literatura colombiana.

Numerosas colecciones de revistas y publicaciones periódicas fueron examinadas para elaborar nuestra obra. Entre las colombianas se analizaron las colecciones completas de *Papel Periódico Ilustrado, Colombia Ilustrada, El Repertorio Colombiano, Santafé y Bogotá, Anuario de la Academia Colombiana, Boletín de la Academia Colombiana, Revista de América, Boletín de Historia y Antigüedades, Revista de las Indias, Hojas de*

Cultura Popular Colombiana, Thesaurus (*Boletín del Instituto Caro y Cuervo*), *Bolívar, Universidad de Antioquia, Anuario Bibliográfico Colombiano* (y su continuación *Anuario Bibliográfico Colombiano «Rubén Pérez Ortiz»*), *Boletín Cultural y Bibliográfico, Universidad Pontificia Bolivariana* y *Letras Nacionales.* De las extranjeras se consultaron las colecciones completas de *Handbook of Latin American Studies, Hispania, Revista Iberoamericana, Hispanic Review* y *Revista Interamericana de Bibliografía.* Decenas de artículos corresponden a otras revistas y periódicos nacionales y extranjeros de los cuales sólo tuvimos a nuestra disposición algunos números sueltos. Las señoritas Elizabeth Welsh y Judith Howard copiaron a máquina el material seleccionado del *Handbook of Latin American Studies.* Francis Rang hizo otro tanto con el contenido de *Hispania.* Algunas veces la información para ciertas fichas se obtuvo de fuentes bibliográficas diversas: catálogos de bibliotecas, bibliografías literarias, índices de revistas, compilaciones especializadas, etc. Es natural que en un trabajo de tan grandes proporciones, en cuya elaboración se utilizaron casi todas las fuentes generales conocidas para el estudio de la literatura hispanoamericana, y para el cual no fue posible consultar personalmente todas las obras incluídas, aparezcan errores inadvertidos, propios y ajenos. El autor lamenta las faltas que hayan podido deslizarse en la cuidadosa revisión del manuscrito y que no figuran en la lista de *Corrigenda.*

La preparación del libro en parte se realizó con el patrocinio del programa "NDEA Research and Publications Grants" de la Universidad del Sur de California. Agradezco sinceramente a las siguientes personas de la misma Universidad el apoyo que le brindaron a mi proyecto: Milton C. Kloetzel, Vicepresidente de Asuntos Académicos; Neil D. Warren, Decano de la División de

Letras, Artes y Ciencias; William Biel, Jefe del Comité Seleccionador; Dorothy McMahon y Everett W. Hesse, profesores del Departamento de Español y Portugués.

Esta *Guía* es el resultado de más de diez años de permanente labor investigativa comenzada en una de las universidades de los Estados Unidos. Casi todo el trabajo hecho en Colombia se llevó a cabo en la Biblioteca del Instituto Caro y Cuervo en Yerbabuena donde el autor ha tenido el placer de trabajar por largas temporadas. He contraído una deuda de gratitud con todos los miembros del Instituto por la efectiva ayuda que en todo momento me han proporcionado. En particular debo agradecer la colaboración de mis amigos y compañeros de labores Alcira Valencia Ospina, eficiente bibliotecaria, Fernando Antonio Martínez, Rubén Páez Patiño, Carlos Valderrama Andrade, Luis Francisco Suárez Pineda, José Joaquín Montes, Francisco José Romero Rojas, Jorge Páramo Pomareda, Lucrecia Vejarano, María Cristina Bravo Borda, Margarita Villarreal viuda de Pérez e Ismael Enrique Delgado Téllez quien en ausencia del autor dirigió la publicación de la obra. Es justo destacar la excelente labor de todo el personal de la imprenta y muy señaladamente la de los que intervinieron en el difícil trabajo editorial: José Eduardo Jiménez, Jefe de Imprenta, Gustavo Ramos Castro, Enrique Alfonso Linares, Manuel Tapias, Reinaldo Gualdrón, Maximino Concha y Abel González Castro.

Especial mención merece el doctor José Manuel Rivas Sacconi, Director del Instituto Caro y Cuervo, a quien he dedicado este trabajo en reconocimiento de su incansable labor en pro de la cultura nacional. La presente obra no hubiera sido una realidad sin su dinamismo, inspiración y constante estímulo.

Muchas son las otras personas a quienes el autor quisiera también agradecer su oportuna ayuda y cooperación en los diferentes aspectos del trabajo, pero sería muy largo mencionarlas a todas. Debo, no obstante, expresar mi gratitud a la señora Lola Casas viuda de Gómez Restrepo, quien gentilmente me ha permitido utilizar la biblioteca que honra el nombre del gran crítico Antonio Gómez Restrepo, a Inés Rozo de Orjuela, a mis colegas Carlos García Prada, Kurt Levy, James W. Robb y Eduardo Neale Silva, a varios parientes y amigos residentes en Colombia, a mi madre y a mis hermanos, y especialmente a mi esposa Helena que copió a máquina centenares de fichas y colaboró en casi toda la investigación.

Este libro como otros del mismo autor ya publicados o en preparación, responde a la necesidad, hoy más apremiante que nunca, de recoger y ordenar metódicamente las fuentes dispersas de la cultura colombiana. Aspiramos a que la *Guía* cumpla en parte este propósito en el campo de la literatura y ofrezca a los estudiosos una fuente de alguna utilidad para las futuras investigaciones sobre las letras nacionales.

HÉCTOR H. ORJUELA.

University of Southern California.

Yerbabuena, julio de 1968.

SIGLAS Y ABREVIATURAS

SIGLAS DE BIBLIOTECAS

BIBLIOTECAS NACIONALES

AcCol	Biblioteca de la Academia Colombiana de Historia. Bogotá, Colombia.
BAGR	Biblioteca "Antonio Gómez Restrepo". Bogotá, Colombia.
BLAA	Biblioteca "Luis Angel Arango". Bogotá, Colombia.
BN	Biblioteca Nacional. Bogotá, Colombia.
ICC	Biblioteca del Instituto Caro y Cuervo. Bogotá, Colombia.

BIBLIOTECAS EXTRANJERAS

BN Ch	Biblioteca Nacional de Chile. Santiago de Chile.
BPL	Boston Public Library. Boston, Mass., U. S.
CU	Columbia University. New York, N. Y., U. S.
Dth	Dartmouth College. Hanover, N. H., U. S.

HU	Harvard University. Cambridge, Mass., U. S.
KU	Kansas University. Lawrence, Ks., U. S.
LAPL	Los Angeles Public Library. Los Angeles, Calif., U. S.
LC	Library of Congress. Washington, D. C., U. S.
NC	University of North Carolina. Chapel Hill, N. C., U. S.
NTSU	North Texas State University. Denton, Tex., U. S.
NYPL	New York Public Library. New York, N. Y., U. S.
NYU	New York University. New York, N. Y., U. S.
PU	Columbus Memorial Library. Pan American Union. Washington, D. C., U. S.
TU	Texas University, Austin, Tex., U. S.
UC	University of California at Berkeley. Calif., U. S.
UCLA	University of California at Los Angeles. Calif., U. S.
UMi	University of Miami. Miami, Fla., U. S.
USC	University of Southern California. Los Angeles, Calif., U. S.
UVa	University of Virginia. Charlottesville, Va., U. S.
VMI	Virginia Military Institute. Lexington, Va., U. S.

WLU — Washington and Lee University. Lexington, Va., U. S.

Y — Yale University. New Haven, Conn., U. S.

SIGLAS Y ABREVIATURAS GENERALES

A. D. — *Anno Domini* (en el año del Señor).

ag. — agosto.

A. L. A. — American Library Association.

ALEC — *Atlas lingüístico etnográfico de Colombia.*

An'51-56, etc. — *Anuario bibliográfico colombiano,* 1951-62, compilado por Rubén Pérez Ortiz; *Anuario bibliográfico colombiano «Rubén Pérez Ortiz»,* 1963- compilado por Francisco José Romero Rojas.

An. Acad. Col. — *Anuario de la Academia Colombiana,* Bogotá.

An. de la Univ. Madrid, Letras. — *Anales de la Universidad de Madrid, Letras,* Madrid.

An. Inst. Nac. Antrop. Hist. — *Anales del Instituto Nacional de Antropología e Historia,* México.

annot. — annotated.

Ass. — Association.

Bbcs — Gabriel Giraldo Jaramillo, *Bibliografía de bibliografías colombianas,* segunda ed., corregida y puesta al día por Rubén Pérez Ortiz, 1960.

B. C.	Before Christ.
Bd.	Band (volumen, tomo).
bibliogr.	bibliografía, bibliography.
Bol.	*Boletín.*
Bol. Acad. Col.	*Boletín de la Academia Colombiana,* Bogotá.
Bol. Bibl. Nal.	*Boletín de la Biblioteca Nacional,* Bogotá.
Bol. Cult. y Bibl.	*Boletín Cultural y Bibliográfico,* Bogotá.
Bol. Hist. Ant.	*Boletín de Historia y Antigüedades,* Bogotá.
Bol. Inst. Cult. Ven-Brit.	*Boletín del Instituto Cultural Venezolano - Británico,* Caracas.
B. U. D. A.	Biblioteca Uruguaya de Autores.
Bull.	*Bulletin* of the Pan American Union, Washington, D. C.
c	*circa* (cerca de).
C	Corazón.
Cª	*V.* Cía.
Calif.	California.
Cap., caps.	capítulo,-s.
Cía.	Compañía.
Cie.	Compagnie.
cm.	centímetros.
C. M. F.	*Congregatio Missionariorum Filiorum Immaculati Cordis B. M. V.*

Co.	Company.
Colo.	Colorado.
comp., *comp.*	compilado,-da; compiled; compilador,-es, compiler,-s.
Conn.	Connecticut.
corr.	corregida, corrected.
Chap., chap.	chapter.
d.	don.
D.C.	District of Columbia.
Dec.	December.
Dept.	Department.
Deptal.	Departamental.
Depto.	Departamento.
dic.	diciembre.
dobl., dobls.	doblado,-s.
ed., eds.	edición,-es; edition,-s; édition,-s; edited; editor,-es.
Edit.	Editorial; edited.
E. E. U. U.	Estados Unidos de América.
e. g.	*exempli gratia* (por ejemplo).
Enc.	Encuadernación.
enl.	enlarged (aumentado,-da).
Estab.	Establecimiento.
et. al.	*et alii* (y otros).
facsím.,-s.	facsímile,-s; facsimilar,-es.
feb.	febrero.
Feb.	February.

Fla.	Florida.
front.	frontispicio.
Ga.	Georgia.
Gvt.	Government.
h.	hoja,-s; hijo.
H.	Honorable.
Hdbk'35, etc.	*Handbook of Latin American Studies,* 1935-
Hdbk' Nº 19, etc.	*Handbook of Latin American Studies,* Nº 19, etc.
Hisp.	*Hispania.* Organo de la American Association of Teachers of Spanish and Portuguese.
Hisp. Am. Hist. Rev.	*Hispanic American Historical Review,* Durham, N. C.
Hna.,-s; Hno.,-s.	Hermana,-s; Hermano,-s.
h. p.	hojas preliminares.
Iber. Am. Arch.	*Ibero - Amerikanisches Archiv,* Bonn, Berlín.
Ibid.	*ibidem* (en el mismo lugar).
id.	*idem* (lo mismo).
Ill.	Illinois.
Illo., Iltmo.	Ilustrísimo.
ilus.	ilustrado,-a (con ilustraciones, grabados o láminas); ilustración,-es; illustrations; illustrated.
Imp.	Imprenta.
Inc.	Incorporated.

Ind.	Indiana.
Introd.	Introducción, Introduction.
Jan.	January.
l.	leave,-s (hojas).
La.	Louisiana.
lám.,-s.	lámina,-s.
Lib.	Librería.
Lit.	Litografía.
Ltd.	Limited.
M^a	María.
M. A.	Master of Arts (Licenciado).
Mass.	Massachusetts.
Md.	Maryland.
Mich.	Michigan.
Mo.	Missouri.
Mod. Lang. Journ.	*Modern Language Journal,* Menasha, Wisc.
Monr., Mons.	Monseñor.
M. R. P.	Muy Reverendo Padre.
Ms, mss; MS, MSS.	manuscrito,-s.
Nal.	Nacional.
N. C.	North Carolina.
N. M.	New Mexico.
No., Nos.	Number,-s; número,-s. *V.* núm., núms.
Nouv.	Nouvelle.
Nov.	November.

núm., núms.	números,-s. *V.* No., Nos.
N. Y.	New York.
OAS	Organization of American States.
Oct., oct.	October, octubre.
Off.	Office.
p.	página,-s; page,-s.
P.; P.P.	Padre; Padres.
PAU	*V.* PU.
Pbro.	Presbítero.
Ph. D.	Philosophy Doctor.
PMLA	*Publications of the Modern Language Association of America,* Baltimore.
P. R.	Puerto Rico.
Print.	Printing, printed.
Priv.	Private.
Prof.	Profesor, professor.
pt.	part,-s.
Pte., pte.	parte,-s.
ptie.	partie.
PU	Pan American Union.
Pub., publ.	Publicado,-a; published; publication; Publishing; publisher.
r.	reseña,-s.
RCMRos	*Revista del Colegio Mayor de Nuestra Señora del Rosario,* Bogotá.
ret.,-s.	retrato,-s.

Rev., rev.	revisada, revised.
Rev., Rev.	*Revista.*
Rvdmo.	Reverendísimo.
Revdo.	Reverendo.
R. I.	Rhode Island.
R. P.	Reverendo Padre.
s. a.	sin año.
S. A.	Sociedad Anónima; Sur América.
S. C.	Sagrado Corazón.
s. e.	sin editor.
sept., Sept.	septiembre, September.
Ser., ser.	Serie,-s.
seud.	seudónimo.
s. f.	sin fecha.
sic.	así.
S. J.	*Societas Jesu.*
s. l.	sin lugar de edición.
s. l. n. a.	sin lugar ni año.
s. p.	sin paginar.
s. p. i.	sin pie de imprenta.
S. S.	*Societas S. Francisci Salesii.*
St.	Saint.
Sta.	Santa.
Sucs.	Sucesores.
supl., suppl.	suplemento, supplement.
t.	tomo,-s.

tab.,-s.	tabla,-s.
Tall.	Taller.
Tex.	Texas.
Tip.	Tipografía.
tr., tr.	traductor; translated.
trad.	traducción.
trans., transl.	translated.
U., Univ.	Universidad, University.
UNAM	Universidad Nacional Autónoma de México.
UNESCO	United Nations Educational, Scientific and Cultural Organization.
U. S.	United States.
v., vol.,-s.	volumen,-es.
V.	*Vide,* véase, véanse.
Vda.	viuda.
Wm.	William.
Yale U. Lib. G.	*Yale University Library Gazette.*
*	El asterisco que precede a algunos autores y títulos se utiliza en este trabajo para señalar los autores y publicaciones más importantes.

REVISTAS Y PERIODICOS EMPLEADOS *

COLOMBIANOS

América Española, [¿Barranquilla?].

Anales de la Instrucción Pública en los Estados Unidos de Colombia, Bogotá.

Anales de la Universidad, Bogotá.

Anales de la Universidad del Cauca, Popayán.

Anuario de la Academia Colombiana [*An. Acad. Col.*], Bogotá.

Archivo Historial, Manizales.

El Artista, Bogotá.

Biblioteca y Libros, revista mensual, Cali.

Boletín Bibliográfico. Organo de la Imprenta "La Luz" y de la Librería Americana, Bogotá.

Boletín Bibliográfico. Universidad Pedagógica de Colombia, Biblioteca General, Tunja.

Boletín Bibliográfico Bolivariano, Universidad Católica Bolivariana, Medellín.

Boletín Bibliográfico y Comercial de la Casa J. V. Mogollón y Cía., Barranquilla.

Boletín Cultural y Bibliográfico [*Bol. Cult. y Bibl.*], Bogotá.

Boletín de Bibliografía Antioqueña. Universidad de Antioquia, Biblioteca Central, Medellín.

Boletín de Estudios Históricos, Pasto.

---

* Figuran en esta lista las revistas y periódicos que contienen artículos incorporados en la *Guía bibliográfica.* Se agregan, a continuación del título, las siglas o abreviaturas asignadas a algunas publicaciones. Sólo hemos consultado para el presente trabajo las colecciones completas de las revistas más importantes.

Boletín de Historia y Antigüedades [*Bol. Hist. Ant.*], Bogotá.
Boletín de la Academia Colombiana [*Bol. Acad. Col.*], Bogotá.
Boletín de la Academia de Historia del Valle del Cauca, Cali.
Boletín de la Biblioteca Colombia, Manizales.
Boletín de la Biblioteca Nacional [*Bol. Bibl. Nal.*], Bogotá.
Boletín del Instituto Caro y Cuervo, Bogotá, (*V. Thesaurus*).
Boletín Historial, Cartagena.
Boletín Histórico del Valle, Cali.
Bolívar, Bogotá.
Colegio Alemán, Bogotá.
Colombia, Bogotá.
Colombia Ilustrada, Bogotá.
El Colombiano — Suplemento Literario, Medellín.
Correo de las Aldeas, Bogotá.
Cromos, Bogotá.
Cuadernos de Cultura, Cali.
Cuadernos del Noticiario Colombiano, Costa Rica.
Educación, Bogotá.
Espiral, Bogotá.
El Espectador — Suplemento Ilustrado, Bogotá.
Estudio, Bucaramanga.
Folletines de "La Luz", Bogotá.
El Gráfico, Bogotá.
El Gris, Bogotá.
Hojas de Cultura Popular Colombiana, Bogotá.
Intermedio, Bogotá (*V. El Tiempo*).
Itinerario del Buen Lector, Librería Voluntad, Bogotá.
Letras Colombianas, Bogotá.
Letras Nacionales, Bogotá.
Letras Universitarias, Medellín.
El Mosaico, Bogotá.
Noticia de Colombia, México.

Noticias Culturales. Instituto Caro y Cuervo, Bogotá.
El Nuevo Tiempo Literario, Bogotá.
Opinión Pública, Bogotá.
Papel Periódico Ilustrado, Bogotá.
La Patria, Bogotá.
La Regeneración, Bogotá.
El Registro Municipal, Bogotá.
El Repertorio Colombiano, Bogotá.
Repertorio Histórico, Medellín.
Revista Bibliográfica. Organo de la Librería Torres Caicedo, Bogotá.
Revista Colombiana de Folklore, Bogotá. (*V. Revista de Folklore*).
Revista de América [*Rev. América*], Bogotá.
Revista de Folklore, Bogotá. (*V. Revista Colombiana de Folklore*).
Revista de la Academia Colombiana de Ciencias Exactas, Físicas y Naturales, Bogotá.
Revista de la Biblioteca Nacional de Bogotá, Bogotá.
Revista de la Instrucción Pública de Colombia, Bogotá.
Revista de las Indias, Bogotá.
Revista de la Universidad de los Andes, Bogotá.
Revista del Archivo Nacional, Bogotá.
Revista del Colegio de Boyacá, Tunja.
Revista del Colegio Mayor de Nuestra Señora del Rosario [*RCMRos*], Bogotá.
Revista del Museo del Atlántico, Barranquilla.
Revista Javeriana, Bogotá.
Revista Literaria, Bogotá.
Revista Universidad del Cauca, Popayán.
San Simón. Organo del Colegio de San Simón, Ibagué.
Santafé y Bogotá, Bogotá.
Santander, Bucaramanga.

Senderos, Bogotá.

El Siglo, Bogotá.

El Siglo — Página Literaria, Bogotá.

Studium, Bogotá.

La Tarde, Bogotá.

Thesaurus (*Boletín del Instituto Caro y Cuervo*), Bogotá.

El Tiempo, Bogotá.

El Tiempo — Lecturas Dominicales, Bogotá.

Universidad de Antioquia, Medellín.

Universidad Nacional de Colombia, Bogotá.

Universidad Pontificia Bolivariana, Medellín.

Vida, Bogotá.

EXTRANJEROS

Américas, Washington, D. C.

The Americas. Academy of American Franciscan History, Washington, D. C.

Anales de la Universidad de Chile, Santiago.

Anales del Instituto Nacional de Antropología e Historia [*An. Inst. Nac. Antrop. Hist.*], México.

Anuario de Estudios Americanos. Escuela de Estudios Hispanoamericanos de Sevilla, España.

Archivalische Zeitschrift, Berlín.

Artigas. Artigas-Washington Library, Washington, D. C.

Asomante, Puerto Rico.

Atenea, Chile.

Bitácora, Caracas.

Boletín de Estudios de Teatro, Buenos Aires.

Boletín de Filología. Instituto de Filología, Universidad de Chile, Santiago. (*V. Boletín del Instituto de Filología de la Universidad de Chile*).

Boletín de Filología Española, Madrid.

Boletín de la Academia Nacional de Historia, Buenos Aires.

Boletín de la Academia Nacional de Historia, Quito.

Boletín de la Biblioteca General. Universidad de Zulia, Venezuela.

Boletín del Instituto Cultural Venezolano-Británico [*Bol. Inst. Cult. Ven-Brit.*], Caracas.

Boletín del Instituto de Cultura Latino Americana, Buenos Aires.

Boletín del Instituto de Filología de la Universidad de Chile, Santiago. (*V. Boletín de Filología*).

Boletín del Instituto de Investigaciones Históricas, Buenos Aires.

Bookman, New York.

Books Abroad, Norman, Oklahoma.

Brújula, San Juan, Puerto Rico.

Bulletin [*Bull.*]. Pan American Union, Washington, D. C.

Cahiers d'Histoire Mondiale, Neuchatel, Switzerland.

Casa Cultural Ecuatoriana, Quito.

College and Research Libraries, Menasha, Wisc.

Comparative Literature Studies, College Park, Univ. of Maryland.

Continente, Quito.

Cuadernos, París. (*V. Cuadernos del Congreso por la Libebrtad de la Cultura*).

Cuadernos Americanos, México.

Cuadernos de Cultura Teatral, Buenos Aires.

Cuadernos del Congreso por la Libertad de la Cultura, París. (*V. Cuadernos*).

Cuadernos Hispanoamericanos, Madrid.

Cuba Contemporánea, Habana.

Cultura e Scuola. (¿Roma?).

Cultura Venezolana, Caracas.

El Eco de Ambos Mundos, México.

La España Moderna, Madrid.

Et Caetera, Guadalajara, México.

Europe, París.

Folklore Americano, Lima.

La Gaceta Municipal de Guayaquil, Guayaquil.

Handbook of Latin American Studies [*Hdbk*], Cambridge, Mass.; Gainesville, Fla.

Hemisferio, México.

Hispania [*Hisp.*], Organo de la American Association of Teachers of Spanish and Portuguese.

Hispanic American Historical Review [*Hisp. Am. Hist. Rev.*], Durham, N. C.

Hispanic Review. University of Pennsylvania, Philadelphia, Pa.

Historium, Buenos Aires.

Humanismo, México.

Ibero-Amerikanisches Archiv [*Iber. Am. Arch.*], Berlín.

Inter American Quarterly, [¿Washington?].

Journal of International Relations, Worcester, Mass.

Les Langues Modernes, París.

Latin American Research Review. University of Texas, Austin, Tex.

Letras del Ecuador, Quito.

Library Journal, New York.

Metáfora, México.

Modern Language Journal [*Mod. Lang. Jour.*], Menasha, Wisc.

Modern Language Quarterly, Seattle, Washington.

Norte, New York.

Nosotros, Buenos Aires.

Nouvelles Archives des Missions Scientifiques et Littéraires. París.

Nueva Revista de Buenos Aires, Buenos Aires.

Nueva Revista de Filología Hispánica, México.

Odyssey Review, New York.

The Pan American Book Shelf. Pan American Union, Washington, D. C.

Planalto, São Paulo, Brasil.

Prairie Schooner, Lincoln, Nebraska.

Publications of the Modern Language Association of America [*PMLA*], Baltimore.

Quarterly Journal of Inter American Relations, Washington, D. C.

Razón y Fe, Madrid.

Repertorio Americano, Costa Rica.

Revista Bimestral Cubana, Habana.

Revista Cubana, Habana.

Revista de Filología Española, Madrid.

Revista de Filología Hispánica, Buenos Aires.

Revista de Historia de América, México.

Revista de Historia de las Indias, Quito.

Revista de la Ciudad de Dios, Valladolid.

Revista de la Habana, Habana, Cuba.

Revista del Ateneo Hispanoamericano, Buenos Aires.

Revista del Río de la Plata, Buenos Aires.

Revista de Occidente, Madrid.

Revista Hispánica Moderna. Columbia University, New York.

Revista Iberoamericana. Organo del Instituto Internacional de Literatura Iberoamericana, México.

Revista Interamericana de Bibliografía, Washington, D. C.

Revista Latinoamericana, París.

Revista Nacional, Montevideo.

Revista Nacional de Cultura, Caracas.

Revista O Jornal, Río.

Revissta Shell, Caracas.

The Romanic Review, New York.

Southeastern Libraries, Atlanta, Ga.

Studies in Philology, Chapel Hill, N. C.

Tamarack Review, Toronto.

Terzo Programma, Roma.
Theatre Arts, New York.
Universidad de la Habana, Habana, Cuba.
University of Texas Publications, Austin, Tex.
Yale University Library Gazette, New Haven, Conn.

FUENTES GENERALES
PARA EL
ESTUDIO DE LA LITERATURA COLOMBIANA

GUIA BIBLIOGRAFICA

BIBLIOGRAFIAS GENERALES

I. LITERATURA COLOMBIANA

ACOSTA HOYOS, LUIS EDUARDO, *comp.*

Bibliografía anotada del Departamento de Nariño... Pasto, Imp. del Depto., 1966. 226 p. 23½ cm.

ICC

ALVAREZ RESTREPO, MARY.

Bibliografía de autores antioqueños. [Medellín], Edit. Universidad de Antioquia, [1961], p. 691-838. 24 cm. *Separata* de la *Revista Universidad de Antioquia* (Medellín), XXXVII, núm. 146 (1961).

"Tesis sometida en cumplimiento parcial de los requisitos exigidos para el título de licenciada en bibliotecología, 1960".

"Registra unos mil doscientos libros agrupados en 20 grandes grupos de materias, terminando con un índice alfabético de autores. Es la primera bibliografía de autores antioqueños. No incluye folletos, salvo las tesis no impresas ni los artículos de revistas y periódicos". (Revista *Universidad de Antioquia,* núm. 144, 1961, p. 148).

Indice [*onomástico*], p. 822-37.

ICC / LC

EL AÑO literario en Colombia, en *Rev. América* (Bogotá), I, núm. 1 (enero de 1945), p. 143-46.

Contiene lista de obras de literatura publicadas en Colombia en 1944.

BLAA / LC, PU

ARANGO, DANIEL, 1921-

Obras y autores. El año literario y artístico, en *El Tiempo* (Bogotá), diciembre 31 de 1945.

"Notas [...] sobre poesía, ensayo, crítica literaria y arte". (*Bbcs*).

BN, BLAA

AREIZIPA, *seud.* de J. M. VERGARA Y VERGARA, 1831-1872.

Bibliografía Neo-Granadina - Catálogo de obras literarias originales publicadas en la Nueva Granada, en *El Mosaico* (Bogotá), I, núms. 47, 49 (noviembre, diciembre, 1859), p. 377; 391-92.

"Se anotan 84 obras 'Líricas y dramáticas' aparecidas entre 1822 y 1859, de los principales autores neogranadinos; uno de los primeros trabajos bibliográficos publicados en Colombia". (*Bbcs*).

ICC

BALANCE crítico; perspectiva literaria de 1949, en *El Tiempo* (Bogotá), diciembre 31 de 1949.

"Comentarios [...] sobre la producción literaria del año". (*Bbcs*).

BN, BLAA

BANCO DE LA REPÚBLICA, *Bogotá*.

... Contribución al Primer Festival del Libro de América que se celebrará en Caracas — Ciudad Universitaria — del 15 al 30 de noviembre de 1956. Bogotá, Imp. del Banco dela República, 1956. 95 p. 27½ cm.

"Lista de algunas de las obras colombianas publicadas en la primera mitad del siglo XX". (*An*'51-56).

BLAA / PU

BIBLIOGRAFÍA de las letras colombianas, [por Teresa Cuatrecasas], en *Diccionario de la literatura latinoamericana: Colombia.* Washington, Unión Panamericana, 1959, p. 175-79.

Bibliografía selecta de las principales obras críticas y de referencia.

LC, PU, USC, UCLA

BIBLIOTECA "JORGE GARCÉS B.", *Cali.*

Anuario bibliográfico colombiano, 1951. Ordenado y publicado por la Biblioteca "Jorge Garcés B." Cali, Imp. J. G. B., 1952 [en el colofón 1953]. 247 p. 24 cm.

"La recopilación y anotaciones de este Anuario bibliográfico colombiano estuvieron a cargo de Pedro R. Carmona".

"Recoge muchos de los libros y artículos publicados en 1951. Contiene, además, un Informe sobre los problemas bibliográficos de Colombia, por Rubén Pérez Ortiz y el año literario de 1951, por Ricardo Ortiz McCormick". (*An*'51-56).

El *Anuario bibliográfico colombiano* fue "First issued for the year 1951 by The Biblioteca 'Jorge Garcés B', but taken over by The Instituto Caro y Cuervo, which published an edition in 1958 convering the years 1951-56". (*Hdbk*'59).

ICC, BN, BLAA / LC, PU, CU, NC

BIBLIOTECA "LUIS-ANGEL ARANGO", *Bogotá.*

Contribución al Festival del Libro en América. Bogotá, Imp. del Banco de la República, 1956. 95 p.

Contenido de interés: *Catálogo alfabético por autores* [De los libros colombianos impresos en el país, o en el exterior, que se refieren a asuntos de Colombia, desde 1901 hasta 1950, sobre ciencias, artes, filosofía, letras, educación e historia. Selección hecha por Gustavo Otero Muñoz . . .], p. 13-54; *Catálogo cronológico* [De las obras nacionales que se envían al Primer Festival del Libro de América que se celebrará en Caracas del 15 al 30 de noviembre de 1950, relativo a ediciones de los años 1901-1950, distribuídas según la fecha de su aparición. Selección hecha por Gustavo Otero Muñoz ...], p. 55-95.

BLAA / LC

BIBLIOTECA "LUIS-ANGEL ARANGO", *Bogotá.*

Contribución al "Segundo Festival del Libro de América" que se celebrará en Río de Janeiro del 21 de junio al 5 de julio de 1958. Bogotá, Imp. del Banco de la República, 1958. 31 p. 27 cm.

Contenido de interés: *Catálogo alfabético por autores* [De libros colombianos impresos en el país, o en el exterior, que se refieren a asuntos de Colombia, desde 1901 hasta 1958, sobre ciencias, artes, filosofía, educación e historia. Elaborado por la sección técnica de la Biblioteca Luis-Angel Arango], p. 11-31.

"Catálogo de las obras colombianas que el Banco de la República obsequia a la Universidad del Brasil en oportunidad de la celebración, en Río, del Segundo Festival del Libro en América". (*An*'57-58).

BLAA / LC

CATÁLOGO de la *Biblioteca Popular de Cultura Colombiana* y de otros volúmenes editados por la Sección de Publicaciones del Ministerio de Educación Nacional. Bogotá, [Prensas del Ministerio de Educación], 1948. 5 h.

"Se anotan 120 títulos de la *B. P. de C. C.*" (*Bbcs*).

COBOS, MARÍA TERESA.

Guía bibliográfica para los Llanos Orientales de Colombia, en *Bol. Cult. y Bibl.* (Bogotá), VIII, núm. 12 (1965), p. 1888-1935.

"Registra 217 libros y 260 artículos ordenados por autores. Comprende trabajos sobre geografía, historia, etnología, lingüística, literatura y folclore". (*Hdbk*, Nº 28).

ICC, BN, BLAA / LC, UCLA

COLOMBIA. *Depto. de Extensión Cultural y Bellas Artes.*

Exposición del libro, Biblioteca Nacional, 26 de julio a 26 de agosto, 1942. Auspiciada por la Dirección de Extensión Cultural y Bellas Artes del Ministerio de Educación Nacional y la Biblioteca Nacional de Colombia. Dirigida por: el director de la Biblioteca y D. Juan Bueno Medina, encargado de la sección de incunables ... [Bogotá, Prensas de la Biblioteca Nacional, 1942]. 82 p. facsíms. 33 cm.

BN / LC

CÓRDOBA M., EDGAR E.

Algunas obras de consulta colombianas. Medellín, 1960. x, 69 h. 28 cm. Copias mecanografiadas.

Tesis, licenciado en Bibliotecología, Escuela Interamericana de Bibliotecología, 1960.

"Registra unos quinientos libros agrupados en obras generales (bibliografías, catálogos de bibliotecas, editores y librerías). Filosofía y Religión; Ciencias sociales (estadística, economía, derecho, administración, educación, costumbres); Lingüísticas; Ciencias puras (meteorología, botánica, otras ciencias puras); Ciencias aplicadas (agricultura, medicina, odontología y farmacia); Bellas artes; Literatura; Historia (geografía, diccionarios geográficos, guías de ciudades y pueblos, biografías, diccionarios biográficos, genealogía. Termina con un índice alfabético de autores". (Luis Florén).

CHARRIA P., EMIRO, *comp.*

Colección de autores vallecaucanos. Cali (Colombia), Universidad del Valle, Departamento de Bibliotecas, 1965. 17 p. 28 cm. Mimeografiado.

Contenido: Obras generales; Libros técnicos; Tesis de la

Universidad del Valle [no se incluyen tesis sobre literatura]; Publicaciones periódicas.

"En este folleto solamente están incluídos los libros de literatura y técnicos, los títulos de las publicaciones periódicas y las tesis de la Universidad. Faltan los folletos, las publicaciones de Gobierno, etc". (*Introducción*, s. p.).

ICC

CHILDS, JAMES B., 1896-

Colombian government publications. Washington, 1941. 41 p. (Reprinted from *Proceedings of the Third Convention of the Inter-American Bibliographical and Library Association*), New York, 1941, p. 301-59.

ICC / LC, PU, CU, Dth

— A guide to the official publications of the other American republics. V-Colombia. Washington, The Library of Congress, 1948. 89 p.

Se incluyen varias publicaciones de carácter literario.

V. Peraza Sarausa, Fermín, *Publicaciones oficiales colombianas*, p. 20.

LC, PU

DELGADO NIETO, CARLOS, 1912-

Libros nacionales y extranjeros de 1942, en *El Tiempo* (Bogotá), diciembre 31 de 1942.

"Comprende: ediciones oficiales, obras continentales, poesías, novelas". (*Bbcs*).

BN, BLAA

EÇA, RAOUL D.

A general bibliography of Colombian publications for 1938. Washington, Inter-American Book Exchange, 1940. 20 p. (Bibliographical Series, VII).

Entre las publicaciones incluídas aparecen algunas obras de literatura.

LC, PU

FLORÉN LOZANO, LUIS, 1913- *comp.*

Bibliografía bibliotecológica y bibliográfica colombianas, 1956-1958. Bogotá, [Centro Interamericano de Vivienda], 1959. 3 h. p., 34 p. 26 cm.

Contenido: I. Bibliotecología; II. Bibliografía: A. Libros, folletos y artículos de revistas; B. Publicaciones periódicas; Indice de autores; Revistas y periódicos analizados.

ICC

— Bibliografía bibliotecológica, bibliográfica y de obras de referencia colombianas publicadas en 1961 y 1962. Medellín, Colombia, Editorial Univ. de Antioquia, 1963. 68 h. (Manuales de Bibliografía y Documentación Colombianas, 1).

LC

—— en 1963. Medellín, Edit. Universidad de Antioquia, 1964. VI, 68 h. 27 cm. (Manuales de Bibliografía y Documentación Colombianas, I). Mimeografiado.

LC

—— en 1964. Medellín, Edit. Universidad de Antioquia, 1965. IV, 52 h. 26½ cm. (Manuales de Bibliografía y Documentación Colombianas, I). Mimeografiado.

Estas compilaciones de Luis Florén Lozano contienen algunas bibliografías literarias.

LC

* FLORÉN LOZANO, LUIS, 1913- *comp.*

Obras de referencia y generales de la bibliografía colombiana. Materiales de clase para curso B-14, Bibliografía. Medellín, Escuela Interamericana de Bibliotecología, 1960. IV, 76 p. 28 cm. Mimeografiado.

Contenido: A. Bibliografía general; B. Bibliotecas; C. Sociedades; D. Periódicos y revistas; E. Publicaciones gubernamentales; F. Religión; G. Ciencias sociales; H. Diccionarios lingüísticos; J. Ciencias Puras; K. Ciencias aplicadas; L. Bellas artes; M. Literatura (P. 44-50); N. Biografías; P. Geneologías; Q. Geografía; R. Historia.

ICC, BLAA / LC, PU, UCLA

GIRALDO JARAMILLO, GABRIEL, 1916- *comp.*

Bibliografía colombiana de viajes. Bogotá, Edit. A B C, 1957. 224 p. 20½ cm. (Biblioteca de Bibliografía Colombiana, II).

"More than 300 items relating to travel in Colombia, both by Colombians and foreigners —notably during the 19th century— are found in this excellent bibliography. Indispensable". (*Hdbk'*58).

ICC, BLAA / LC, CU

* GIRALDO JARAMILLO, GABRIEL, 1916- *comp.*

Bibliografía de bibliografías colombianas. 2ª ed. corregida y puesta al día por Rubén Pérez Ortiz. Bogotá, Imp. Patriótica del Instituto Caro y Cuervo, 1960. XVI, 208 p. 22 cm. (Publicaciones del Instituto Caro y Cuervo, Serie Bibliográfica, I).

1ª ed.: Bogotá, Edit. Pax, 1954. 192 p. (Publicaciones de la Biblioteca Nacional).

Contenido: *Nota liminar a la primera edición,* por Guillermo Hernández de Alba; *La Bibliografía en Colombia,* por Gabriel Giraldo Jaramillo; Bibliografía de bibliografías colombianas: Bibliografías generales, Catálogos de Archivos, Bibliotecas y Librerías, Bibliografías por materias, Bibliografías personales, Bibliografía selecta de historias de la literatura colombiana, Indices.

Obra básica de la bibliografía colombiana.

ICC, BN, BLAA / LC, PU, NYPL, UCLA

GÓMEZ VALDERRAMA, PEDRO, 1923-

El año literario, en *El Tiempo* (Bogotá), diciembre de 1944.

"Breve comentario sobre la producción literaria del año". (*Bbcs*).

BN, BLAA

HERRERA SOTO, ROBERTO.

Balance bibliográfico, en *El Siglo* — Página Literaria (Bogotá), 30 de diciembre de 1951, p. 3.

Resumen bibliográfico de la producción literaria del año.

BN, BLAA

HUDSON, GERTRUDE.

Síntesis de la literatura colombiana - Indice de los autores y de sus obras representativas, en *Bol. Cult. y Bibl.* (Bogotá), IX, núm. 7 (1966), p. 1415-24.

Lista selecta de obras y autores.

ICC, BN, BLAA / LC, UCLA

INTERAMERICAN BOOK EXCHANGE, *Washington, D. C.*

A general bibliography of Colombian publications ... 1938- Washington, D. C., The Inter-American Book Exchange, 1940. v. 28 x 21½ cm. (Bibliographical Series, Nº 7). Mimeographed. ¿Dejó de publicarse?

El volumen correspondiente al año 1940 contiene algunas obras de literatura.

LC, PU, CU, UVa

*J[IMÉNEZ] A[RANGO], R[AÚL].

Escaparate del bibliófilo, en *El Tiempo* - Lecturas Dominicales (Bogotá), marzo de 1964- Publicación semanal.

En curso de publicación. Presenta esta excelente sección muy completos comentarios bibliográficos sobre obras raras y curiosas. Muchas de ellas tienen interés para la literatura colombiana.

ICC, BN, BLAA

* LAVERDE AMAYA, ISIDORO, 1852-1903.

Apuntes sobre bibliografía colombiana, con muestras escogidas en prosa y en verso. Con un apéndice que contiene la lista de las escritoras colombianas, las piezas dramáticas, novelas, libros de historia y de viajes escritos por colombianos. Bogotá, Imp. de Vapor de Zalamea Hermanos, 1882. 240 p. 21 cm.

2ª ed. con el título *Bibliografía colombiana ...* Bogotá, Imp. y librería de Medardo Rivas, 1895. 296 p.

"De esta segunda edición sólo apareció el tomo I que comprende desde la letra A hasta la O, inclusive.

Los trabajos bibliográficos de Laverde Amaya constituyen el más valioso esfuerzo realizado en Colombia y no han sido superados hasta el momento". (*Bbcs*).

ICC (1ª y 2ª eds.), BN (1ª y 2ª eds.), BLAA (1ª y 2ª eds.), Ac Col. (2ª ed.) / LC (1ª y 2ª eds.), PU (1ª ed.), NYPL (1ª ed.), NC (2ª ed.), UCLA (1ª ed.)

LAVERDE AMAYA, ISIDORO, 1852-1903.

Bibliografía colombiana; notas ligeras, en *La Patria* (Bogotá), t. I (1877), p. 41-47.

"Reseña de varias publicaciones periódicas y de diversas obras aparecidas en aquel año". (*Bbcs*).

BN

LAVERDE AMAYA, ISIDORO, 1852-1903.

Bibliografía femenina. Noticias de las publicaciones hechas por colombianas y datos biográficos de las mismas, en *Revista Literaria* (Bogotá), III, entrega 36 (1893), p. 642-51.

"Ampliación de las noticias que incluye en el Apéndice de la primera edición de sus *Apuntes sobre bibliografía colombiana,* p. 209-214. Comprende 29 bocetos bio-bibliográficos" (*Bbcs*).

ICC, BN, BLAA / LC, PU, NYPL, UCLA

LAVERDE AMAYA, ISIDORO, 1852-1903.

Libros de viajes escritos por colombianos, en *Apuntes sobre bibliografía colombiana,* Bogotá, 1822, p. 235-37.

"Primera bibliografía colombiana de viajes; se anotan 17 títulos". (*Bbcs*).

ICC, BN, BLAA / LC, PU, NYPL, UCLA

* LEAVITT, STURGIS E., and GARCÍA PRADA, CARLOS.

A tentative bibliography of Colombian literature. Cambridge, Harvard University Press, 1934. 80 p.

Published by The Harvard Council of Hispano-American Studies.

"List of bibliographies, catalogues, histories of literature, etc.", 6th preliminary leaf.

"Obra fundamental de la bibliografía literaria de Colombia". (*Bbcs*).

ICC / LC, PU, CU, NYU, NYPL, UVa, WLU, USC, UCLA

LÓPEZ GÓMEZ, ADEL.

La literatura colombiana en 1929, en *El Espectador* — Suplemento Ilustrado (Bogotá), 31 de diciembre de 1929.

Comentario sobre la actividad bibliográfica y literaria del año.

BLAA, BN

LUCENA, INÉS DE.

Bibliografía colombiana - 1962, en *Bol. Cult. y Bibl.* (Bogotá), VI, núm. 1 (1963), p. 110-13; núm. 2, p. 269-72; núm. 3, p. 423-26; núm. 4, p. 573-76.

—— 1963, en *Bol. Cult. y Bibl.* (Bogotá), VI, núm. 7 (1963), p. 1105-1108.

ICC, BN, BLAA / LC, UCLA

MANRIQUE TERÁN, GUILLERMO, 1890-

El año literario, en *El Tiempo* (Bogotá), diciembre 31 de 1939.

"Informaciones sobre sociología, historia, novela, poesía, y ediciones oficiales en 1939". (*Bbcs*).

BN, BLAA

MANRIQUE TERÁN, GUILLERMO, 1890-

Libros del Centenario, en *El Tiempo* (Bogotá), diciembre 31 de 1938.

"Información sobre las publicaciones hechas con motivo del Cuarto Centenario de la fundación de Bogotá, 1938". (*Bbcs*).

BN, BLAA

MANRIQUE TERÁN, GUILLERMO, 1890-

Los libros colombianos en 1940, en *El Tiempo* (Bogotá), diciembre 31 de 1940.

"Breve información sobre ensayo, novela, crónica, poesía, lecturas y conferencias del año". (*Bbcs*).

BN, BLAA

MANRIQUE TERÁN, GUILLERMO, 1890-

Múltiple y amplia fue la producción bibliográfica en el año que termina, en *El Tiempo* (Bogotá), diciembre 31 de 1941.

"Información sobre el año bibliográfico". (*Bbcs*).

BN, BLAA

MARCIALES, MIGUEL.

Bibliografía de autores nortesantandereanos, en *Geografía histórica y económica del Norte de Santander*. Redactor y coordinador de la obra: Miguel Marciales. Publicaciones de la Contraloría del Norte de Santander. Bogotá, Edit. Santafé, 1948, p. 431-38.

La bibliografía está en un Apéndice al final del volumen.
ICC

MORALES PRADILLA, PRÓSPERO, 1920-

1950: Balance de la cultura. Los libros, en *El Tiempo* - Suplemento Literario (Bogotá), diciembre 31 de 1950.

"Comentarios sobre algunas de las obras literarias colombianas aparecidas en el año, y mención de las más importantes entre las extranjeras". (*Bbcs*).
BN, BLAA

NIETO CABALLERO, LUIS EDUARDO, 1888-1957.

Libros colombianos publicados en 1924 (Primera serie). Bogotá, Imp. de *El Espectador,* 1925. 329 p.

— Segunda serie. Bogotá, Edit. Minerva, 1928. 292 p.

— Tercera serie. Bogotá, Edit. Minerva, 1928, 272 p.

"Comentarios críticos de obras colombianas debidos a la pluma del ilustre periodista, que en la prensa diaria adelantó una ingente tarea bibliográfica". (*Bbcs*).

ICC, BN, BLAA / LC, CU, Y, Dth, VMI

ORJUELA, HÉCTOR H, 1930-

Balance literario de Colombia en 1963, en *Hisp.*, XLVII, Nº 3 (September, 1954), p. 539-43.

ICC, BLAA / LC, USC, UCLA

* ORTEGA RICAURTE, ENRIQUE, 1893-

Bibliografía académica. Publicación de la Academia Colombiana de Historia con motivo del cincuentenario de su fundación, 1902-1952. Bogotá, Edit. Minerva, 1953. xi, 645 p.

"Esta completísima bibliografía personal de los miembros de número de la Academia Colombiana de Historia, comprende informaciones bio-bibliográficas de los siguientes académicos: Miguel Abadía Méndez, Luis Alberto Acuña, Miguel Aguilera, Enrique Alvarez Bonilla, Francisco Andrade S., Gustavo Arboleda Restrepo, Germán Arciniegas, Joaquín Arciniegas, Daniel Arias Argáez, Miguel Arroyo Díez, Gerardo Arrubla, Francisco de P. Barrera, José Alejandro Bermúdez, Roberto Botero Saldarriaga, José Joaquín Casas, Bernardo Caycedo, Bernardo J. Caycedo, José María Cordovez Moure, Roberto Cortázar, Santiago Cortés, Carlos Cortés Vargas, Luis Augusto Cuervo, Carlos Cuervo Márquez, Luis Cuervo Márquez, Simón Chaux, Moisés de Rosa, Pedro Julio Dousdebés, Luis Duque Gómez, Manuel María Fajardo, Luis Fonnegra, Manuel José Forero, Juan Crisóstomo García, Julio César García, Laureano García Ortiz, Nicolás García Samudio, Gabriel Giraldo Jaramillo, José Manuel Goenaga, Rafael Gómez Hoyos, Antonio Gómez Restrepo, Maximiliano Grillo, Ramón Guerra Azuola, José Joaquín Guerra, José Joaquín Gutiérrez, José Tomás Henao, Jesús María Henao, Hermano Luis Gonzaga (Pacífico Coral), Guillermo Hernández de Alba, Jorge Holguín, Hernando Holguín y Caro, Pedro María Ibáñez, Antonio José Iregui, Emiliano Isaza, Adolfo León Gómez, Indalecio Liévano Aguirre, Roberto Liévano, Luis López de Mesa, Fabio Lozano

Torrijos, Carlos Lozano y Lozano, Fabio Lozano y Lozano, Pedro Carlos Manrique, José Manuel Marroquín Osorio, Luis Martínez Delgado, Belisario Matos Hurtado, Diego Mendoza Pérez, Alberto Miramón, José Dolores Monsalve, Ricardo Moros Urbina, Enrique Narváez G., Luis Orjuela, Eugenio Ortega, Daniel Ortega Ricaurte, Enrique Ortega Ricaurte, Tulio Ospina, Enrique Otero D'Costa, Gustavo Otero Muñoz, Carlos Pardo, Juan B. Pérez y Soto, Anselmo Pineda, Jorge Pombo, Manuel Antonio de Pombo, Gabriel Porras Troconis, Eduardo Posada, Arturo Quijano, Fernando Restrepo Briceño, Carlos Restrepo Canal, Félix Restrepo S. J., Martín Restrepo Mejía, José Restrepo Posada, José María Restrepo Sáenz, Eduardo Restrepo Sáenz, Ernesto Restrepo Tirado, Raimundo Rivas, José María Rivas Groot, José Manuel Rivas Sacconi, Alfonso Robledo, Emilio Robledo, Eduardo Rodríguez Piñeres, Horacio Rodríguez Plata, Daniel Samper Ortega, Eduardo Santos, Marco Fidel Suárez, Jorge H. Tascón, Tulio Enrique Tascón, Rafael Tovar Ariza, Miguel Triana, Antonio José Uribe, Francisco José Urrutia, Guillermo Valencia, Andrés Vargas Muñoz, Cayetano Vásquez Erizalde, Jorge Ricardo Vejarano, Liborio Zerda, Eduardo Zuleta". (*Bbcs*).

ICC, BN, BLAA, AcCol / LC, UVa

ORTIZ MCCORMICK, RICARDO, 1925-

Panorama de la cultura. El año literario de 1946, en *El Tiempo* (Bogotá), diciembre 31 de 1946.

— El año literario de 1947, en *El Tiempo* (Bogotá), diciembre 31 de 1947.

— Balance de la cultura. El año literario de 1951, en *El Tiempo* — Suplemento Literario (Bogotá), diciembre 30 de 1951; — *Anuario bibliográfico colombiano, 1951* ordenado y publicado por la Biblioteca "Jorge Garcés B.", Cali, 1952, p. 183-88.

— La producción bibliográfica en 1952. Aspectos y perspectivas del año literario, en *El Tiempo* (Bogotá), 31 de diciembre de 1952, p. 24.

— El año literario de 1953, en *El Tiempo* (Bogotá), diciembre 31 de 1953.

— Balance de la cultura. El año bibliográfico de 1957, en *El Tiempo* (Bogotá), 31 de diciembre de 1957, p. 22.

— El año bibliográfico de 1958, en *El Tiempo* (Bogotá), 31 de diciembre de 1958, p. 15, 21.

— — de 1959, en *El Tiempo* (Bogotá), enero 2 de 1960, p. 12-13.

— Balance de la cultura. El año bibliográfico de 1961, en *El Tiempo* (Bogotá), 31 de diciembre de 1961, p. 10, 12.

— — de 1962, en *El Tiempo* (Bogotá), 31 de diciembre de 1962, p. 18-19.

— — de 1963, en *El Tiempo* (Bogotá), 31 de diciembre de 1963, p. 16-17.

— — de 1964, en *El Tiempo* (Bogotá), 31 de diciembre de 1964, p. 24-26.

— El año bibliográfico de 1965, en *El Tiempo* — Lecturas Dominicales (Bogotá), 16 de enero de 1966, p. 2-3; 23 de enero, p. 2-3.

— El año bibliográfico, libros y escritores de 1966, en *El Tiempo* — Lecturas Dominicales (Bogotá), 8 de enero de 1967, p. 6-8.

Con sus comentarios crítico-bibliográficos sobre la producción literaria anual en Colombia, Ricardo Ortiz CcCormick ha hecho un valioso aporte a la bibliografía nacional.

BN, BLAA

OTERO MUÑOZ, GUSTAVO, 1894-1957.

Bibliografía colombiana de 1938, en *Rev. de las Indias* (Bogotá), época 2, núms. 2-4 (enero-marzo de 1939).

"This well prepared list of publications, which is sponsored by the Ministerio de Educación Nacional, is classified according to subject matter and is complete in these three installments. The pages are not numbered". (*Hdbk'*39).

ICC, BN, BLAA

OTERO MUÑOZ, GUSTAVO, 1894-1957.

Ensayo sobre una bio-bibliografía colombiana, en *Bol. Hist. Ant.* (Bogotá), XXIII (1936), p. 169-176, 303-315, 418-427, 498-507, 678.

"Lista de obras de autores colombianos, por orden alfabético; comprende sólo una parte de la letra A." (*Bbcs*).

V. Quijano, Arturo, p. 23.

ICC, BN, BLAA, AcCol / LC, PU, NYPL, UCLA

PACHÓN PADILLA, EDUARDO.

Selección de la bibliografía de la literatura colombiana, en *Bol. Cult. y Bibl.* (Bogotá), IV, núm. 9 (septiembre de 1961), p. 876 901.

Contenido general: *Prosa y verso*: I. La Conquista y la Colonia; II. La Independencia; III. La República en el siglo XIX; IV. La República en el siglo XX; Apéndice: Antologías.

ICC, BN, BLAA / LC, UCLA

PAN AMERICAN UNION, *Washington, D. C.*

Literary production in Colombia. [Preliminary report on bibliographical matters in Colombia], en *Bull.*, LXIII (Nov., 1929), p. 1124-27.

LC, PU, USC

PERAZA Y SARAUSA, FERMÍN, 1907- *comp.*

Fichas para el anuario bibliográfico colombiano (enero-junio, 1961), t. I. Medellín, Ediciones Anuario Bibliográfico Cubano, 1961. v, 25 p. 28 cm. (Biblioteca del Bibliotecario, 61). Mimeografiado.

"Contiene dos secciones: Libros de Medellín y otros libros colombianos, con un total de 167 fichas. Se incluyen hojas impresas y mimeografiadas". (*An'*61).

ICC, BLAA / LC, PU

PERAZA Y SARAUSA, FERMÍN, 1907- *comp.*

Libros de Medellín, 1961. Medellín, Ediciones Anuario Bibliográfico Cubano, 1961. 28 p. 28 cm. (Biblioteca del Bibliotecario, 63).

BLAA / LC, PU

PERAZA Y SARAUSA, FERMÍN, 1907- *comp.*

Publicaciones oficiales colombianas, por Fermín Peraza y José Ignacio Bohórquez C. Gainesville, 1964. IV, 31 h. 28 cm. (Biblioteca del Bibliotecario, 69).

V. Childs, James B., *Colombian Government Publications,* p. 8.

BLAA / LC, PU

* PÉREZ ORTIZ, RUBÉN, 1914-1964, *comp.*

Anuario bibliográfico colombiano 1951-1956, compilado por Rubén Pérez Ortiz. Bogotá, [Imp. del Banco de la República], 1958. xx, 334 p., 2 h. 24 cm. (Publicaciones del Instituto Caro y Cuervo, Departamento de Bibliografía).

—— 1957-1958, compilado por Rubén Pérez Ortiz. Bogotá, [Prensas del Instituto Caro y Cuervo], 1960. xvi, 178 p., 4 h. 24 cm. (Instituto Caro y Cuervo. Departamento de Bibliografía).

—— 1959-1960. Compilado por Rubén Pérez Ortiz. Bogotá, Instituto Caro y Cuervo, Departamento de Bibliografía, 1961. xvi, 242 p., 5 h. 24 cm.

—— 1961. Compilado por Rubén Pérez Ortiz. Bogotá, Imp. Patriótica del Instituto Caro y Cuervo, 1963. xvi, 178 p. 5 h. 25 cm. (Instituto Caro y Cuervo. Departamento de Bibliografía).

V. r. de Héctor H. Orjuela, en *Hisp.* XLVII, Nº 4 (December, 1964), p. 878.

—— 1962, compilado por Rubén Pérez Ortiz. Bogotá, [Imp. Patriótica del Instituto Caro y Cuervo], 1964. vi, 188 p. 6 h. 25 cm. (Instituto Caro y Cuervo. Departamento de Bibliografía).

Los tomos de este *Anuario* constituyen el mejor índice de la producción bibliográfica colombiana a partir de 1951. Su sección de literatura incluye literatura universal y literatura colombiana (Historia y crítica, Poesía, Teatro, Novela y cuento, Ensayo, Humorismo, Miscelánea, etc.).

Desde 1966 está encargado de la compilación del *Anuario* Francisco José Romero Rojas. (*V.* p. 23).

ICC, BN, BLAA / LC, PU, HU, UCLA

* Posada, Eduardo, 1862-1942.

Bibliografía bogotana. Bogotá, Imp. de Arboleda & Valencia; Imp. Nacional, 1925-1927. 2 v. xxii, 506; xii, 596 p.

La obra está organizada cronológicamente (1738-1831) y contiene indices de autores y materias.

"Publicada inicialmente en el *Boletín de Historia y Antigüedades,* vols. IX, X, XII, XIII y XV. Obra fundamental de bibliografía colombiana, minuciosa y exacta descripción de las obras publicadas en Bogotá desde 1738 hasta 1831; comprende 1410 referencias". (*Bbcs*).

"La primera ed. de esta obra fue hecha en Madrid, Librería General de Victoriano Suárez. Calle de Preciados Nº 48, 1917 y se titula *La imprenta en Santafé de Bogotá en el siglo XVIII.* Tiene una introducción del editor en nuestro nombre, así como algunos párrafos puestos por él. Nos llegó ese libro cuando imprimíamos los últimos pliegos del presente..." (*Prólogo,* p. xx).

ICC, BN, BLAA / LC, CU, Dth, USC

POSADA, EDUARDO, y OTERO MUÑOZ GUSTAVO.

Bibliografía bogotana, en *Bol. Hist. Ant.,* vol. XXXVII, núms. 423-425, p. 125-49; 426-428, p. 338-74; núms. 429-431, p. 505-29; núms. 432-434, p. 659-81; vol. XXXVIII, núms. 435-437, p. 133-57. Bogotá, 1950-1951.

"Continuación de la Bibliografía bogotana de D. Eduardo Posada; comprende las obras aparecidas entre los años de 1831 a 1834, con un total de 695 títulos". (*Bbcs*).

ICC, BN, BLAA / LC, PU, UCLA

PRESENTE y porvenir del libro en Colombia. La actividad editorial en 1944, en *El Tiempo* (Bogotá), diciembre 31 de 1944.

"Anotaciones bibliográficas sobre el año de 1944 y encuesta con los editores señores Arcadio Plazas y Plinio Mendoza Neira". (*Bbcs*).

BN, BLAA

LA PRODUCCIÓN literaria en 1936, en *El Tiempo* (Bogotá), diciembre 31 de 1936.

"Lista de 237 obras aparecidas en el año de 1936". (*Bbcs*).

BN, BLAA

QUIJANO, ARTURO.

Ensayo sobre una bio-bibliografía colombiana, en *Bol. Hist. Ant.* (Bogotá), XXIII (1936), p. 169-76; 303-15; 418-27; 498-507; 678.

Este ensayo no es de Arturo Quijano. Algunos bibliógrafos equivocadamente se lo atribuyen. Su autor es el investigador Gustavo Otero Muñoz. *V.* p. 19.

*RODRÍGUEZ GUERRERO, IGNACIO.

Libros colombianos raros y curiosos, en *Bol. Cult. y Bibl.* (Bogotá), III, núm. 3, marzo de 1960- Cap. I-

En curso de publicación.

Extensos comentarios sobre obras raras y curiosas. Esta excelente sección del *Bol. Cult. y Bibl.* presta un invaluable servicio a los estudiosos de la cultura colombiana.

ICC, BN, BLAA / LC, UCLA

* ROMERO ROJAS, JOSÉ FRANCISCO.

Anuario bibliográfico colombiano «Rubén Pérez Ortiz», 1963. Bogotá, [Imp. Patriótica del Instituto Caro y Cuervo], 1966. VI, 199 p., 4 h. 25 cm. (Instituto Caro y Cuervo. Departamento de Bibliografía).

Continuación del *Anuario* compilado por Rubén Pérez Ortiz (*V.* p. 20-21). El presente tomo tiene las siguientes divisiones generales para literatura colombiana: Historia y crítica, Poesía, Teatro, Novela y cuento, Ensayo, Oratoria, Humorismo y Miscelánea.

—— 1964-1965. Bogotá, [Imp. Patriótica del Instituto Caro y Cuervo], 1967. XII, 339 p., 6 h. 25 cm. (Instituto Caro y Cuervo. Departamento de Bibliografía).

ICC, BN, BLAA / LC, PU, HU, UCLA

[SELECCIÓN Samper Ortega de Literatura Colombiana]. Biblioteca Aldeana de Colombia.

Indices. Bogotá, Edit. Minerva, 1937. 456 p.

Contenido: Advertencias preliminares; Catálogo de los cien volúmenes: Indice por autores, Indice por secciones; Algunos conceptos sobre la Selección Samper Ortega.

ICC, BN, BLAA / LC, Y, USC

URICOECHEA, EZEQUIEL, 1834-1880.

Bibliografía colombiana, en *Revista Latinoamericana* (París), año I, tomo I, 1874. 48 p.

Contenido: A, p. 1-10; Anónimos, p. 11-48.

"Se publicó como suplemento de la Revista y sólo aparecieron tres fascículos con un total de 48 páginas, que comprenden sólo parte de la letra A y una lista de publicaciones anónimas. La más ambiciosa empresa bibliográfica del siglo XIX en Colombia, infortunadamente inconclusa". (*Bbcs*).

ICC / LC

II. LITERATURA GENERAL

AKADEMIA NAUK SSSR. *Institut Latinskoi Ameriki.*

Latinskaia Amerika v sovetskoi pechati, 1946-1962 gg. Moskva, 1964. 132 p.

"Arranged chronologically by country, with references to 1,928 books and periodical articles (in Russian only) dealing with the past and present history, economy, and culture of the Latin American republics. Includes author and title indexes". (*Hdbk,* Nº 28).

LC

BELLINI, GIUSEPPE.

[Bibliografía della letteratura ispano-americana], en UGO GALLO, *Storia della letteratura ispano-americana.* 2ª ed. Milano, Nuova Academia Editrice, 1958, p. 428-70.

LC, UCLA

BIBLIOGRAFÍA general española e hispanoamericana. Enero-abril, 1923; marzo-abril, 1942. [Madrid], 1925-[1942]. 16 v.

Monthly, 1923-36; bimonthyl, 1941-42. Publication suspended July, 1936 - Jan., 1941.

"Publicada por las Cámaras oficiales del Libro de Madrid y Barcelona". Esta publicación fue reemplazada por *Bibliografía hispánica.*

En sus secciones de literatura la revista incluye obras de literatura colombiana publicadas en España.

LC, KU

[BIBLIOGRAFÍA hispanoamericana], en *Revista Hispánica Moderna.* New York, Hispanic Institute in the United States, Columbia University. tomo I, 1934-

Incluye útil información bibliográfica sobre geografía, historia, arte, economía, etc. y sobre literatura hispanoamericana. Las fichas carecen de comentarios críticos.

LC, PU, UVa, UCLA

BRITANNICA [book of the year] ... Chicago, Encyclopaedia Britannica Inc., London, The Enciclopaedia Britannica Co. Ltd. [etc], c-1938- v. ilus. 28½ cm.

Editors: 1938- F. H. Hooper, Walter Yust.

"The Britannica book of the year bridges the gap between editions of the Encyclopaedia britannica" (*Introd.*)

Incluye reseñas crítico-bibliográficas sobre literatura hispanoamericana. Desde 1960 la sección *Latin American Literature* está a cargo del profesor Kurt L. Levy.

LC / UCLA

BRYANT, SHASTA M.

A selective bibliography of bibliographies of Hispanic American literature. Washington, Pan American Union, 1966. VI, 48 p.

"This bibliography is both tentative and selective. That is, it represents a first effort, and does not pretend to be complete. The objective was to prepare a useful reference tool for students of Hispanic American literature..." (*Foreword,* p. VI).

Contiene 374 bibliografías.

ICC / LC, PU

BRUNET, JACQUES CHARLES, 1780-1867.

Manuel du libraire et de l'amateur de livres, contenant 1º. Un nouveau dictionnaire bibliographique ... 2º. Une table en forme de catalogue raisonné ... Par J.-C. Brunet, Fils. Paris, Brunet; Leblanc, 1810. 3 v. 20 cm.

2. éd.: Augm. de plus de quatre mille articles, et d'un grand nombre de notes ..., *id.,* 1814. 4 v. 20½ cm.

3. éd.: Augm. de plus de deux mille articles, et d'un grand nombre de notes ... Paris, L'auteur, 1820. 4 v. 22½ cm.

4. éd.: Dans laquelle les nouvelles recherches bibliographiques, pub. par l'auteur en 1834, pour y servir de supplément sont refondues et mises a leur place ... le tout rédigé et mis en ordre par une societé de bibliophiles belges. Bruxelles, Meline, Cons et Cie., 1838-45. 5 v. 24½ cm.

4. éd.: Originale; entièrement rev. par l'auteur qui y a refondu les nouvelles recherches déja pub. par lui en 1834, et un gran nombre d'autres recherches qu'il a faites depuis... Paris, Silvestre, 1842- 5 v. 23½ cm.

5. éd.: Originale, entièrement refondue et aug. d'un tiers par l'auteur ... Paris, Firmin Didot Frères, Fils et Cie., 1860-65. 6 v. 24½ cm.

V. Pierre Charles Ernest Deschamp, *Manuel du libraire et de l'amateur de livres: Supplément...* Paris, Firmin Didot et Cie., 1878-80. 2 v. 24½ cm.

"En esta obra, considerada como clásica en la bibliografía francesa, se mencionan numerosas obras referentes a América y a Colombia". (*Bbcs*).

LC, HU

BUENAVENTURA, EMMA, *comp.*

Bibliografía de literatura infantil, por Emma Buenaventura, y La biblioteca como auxiliar de la educación, por Emma Linares y Marietta Daniels. Washington, Unión Panamericana, 1959. 70 p. 27 cm. (Bibliographic Series, 47).

ICC / LC, PU

CARLTON, ROBERT G., *ed.*

Latin America in Soviet writings: a bibliography, v. I, 1917-1958; v. II, 1959-1964. Baltimore, Md., Published for the Library of Congress by The Johns Hopkins Press, 1966. 2 v. (257, 311 p.). (Hispanic Foundation Publications, 1-2).

"Lists references to approximately 9,000 periodical articles and book materials published in languages of the Soviet Union during the periods cited". (*Hdbk,* Nº 28).

LC

CATÁLOGO general de la librería española, 1931-1950. Madrid, Instituto Nacional del Libro Español, 1957- v. 29 cm.

En curso de publicación. Los gruesos volúmenes contienen literatura hispanoamericana. Figuran algunas obras colombianas.

LC

CATÁLOGO general de librería española e hispanoamericana, años 1901-1930. Madrid, Barcelona, Cámaras Oficiales del Libro, 1932-1951. 5 v. 28 cm.

"Este catálogo ha de abarcar las obras publicadas en España y en la América Española en lo que va de siglo...

Ha sido preciso para componerlo, la revisión previa [...] de una inmensa mole de catálogos y librerías ...

... téngase en cuenta que es la primera y más importante empresa de esta clase que se realiza en España ...

... Este catálogo puede competir en su técnica, en su presentación y en el acopio de datos con los que nos ofrecen otros pueblos. Con él quedará [...] registrada casi por completo la producción literaria de los últimos treinta años.

El gran paso está dado. Recogida en estos volúmenes la producción bibliográfica hasta 1930, para lo sucesivo, y aún para algunos años antes, nos basta con la revista «Bibliografía general española e hispanoamericana», que editada por las Cámaras del Libro de Madrid y Barcelona, registra mensualmente la producción librera". (*Prólogo,* por Manuel Artigas, p. [5]-7).

Los cinco gruesos volúmenes incluyen obras hispanoamericanas; entre ellas algunas colombianas publicadas de 1901-1930.

LC, UVa

CEJADOR Y FRAUCA, JULIO, 1864-1927.

Aparato bibliográfico de la literatura castellana, en *Historia de la lengua y literatura castellana,* t. XIV. Madrid, 1922, p. 277-393.

"Incluye las obras fundamentales de la bibliografía literaria de Colombia". (*Bbcs*).

ICC / LC, PU, VMI

COESTER, ALFRED LESTER, 1874-

A bibliography of Spanish-American literature, by Alfred Coester. New York, Columbia University Press, 1912. 68-101 p. 25½ cm.

Reprinted from the *Romanic Review,* III, Nº 1 (1912), p. 68-101.

Una de las primeras bibliografías sobre la literatura hispanoamericana. De interés: la sección *Colombia*: *Collections and Individual Authors* (p. 83-85).

LC

CONOVER, HELEN F., *comp.*

Current national bibliographies. Washington, Library of Congress, General Reference and Bibliography Division, 1955. 132 p.

Latin America, p. 17-27. Se incluyen algunas bibliografías colombianas selectas.

LC, PU

DELK, LOIS JO, and NEAL GREER, JAMES.

Spanish language and literature in the publications of American universities. A bibliography. Austin, Texas, University of Texas Press, 1952. 211 p. (Hispanic Studies, 4).

Based on L. J. Delk's Thesis (M. A.)- Univ. of Texas.

"The aim has been to include all serial publications and other publications of the university presses, exclusive of journals".

"Useful bibliography of books and articles on Spanish and Spanish American literature printed by U. S. university presses and covering up to 1950". (*Hdbk*'58).

Varias de las obras incluídas tienen interés para la literatura colombiana.

V. r. de Donald D. Walsh, en *Hisp.,* XXXV (August, 1952), p. 372.

LC, PU

EÇA, RAOUL D.

Index to Latin-American books, 1938. vol. I. Washington, D. C., Inter-American Books Exchange, 1940. 484 p. Mimeografiado.

Util compilación sobre libros y folletos publicados en 1938. Lo relativo a Colombia se agrupa en sección aparte.

LC, PU, UVa

ELÍAS DE MOLINS, ANTONIO.

Ensayo de una bibliografía literaria de España y América. Noticias de obras y estudios relacionados con la poesía, teatro, historia, novela, crítica literaria, etc. Madrid, Lit. de V. Suárez, [1902]. 2 v. en 1. 25 cm.

"First printed serially in 'Revista crítica de historia y literatura españolas, portuguesas, e hispanoamericanas'. v. 57, 1900-1902".

"Sólo apareció este volumen de fuentes generales, pleno de errores tipográficos". (*Bbcs*).

LC

FICHERO bibliográfico hispanoamericano. Catálogo trimestral de toda clase de libros publicados en las Américas en español. N. Y., R. R. Bowker Co. v. 1, Oct. 1961-

"A quarterly bibliographical publication aiming to register all books published in Spanish in the Americas [...] All fields, including juvenile literature are covered. Considerable information concerning translations into Spanish ..." (*Hdbk*'61).

LC

FITZ-GERALD, JOHN D.

Spanish American literatures, en *International Year Book;* ... for the year ... [New York and London, Funk and Wagnalls Co.], 1934 (p. 662-66); 1935 (p. 680-83); 1939 (p. 721-25); 1940 (p. 710-14); 1941 (p. 624-26); 1942 (p. 660-63); 1943 (p. 608-10).

Comentarios crítico-bibliográficos sobre la producción literaria anual en los países hispanoamericanos.

LC

FLORES, ANGEL.

Latin American literature, en *The Americana Annual*, [N. Y., Americana Corp.], 1945 (p. 422-32); 1946 (p. 398-99); 1947 (p. 398-99); 1955 (p. 415-16).

Reseña anual de la producción literaria en Hispanoamérica.
LC, UCLA

FOULCHÉ-DELBOSC, RAYMOND, 1864-1929.

Bibliographie hispanique. Paris, New York, the Hispanic Society of America, 1905-1917. 13 v.

"Consacrée aux langues, aux littératures et à l'histoire des pays castillains, catalans et portugais, en Europe et hors d'Europe ... Non seulement les livres et brochures mais aussi les articles de revues ont été répertoriés".

Liste des principaux périodiques dépouillés pour la Bibliographie hispanique, 1905-1911: 1911, p. 129-163 (758 titles).

"Publicación consagrada a la historia y literatura hispánicas; algunas menciones de obras colombianas". (*Bbcs*).

LC, UVa, WLU, KU, UCLA

FOULCHÉ-DELBOSC, RAYMOND, 1864-1929.

Manuel de l'hispanisant. New York, Putnam, 1920-1925. 2 vols.

Reprinted with permission of the original publisher by Krans Reprint Corporation. New York, 1959. 2 v.

"Comprende más de tres mil artículos".

Contenido general: v. I: 1. Repertoirs; II. Typobibliographies;

III. Biographies et bio-bibliographies; IV. Bibliographies monographiques; V. Archives, bibliotéques et musées; VI. Collections dispersées; v. II. [Collections].

La primera obra en su género en la bibliografía española. Contiene escaso material relativo a las literaturas hispanoamericanas. Es, sin embargo, fuente valiosa para la época colonial. El v. II comprende las colecciones aparecidas de 1579-1923.

ICC / LC, UCLA

GEOGHEGAN, ABEL RODOLFO, *comp.*

Obras de referencia de América Latina: repertorio selectivo y anotado de enciclopedias, diccionarios, bibliografías, repertorios biográficos, catálogos, guías, anuarios, índices, etc. B. A., Imp. Crisol, 1965. 280 p.

"... 2,693 basic reference sources on Latin American". (*Hdbk*, Nº 28). Contiene algunas bibliografías colombianas.

LC

GRISMER, RAYMOND L.

A bibliography of articles on Spanish Literature. Minneapolis, Burgess Publishing Co., 1933. 294 p.

Para Colombia, p. 240-41.

V. r. de Alfred Coester, en *Hisp.*, XVI (Nov.-Dec., 1933), p. 482-83.

KU

— A bibliography of articles and essays on the literatures of Spain and Spanish-America. Minneapolis, Perine Book Co., 1935. xx, 423 p.

"This second volume of bibliography is intended to supplement the 'Bibliography of articles on Spanish literature' ... published in 1933" (*Preface*).

Spanish American literature [arranged by Dr. J. Riis Owre], p. 299-393.

Colombia, p. 328-31.

V. r. de John T. Reid., en *Hisp.,* XVIII (October, 1935), p. 360.

LC, UVa

GRISMER, RAYMOND L.

A new bibliography of the literature of Spain and Spanish America, including many studies on anthropology, archeology, art, economics, education, geography, history, law, music, philosophy, and other subjects. Minneapolis, Perine Book Co., 1941. v. I-

"This bibliography ... will replace our two earlier volumes of bibliography on the literatures of Spain and Spanish America".

v. I (1941): Aa-Ans.
v. II (1941): Ant-Azz.
v. III (1942): Ba-Biblio.
v. IV (1942): Bibl-Biz.
v. V [St. Louis, Mo., John S. Swift Co., 1944]: Caa-Carc.
v. VI [Published by Wm. C. Brown Co., Dubuque, Iowa, 1945]: Card-Casw.
v. VII (1946): Cat-Cez.

Se suspendió la publicación.

LC, WLU, KU

* — A reference index to twelve thousand Spanish American authors; a guide to the literature of Spanish America. New York, H. W. Wilson Co. XI, 150 p. (Inter-American Bibliographical and Library Association. Publ., series 3, vol. 1).

Ed. española: *Indice de doce mil autores hispanoamericanos...* N. Y., H. Wilson, 1939. 150 p.

Bibliography of books on Spanish-American literature consulted for this index: p. [XIII]-XVI.

"The compiler and his assistants have indexed over one hundred bibliographies, histories of literature and anthologies to make the present list of approximately twelve thousand authors...

All available dates of birth and death have been carefully included. One or both dates have been given for more than three thousand writers". (*Preface* p. IX).

Incluye obras básicas sobre bibliografía, historia y literatura colombianas.

LC, NYPL, KU, WLU

* HANDBOOK of Latin American Studies; a guide to the material published ... on anthropology, art economics, education, folklore, geography, government, history, international relations, law, language, and literature, by a number of scholars ... Cambridge, Harvard University Press, 1935-51; Gainesville, University of Florida Press, 1951- v. 23 cm.

vols. for 1935-40 edited for the Committee on Latin American Studies of the American Council of Learned Societies; 1941-42 for the Library of Congress and the joint Committee on Latin American Studies.

"Actualmente es preparado por la Fundación Hispánica de la Biblioteca del Congreso de Washington. Los volúmenes publicados hasta el presente de esta obra fundamental constituyen la más rica documentación bibliográfica que existe sobre la América Latina; representa ella la más valiosa contribución de los Estados Unidos a la bibliografía hispanoamericana. Breves y justos comentarios ilustran las obras y estudios anotados". (*Bbcs*). Incluye numerosas referencias sobre literatura colombiana.

ICC / LC, PU, WLU, UVa, USC, UCLA

HANSSLER, WILLIAM.

A handy bibliographical guide to the study of the Spanish language and literature, with consideration of the work of Spanish-American writers, for the use of students and teachers of Spanish ... St. Louis, C. Witter, [1915]. 63 p. 22 cm.

LC

HENRÍQUEZ UREÑA PEDRO, 1884-1946.

Bibliografía literaria de la América Española, en *Boletín del Instituto de Cultura Latino Americana* (Buenos Aires), II, núms. 12, 13, 14 (1938-39). (*Bbcs*)

HESPELT, E. HERMAN.

Progress in providing the bibliographical background for Spanish American studies, en *Hisp.*, XXV, Nº 3 (October, 1942), p. 272-83.

"A review of landmarks in Spanish American bibliography and bibliographical studies in the United States, beginning with the publication of Alfred Coester's 'Bibliography of Spanish-American Literature, in the *Romanic Revivew* in 1912 (vol. 2ª p. 68-101). Outstanding periodicals in the field founded subsequently, and collections in Universities and elsewhere are noted. The list tends to emphasize literature". (*Hdbk*'42).

ICC, BLAA / LC, USC, UCLA

HIDALGO, DIONISIO, 1866-

Diccionario general de bibliografía española ... Madrid, Imp. de las Escuelas Pías, 1862-1881. 7 v. 73½ cm.

t. 6: Indice de autores; t. 7: Indice de materias.

LC

INTER-AMERICAN CULTURAL COUNCIL. *Committee for Cultural Action.*

Lista de libros representativos de América (Resolución XXIII, 9, de la II reunión del Consejo Interamericano Cultural). Washington, Unión Panamericana, 1959. 364 p. 28 cm. Mimeografiado.

"La lista de libros representativos de Colombia, preparada por la División de Filosofía y Letras de la Unión Panamericana, fue revisada en la sesión del 26 de marzo de 1957. Posteriormente, a solicitud del comité, el Sr. José Cárdenas Nanneti envió una lista de libros colombianos" (*Introducción*).

Colombia, p. 82-90.

LC, PU

JOHNSON, HARVEY L.

Spanish American literary bibliography - 1962, en *Hisp.,* XLVI, Nº 3 (September, 1963), p. 557-60.

—— 1963, en *Hisp.,* XLVII, Nº 4 (December, 1964), p. 766-71.

—— 1964, en *Hisp.,* XLVIII, Nº 4 (December, 1965), p. 856-64.

—— 1965, en *Hisp.,* XLIX, Nº 4 (December, 1966), p. 793-99.

Comentarios anuales sobre las principales bibliografías literarias publicadas en Hispanoamérica.

ICC / LC, USC, UCLA

KARSEN, SONJA.

Latin American letters 1964, en *Books Abroad,* XXXIX, p. 141-44.

Reseña sobre la producción literaria del año.

LC, USC

JONES, CECIL KNIGHT.

Hispanic American bibliographies. Baltimore, Md., 1920-21. 6 pt. in 1 v. 27 cm.

Reprinted from *The Hispanic American Historical Review,* v. III, Nº 3-4; v. IV, Nº 1-4, 1920-21.

1281 titles arranged in two sections: I. General and miscellaneous (Nos. 1-190); II. By countries (Nos. 191-1191). Additions (Nos. 1192-1281).

Critical notes on sources, by José Toribio Medina, translated from his *Biblioteca hispano-americana (1493-1810)*, by C. K. Jones, pt. 6, p. 783-99.

Colombia: Nos. 608a-657.

LC

JONES, CECIL KNIGHT.

Hispanic American bibliographies, including collective biographies, histories of literature and selected general works ... with critical notes on sources, by José Toribio Medina (Translated by the compiler). Baltimore, The Hispanic American Historical Review, 1922. 200 p. 26 cm.

Originally published in *The Hispanic American Historical Review,* v. III, Nos. 3-4, and v. IV, Nos 1-4, 1920-21.

"In answer to various requests and inquiries it has been decided to publish in book form the continued series of contributions relating to *Hispanic American Historical Review* [...] In preparing the material for its present book form, some few minor corrections and revisions have been necessary, but the lits is practically as published in the above named *Review*". (*Preface,* p. 9).

Colombia, p. 91-95 (Nos. 608a-657).

LC, UVa, UC

*— A bibliography of Latin American bibliographies. Second ed. revised and enlarged. With the assistance of James A. Granier. Washington, U. S. Gvt. Printing Office, 1942. 311 p.

Secciones generales de interés: 1. Bibliographies; 2. Collective bibliographies; 3. Histories of literature; 4. Some general and miscellaneous works useful for reference purposes.

"La más completa de las bibliografías de bibliografías publicadas sobre Hispanoamérica. Sobre Colombia, p. 163-71, Nos. 1665 a 1779; enumera 130 obras de fuentes, la inmensa mayoría no propiamente bibliográficas pero sí de evidente utilidad para el investigador". (*Bbcs*).

ICC / LC, PU, UVa, UCLA

LATIN AMERICA KYÔKAI (*Sociedad Latino-Americana*).

Nihon no Latin America chôsa kenkyûsho gaisetsu [Survey of Japanese books of Latin American research and study]. Tokyo, 1965. 175 p.

"An annotated bibliography of about 1,000 Japanese books of research and study on Latin America published from 1868 to the end of August 1964". (*Hdbk,* Nº 28).

LC

* LEAVITT, STURGIS E., 1888-

Hispano-American literature in the United States; a bibliography of translations and criticism. Cambridge, Harvard University Press, 1932. x, 54 p. 23 cm.

One of a series of bibliographies of Spanish American literature published under the auspices of the Harvard Council on Hispano-American Studies.

"In this bibliography an attempt has been made to list everything (except as noted below) dealing with Hispano-American literature published in this country, or contributed to foreign publications by residents of the United States, up to the end of 1931. The items arranged by years, include translations, histories of literature, critical articles, book reviews, and school texts. No mention is made of more book notices, reviews of textbooks, nor of books published here in Spanish or Portuguese and intended for Hispano-American readers". (*Preface,* p. [VII]).

V. r. de S. L. Millard Rosenberg, en *Hisp.,* XVI (May, 1933), p. 225-26.

LC, UVa, WLU, USC

—— 1932-1934 [Supplement] (with additional items from earlier years) ... Chapel Hill, The University of North Carolina Press, 1935. 21 p. 22½.

LC

—— 1935, en *Hisp.*, XIX (1936), p. 201-10.

"A continuation of *Hispano-American literature* ... (Cambridge, 1932) and *Hispano-American literature* ... (Chapel Hill, 1935)". (*Hdbk*'36).

ICC / LC, USC, UCLA

LEGUIZAMÓN, JULIO A.

Bibliografía general de la literatura hispanoamericana, Buenos Aires, Editoriales Reunidas, [1954]. 213 p. 22 cm.

La presente bibliografía no es sino la de nuestra *Historia de la literatura hispanoamericana,* ampliada o actualizada con la mención de obras posteriores a su aparición ..." (*Advertencias preliminares,* p. 9).

Contenido: A. Antologías: 1. Verso: a) generales; b) particulares. [Colombia p. 26-28]. II. Prosa; B. Historias y panoramas de conjunto: I. Generales; II. Particulares [Colombia, p. 55-56]; III. Panoramas de la cultura y de la vida intelectual; C. Obras y monografías parciales; D. Adiciones.

ICC / LC

LINCOLN, J. N.

Guide to bibliographies of Spanish literature, en *Hisp.*, XXII, Nº 4 (Dec., 1938), p. 391-405.

"A list of universal and national bibliographies treating of Spain and Spanish America. Includes catalogues, serial bibliographies, as well as references to reviews and journals containing such bibliographies". (*Hdbk*'39).

ICC / LC, USC, UCLA

— Guide to the bibliography and history of Hispano-american literature. Ann Arbor, Mich., 1939. VI, 43 p. Mimeografiado.

"This selective bibliography is intended to serve as a guide to more extensive or more specialized bibliographies. It attemps to synthetize the general background for the whole field, and, in addition, lists the more important references for the individual countries, supplying informative comment where the titles themselves are not sufficiently descriptive". (*Foreword*).

Contenido general: I. Universal bibliographies; II. A) General Bibliography; B) Literature, including histories of literature and essays; III. By countries: [*Colombia,* p. 25-27].

"349 items, some of which have brief descriptive comments". (*Hdbk*'39).

Guía bastante deficiente. Se atribuye la *Historia de la literatura* del padre Ortega a José J. Ortega y Gasset.

LC, KU

* LITERATURE in Spanish America, en *PMLA*. Publication of the Modern Language Association of America, v. I- 1935-

El número de mayo de esta importante revista contiene una riquísima bibliografía relativa a las principales lenguas y literaturas modernas. La bibliografía sobre Hispanoamérica consta de secciones generales: miscelánea, bibliografía, géneros literarios, etc. y de una sección en que se agrupan, por el orden arfabético de los autores estudiados, los principales estudios publicados sobre ellos en el año anterior.

ICC (colección incompleta) / LC, USC, UCLA

MALCLÈS, L. N.

Les sources du travail bibliographique. Préface de Julien Cain ... Genève, Librairie E. Droz, 1950- 3 t. en 4 v. 24 cm.

Contenido: t. I. Bibliographies générales; t. II [Pte. 1ª y 2ª]: Bibliographies Spécialisées: Sciences humaines [Langue et littérature hispano-americaines, p. 334-38]; t. III. Bibliographies Specialisées.

LC

METFORD, J. C. J.

British contributions to Spanish and Spanish-American studies. New York, Longmans, Green for the British Council, [1950]. 86 p. ilus. 22 cm.

"This is an entertaining narrative bibliography of British writings on Spain and Spanish America from the 16th century to the mid-20th". (*Hdbk*'50).

LC

MINISTERIO DE EDUCACIÓN NACIONAL. *Dirección de Archivos y Bibliotecas. Servicios Nacionales de Información bibliográfica,* [Madrid].

Bibliografía española, 1958- Madrid, Tip. Moderna, 1959. v.

En curso de publicación.

"En realidad *Bibliografía Española* es la recopilación o acumulación de las fichas catalográficas impresas redactadas por las Secciones de Catalogación y Clasificación de la Biblioteca Nacional".

Incluye obras hispanoamericanas publicadas en España.

LC, UCLA

MUDGE, ISADORE.

Guide to reference books. 6th ed. Chicago, American Library Association, 1936. 504 p.

"Para Colombia, p. 130, 150, 302, 394 y 395. Menciona las bibliografías más conocidas". (Gabriel Giraldo Jaramillo).

V. Winchell, Constance M., *Guide to reference books,* p. 53.

LC

NACIONES UNIDAS.

Latin America, 1935-1949: a selected bibliography. New York, 1952. 1 v. sin paginación.

"Contiene una útil bibliografía colombiana de los años citados, con numerosas publicaciones oficiales y algunos descuidos de clasificación". (*Bbcs*).

LC

OKINSHEVICH, LEO, 1898-

Latin America in Soviet writings, 1945-1958; a bibliography, compiled by Leo O. Okinshevich and Cecilia J. Gorokhoff. Edited by Nathan A. Haverstock. Washington, Slavic and Central European Division and the Hispanic Foundation, Reference Dept., Library of Congress, 1959. XII, 257 p., ilus. 27 cm. (Hispanic Foundation, Bibliographical Series, Nº 5).

"This bibliography lists about 2,200 items originally written by Russians and also Russian translations of works relating to Latin America by writers of all nationalities that were published in the Soviet Union between 1945 and 1958". (*Preface,* p. [5]).

La sección de Literatura, p. 131-65 incluye unas pocas obras de escritores colombianos.

ICC / LC

OSPINA, JOAQUÍN, 1875-1951.

Bibliografía universal. Bogotá, Edit. Aguila, 1941. XXI, 602 p.

"Presentación sintética de las obras capitales de la cultura universal, de valor simplemente informativo y de divulgación; incluye las más notables publicaciones colombianas". (*Bbcs*).

ICC, BN

* PALÁU Y DULCET, ANTONIO, 1867-

Manual del librero hispanoamericano; inventario bibliográfico de la producción científica y literaria de España y de la América Latina desde la invención de la imprenta hasta nuestros días, con el valor comercial de todos los artículos descritos. Barcelona, Librería Anticuaria, 1923-27. 7 v.

2ª ed. corregida y aumentada por el autor. Barcelona, Librería Paláu, 1948-1959. 12 v. 29 cm.

"El *Manual del librero hispanoamericano* contendrá por orden alfabético de autores, anónimos y seudónimos, los libros, opúsculos, hojas y grabados, dignos de ser conservados y estudiados, impresos en España y en la América Latina, además todos aquellos en lugares peninsulares o referentes a dichas razas, salidos de las prensas extranjeras. De los autores que gozan de renombre lo registramos todo, a fin de ayudar en sus rebuscas a los coleccionistas. Así nuestra obra resultará además de un *Manual* para el librero y el aficionado un *Inventario de la literatura hispanoamericana*". (*Prólogo* a la 1ª ed., I, p. IX-X).

Contenido (2ª ed.): t. I (A); t. II (B); t. III (C-Comyn); t. IV (Con-D); t. V (E-F); t. VI (G-H); t. VII (I-L); t. VIII (LP-Memories); t. IX (Mena-Molloy); t. X (Mon-Nebrixa); t. XI (Nebuda-Oroz); t. XII (Orozco-Pereyro).

"La más completa de las obras bibliográficas publicadas en España. Obra fundamental de consulta para libreros, bibliotecarios y bibliógrafos". (*Bbcs*).

ICC (1ª y 2ª eds.) / LC (1ª y 2ª eds.), UVa (1ª ed.), KU (1ª ed.)

PALFREY, THOMAS ROSSMAN, FUCILLA, JOSEPH GUERIN y HOLBROOK, WILLIAM C.

A bibliographical guide to the romance languages and literatures. 3rd. ed. Evanston, Ill., Chandler's Inc., 1946.

1ª ed.: *id.*, 1939; 2ª ed. *id.*, 1940; 4ª ed., *id.*, 1951.

Contenido general: Part. I. General romance bibliography; Part II. French language and literature; Part. III. Italian language and literature; Part. IV. Portuguese and Brazilian languages and literatures; Part V. Spanish, Catalan, and Spanish American languages and literatures [Spanish American languages and literatures, p. 75-81]; Rumanian language and literature.

V. r. de 1ª ed., por Alfred Coester, en *Hisp.* XXIII (October, 1940), p. 297-98.

LC (2ª ed.)

PAN AMERICAN UNION. *Columbus Memorial Library.*

Fuentes de información sobre libros de la América Latina; revistas con secciones de crítica literaria, revistas bibliográficas y de bibliotecas, lista selecta de librerías, comp.

en la Biblioteca Colón de la Unión Panamericana. Washington, D. C., 1930. 23 h. 27 x 21½ cm. (Serie Bibliográfica, Nº 3). Mimeografiado.

ed. en inglés: *id.* 18 h. (Bibliographic Series, Nº 2).

Contenido [1ª ed. en español]: 1. Lista de revistas que tienen sección de crítica literaria y bibliográfica [*Colombia,* p. 3]; 2. Lista de revistas de bibliografía y bibliotecas [*Colombia,* p. 11]; III. Lista selecta de librerías, con algunos detalles pertinentes [*Colombia,* p. 18].

2ª ed. en español, *id.,* 1933. 28 h. Sobre Colombia: 1ª parte, p. 8-9; 2ª parte, p. 16; 3ª parte, p. 23.

LC, PU, UVa, (2ª ed.), KU

PAN AMERICAN UNION. *Washington, D. C.*

Publications in English, Spanish, Portuguese, and French. 1950- Washington. v. ilus. 23 cm.

Title varies: 1951-54, Catalogue of Pan American Union publications in English, Spanish, Portuguese, and French. Other slight variations title.

Util guía que registra los títulos de las publicaciones de la Unión Panamericana.

LC, PU

PERALES OJEDA, ALICIA.

Las obras de consulta (Reseña histórico--crítica). México, Universidad Nacional Autónoma de México, 1962. 374 p.

Contenido: Cap. I: Enciclopedias; Cap. II: Diccionarios; Cap. III: Bibliografías; Cap. IV: Los índices; Cap. V: Otras obras de consulta; Apéndice I: Diccionarios; Apéndice II: Bibliografías; Apéndice III: Bibliotecas y colecciones, Bibliografía general.

Se concentra especialmente en las fuentes mexicanas. Reseña algunas obras de interés para Hispanoamérica.

ICC / LC

PERAZA SARAUSA, FERMÍN, 1907- *comp.*

Bibliografías corrientes de la América latina. Gainesville, Florida, 1964. 69 p. 28 cm. (Biblioteca del Bibliotecario).

De esta obra hay dos ediciones anteriores. La presente es la más completa.

Contenido: I. América Latina: Bibliografías generales, Bibliografías especiales; II. Bibliografías nacionales; III. Indice analítico.

Colombia, p. 42-44.

LC, PU

PHILADELPHIA BIBLIOGRAPHICAL CENTER AND UNION LIBRARY CATALOGUE. *Committee on Microphotography.*

Union list of microfilms. [Eleanor Este Campion, Editor]. Rev., enl. and cumulated ed. Ann Arbor, J. W. Edwards, 1951. 1961 columns.

Supplement, 1949-52. [Eleanor Este Campion, editor]. Ann Arbor, J. W. Edwards, 1953. 995 columns.

LC

PRAESENT, HANS.

Ibero-Amerikanische Bibliographie; Auswahl-Verzeichnis der deutsch-sprachigen Literatur. Anexo al *Ibero-Amerikanisches Archiv.* Berlin und Bonn, 1930- v. 25 cm.

"Lista de obras alemanas sobre América Latina y España y Portugal. Numerosos títulos sobre Colombia". (*Bbcs.*) Las obras de literatura incluídas son poco abundantes.

LC

QUELLE, OTTO, 1879-

Verzeichnis wissenschaftlicher Einrichtungen, Zeitschriften und Bibliographien der Ibero-amerikanischen Kulturwelt. Lista de instituciones científicas, revistas y bibliografías pertenecientes a los países ibero-americanos ...

Stuttgart und Berlin, Druck der Deutschen Verlag-anstalt, 1916. XVI, 67 p. 24½ cm. (Veröffentlich ungen des Deutsch-südamerikanischen Institute, Aachen).

"El contenido de la presente publicación consta de tres partes diferentes. La primera ordenada por países, es una lista de institutos, corporaciones, autoridades académicas, etc, etc. que se ocupan en algún dominio de la ciencia ...

La segunda parte contiene todas las revistas científicas [las aparecidas de 1911-15]...

En la tercera parte hay una bibliografía de bibliografías para cada país. En estas bibliografías, que no son completas, figuran, además de las publicaciones designadas como tales, catálogos de bibliotecas y catálogos de colecciones de manuscritos". (*Explicaciones,* p. XI-XII).

LC

REICHARDT, DIETER.

Schöne Literatur lateinamerikanischer Autoren. Eine Übersicht der deutschen Übersetzungen mit biographischen Angaben. Hamburg, Germany, Institut für Iberoamerikakunde, 1965. 270 p. (Reihe Bibliographie und Dokumentation, 6).

LC

REID, JOHN T.

Spanish American books in 1946, en *Mod. Lang. Jour.* (Ann Arbor, Mich.), XXX (May, 1946), p. 289-93.

"An initial survey of some 40 books in the fields of fiction, poetry, literary criticism, biography, history and miscellany, with some descriptive comments by a capable reviewer". (*Hbdk*'46).

—— 1950, en *Mod. Lang. Jour.* (Ann Arbor, Mich.), XXXV, Nº 8 (Dec., 1951), p. 609-15.

"Breve bibliografía de la producción intelectual del año de 1950; comprende obras sobre historia literaria, ensayos, biografías, novelas, teatro, lenguaje y folklore, historia y miscelánea. Señala algunas de las principales obras colombianas publicadas en dicho año". (*Bbcs*).

LC, PU, UCLA

REID, JOHN T. and REID, DORCAS.

An annotated bibliography of books on Spanish South America and the West Indies, en *Hisp.*, XX (December, 1937), p. 313-26.

ICC / LC, USC, UCLA

REVISTA de Filología Española, t. I- Madrid, 1914- 25 cm. Quarterly. Editor: Ramón Menéndez Pidal.

"In addition to the critical articles and reviews the Revista contains a classified bibliography of books and articles dealing with Spain and Latin America in all languages". (C. K. Jones).

LC

ROA, JORGE, 1858-

Catálogo de la Biblioteca Popular. Bogotá, Librería Voluntad, [s. f.], 16 p.

"Catálogo de la famosa publicación dirigida por don Jorge Roa, sobre literatura colombiana" [y extranjera]. (*Bbcs*).

ROMERO JAMES, CONCHA.

An annotated bibliography of Latin American literature. Washington, Panamerican Union, [1932].

Mimeografiado.

PU, UVa

ROMERO JAMES, CONCHA, and AGUILERA, FRANCISCO.

Latin American literature. References to material in English. With annotations. Washington, Pan American Union, 1941. 51 p. Mimeografiado.

"The present reference list has been prepared especially for the reader who does not have a command of Spanish or Portuguese ..."

Contenido: General References; Special references on the various countries; Drama: a) General and special references, b) English translations; Enssays and miscellany in English translation; Fiction: a) General and special references, b) Book reviews, c) English traslations; Journalism; Poetry: a) General references, b) Special references on the various countries, c) English translations, Authors and Poets (biographical and critical studies); Addenda: Periodicals mentioned in this Bibliography.

LC

SABIN, JOSEPH, 1812-1881.

Biblioteca americana. A dictionary of books relating to America from its discovery to the present time ... New York, 1868-1936. 29 v. 22½ cm.

Title varies: v. 1-19, and 20, Pte. 1-2: *A dictionary of books relating to America* ...

Reimpresion: Amsterdam, N. Israel, 1962. 7 t. en 4 v.

"Para Colombia, especialmente vol. IV, p. 267-274. Se anotan 70 títulos referentes a documentos oficiales, leyes, informes, etc. Una de las obras capitales de la bibliografía americana". (*Bbcs*).

LC

SABLE, MARTIN H.

A guide to Latin American studies ... Los Angeles, University of California, 1967. 2 v. (Latin American Center. Reference Series, 4).

ICC / UCLA

SÁNCHEZ, LUIS ALBERTO, 1900-

Repertorio bibliográfico de la literatura latinoamericana. [Santiago], Universidad de Chile, 1955- v. 27 cm.

En curso de publicación.

De interés: t. I, Fascículo I, sección I (Historia y crítica generales); sección II (Antologías generales). Fascículo II, sección I (Historia, crítica y antologías generales), etc.

t. III: Chile-Colombia, [s. f.]. 282 p.

Este ambicioso plan que pretende abarcar toda la literatura iberoamericana es muy deficiente en sus primeros volúmenes. El material relativo a Colombia es incompleto y presenta algunos errores.

LC, UCLA

SCHANZER, GEORGE O.

Developments in Spanish American Bibliography, en *Hisp.*, XLIII, Nº 1 (March, 1960), p. 69-71.

—— 1960, en *Hisp.*, XLIV, Nº 1 (March, 1961), p. 123-24.

— Spanish American literary bibliography - 1961, en *Hisp.*, XLI, Nº 1 (March, 1962), p. 76-77.

ICC / LC, USC, UCLA

* SHUR, LEONID AVEL EVICH, *comp.*

Khudozhestvennaia literatura latinskoi Ameriki v russkoi pechati, 1765-1959. Moscow, Izd. Vsesoiuzn. knizhnoi palaty, 1960. 290 p. ilus.

"A bibliography of Russian translations of Latin American literature and of the studies in Latin American literary history and critism which have appeared in Russian books and periodicals from the end of the 18th cetury to 1959". (*Hdbk*, Nº 24).

LC

—— Annot. bibliogr. rus. perevodov i kritich. literatury na rus. iaz., 1960-1964. Moskava, Kniga, 1966. 169 p.

"Latin American belles-lettres in Russian publications, an annotated bibliography of Russian translations and criticism in the Russian language 1960, 1964". (*Hdbk*, Nº 28).

LC

* SIMÓN DÍAZ, JOSÉ.

Bibliografía de la literatura hispánica. Prólogo de Joaquín de Entrambasaguas, 2ª ed. corr. y aumentada. Madrid, Consejo Superior de Investigaciones Científicas, Instituto "Miguel de Cervantes" de Filología Hispánica, 1960-
v. 25 cm.
En curso de publicación.
1ª ed.: *id.*, 5 vols., 1950-58.

De especial interés: t. I: Fuentes generales: Historia de la literatura, Colecciones de textos, Antologías, Monografías, Relaciones con otras literaturas; t. II: Bibliografías de bibliografía, Bio-bibliografías generales, Bio-bibliografías especiales, Indices de publicaciones periódicas, Catálogos de bibliotecas dispersas, etc.

"La más completa bibliografía que existe en español. Abundantes y por lo general acertadas referencias a Colombia". (*Bbcs*).

V. r. de Carlos Valderrama Andrade, en *Thesaurus* (Bogotá), VIII, 1952, p. 213-15; H. C. Woodbridge, en *Romanic Review* (Nueva York), 1953, p. 72-75, y de José Vargas, en *Revista Interamericana de Bibliografía* (Washington), III, 1953, p. 302-303.

ICC, BLAA / LC, PU, UVa, KU, USC, UCLA

TAYLOR, MARION R.

Guide to Latin American reference material, a union list for use in the Atlanta - Athens area. Atlanta, Georgia Chapter, Special Libraries Association, 1958. VII, 102 p. 28 cm. (Regional Bibliographies, Nº 1).

"Prepared originally as part of a Thesis: Master of Arts ... [Emory University], 1957".

"The present guide has been planned for use of individuals in the Atlanta - Athens, Georgia, area who need or want information about Latin America. Intended for use by librarians, teachers, students, and all others whose interest in Latin America leads them to the library, it is designed as a reference aid rather than a guide to research methods and materials, For this reason research problems are given little consideration, although major literature guides and bibliographical aids for each subject are discussed". (*Preface*).

A pesar de sus limitaciones esta guía en su parte relativa a la literatura ofrece una fuente de referencia de mucha utilidad.

LC

* TOPETE, JOSÉ MANUEL.

A working bibliography of Latin American literature. St. Augustine, Florida, 1952. v, 162 p. 21 cm. (Inter-American Bibliographical and Library Association. [Publications]. Serie 1, v. 12).

"An excellent tool which merits a more costly publication form...".

V. r. de Donald D. Walsh, en *Hisp.,* XXXV (August. 1952), p. 379.

LC, USC, UCLA

TORRES-RÍOSECO, ARTURO, 1897-

La literatura hispanoamericana en los Estados Unidos. Estudios bibliográficos, en *Hisp.,* XIV, (October, 1931), p. 293-94.

LC, USC, UCLA

* TURNER, MARY C., *ed.*

Libros en venta en Hispanoamérica y España; un servicio informativo preparado bajo la dirección de Mary C. Turner [1ª ed]. New York, R. R. Bowker Co., 1964. 1891 p. 29 cm.

Contenido: Libros en venta en 20 países de la América y España, por materia, autor, título; Guía de editores, p. 1873.

"This is a monumental achievement in the field of Hispanic bibliography ..." (Robert G. Mead).

ICC / LC

UNIÓN PANAMERICANA, *Washington.*

Selected list of books in English on Latin America. 7th ed. Washington, D. C., 1945. 86 p.

"lista de orientación bibliográfica sobre América Latina. Para Colombia, p. 42-43". (*Bbcs*).

LC, PU

* VINDEL, FRANCISCO, 1894-

Manual gráfico-descriptivo del bibliófilo hispanoamericano (1475-1850). 11 v. Madrid, 1930-1934.

"Obra fundamental de la bibliografía hispanoamericana". (*Bbcs*).

LC

WALSH, DONALD D.

Latin American literature, en *The International Year Book,* 1945. New York, Funk & Wagnalls Co., 1946, p. 320-22.

"An annual survey with some remarks on the novel". (*Hdbk'* 46).

LC

—— 1946, en *Hisp.,* XXX (February, 1947), p. 20-26.

"Brief over-all picture of the literary activities in Spanish America during 1946". (*Hdbk*'47).

ICC, BLAA / LC, USC, UCLA

WALSH, THOMAS.

South-American literature for 1917, en *Bookman,* XLVI (1918), p. 605-609.

Síntesis de la producción literaria en 1917.

LC, KU, USC

WINCHELL, CONSTANCE M.

Guide to reference books ... Seventh edition. Based on the guide to reference books, sixth edition, by Isadore Gilbert Mudge. Chicago, American Library Association, 1951. 3 v. 27 cm.

Supplement, 1950-52. By Constance M. Winchell and Olive A. Johnston. Chicago, American Library Association, 1954.

Second Supplement, 1953-55. Chicago, American Library Association, 1956.

V. Mudge, Isadore, *Guide to reference books.* 6th ed., p. 41.

ICC (7th ed.) / LC

WOGAN, DANIEL S.

A literatura hispano-americana no Brasil: 1877-1944. Bibliografía de crítica, historia literaria e traduçôes. Baton Rouge, La., State Univ. Press, [1948]. 98 p.

"Esta bibliografia não pretende ser uma relação completa de quanto se escreveu no Brasil sôbre a literatura da America Espanhola [...] O compilador não teve a pretensão de apresentar uma obra definitiva sôbre o assunto, limitado-se mais a dar uma resposta parcial tantas vêzes formulada pela América Espanhola: Até onde vai o conhecimento da nossa literatura no Brasil [?]". (*Introdução*).

"Para Colombia, p. 54-59: Incluye estudios biográficos y críticos brasileños sobre literatura colombiana y traducciones en prosa y en verso al portugués". (*Bbcs*).

LC, PU, CU, UCLA

CATALOGOS Y GUIAS DE ARCHIVOS, BIBLIOTECAS, LIBRERIAS Y EDITORIALES

I. CATALOGOS Y GUIAS DE ARCHIVOS

1. ARCHIVOS COLOMBIANOS

ARCHIVO HISTÓRICO DE ANTIOQUIA, *Medellín.*

Indice del archivo colonial. vol. I. [Medellín, Imp. Departamental, 1961]. 289 p. 22 cm. tomo I.

Director del Archivo: Hernán Escobar Escobar.
ICC

* ARCHIVO NACIONAL, *Bogotá.*

Indice del Archivo Nacional. Bogotá, 1935-46. 4 v.

Contenido. — "t. I: Tierras. — t. II: Capellanías, ejidos, fincas, minas, poblaciones, Real Audiencia y resguardos. — t. III: Abastos, aduanas, alcabalas, archivos, colegios, competencias, consulados, correos, cruzadas y genealogías. — t. IV: Caciques e indios, curas y obispos, lazaretos y obras pías". (*Bbcs*).
ICC, BN / LC, UVa

CATÁLOGO de los libros y folletos impresos pertenecientes al Archivo del Departamento de Antioquia. Medellín, Imp. del Departamento, 1896. 63 p. (*Bbcs*)

CATÁLOGOS e índices de la parte que se halla arreglada del Archivo General del Ejército. Bogotá, Imp. Nacional, 1923. 184 p.

"Comprende el índice de 1757 volúmenes de documentos sobre la historia militar de la república". (*Bbcs*).

COLOMBIA. *Congreso. Archivo del Congreso Nacional.*

Indice alfabético, 1819 a 1935 ... Leyes, proyectos, rehabilitaciones, memoriales, telegramas, etc. ... Bogotá, Imp. Nacional, 1936-1937. 2 v. 22 cm.

"vol. I: A-D; vol. II: E-Z". (*Bbcs*).
BN / LC, PU, NYPL

CORTÉS ALONSO, VICENTA.

La sección de la colonia del Archivo Nacional de Colombia, en *Studium* (Bogotá), II, núm 6 (oct.-dic. de 1958), p. 183-218.

"This article traces the formation and history of the National Archives of Colombia. It indicates the vicissitudes through which the documents have passed, gives data regarding the work of those in charge and their ideas, and lists the legislation and decrees affecting records. This is followed by a listing of the groups of documents in the Colonial section". (*Hdbk,* Nº 23).
LC, PU

ESCOBAR ESCOBAR, HERNÁN.

Indice de las secciones de la colonia en el Archivo Histórico de Antioquia de 1575 a 1810, en *Bol. Cult. y Bibl.* (Bogotá), V, núm. 4 (abril de 1962), p. 48-50.

Parte del artículo: *Santuarios culturales*: *Origen e historia de los archivos.* (V. p. 58).

PALOMINO URBANO, DELIA.

Archivística y su importancia en Colombia, en *Bol. Cult. y Bibl.* (Bogotá), VI, núm. 3 (1963), p. 372-79.

Contenido: Archivística; Origen de los archivos en Colombia y América. Creación del nacional; Necesidad de crear una escuela de archivística en Colombia; Reseña de algunos archivos colombianos; Característica de los documentos y situación de Colombia ante otros países americanos; Curso de archivística hispanoamericana; Programa que podía realizar; Bibliografía consultada.

ICC, BN, BLAA / LC, UCLA

* VERGARA Y VELASCO, F. J., 1860-1914, *comp.*

Archivos Nacionales. Indice analítico, metódico y descriptivo. Primera serie: La colonia, 1544-1819. tomo I. Gobierno en general. 1 vol.: Cedulario, gobierno, Real Audiencia, Virreyes. Bogotá, Imp. Nal., 1913. 467 p. 24 cm.

"The first of 8 proyected volumes of an index to the colonial documents in the Archivo Nacional and the Archivo Histórico of the Biblioteca Nacional. No more published". (R. R. Hill, *Los archivos generales de la América Latina,* 1945).

BN / LC, UVa

2. ARCHIVOS EXTRANJEROS

ARCHIVO GENERAL DE INDIAS, *Sevilla.*

Archivo general de Indias: catálogo; cuadro general de documentación, Centro oficial de Estudios Americanistas, por Pedro Torres Lanzas y Germán Latorre. Sevilla, Tip. Zarzuela, 1918. 165 p. 23 cm. (C. K. Jones)

CASTELO DE ZAVALA, MARÍA.

Noticias sobre algunos archivos hispanoamericanos, en *An. Inst. Nac. Antrop. Hist.* (México), t. II (1941-1946), p. 373-419.

"Notes on the organization, archivalia and publications of the National archives of Argentina, Paraguay, Chile, Peru, Ecuador, Colombia, Costa Rica and Guatemala, as well as the archives of the Provinces of Buenos Aires and Santa Fe, Argentina". (*Hdbk'* 47).

LC

DOCUMENTOS del Archivo de Indias. Peticiones, memoriales y licencias, en *Bol. Hist. Ant.* (Bogotá), XXXIII, núms. 375-76 (1946), p. 70-96; núms. 377-79, p. 183-212; núms. 380-82, p. 347-76; vol. XXXIV, núms. 390-92 (1947), p. 229-46.

"Extracts prepared by Ernesto Restrepo Tirado from documents relating to Colombia in the Archivo de Indias..." (*Hdbk'*46).

V. Restrepo Tirado, Ernesto, 1862- *Documentos del Archivo de Indias ... V* p. 453.

ICC, BN, BLAA / LC, UCLA

ESCOBAR ESCOBAR, HERNÁN.

Santuarios culturales. Origen e historia de los archivos, en *Bol. Cult. y Bibl.* (Bogotá), V, núm. 4 (abril de 1962), p. 440-50.

Comentario sobre archivos generales y especialmente el Archivo Histórico de Antioquia.

Indice de las secciones de la colonia en el Archivo Histórico de Antioquia de 1575 a 1810, p. 448-50.

ICC, BN, BLAA / LC, UCLA

ESPAÑA. *Archivo Histórico Nacional, Madrid.*

Documentos de Indias, siglos XV-XIX. Catálogo de la serie existente en la sección de Diversos por Mª del

Carmen Pescador del Hoyo. Madrid, Dirección General de Archivos y Bibliotecas. Servicio de Publicaciones, 1954. 279 p. 25 cm. (Catálogo de Archivos y Bibliotecas).

LC

FRIEDE, JUAN, 1901-

El archivo general de Indias, en *Bol. Hist. Ant.* (Bogotá), XXXVIII, núms. 441-43 (julio-septiembre de 1951), p. 549-62.

Informe leído en la Academia de Historia.

ICC, BN, BLAA / LC, UCLA

— Documentos inéditos para la historia de Colombia. Coleccionados en el Archivo General de Indias de Sevilla ... de orden de la Academia Colombiana de Historia. Bogotá, Academia Colombiana de Historia, 1955-1960.

7 v. 23 cm.

Estos 7 v. comprenden documentos de 1509-1547.

ICC

FRIEDE, JUAN, 1901- *Documentos del Archivo de Indias* ... *V*. p. 449.

* GÓMEZ CANEDO, LINO.

Los archivos de la historia de América. 1ª ed. México, Instituto Panamericano de Geografía e Historia, 1961 -

v. I: Período colonial español. 654 p.

"Se trataría de ofrecerle al investigador, en primer lugar, una guía de los archivos y colecciones de manuscritos esparcidos por el mundo, donde existen fondos de interés para la historia de América. Y como segunda parte, habría que sistematizar y condensar en alguna forma la inmensa producción bibliográfica que existe sobre la materia ...

... una sola persona no podría abarcar tan inmenso tema. Por ello, me he limitado al período colonial español. Y este volumen es la primera parte de mi ensayo: una guía o introducción a los archivos y colecciones de fuentes manuscritas que interesan a la historia de América, en el área y época de gobierno español. Espero que la segunda parte —un manual bibliográfico relativo al mismo período colonial español— llegue a ser también realidad más adelante ..." (*Advertencia*).

Contenido: 1ª Parte: Archivos y bibliotecas de España; 2ª Parte: Archivos y bibliotecas de Hispanoamérica [Cap. III. Los archivos de la Nueva Granada (Colombia, p. 397-412), Ecuador y Venezuela].

ICC / LC

HARRISON, JOHN PARKER.

Guide to materials on Latin America in the National Archives. Washington, D. C., General Services Administration. Washington, U. S. Govt. Printing Off., 1961. v. 1, 246 p. 23 cm.

"This valuable work covers the records in the National Archives originating in the Treasury and the departments of State, War and Navy; also a large body of documents designated as general among which are those relating to claims commissions, arbitration, boundary disputes, and international conferences. Description of large groups and series of records. Certain documents are fully analyzed to indicate the general character and value of the group or series under discussion". (*Hdbk*, Nº 24).

LC

HILL, ROSCOE R.

Impressions of Hispanic American archives, en *Hisp. Am. Hist. Rev.*, XVII (1937), p. 538-45.

"Description of the present condition of the Latin American national archives and of the scholars who direct them". (*Hdbk*'37).

— National Archives of Latin America, en *Hdbk*'36, p. 433-42.

Información general sobre los archivos latinoamericanos. Para Colombia, p. 436.
LC, PU, KU, USC, UCLA

*— The National Archives of Latin America. Cambridge, Massachusetts. Harvard Univ. Press, 1945. xx, 169 p. (Joint Committee on Latin American Studies of the National Research Council, American Council of Learned Societies, and Social Science Research Council, Miscellaneous Publ., Nº 3).

Ed. en español, *id.,* IX, 166 p.
"Para Colombia, p. 58-68, de la 1ª ed. de Cambridge. Historia del Archivo Nacional, organización, clasificación de documentos y publicaciones". (*Bbcs*).
LC

HILTON, RONALD, *ed., Handbook of Hispanic source materials and research organizations in the United States ... V.* p. 176.

LARRABURE Y UNANUE, EUGENIO.
El archivo de Indias y la Biblioteca Colombina de Sevilla; rápida reseña de sus riquezas bibliográficas ... [¿Sevilla?], Tipografía La Académica, [1914]. 53 p. 23 cm.
UC

MILLARES CARLO, AGUSTÍN.
Algunas notas bibliográficas acerca de archivos y bibliotecas españoles, en *An. de la Univ. Madrid, Letras,* IV (1935), p. 101-133.
LC

— Los archivos municipales de Latinoamérica. Libros de actas y colecciones documentales. Apuntes bibliográficos ... Maracaibo (Venezuela), Universidad de Zulia, 1961.

220 p. 4 h. 23 cm.
ICC

* ORTEGA RICAURTE, ENRIQUE, 1893-1962.

Misiones colombianas en los archivos europeos. México, [Instituto Panamericano de Geografía e Historia, Comisión de Historia], 1951. 158 p. 22 cm. (Instituto Panamericano de Geografía e Historia, Comisión de Historia [Publicación], 33. Misiones americanas en los archivos europeos, 5).

"... describes in detail the work accomplished by six Colombian missions. With reference to four missions, there is a brief biography of the investigator, an indications of where he worked, and a bibliography of his writings". (*Hdbk*'51).

V. Germán Posada Mejía, *Misiones colombianas en archivos europeos: misión de José María Rivas Groot (1909-1921* y *1923)*, en *Nuestra América. Notas de historia cultural.* Bogotá, Instituto Caro y Cuervo, 1959, p. 285-306.

BN / LC, CU

PEÑA CÁMARA, JOSÉ MARÍA DE LA.

A list of Spanish residencias in the Archives of the Indies, 1516-1775; administrative judicial reviews of colonial officials in the American Indies, Philippine and Canary Islands. Compiled for the Library of Congress. Washington, Library of Congress, Reference Dept., 1955. x, 109 p. 26 cm.

Foreword, [by] Howard F. Cline, Director, Hispanic Foundation, p. III.

"The *residencias* listed in the following pages are those which, either by reasons of the importance of the official being examined or by right of appeal were sent to the Consejo de Indias of Spain. They are here presented by the series of which they form part in the Archivo de Indias at Seville". (*Preface*).

Se incluyen residencias en Santafé, Cartagena, Popayán y Santa Marta.

LC

RESTREPO CANAL, CARLOS, 1896-

Los archivos y la divulgación del conocimiento de la historia, en *Bol. Cult. y Bibl.,* (Bogotá), VIII, núm. 10 (1965), p. 1546-50.

ICC, BN, BLAA / LC, UCLA

SCHÄFER, ERNESTO.

Indice de la colección de documentos inéditos de Indias. Editada por Pacheco, Cárdenas, Torres de Mendoza, y otros (1ª serie, t. 1-42), y la Real Academia de la Historia (2ª serie, t. 1-25). Madrid, Consejo Superior de Investigaciones Científicas, 1946-47. 2 v. 24 cm. (Instituto "Gonzalo Fernández de Oviedo").

ICC

SCHELLENBERG, T. R.

Archivos modernos: principios y técnicas ... Traducción y adiciones por el Dr. Manuel Carrera Stampa ... La Habana, [Instituto Panamericano de Geografía e Historia], 1958. 358 p. 23 cm. (Publicaciones del Comité de Archivos de la Comisión de Historia, núm. 4).

ICC

TESSIN, GEORGE.

Das Archivwesen Ibero-Amerikas, en *Archivalische Zeitschrift* (Berlin), XLV (1939), p. 239-89.

"Historia, organización y contenido de los archivos de la América española y portuguesa". (*Bbcs*).

LC

* TORRE REVELLO, JOSÉ, 1893-

El archivo general de Indias de Sevilla; historia y clasificación de sus fondos, por José Torre Revello ... Bue-

nos Aires, Talleres S. A., Casa Jacobo Penser, Ltda., 1929. 214 p., 1 h., XVI. 27½ cm. ([Buenos Aires, Universidad Nacional]. Publicaciones Históricas, núm. 1).
LC

— Los archivos españoles ... Buenos Aires, Imp. de la Universidad, 1927. 41 p. 26 cm. (Facultad de Filosofía y Letras. Publicaciones del Instituto de Investigaciones Históricas, 36).
ICC

— Inventario del Archivo General de Indias, por José Torre Revello ... Buenos Aires, Imp. de la Universidad, 1926. 24 p. 27½ cm. ([Buenos Aires, Universidad Nacional]. Publicación del Instituto de Investigaciones Históricas, núm. XXVIII).
LC

TORRES LANZAS, PEDRO.
Catálogo de legajos del Archivo General de Indias, secciones 1 y 2. Patronato y Contaduría de Indias. Sevilla, Tip. Zarzuela, 1919. 203 p. (C. K. Jones)

VALCÁRCEL, DANIEL, *Biografías hispanoamericanas en el Archivo General de Indias* ... *V.* p. 212.

II. CATALOGOS Y GUIAS DE BIBLIOTECAS

1. BIBLIOTECAS COLOMBIANAS

ACADEMIA DE LA HISTORIA, *Cartagena.*
Primer catálogo levantado por el bibliotecario, Académico de número, Don Gabriel Jiménez Molinares. Cartagena, 1935. 57 p.
BN

ALGUNAS de las ediciones raras y valiosas que posee la Biblioteca Nacional, en *Bol. Bibl. Nal.* (Bogotá), época 3, núms. 61-63 (abril-junio de 1945), p. 8-10.

"Among the fourteen works described are Antonio de Herrera, *Historia General* (Madrid, 1601), José Toribio Medina, *La Imprenta en Guatemala,* 1660-1821, (Santiago de Chile, 1910), and Juan de Torquemada, *Monarchia Indiana* (Madrid, 1723)". (*Hdbk*'45).

BN

* BANCO DE LA REPÚBLICA, *Bogotá.*

Catálogo general de libros. Bogotá, Imp. del Banco de la República, 1948. 3 v. (292, 234, 398 p.).

"Catálogo de los libros que poseía la Biblioteca del Banco de la República, hoy Biblioteca Luis-Angel Arango". (*Bbcs*).

BN, BLAA / LC

BIBLIOTECA CENTRAL MUNICIPAL, *Bogotá.*

Catálogo de las obras de la Biblioteca Central Municipal. Literatura. Entrega núm. 1. Bogotá, Imp. Municipal, 1954. 10, 41 p. 24½ cm.

"Esta primera entrega del catálogo de la Biblioteca Central Municipal de Bogotá contiene obras generales de literatura y literatura colombiana". (*Bbcs*).

BN

BIBLIOTECA DEL COLEGIO SALESIANO DE LEÓN XIII, *Bogotá.*

Catálogo de la Biblioteca del Colegio Salesiano de León XIII. Bogotá, Escuelas Gráficas Salesianas, 1945. 83 p.

BN

BIBLIOTECA del Instituto Caro y Cuervo: Lista de libros incorporados ..., en *Noticias Culturales* (Bogotá), núm. 1- 1961-

Una sección de *Noticias Culturales* se dedica a registrar las obras incorporadas a la biblioteca.

ICC

BIBLIOTECA DEPARTAMENTAL, *Medellín.*

Catálogo de la Biblioteca Departamental. Medellín, Imp. Oficial, 1903. x, 123 p.

"La Biblioteca Departamental se halla incorporada actualmente a la Biblioteca de la Universidad de Antioquia". (*Bbcs*).

BN

* BIBLIOTECA "LUIS-ANGEL ARANGO", *Bogotá.*

Boletín Cultural y Bibliográfico, publicado mensualmente por la Biblioteca "Luis-Angel Arango" del Banco de la República. Bogotá, 1958- v. I- Director Jaime Duarte French.

"Reseña libros nacionales y extranjeros; registra las obras recibidas en la Biblioteca e incluye fichas del material colombiano que posee". (*An*'59-60).

ICC, BN, BLAA / LC, UCLA

* BIBLIOTECA "LUIS-ANGEL ARANGO", *Bogotá.*

Catálogo general de la Biblioteca Luis-Angel Arango. Bogotá, Imp. del Banco de la República, 1961- v. 27½ cm.

v. I: 000 a 299; v. II: 300 a 335; v. III: 336 a 399; v. IV: 400 a 799; v. V: 800 a 868.

En curso de publicación. Los volúmenes que se dediquen a la literatura colombiana serán de gran utilidad para los estudiosos de las letras nacionales.

ICC, BN, BLAA

BIBLIOTECA NACIONAL, *Bogotá.*

La Biblioteca Nacional y su exposición del libro. Bogotá, Edit. A B C, 1940. 141 p. ilus. 24 cm.

Contenido: I. Informe del Director de la Biblioteca, doctor Daniel Samper Ortega, p. 5-52; II. Orígenes de la imprenta, por Aníbal Currea, p. 53-105; III. Exposición del libro.

ICC, BN

— Catálogo de la Exposición del libro. Bogotá, Prensas de la Biblioteca Nacional, 1942. 48 p.

BN

— [Catálogo de la] Exposición de libros: incunables, raros y curiosos, julio 7-14, 1962. 23 h. 32 cm. Mimeografiado.

"Lista de las 256 obras más antiguas que posee la Biblioteca Nacional".

BN

BIBLIOTECA NACIONAL, *Bogotá.*

Catálogo de las obras americanas existentes en la Biblioteca Nacional, en *Revista de la Instrucción Pública de Colombia* (Bogotá), v. III-IV, núms. 16-22 (abril-octubre, diciembre de 1894); núms. 27-28 (febrero-abril de 1896).

BN / LC

BIBLIOTECA NACIONAL, *Bogotá.*

Catálogo de las obras en francés existentes en la Biblioteca Nacional. Formado y publicado de orden del Poder Ejecutivo. Primera Serie. Bogotá, Imp. de El Neo Granadino, 1855. 66 p.

BN / LC, NYPL

BIBLIOTECA NACIONAL, *Bogotá.*

Catálogo de las obras en inglés existentes en la Biblioteca Nacional. Formado y publicado de orden del Poder Ejecutivo. Segunda Serie. Bogotá, Imp. del Estado, 1856. 22 p.

BN / LC, NYPL

* — Catálogo de las obras en español existentes en la Biblioteca Nacional. Formado y publicado de orden del Poder Ejecutivo. Tercera Serie. Bogotá, Imp. del Estado, 1856. 88 p.

BN / LC, NYPL

— Catálogo de las obras en latín existentes en la Biblioteca Nacional. Formado y publicado de orden del Poder Ejecutivo. Cuarta Serie. Bogotá, Imp. del Estado, 1856. 117 p.

BN / LC

— Catálogo de las obras en italiano, portugués, alemán, sueco, griego, holandés, catalán, dinamarqués y ruso existentes en la Biblioteca Nacional. Formado y publicado de orden del Poder Ejecutivo. Quinta Serie. Bogotá, Imp. del Estado, 1857. 42 p.

BN

* — Catálogo de las obras existentes en la Biblioteca de obras nacionales. Formado de orden del Poder Ejecutivo. Biblioteca Pineda. Bogotá, Imp. del Estado, 1857. 20 p.

"Estos [...] catálogos, los primeros publicados sobre los fondos de la Biblioteca Nacional, fueron obra del distinguido escritor don Leopoldo Arias Vargas, 1832-1884". (*Bbcs*).

BN

* BIBLIOTECA NACIONAL, *Bogotá.*

Catálogo de las obras hispano-americanas existentes en la Biblioteca Nacional. Bogotá, Imp. de Zalamea Hermanos, 1897. 360 p. 24 cm.

Contiene obras nacionales y extranjeras.

"Publicado inicialmente en *Revista de la Instrucción Pública de Colombia*... (Bogotá), tomos III y IV, 1894". (*Bbcs*).

"Adelantada un tanto la impresión de este libro, se vio que convenía incluír la librería *Quijano Otero,* en la cual hay muchas obras extranjeras..." (*Advertencias*).

Contenido de interés: *Periódicos,* p. [3]-48; *Literatura,* p. 157-78; *Catálogo de las obras que componen la librería de Quijano Otero, existentes en la Biblioteca Nacional,* p. 231-323; *Apéndice* [*Literatura,* p. 339-43].

ICC, BN / LC

—— Adicional al publicado e [*sic*] 1897, en *Revista de la Instrucción Pública de Colombia* (Bogotá), X, núms. 59-60, 62-64 (junio-julio, septiembre-noviembre de 1899).
BN / LC

* BIBLIOTECA NACIONAL, *Bogotá.*

Catálogo de periódicos y libros de la Biblioteca Nacional. Edición oficial. Bogotá, Imp. Nacional, 1914. 315 p.
BN

—— Bogotá, Imp. Nacional, 1916. 179 p. 24 cm.
ICC

BIBLIOTECA NACIONAL, Bogotá, *Catálogo de todos los periódicos que existen desde su fundación hasta el año de 1915 inclusive ...* *V.* p. 765. *Catálogo de todos los periódicos que existen desde su fundación hasta el año de 1935 inclusive ...* *V.* p. 766.

* BIBLIOTECA NACIONAL, *Bogotá.*
Catálogo del "Fondo Anselmo Pineda". Bogotá, Edit. "El Gráfico", 1935. 2 v. (321, 319 p.). 24 cm.

Contenido: v. I: A-LL; v. II: M-Z.

"... dispuesto por orden alfabético de autores y de personas a quienes se refieren las piezas contenidas en los volúmenes de la sección respectiva".

"Catálogo alfabético de esta preciosa colección, el más valioso conjunto de folletos publicados en el curso del siglo pasado en Colombia". (*Bbcs*).

BN / LC, NC, CU

* BIBLIOTECA NACIONAL, *Bogotá.*
Catálogo del "Fondo José María Quijano Otero". Bogotá, Edit. "El Gráfico", 1935. 320 p. 24½ cm.

"Catálogo ... dispuesto por orden alfabético de autores y por orden cronológico de obras colombianas seguidas de una descripción bibliográfica de los periódicos de la Gran Colombia".

Secciones de interés: [*Orden alfabético de autores y de personas a quienes se refieren las piezas*], p. 5-141; *Obras anónimas, p.* 142-78; *Catálogo cronológico de obras nacionales o referentes a asuntos colombianos que figuran en la librería Quijano Otero de la Biblioteca Nacional,* p. 179-258 [va de 1742-1865]; *Descripción bibliográfica de los periódicos de la época de la Gran Colombia,* p. 258-318.

BN / LC, NC, CU

BIBLIOTECA NACIONAL, *Bogotá.*
Lista de libros y folletos recibidos en la Biblioteca Nacional, en *Revista de la Instrucción Pública de Colombia* (Bogotá), II, núms. 8-10 (agosto-octubre de 1893).

BN / LC

BOLETÍN Bibliográfico Bolivariano. Organo de la Biblioteca de la Universidad Católica Bolivariana. Medellín. vol. I-núm. 1, julio, 1941-

"Contains a list of accessions to the library and a classified *Revista de Revistas* without annotations". (*Hdbk*'41).

¿Dejó de publicarse?

BOLETÍN de Bibliografía Antioqueña. Sala de autores antioqueños, Biblioteca Central, Universidad de Antioquia, Medellín, Colombia. núm. 1, agosto/octubre, 1963-

Publicación periódica. Incluye nuevas obras en la sala de autores antioqueños de la Biblioteca Central de la Universidad de Antioquia.

PU

CATÁLOGO de la Biblioteca Laureano García Ortiz. [Bogotá, s. f.]. 4 v. Copias mecanografiadas.

De especial interés: v. I: La novela en Colombia; La poesía en Colombia; Escritores colombianos; Literatura universal; v. III. Colombia; v. IV. Manuscritos; Bibliografía y catálogos.

Los fondos de la biblioteca Laureano García Ortiz pasaron a la Biblioteca "Luis-Angel Arango".

BLAA

CATÁLOGO de libros pertenecientes a la biblioteca particular del señor Antonio Reyes Otero. Bogotá, Tip. Regina, [s. f.]. 70 p. (*Bbcs*)

COLEGIO DE CRISTO, *Manizales*.

Boletín de la Biblioteca Colombia. Años: 1961 y 1962. Manizales, [Impresos en Beyco, 1962]. 48 p. ilus. 17 cm. (*An*'62)

COLOMBIA. *Cali, Biblioteca del Centenario.*

Biblioteca y Libros, revista mensual, órgano de la Biblioteca del Centenario. Cali, núm. 1- [¿1937?]-

"General material, including notes on books and the report of the secretary. Director: Alfonso Zawadzky C.". (*Hdbk'38*).

¿Dejó de publicarse?

COLOMBIA. *Congreso. Biblioteca.*

Indice general de la Biblioteca del Congreso. Bogotá, Imp. Nacional, 1936. 203 p. 22 cm.

"Constituye la lista más completa sobre documentos oficiales de Colombia y que se encuentran en dicha biblioteca". (*Bbcs*).

Las publicaciones y documentos están ordenados alfabéticamente de acuerdo al título.

BN / LC, PU, NC, NYPL

COLOMBIA. *Leyes, decretos, etc.*

Legislación bibliotecaria colombiana 1821-1960. Compilada por el Dr. José Ignacio Bohórquez C. ... Medellín, Escuela Interamericana de Bibliotecología, 1963. 355 p. 27 cm. Mimeografiado.

"Edición provisional". (*An'63*).

COLOMBIA. *Ministerio de Relaciones Exteriores.*

Catálogo de la Biblioteca de información. 2ª ed. Arreglada por Alberto Sánchez. Bogotá, Imp. Nacional, 1914. 86 p. 24 cm.

BN / LC

ESCUELA INTERAMERICANA DE BIBLIOTECOLOGÍA, *Medellín.*

Conoce tu biblioteca. Una guía para el conocimiento y aprovechamiento de la Biblioteca General de la Universidad de Antioquia. Medellín, Edit. Universidad de Antioquia, [1963]. 20 p. 19½ cm.

— Guía de las bibliotecas de Medellín. Edición provisional. Medellín, [1961]. 2 h. p., 15 p. 22 cm.
BLAA

Estrada Robledo, Gloria.

Uso de la biblioteca y preparación de bibliografías. Manizales, Universidad de Caldas, 1962. 23 h. 23½ cm. Mimeografiado. (*An*'62)

Florén Lozano, Luis, 1913- *comp.*

Bibliografía bibliotecológica colombiana. Bogotá, Centro Interamericano de Vivienda, 1954. 4 h. p., 10 p. 22 cm. Mimeografiado.

"Contribución del Centro Interamericano de Vivienda a las Primeras Jornadas Bibliotecológicas Colombianas, Bogotá, 20 al 24 de julio de 1954". (*Bbcs*).

ICC / LC, PU

— — 1953-1955, recogida por Luis Florén ... Bogotá, [Edit. Litografía Colombia], 1956. 57 p. 25 cm. (Manuales de Bibliografía y Documentación Colombianas, I).

Contenido: Introducción; Bibliografía bibliotecológica colombiana en orden alfabético; Indice de materias; Indice de revistas y periódicos analizados.

ICC / LC, PU

— — Publicada hasta 1960 ... Medellín, Colombia, Edit. Universidad de Antioquia, 1964. IV p., 1 h., 125 p. 27 cm. (Manuales de Bibliografía y Documentación Colombianas, 1). Mimeografiado.

ICC

Forero, Manuel José, 1902-

Apuntaciones para la historia de la biblioteca nacional, en *Bol. Hist. Ant.* (Bogotá), XXX, núms. 342-43 (abril-mayo de 1943), p. 509-16.

ICC, BN, BLAA / LC, PU, CU, UCLA

García, Juan C.

Los Incunables de la Biblioteca Nacional, en *América Española* (Barranquilla), VIII, núm. 29 (1940), p. 190 y sgts.

BN

Guerra, José.

La biblioteca de la Universidad de Antioquia, en *El Colombiano* - Suplemento Literario (Medellín), 9 de diciembre de 1951, p. 4.

BN

Hernández de Caldas, Angela, *comp.*

Catálogo de la Biblioteca de la Universidad de Nariño, preparado por ... con la colaboración de Ruth Baena, bibliotecaria auxiliar. Pasto (Colombia), Intergráficas, 1960. 347 p., 1 h. 23 cm.

ICC

Hernández de Alba, Guillermo, y Martínez Briceño, Rafael.

Una biblioteca de Santa Fe de Bogotá en el siglo XVII. Bogotá, Instituto Caro y Cuervo, 1960. 52 p. láms. 23 cm.

Separata de *Thesaurus* (Bogotá), XIV (1959).

ICC, BN, BLAA / LC, PU, UCLA

* JIMÉNEZ, JENARO.

Catálogo de la Biblioteca del Colegio Mayor de Nuestra Señora del Rosario. Bogotá, Imp. de "La Luz", 1925. 287 p.

V. Lombo, Tomás; Santamaría Caro, Miguel y Vergara Crespo, Primitivo en esta sección.

BN

* LOMBO, TOMÁS.

Suplemento al catálogo de la Biblioteca del Colegio Mayor de Nuestra Señora del Rosario. Publicado en el rectorado del Illmo. y Rvdmo. Mgr. Dr. José Vicente Castro Silva, siendo bibliotecario D. Tomás Lombo. Bogotá, Edit. Centro, 1938.

V. Jiménez, Jenaro; Santamaría Caro, Miguel y Vergara Crespo, Primitivo en esta sección.

BN

LOZANO SIMONELLI, ALBERTO.

La Biblioteca del Banco de la República, en *Bol. Cult. y Bibl.* (Bogotá), I, núm. 6 (julio de 1958), p. 176-77.

Breve noticia sobre la historia de la Biblioteca, hoy Biblioteca "Luis Angel Arango".

ICC, BN, BLAA / LC, UCLA

MONSALVE, JOSÉ DOLORES, 1864-1935.

Un recuerdo de la Expedición Botánica, en *RCMRos* (Bogotá), XXVIII (1934), p. 225-56.

"Se publican en este estudio algunos documentos sobre don José Celestino Mutis, entre ellos el inventario de parte de su rica biblioteca. Aunque fragmentario este catálogo constituye un valioso documento de la cultura colonial neogranadina" (*Bbcs*).

BN, BLAA

* MONTT VERGARA, ELENA.

Guía de las publicaciones en Colombia. Medellín, 1960. IV, 307 h. 28 cm. Copia mecanografiada.

Tesis, Licenciada en Bibliotecología, Escuela Interamericana de Bibliotecología, 1960.

"Registra unas trescientas bibliotecas de las cuales facilita información sobre su funcionamiento, composición, servicios que prestan, nombre y dirección del bibliotecario y nombre oficial de la biblioteca" (Luis Florén).

MORENO MATTOS, ARMANDO, 1923-

La biblioteca en Colombia 1960-1961. Bogotá, Departamento Administrativo Nacional de Estadística, 1963. xxx, 74 p. 27 cm. (Boletín, 7).

BLAA

— Directorio de bibliotecas en Colombia. Bogotá, Departamento Administrativo Nacional de Estadística, 1959. XXI, 27 p. 31 cm. (Biblioteca. Boletín, 2).

ICC, BN, BLA / LC, PU

* — Directorio de bibliotecas y editoriales en Colombia. Bogotá, Departamento Administrativo Nacional de Estadística, 1960. xv, 52 p. 27 cm. (Boletín, 4).

ICC, BN, BLAA / LC

* OBRAS de la biblioteca de Vergara y Vergara que se han recibido en la Biblioteca Nacional, en *Anales de la Universidad* (Bogotá), IX (1875), p. 37-57.

"Catálogo de las obras que pertenecieron a don José María Vergara y Vergara donadas a la Biblioteca Nacional". (*Bbcs*).

BN

OSPINA, URIEL.

Sobre una biblioteca particular de escritores antioqueños, en *Bol. Cult. y Bibl.* (Bogotá), VI, núm. 7 (1963), p. 1032-1037.

La biblioteca de Bernardo Montoya Alvarez. Se incluyen algunas fichas de la misma.

ICC, BN, BLAA / LC, UCLA

POMBO, JORGE, *Biblioteca de Jorge Pombo. Catálogo de la sección historia y geografía de América* (*Obras escogidas*) ... *V*. p. 780.

POSADA, EDUARDO, 1862-1942.

La biblioteca nacional, en *El Repertorio Colombiano* (Bogotá), XVI, núm. 6 (octubre de 1897), p. 401-14.

"Su historia, con abundancia de datos" (J. J. Ortega Torres).

ICC / LC

EL PRECURSOR. Documentos sobre la vida pública y privada del General Antonio Nariño. Bogotá, Imp. Nacional, 1903. xxxii, 653 p. (Biblioteca de Historia Nacional, II).

"En las páginas 164 a 191 de esta obra se encuentra el catálogo de la biblioteca del General Nariño, uno de los más interesantes documentos para el estudio de la cultura de los hombres de la época de la Independencia y de las influencias intelectuales de la Revolución Francesa en América". (*Bbcs*).

BN, BLAA

RODRÍGUEZ, MANUEL DEL SOCORRO, 1754-1819.

Lista de las obras literarias donadas por Manuel del Socorro Rodríguez a la Real Biblioteca. Documentos relativos al arreglo del edificio de la Real Biblioteca, en *Fundación del Monasterio de la Enseñanza. Epigramas y otras obras inéditas e importantes.* Bogotá, Empresa Nacional de Publicaciones, 1957, p. 525-28. (Biblioteca de la Presidencia de Colombia, 44).

ICC, BLAA / LC

* SANTAMARÍA CARO, MIGUEL.

Suplemento al catálogo de la biblioteca del Colegio del Rosario, en *RCMRos* (Bogotá), XXI (1926), p. 114-120.

V. Jiménez, Jenaro; Lombo Tomás y Vergara Crespo, Primitivo en esta sección.

BN, BLAA

* SCARPETTA, LEONIDAS, y VERGARA, SATURNINO.

Biblioteca del Ex-Coronel Pineda, o colección de las publicaciones de la imprenta en el Virreinato de Santafé, y en las Repúblicas de Colombia y Nueva Granada, de 1774 a 1850 ... Bogotá, Imp. de "El Neogranadino", 1853-1854. Nueva ed. Bogotá, Imp. de "El Tradicionista", 1872-73. 2 v.

BN / PU (2ª ed.)

TORRE REVELLO, JOSÉ, 1813- *comp.*

Inventario de los libros donados por [Antonio] Caballero y Góngora al Arzobispado de Bogotá 1788. Publicado por José Torre Revello, en *Boletín del Instituto de Investigaciones Históricas* (Buenos Aires), VIII (1929), núm. 41, p. 27-45. Reproducido por José Manuel Pérez Ayala en su obra *Antonio Caballero y Góngora, Virrey Arzobispo de Santa Fe.* Bogotá, Imp. Municipal, 1941, p. 285-95.

"De extraordinario interés para el estudio de la cultura colonial y de la personalidad del ilustre Virrey-Arzobispo es este catálogo de su biblioteca, hoy desgraciadamente perdida". (*Bbcs*).
BN

UNIVERSIDAD DE CARTAGENA. *Facultad de Derecho. Biblioteca.*
Catálogo general de obras. Con índice alfabético de autores. Cartagena, Edit. Bolívar, 1942. 155 p. 24 cm.
Algunas de las obras incluídas tienen interés literario.
PU

UNIVERSIDAD DEL VALLE. *Facultad de Arquitectura.*
Guía de las bibliotecas y centros de investigación de Cali. Edición preliminar. Cali, 1961. 30 h. 28 cm. Mimeografiado. (*An'*61)

UNIVERSIDAD NACIONAL DE COLOMBIA. *Biblioteca Central.*
Catálogo [de la] Exposición de libros "Antiguos y curiosos". Abril 19 a 27 de 1965. Bogotá, 1965. 64 p. 27½ cm. Mimeografiado. (*An'*64-65)

UNIVERSIDAD NACIONAL DE COLOMBIA. *Facultad de Filosofía y Letras.*
Catálogo. Primera parte: 000-200. [Bogotá, Universidad Nacional, 1953]. 2 h. p., 140 p. 33 cm. Mimeografiado.
Catálogo de la biblioteca. (*An'*63).
ICC

UNIVERSIDAD PEDAGÓGICA DE COLOMBIA, *Tunja.*
Boletín Bibliográfico — Universidad Pedagógica de Colombia — Biblioteca General. Tunja, 1958. núm. 1- (julio de 1958). Mimeografiado.

"Elaborado por Hernando V. Rodríguez Camacho. Registra libros, revistas y artículos tanto nacionales como extranjeros disponibles en la Biblioteca de la Universidad". (*An*'57-58).

* VERGARA CRESPO, PRIMITIVO.

Suplemento al catálogo de la Biblioteca del Colegio Mayor de Nuestra Señora del Rosario (Continuación del catálogo de 1925). Publicado en el rectorado de Mons. Rafael M. Carrasquilla, siendo bibliotecario don Primitivo Vergara Crespo. Bogotá, Imp. de "La Luz", 1928. 50 p.

V. Jiménez, Jenaro; Lombo, Tomás y Santamaría Caro, Miguel en esta sección. (*Bbcs*)

2. BIBLIOTECAS EXTRANJERAS

AMERICAN LIBRARY ASSOCIATION. *Committee on Library Cooperation With Latin America.*

Books of Latin American interest in public libraries of the United States. Prepared for the Committee by William C. Haygood, George Finney, Manuel Sánchez, Mary E. Brindley. Chicago, American Library Association, 1942. 26 p. 22½ cm.

"Holdings of 201 public libraries were examined, using a check list of 1015 titles compiled from standard library buying guides...". (*Hdbk*'42). Se incluyen obras selectas de literatura colombiana.

LC, PU

AMERICAN LIBRARY ASSOCIATION. Committee on Library Cooperation with Latin America, *List of Latin American serials; a survey of exchanges available in the U. S. libraries* ... p. 771.

AMERICAN library directory. A classified list of ... libraries with names of librarians. New York, R. R. Bowker Co., 1923- v. 26½ cm.

— Supplement ... comprising subject index to special collections in American libraries, lists of Latin American libraries and greater libraries overseas, subject index to library literature recorded in 1927. New York, R. R. Bowker Co., 1928. v. 26½ cm.

21ª ed.: 1957.

LC

BABCOCK, CHARLES EDWIN, 1879- *Newspaper files in the library of the Pan American Union* ... *V.* p. 771.

BARTLET, JOHN RUSSELL.

Bibliotheca americana; a catalogue of books relating to North and South America, in the library of the late John Carter Brown, with notes. Providence, 1865-1871. 4 v.

"Catálogo de la famosa colección norteamericana, admirablemente elaborado. En la 2ª ed. Providence, [1875]-1882, [2 v.] [...] merecen consultarse los Nos. 220, 256, 319, 1110, 1146, 1547, 1548, 1549, 1554, 1558-1567, 1586-1600, 1624, referentes a obras colombianas". (*Bbcs*).

LC

BEÉCHE, GREGORIO MIGUEL PASCUAL DE, 1801-1878.

Bibliografía americana. Estudio y catálogo completo y razonado de la biblioteca americana coleccionada por el Sr. Gregorio Beéche (Cónsul jeneral de la República Argentina en Chile) por B. Vicuña Mackenna. Valparaíso, Imp. del Mercurio, 1879. XXVII p., 1 h., 802 p. 24 cm.

4600 vols. componían la biblioteca.

Contenido de interés: *Catálogos y bibliotecas americanas* (*Estudios comparativos*), *p.* [XVII]-XXV.

En la sección por países: *Colombia,* p. 181-83; *Nueva Granada,* [Literatura, p. 203-205, Poesía, p. 206, Periódicos, p. 207], p. 197-216.

LC

BIBLIOTECA NACIONAL DE QUITO, *Ecuador.*

Incunables y libros raros y curiosos de los siglos XV, XVI, XVII y XVIII, de la sección llamada "Hispanoamericana". Quito, Edit. Casa de la Cultura Ecuatoriana 1959. 108 p. láms. facsims. 21 cm.

ICC

BIBLIOTEEK DER RIJKSUNIVERSITEIT TE UTRECHT.

España e Hispanoamérica. Catálogo de libros españoles y publicaciones extranjeras sobre España e Hispanoamérica. Utrecht (Bélgica), Edit. Biblioteca Universitaria de Utrecht, 1960, 1963, 1966. 3 v. 24 cm.

Los volúmenes del catálogo contienen los títulos de las adquisiciones del Instituto de Estudios Hispánicos, Portugueses e Iberoamericanos de la Universidad Estatal de Utrecht y los de la Biblioteca Universitaria y otras instituciones.

Se incluyen numerosas obras de literatura colombiana.

ICC / LC

BOSTON PUBLIC LIBRARY.

Catalogue of the Spanish library and of the Portuguese books bequeathed by George Ticknor to the Boston Public Library, together with the collection of Spanish and Portuguese literature in the general library. By James Lyman Whitney. Boston, by order of the Trustees, 1879. 476 p.

Incluye algunas obras de literatura colombiana.

BPL

* BRITISH MUSEUM, *London.*

Catalogue of printed books 1881-1900. Published under the auspices of a committee of the Association of Research Library. Ann Arbor., J. W. Edwards, 1946-1950. 64 v.

"En el tomo XI-Col., columnas 48-52, se anotan 79 obras anónimas sobre Colombia; en el 38, NET, columnas 136-146, se enumeran 175 títulos sobre documentos públicos, leyes, etc., de la Nueva Granada". (*Bbcs*).

UVa

— General catalogue of printed books. Photolithographic ed. to 1955. [London], Trustees of the British Museum, [c 1959-1966]. 263 v. Additions yearly.

V. Stevens, Henry, *Catalogue* ..., p. 103. Para información sobre la historia de la Biblioteca del Museo Británico, *V.* Esdaile, Arundell James K., p. 87-88.

LC

BRITISH *Union-Catalogue of periodicals. A record of the periodicals of the world from seventeenth century to the present day in British libraries* ... *V.* p. 772.

* BROWN UNIVERSITY. *Library.*

List of Latin American imprints before 1800, selected from bibliographies of José Toribio Medina, microfilmed by Brown University. Providence, R. I., 1952. IV, 140 p. 28 cm.

"Supersedes preliminary lists nº 1 and 2, which were distributed in 1942 and 1943".

Incluye 2339 títulos clasificados alfabéticamente. Muy útil compilación sobre las importantes obras coloniales que conserva en microfilme la Brown University Library.

LC, UVa, KU

BUENAVENTURA, EMMA, *comp., Bibliografía de literatura infantil, y la biblioteca como auxiliar de la educación,* por Emma Linares y Marietta Daniels ... *V.* p. 27.

BUENOS AIRES. *Biblioteca Nacional.*

Catálogo metódico de la Biblioteca Nacional, seguido de una tabla alfabética de autores ... Buenos Aires, Imp. de P. E. Coni é hijos, 1839-19- v. 27½ cm. vols. 3- have imprint: Buenos Aires, Taller Tipográfico de la Biblioteca Nacional.

Contenido de interés: t. 3. Literatura general (1911), dividido en las siguientes secciones: A. Lingüística; B. Historia de la literatura; C. Biografías literarias; D. Retórica y literatura preceptiva; E. Poesía [IV. Poetas hispano-americanos]; F. Teatro [IV. Teatro hispanoamericano]; G. Ficciones en prosa [I. Cuentos y novelas de autores castellanos e hispanoamericanos]; H. Epistolarios; I. Obras completas de literatos; J. Crítica y filosofía; K. Antologías. Colecciones de sentencias. Refranes. Anécdotas; L. Memorias literarias; M. Anuarios y revistas de literatura; N. Tesis; O. Misceláneas literarias; P. Variedades.

Suplemento, p. [169]-753.

Tabla alfabética de autores, p. [757]-928.

El volumen [3] incluye un rico repertorio bibliográfico de literatura general.

LC

BUENOS AIRES, Biblioteca Nacional, *Un siglo de periódicos en la Biblioteca Nacional* (políticos); Catálogo por fechas ... *V.* p. 772.

CALIFORNIA. *University of California at Berkeley. Library.*

Spain and Spanish America in the libraries of the University of California. A catalogue of books. Berkeley, 1928-1930. 2 v. 26½ cm.

"This catalogue is to consist of two parts each complete in itself: vol. I books in the General Library of the University of

California and in the departmental and other libraries on the Berkeley campus, except the Bancroft Library, as of date January, 1927; vol. II, books in the Bancroft Library". (*Introduction,* I, s. p.).

vol. I contiene cerca de 15.000 títulos.

Subject index, p. [759]-846.

Index, II, p. [691]-839.

LC, UVa, KU, UC, UCLA, USC

* — Author-title catalogue ... Boston, G. K. Hall. [¿196-?]. 115 v.

LC, UC, USC, UCLA

* CALIFORNIA. *University of California at Berkeley, Bancroft Library.*

Catalog of printed books. Boston, G. K. Hall, [¿196-?]. 22 v.

LC, UC

* CALIFORNIA. *University of California at Los Angeles. Library.*

Dictionary Catalog of the University Library, 1919-1962. Boston, G. K. Hall, 1963. 129 v.

"This catalog is a photographic reproduction of the library's unedited catalog", as of early 1963.

Representing authors, titles, subjects, and other entries for books in the main library collections and in the Clark Memorial Library.

LC, USC, UCLA

CARDONA DE MEJÍA, ARACELI.

Cómo hacer uso de la biblioteca; guía para los lectores, preparada por Araceli Cardona de Mejía. Bogotá, Universidad Pedagógica Nacional, 1964. 25 p. 22½ cm.

(*An*'64-65)

CARRASCO PUENTE, RAFAEL.

Historia de la Biblioteca Nacional de México. Con texto en inglés traducido por Erwin K. Mapes. México, Secretaría de Relaciones Exteriores, Departamento de Información para el Extranjero, 1948. 161 p., 2 h. ilus. (rets., facsíms.) 23 cm.

ICC

COLUMBIA UNIVERSITY, *New York.*

Entries under "Colombia". General Catalogue of Columbia University. [New York, ¿1947?].

"Fotocopias de las tarjetas relativas a Colombia del Catálogo de la Universidad de Columbia; comprende más de un millar de referencias sobre los más diversos temas". (*Bbcs*).

DANIELS, MARIETTA, 1913- *comp.*

La biblioteca pública en América. Una bibliografía selecta. Washington, Unión Panamericana, Departamento de Asuntos Culturales, 1951. IX, 56 p. 27 cm. (Bibliographical Series, 34).

V. Pan American Union, *Columbus Memorial Library, La biblioteca pública en América,* p. 99.

ICC / LC, PU

— Research libraries in Latin America, en *College & Research Libraries,* X (October, 1949), 361-65.

Breve comentario sobre las principales bibliotecas de Hispanoamérica.

LC, PU

DOWLING, JOHN C.

The literary scholar in the libraries and archives of Madrid, en *Hisp.,* XLV, Nº 1 (March, 1962), p. 72-76.

Noticias sobre los principales archivos y bibliotecas de España y breve información sobre ellos.

ICC / LC, USC, UCLA

DOWNS, ROBERT B.

How to do library research. Urbana, the University of Illinois Press, 1966. 179 p.

"This comprehensive guide to research in school, public, and special libraries also describes the research facilities and services of libraries and explains how to exploit them. The main part of the book is an extensive presentation of general and specialized reference work".

LC

DOWNS, ROBERT B.

Resources of Southern libraries; a survey of facilities for research. Chicago, American Library Association, 1938. 370 p.

Bibliography, p. [312]-30.

LC

— Resources of New York City libraries, a survey by the A. L. A. Board on resources of American libraries. Chicago, American Library Association, 1942. 442 p.

Bibliography, p. [309]-403.

NYPL

— American library resources: A bibliographical guide. Chicago, American Library Association, 1951.

LC

ESDAILE, ARUNDELL JAMES KENNEDY, 1880-

The British Museum library, a short history and survey, [by] ... Arundell Esdaile ... with an introduction by Sir Frederic G. Kenyon ... London, G. Allen and Unwin Ltd., [1946]. 388 p. 20½ cm.

V. British Museum, p. 83.

LC

ESPAÑA, *Junta de Relaciones Culturales.*

... Catálogo de las bibliotecas españolas en las repúblicas hispanoamericanas. Madrid, [Imp. San Marcos], 1934. 1 h. p., [5]-143 p. 22 cm.

BLAA

FABILLI, JOSEPHINE C.

Major Latin American collections in libraries of the United States. Working paper No. Ib., en *Final Report and Papers of the Seminar on the Acquisition of Latin American Library Materials* ... 1956. 18 p.

"This paper ... aims to list some works dealing with a number of the more important Latin American collections in this country [U. S.]". (p. 6).

Agradezco a la Srta. Fabilli la gentileza de haberme dejado examinar una copia de su trabajo.

LC, PU

FEIN, JOHN.

Resources in the field of Latin American studies in libraries of the Southeast, en *Southeastern Libraries* (Atlanta, Ga.), V (Fall, 1955), p. 91-98.

LC

FERNÁNDEZ DE POUSA, RAMÓN, *Catálogo de los diarios y revistas existentes en la Hemeroteca Nacional* [de Madrid] ... *V.* p. 773.

GARCÍA ROJO, DIOSDADO.

Catálogo de incunables de la Biblioteca Nacional. Apéndice publicado por Diosdado García Rojo y Gonzalo Ortiz de Montalván. Madrid, Biblioteca Nacional, 1958. 40 p. 24 cm.

ICC

GARCÍA ROMERO, FRANCISCO.

Catálogo de los incunables existentes en la Biblioteca de la Real Academia de la Historia ... Madrid, Edit. Reus, 1921. 189 p. láms. 25 cm.

ICC

GARDEL, LUIS DELGADO, *A brief description of some rare and interesting books from the XVIth and XVIIth centuries which can be found in the Columbus Memorial Library* ... *V.* p. 441.

* GROPP, ARTHUR E., 1902-

Bibliografía sobre las bibliotecas nacionales de los países latinoamericanos y sus publicaciones. Washington, D. C., Unión Panamericana, 1960. IV, 58 p. 27½ cm. (Bibliographic Series, 50).

LC, PU

GROPP, ARTHUR E., 1902- *Union list of Latin American newspapers in libraries in the United States* ... *V.* p. 774.

GROUT, CATHERINE W.

La clasificación de la Biblioteca del Congreso; explicación de las tablas usadas en los esquemas. Traducida por la Dra. Violeta Angulo M. Washington, Unión Panamericana, [Biblioteca Conmemorativa de Colón], 1961. v, 107 p. 27 cm. (Estudios Bibliotecarios, núm. 3).

V. en esta sección: Library of Congress; Jones, Cecil K.; Vásquez, Secundino y Vélez Mediz, Rafael.

ICC

HARVARD UNIVERSITY. *Library.*

Guides to the Harvard Libraries. Cambridge, 1947- v. 15-20 cm.

De interés: Nº 3. The research services of the Harvard College, Library, by D. C. Weber; Nº 4. The Harvard University Archives.

V. Potter, Alfred Claghorn, p. 101.

LC, HU, USC

* HARVARD UNIVERSITY. *Widener Library.*

Bibliography and bibliography periodicals: Classification schedule, classified listing by call number, alphabetical listing by author or title, chronological listing. Cambridge, Mass, Harvard University Press, 1966. 1066 p. 8¼ x 11. (Widener Library Shelflist, Nº 7).

"A listing of the 19,643 works (34,851 volumes) in the Widener bibliographical collection".

LC, HU

— Latin America and Latin American periodicals. vol. I: Classified listing by call number. Cambridge, Mass., Harvard University Press, 1966. 675 p. (Widener Library. Shelflist, Nº 5).

"Lists 28,000 works (39,000 volumes) dealing with areas of the West Indies, Mexico, and the countries of Central and South America".

LC, HU

—— vol. II: Aphabetical listing by author or title. Chronological listing. Cambridge, Mass., Harvard University Press, 1966. 817 p. (Widener Library Shelflist, Nº 6).

"An alphabetical and chronological listing of the volumes contained in shelflist Nº 5".

LC, HU

* HISPANIC SOCIETY OF AMERICA.

Catalogue of the Library of the Hispanic Society of America. Boston, G. K. Hall and Co., [¿196-?]. 10 v.

"The card catalogue has at least an author card for every book in the library printed since 1700, although many of them are not yet catalogued. Not included [...] are manuscripts, most periodicals and most books printed before 1701. The latter can be found in [...] *List of books printed before 1601* and *List of books printed* 1601-1700".

V. Penney, Clara Louisa, p. 100-101.

LC

— Incunabula in the library of the Hispanic Society of America ... New York, Printed by order of the Trustees, 1928- v. facsims. 16½ cm. (Hispanic Notes and Monographs).

LC

HISPANIC SOCIETY OF AMERICA, Library, *List of books printed before 1601 in the library of the Hispanic Society of America ...*; *List of books printed 1601-1700, in the library of the Hispanic Society of America ...* *V*. p. 442.

HURTADO M., JULIALBA.

Guía para consultar su biblioteca, elaborada por Julialba Hurtado M. Cali, Universidad del Valle, Departamento de Bibliotecas, 1965. 35 p. ilus. 24 cm. (*An*'64-65).

INDEX *generalis. The year-book of universities, libraries,* [etc.] ... *V.* p. 177.

JACKSON, WILLIAM VERNON.

Resources of Midwestern research libraries in the Hispanic literatures, en *Hisp.,* XXXVIII (December, 1955), p. 476-80.

ICC / LC, USC, UCLA

JONES, CECIL KNIGHT.

Hispano-americana in the Library of Congress, by C. K. Jones. Baltimore, 1919. 96-104 p. 27 cm.

Reprinted from the *Hispanic American Historical Review,* II, Nº 1, February, 1919, p. 96-104.

Artículo sobre el material hispanoamericano que para esa fecha había recogido la Biblioteca del Congreso. La información se refiere en especial a las obras de historia pero también se menciona brevemente la colección de literatura.

V. en esta sección: Grout, Catherine; Library of Congress; Vásquez, Secundino y Vélez Mediz, Rafael.

LC

KENISTON, HAYWARD, 1883- *Periodicals in American libraries for the study of the Hispanic languages and literatures* ... *V.* p. 775.

LATIN American collections in the United States, en *Library Journal,* XLIV (1919), p. 223-28.

Breve comentario sobre algunas colecciones de obras hispanoamericanas en bibliotecas e instituciones de los Estados Unidos.

LC, PU

* LIBRARY OF CONGRESS, *Washington.*

A catalog of books represented by the Library of Congress printed cards, issued to July 31, 1942. Ann Arbor, Mich., Edwards Brothers, 1942-46. 167 v.

—— Supplement: cards issued August 1, 1942-December 31, 1947. Ann Arbor, Mich., J. W. Edwards, 1948. 42 v.

— The Library of Congress author catalog; a cumulative list of works represented by Library of Congress printed cards, 1948-52. Ann Arbor, J. W. Edwards, 1953. 24 v.

— The National Union Catalog; a cumulative author list representing Library of Congress printed cards and titles reported by other American libraries 1953-1957. Ann Arbor, J. W. Edwards, 1958. 28 v.

—— 1952-55 imprints; an author list representing Library of Congress printed cards and titles reported by other American libraries. Compiled by the Library of Congress under the auspices of the Committee on Resources of American Libraries of The American Library Association. Ann Arbor, Mich., J. W. Edwards, 1961. 30 v.

—— 1958-62. New York, Rowman and Littlefield, 1963. 54 v.

—— Register of additional locations. Washington, Library of Congress, 1965. XIV, 488 p.

The National Union Catalog "supersedes Library of Congress Catalog: a cumulative list of works represented by Library of Congress printed cards, Books: authors".

— The Library of Congress subject catalog, 1952. Washington, 1953. 3 v.

— The Library of Congress subject catalog; a cumulative list of works. Books: subject, 1950-54. Ann Arbor, J. W. Edwards, 1955. 20 v.

— The Library of Congress catalog ... Books: subjects, 1953. Washington, 1954. 3 v.

—— 1955. Washington, 1956. 3 v.

—— 1956. Washington, 1957. 3 v.

—— 1957. Washington, 1958. 3 v.

—— 1958. Washington, 1959. 3 v.

En curso de publicación.

"La permanente adquisición de material colombiano por parte de la Biblioteca del Congreso de Washington hace que estos catálogos constituyan una riquísima fuente de información bibliográfica colombiana". (*Bbcs*).

V. en esta sección Grout, Catherine; Jones, Cecil K.; Vásquez, Secundino y Vélez Mediz, Rafael.

ICC (colecciones incompletas) / LC, PU, USC, UCLA

LIBRARY OF CONGRESS, Hispanic Foundation, *Latin American periodicals current in the Library of Congress...*; *Latin American periodicals currently received in the Library of Congress and in the library of the Department of Agriculture* ... *V.* p. 776.

LIBRARY OF CONGRESS, *Washington.*

Handbook of card distribution. Seventh edition. Washington, D. C., 1944. VI, 88 p. 23 cm.
ICC / LC

— Sinopsis del sistema de clasificación de la biblioteca del Congreso. Edición corregida y aumentada del *Outline scheme of classes,* publicado por The Library of Congress ... Traducción de Hernando V. Rodríguez Camacho ... Bogotá, Ministerio de Educación, Sección de Servicios Bibliotecarios, 1955. 21 p. 28 cm. Mimeografiado.
(*An*'64-65)

— Subject headings used in the dictionary catalogs of the Library of Congress. Edited by Mary Wilson MacNail. Fourth edition. Washington, 1943. 2 v. 25 cm.
ICC / LC

— Symbols used in the National Union Catalog of the Library of Congress. Seventh edition revised. Washington, Processing Department, 1959. 134 p. 26 cm.
ICC / LC

LIST of books accessioned and periodical articles indexed, 1950- Washington, D. C., Columbus Memorial Library, Pan American Union. Monthly.

"A selective bibliography divided into the following sections: 1) Documents of the OAS and publications of the PAU: 2) Book accessions; 3) Periodical articles indexed; and 4) New Periodical titles" (*Hdbk'* Nº 22).

V. Pan American Union, p. 99-100.

LC, PU, UVa

LIST of Latin American serials; a survey of exchanges available in U. S. libraries. Prepared for the A. L. A. Committee on Library Cooperation with Latin America ... Chicago, American Library Ass., 1941.

LC, PU, UVa

* LUQUIENS, FREDERICK BLISS.

Spanish American literature in the Yale University Library. A bibliography. New Haven, Yale University Press; London, Humphrey Milford, Oxford University Press, 1939. x, 335 p. 26½ cm.

From the collection of the Yale University Library of about forty thousand volumes in 1939 ... "I have selected 5,668 books, inclusive of pamphlets, for the present bibliography..." *Introduction*, p. VII.

"Colombia: p. 74-107. Señala 702 obras que constituyen una base importante de bibliografía colombiana; se da en ocasiones el contenido de obras colectivas". (*Bbcs*).

Una fuente muy útil para el estudio de la literatura hispanoamericana.

ICC / LC, UVa, KU, UC, USC, UCLA

* MADRID. BIBLIOTECA NACIONAL.

Catálogo de obras iberoamericanas y filipinas de la Biblioteca Nacional de Madrid, redactado y ordenado por Luisa Cuesta, jefe de la sección con la colaboración de Modesto Cuesta. Prólogo del Iltmo. Sr. D. Francisco Sintes Olvador. Madrid, Dirección General de Archivos y Bibliotecas, servicio de publicaciones del Ministerio de Educación Nacional, 1953- v. 25 cm. (Catálogos de Archivos y Bibliotecas).

En curso de publicación.

v. I: *Obras generales*. Contiene 3364 obras ordenadas alfabéticamente.

"En el presente Catálogo entran por lo natural [...] obras que son imprescindibles y valiosas a la hora de estudiar el período virreinal y constituyen un fondo inapreciable [...]. Las constituciones de las primeras iglesias, las Actas de las primeras Universidades, los relatos de los primeros exploradores...

Por lo pronto, este primer tomo que lleva el título de *Obras generales,* nos sitúa en una variada y rica miscelánea de todos los contenidos que no podrán referirse a un sólo país determinado. A este primer tomo seguirán otros, cada uno referido a distinto país, siguiendo un orden alfabético..." (*Prólogo,* p. VI-VII).

LC, UVa

MADRID, Biblioteca Nacional, *Publicaciones periódicas existentes en la Biblioteca Nacional.* Catálogo, redactado y ordenado por Florentino Zamora Lucas y María Casado Jorge ... *V.* p. 777.

MADRID, *Real Biblioteca.*

Catálogo de la Real Biblioteca; autores-historia ... Madrid, [Ducazal], 1910. 2 v. 28½ cm.

BLAA

MARCHINO, ADA.

Bibliografía americana. Volumen I. Torino, 1935. Catálogo de la Biblioteca del Centro di Studi Americani de Roma. (*Bbcs*)

* MEDINA, JOSÉ TORIBIO, 1852-1931.

Biblioteca americana. Catálogo breve de mi colección de libros relativos a América Latina; con un ensayo de bibliografía de Chile durante el período colonial. [Por] J. T. Medina. Santiago de Chile, Typiis authoris, 1888. VI, 478 p. 19 cm.

"Edición de noventa ejemplares".

Contiene 2928 obras ordenadas alfabéticamente.

"Con la publicación del presente catálogo sólo persigo el propósito de guardar memoria de los libros relativos a las antiguas colonias hispano-americanas que con paciente labor de no pocos años he logrado acopiar. Tal es la razón porque no se encuentran anotadas respecto de muchas obras aquellas indicaciones que es corriente de ordinario encontrar". (p. [v]-vi).

Suplemento, p. [475]-78.

Incluye algunas obras colombianas del período colonial.

V. Santiago de Chile. Biblioteca Nacional, *Catálogo breve de la Biblioteca Americana* ..., p. 102.

LC, UVa

MUSEO-BIBLIOTECA DE ULTRAMAR, *Madrid.*

Catálogo de la Biblioteca. Madrid, Imp. Sucs. M. Minnesa de los Ríos, 1900. 350 p. 28 cm.

"El *catálogo* o *Indice de la Biblioteca* se ha dividido en cuatro secciones: «Autores», «Anónimos», «Periódicos y Revistas» y una especial de obras publicadas en «Dialectos filipinos ...»".

Contenido de interés: *Autores,* p. 1-124; *Anónimos,* p. [227]-308; *Periódicos y revistas,* p. [311]-19.

Catálogo especialmente útil para historia. Contiene también algún material literario.

LC

NORTH CAROLINA. *University Library.*

Library resources of the University of North Carolina; a summary of facilities for study and research, edited, with a foreword by Charles E. Rush. Chapel Hill, The Univ. of North Carolina Press, 1945. 264 p. (The University of North Carolina Sesquicentennial Publications).

LC, NC

PAN AMERICAN UNION, Columbus Memorial Library, *A list of literary and cultural magazines in the Columbus Memorial Library of the Pan American Union...; Catalogue of newspapers and magazines in the Columbus Memorial Library of the Pan American Union ...* V. p. 778. *Latin American newspapers (Other than official) received in the library of the Pan American Union...*; *List of daily newspaper files in the Columbus Memorial Library of the Pan American Union...* V. p. 779.

* PAN AMERICAN UNION. *Columbus Memorial Library.*

Bibliographies pertaining to Latin America in the Columbus Memorial Library of the Pan American Union. Washington, D. C., 1928. II, 34 h. 35½ cm.

Arranged by countries of publication.
Incluye algunas bibliografías colombianas.
LC, PU

* PAN AMERICAN UNION. *Columbus Memorial Library.*

La biblioteca pública en América. Una bibliografía selecta. Washington, Unión Panamericana, 1951. IX, 56 p. (Bibliographic series, No. 34).

"Contiene algunas referencias a Calombia". (*Bbcs*).
V. Daniels, Marietta, p. 86.
LC, PU

— Bibliotecas públicas y escolares en América Latina. Washington, 1963. 136 p. (Estudios Bibliotecarios, 5).
LC, PU

— Guía de bibliotecas de la América latina. Edición provisional. Washington, D. C., Secretaría General, Organización de los Estados Americanos, 1963. 165 p. 27½ cm. (Columbus Memorial Library. Bibliographic Series, 51).

ICC

* PARIS. BIBLIOTHÈQUE NATIONALE. *Département des Imprimès.*

Catalogue de l'histoire de l'Amérique, par George A. Barringer, bibiothécaire au Département des imprimès. Paris, Bibliothèque Nationale, 1903-11. 5 v. 28 cm.

Photolithographic reproduction of MS copy.

Secciones de interés: t. I P: *Amérique Général;* t. III. Pc: Amérique espagnole en géneral; Pj: Colombie; Pk: Nouvelle Grenade; t. V PZ: Généalogies et biographies américaines [Colombie, p. 92-93, Nouvelle Grenade, p. 114].

Importante fuente para los estudios de las letras coloniales. La deficiente organización de la obra, y la falta de índices, hacen difícil su consulta.

LC

LA PAZ. BOLIVIA. *Biblioteca Municipal "Mariscal Andrés de Santa Cruz".*

La sala colombiana de la Biblioteca Municipal de La Paz. La Paz, Bolivia, Edit. e Imp. Artística, 1951. 79 p., 2 h. láms. 24 cm. (Publicaciones pro-cultura cívica, auspiciadas por la H. Municipalidad de La Paz).

"Catálogo de la sala colombiana". (*Bbcs*). Incluye obras de literatura.

ICC / LC

PENNEY, CLARA LOUISA, *comp.*

Printed books (1468-1700) in the Hispanic Society of America. N. Y., The Hispanic Society of America, 1965.

614 p. ilus. (Hispanic Notes and Monographs: Essays, studies, and brief biographies. Catalog series).

"Combines the two previous lists, published in 1929 and 1938, with supplements and additions, particulary some 2,000 rare pamphlets that became available to the Library on Archer M. Huntington's death in 1955". *(Hdbk,* Nº 28).

V. Hispanic Society of America, p. 91.

LC

POTTER, ALFRED CLAGHORN.

The Library of Harvard University; descriptive and historical notes. 4th ed. Cambridge, Harvard Univ. Press, 1934. 186 p. (Library of Harvard University Special Publications, VI).

Bibliographical note, p. 36.

V. Harvard University Library, p. 90-91.

LC, HU, USC

QUESADA, VICENTE GREGORIO, 1830-1913.

Las bibliotecas europeas y algunas de la América latina, con un apéndice sobre el Archivo general de Indias en Sevilla, la dirección de hidrografía y la biblioteca de la Real Academia de la Historia de Madrid ... tomo I. Buenos Aires, Imp. y Librerías de Mayo, 1877. 651 p. 27 cm.

No more published.

LC

RIVERA, RODOLFO O., *comp.*

Preliminary list of libraries in the other American Republics. Washington, Government printing office, 1944. IX, 181 p. (Studies of the Committee on Library Cooperation with Latin América, Nº 5).

"List of about 5000 libraries in the other American republics with indications of size and type of libraries". *(Hdbk'42).*

LC, PU

SALVÁ Y PÉREZ, VICENTE, 1786-1849.

Catálogo de la Biblioteca de Salvá, ... Valencia, Imp. de Ferrer de Orga, 1872, 2 v. 25 cm.

"The collection (4,070 numbers) was acquired by Ricardo Heredia, conde de Benahavis; much enlarged (8,304 lots) it was sold by auction 1891-94".

V. Gabriel Molina Navarro, *Indice para facilitar el manejo y consulta de los catálogos de Salvá y Heredia.* Madrid, G. Molina, 1913. 162 p. 28½ cm.

LC

* SANTIAGO DE CHILE. BIBLIOTECA NACIONAL.

Catálogo breve de la Biblioteca Americana que obsequia a la Nacional de Santiago J. T. Medina. Santiago, 1926. 2 v.

"The collection, containing about 22.000 volumes of printed books and 500 of manuscripts was donated to the National Library of Chile in December, 1925".

"Sobre Colombia: Tomo I, p. 328-344". *(Bbcs).*

V. Medina, José Toribio, *Biblioteca Americana* ... p. 97-98.

LC

—— Suplemento. Santiago de Chile, Imp. Universitaria, 1953-54. 2 v., ilus. 26 cm.

José Toribio Medina, historiador y bibliógrafo de América, por Guillermo Feliú Cruz, v. I, p. [XXIII]-CVI.

Biografía de José Toribio Medina, 1873-1939, v. I, p. [1]-19.

Bio-bibliografía, libros y folletos referentes a José Toribio Medina y sus obras, v. I, p. [21]-26.

SPELL, LOTA MARY (HARRIGAN), 1885-

Research materials for the study of Latin America at the University of Texas. Austin, University of Texas. Austin, University of Texas Press, 1954. IX, 107 p. ilus. 22 cm. (Latin American Studies, 14).

LC, KU, TU

STEVENS, HENRY.

Bibliotheca historica, or a catalogue of 5000 volumes of books and manuscripts relating chiefly to the history and literature of North and South America ... Boston, H. O. Houghton and Co., 1870. 234 p. xv, 234 p. 22 cm.

2,545 titles.

LC

STEVENS, HENRY.

Catalogue of the American books in the library of the British Museum at Chrismas MDCCCXVI. London, Printed by C. Whittingham at the Chiswick Press, 1866. 4 pt. in IV. 25 cm.

"[pt. 3]: Catalogue of the Mexican and other Spanish American and West-Indian Books. 62 p.".

V. British Museum, p. 83.

LC

THOMSON, LAWRENCE S.

Resources for research in Latin-American literature in Southern libraries, in South Atlantic Modern Language

Association, *South Atlantic Studies for Sturgis E. Leavitt.* Washington, 1953, p. 97-106.
LC

TRÜBNER, *firm, publishers, London.* (1870. Trübner & Co.).
Bibliotheca hispano-americana. A catalogue of Spanish books printed in Mexico, Guatemala, Honduras, The Antilles, Venezuela, Columbia [*sic*], Ecuador, Perú, Chili [*sic*], Uruguay and the Argentine Republic; and of Portuguese books printed in Brazil. Followed by a collection of works on the aboriginal languages of America. London, Trübner & Co., 1870. 184 p. 17 cm. New ed., 1870.

Sólo incluye unas pocas obras publicadas en Colombia.
LC

UNIVERSITY OF TEXAS LIBRARY, *Austin.*
Recent Colombian acquisitions of the Latin American collection of the University of Texas Library. Nº 1: 1962-1964. Austin, 1964. 60 p. 28 cm.
TU

VÁSQUEZ, SECUNDINO.
La Biblioteca del Congreso de los Estados Unidos. Historia, organización y servicio, en *Artigas*— Washington, vol, 2, Nº 4 (diciembre de 1946), p. 130-144.

"Lecture presented in the Artigas-Washington Library on August 23, 1946 ... The first part of the lecture treats in particular the Administrative Acquisitions, and Processing departments. The article will be continued in the next issue of the bulletin". (*Hdbk'*46).

V. Grout Catherine; Library of Congress; Jones, Cecil K. y Vélez Mediz, Rafael, en esta sección.

LC

VÉLEZ MEDIZ, RAFAEL.

Sistema de clasificación de la Biblioteca del Congreso de los Estados Unidos, en *Boletín de la Biblioteca General,* Universidad de Zulia (Venezuela), año 2º, núms. 2-3 (enero-diciembre de 1962), p. 9-36.

Util artículo informativo sobre el sistema de clasificación usado en la Biblioteca del Congreso de Washington.

V. Grout, Catherine; Library of Congress; Jones, Cecil K. y Vásquez, Secundino en esta sección.

LC

* WILGUS, ALVA CURTIS.

Source materials and special collections dealing with Latin America in libraries of the United States. Washington, D. C., Pan American Union, 1934. 22 h. (Pan American Union. Congress and Conference Series, Nº 14).

LC, PU

WROTH, LAWRENCE COUNSELMAN.

The first century of the John Carter Brown Library; a history with a guide of the collection. Providence, Rhode Island, The Associates of the John Carter Brown Library, 1946. 88 p.

LC

YALE UNIVERSITY LIBRARY, *A list of newspapers in the Yale University Library* ... *V.* p. 782.

III. CATALOGOS Y GUIAS DE LIBRERIAS Y EDITORIALES

1. LIBRERIAS Y EDITORIALES COLOMBIANAS

BIBLIOGRÁFICA COLOMBIANA, LTDA., *Bogotá.*

Catálogo 1960. Bogotá, Gráficas M. Suárez, 1960. 22 p. 19 cm. *(An'59-60)*

—— 1961-1962. Bogotá, [¿1962?]. 59 p. 24 cm. *(An'61)*

BOLETÍN Bibliográfico. Organo de la imprenta de la Luz y de la Librería Americana. Bogotá, 1904 ... (Publicación periódica). [Director: J. V. Concha, propietario de la Librería Americana).

UVa (núms. 23-24, año 3º, octubre de 1907).

BOLETÍN Bibliográfico y Comercial de la Casa J. V. Mogollón y Cía. Barranquilla, abril 3 de 1912. ... 1920. *(Bbcs)*

CATÁLOGO de la Librería Americana — Bogotá (República de Colombia). Bogotá, Imp. de "La Luz", 1889. 28 p. *(Bbcs)*

— Bogotá, [s. p. i.], 1890. 25 p.
BN

— Bogotá, Imp. Librería de Medardo Rivas, 1898. 38 p.
BN

— Bogotá, Imp. "La Luz", 1911.
BN

Catálogo de la Librería Barcelonesa de Soldevilla y Curriols en Bogotá. Bogotá, 1878. 136 p. *(Bbcs)*

Catálogo de la Librería del Colegio de San Bartolomé (Escuelas de Literatura, Filosofía y Jurisprudencia, formado en el año de 1881, en *Anales de la Instrucción Pública en los Estados Unidos de Colombia* (Bogotá), núm. 13 (1881), p. 195-207.

"Comprende obras de historia, filología, filosofía, literatura, instrucción pública, pedagogía, ciencias políticas, matemáticas, geografía, cosmografía y viajes, física, textos de enseñanza y obras varias". *(Bbcs).*
BN / LC

Catálogo de la Librería y Papelería de Manuel Gómez Calderón. Bogotá, Imp. de Gaitán, [¿1880?]. 24 p. *(Bbcs)*

Catálogo de libros antiguos de la Librería Americana. Bogotá, 1891. 14 p. *(Bbcs)*

Catálogo de los libros de la Imprenta de J. B. Gaitán. Bogotá, [s. p. i.], 1858.
BN

Catálogo de una librería particular que está de venta total o parcialmente. Bogotá, Imp. de Cualla, 1844. 16 p.

"Este catálogo, quizás el primero que se publicó en Bogotá, clasificado según las lenguas en que están escritos los libros, es interesante para el estudio de la educación y la cultura de mediados del siglo XIX". *(Bbcs)*.

CATÁLOGO general de "La Ilustración Colombiana". Librería Torres Amaya. Bogotá, 1881. 32 p.

"Incluye libros extranjeros y nacionales y lista de periódicos". *(Bbcs)*.

BN

CATÁLOGO general de la Librería de Torres Caicedo. Bogotá, J. J. Pérez. 1894.

BN

CATÁLOGO general de la Librería "El Mensajero". Bogotá, Tip. de Eugenio Pardo, 1897. 62 p. *(Bbcs)*

— Bogotá, Imp. de Luis M. Holguín, 1898. 129 p.

"Excelente catálogo ilustrado de obras nacionales y extranjeras. Util para el conocimiento del comercio de libros a fines del siglo XIX". *(Bbcs)*.

BN

GARCÍA ORTIZ, LAUREANO, 1865-1945.

Las viejas librerías de Bogotá, en *An. Acad. Col.* (Bogotá), VI (1939), p. 275-97.

"Recollections of book stores in Bogota in the late nineteenth century". *(Hdbk'39)*.

ICC, BN, BLAA / LC

LIBRERÍA BEDOUT, *Medellín.*

Catálogo general de textos de estudio, libros místicos y obras varias. Julio de 1961. Medellín, 1961. 32 p. 19 cm. *(An'61)*

LIBRERÍA COLOMBIANA, *Bogotá.*

Catálogo. Bogotá, Camacho Roldán y Tamayo, 1887. 152 p.
BN

— Bogotá, Edit. Roldán y Tamayo, 1895.
BN

— Suplemento al catálogo general de la Librería Colombiana (Establecida en 1882). Bogotá, Camacho Roldán y Tamayo, 1897. 52 p.
BN

* — Catálogo de obras colombianas: geografía, viajes, derecho, economía, historia, literatura en prosa y verso, ciencias, crítica, polémica, y sección de obras colombianas raras. Libros publicados en los últimos años hasta 1933. Bogotá, Colombia, 1934. 142, [18], 81 p. ilus. 17 cm.

"Este catálogo puede considerarse casi como una bibliografía colombiana. Figuran en él la mayor parte de los libros colombianos publicados en los últimos 70 años". *(Nota preliminar,* s. p.).

Secciones de interés: *Historia y biografía,* p. 32-58; *Colecciones de periódicos,* p. 59-60; *Literatura,* p. 60 y sgts.; *Obras agotadas,* p. 116-38; *Libros colombianos aparecidos en los últimos meses,* p. 141-42.

BN / LC, CU

LIBRERÍA COLOMBIANA, *Bogotá.*

Libros colombianos (Autores, temas y ediciones nacionales). Bibliografía completa 1934-1939. Bogotá, 1939. 74 p.
CU

— Libros colombianos (Complemento de los publicados en 1934 y 1939). Bogotá, Edit. Andes, 1940. 61 p.
(*Bbcs*)

— Catálogo de textos nacionales y extranjeros. Bogotá. 1941.

"Yearly? A catalogue of nearly a hundred pages, of which the first seventy are devoted to text books. The last thirty pages of the catalogue are of more general interest: 'Cultura general; libros colombianos de historia, ciencias, literatura, etc., que ofrecemos como obras de estudio y consulta a los profesores colombianos' ". (*Hdbk*'41).
LC

— Catálogo de libros colombianos publicados de 1934 a julio de 1942. Bogotá, Edit. Antena, 1942. 217 p.
(*Bbcs*)

— Obras colombianas (Publicadas de 1940 a 1951). Bogotá, Edit. Minerva, [1951], 16 p. (*Bbcs*)

— Catálogo de obras colombianas, núm. 2: Libros raros, ediciones agotadas ... Bogotá, [Edit. Minerva], 1955. 27 p. 24 cm. (*Bbcs*)

— — Núm. 3. Literatura: novela, prosa crítica, ideológica y científica; poesía, cuentos y relatos, viajes, mística, teatro, filología. Bogotá, Librería Colombiana Camacho Roldán, [1956]. 48 p. 24 cm. (*Bbcs*)

— Catálogo de algunas publicaciones colombianas aparecidas en 1958 y 1959 [hasta junio de 1959]. Bogotá, Librería Colombiana, 1959. 20 p. 22 cm. (Catálogo, Nº 46). Mimeografiado. *(An'59-60)*

— Catálogo de la Librería Colombiana ... [Bogotá, Imp. Patriótica del Instituto Caro y Cuervo], 1961. 19 p. 22 cm.
ICC

LIBRERÍA EDITORIAL TEMIS, *Bogotá.*
Catálogo general 1962. [Bogotá, Edit. Temis, 1962]. 58 p. 20 cm. (*An*'62)

LIBRERÍA MOGOLLÓN, *Cartagena.*
Catálogo de la Librería Mogollón. Cartagena-Barranquilla, J. V. Mogollón y Cía, [s. f.]. 94 p.
BN

LIBRERÍA SIGLO XX, *Bogotá.*
Catálogo especial, editado para información de los socios del Club de Libros. Bogotá, Edit. Centro, 1943. 128 p. (*Bbcs*)

— Catálogo general de literatura, ensayos, arte, filosofía, historia, biografía y obras de orientación religiosa. Bogotá, Edit. El Liberal, 1946. 448 p. (*Bbcs*)

LIBRERÍA VOLUNTAD, Ltda. *Bogotá.*
Itinerario del buen lector. Bogotá, 1939.

"Monthly (but año 4, nº 42-43, agosto-septiembre, were combined). An interesting bulletin which serves partly as a review of current Colombian literature, and partly as a catalogue of

Latin American books, chiefly Colombian, which can be supplied from this company's stock. Considerable critical and bibliographic comment is included for many of the books listed". (*Hbdk*'39).
LC

— Catálogo de textos escolares y ediciones nacionales. Bogotá, 1941.

"Yearly? Less than half of the catalogue (18 pages) lists text books [...] Except for one page given over to Colombian legal codes, the remainder of the catalogue lists recent works of general literary interest, devoting to each item a page of description and synopsis. The hundred volumes of the 'Selección Samper Ortega' are fully listed at the end of the catalogue". (*Hdbk*'41).

— Catálogo general; textos escolares, libros para niños, libros varios, libros religiosos. Bogotá, 1960. 48 p. 22 cm. (*An*'59-60)

— Catálogo de textos escolares y libros varios. Fondo editorial. Bogotá, 1961. 44 p. ilus. 24 cm. (*An*'61)

MORENO MATTOS, ARMANDO, 1923- *Directorio de bibliotecas y editoriales en Colombia* ... *V*. p. 76.

* PÉREZ ORTIZ, RUBÉN, 1914-1964. *comp.*

Editoriales y librerías colombianas, en *Anuario bibliográfico colombiano*. Bogotá, Imp. Patriótica del Instituto Caro y Cuervo, 1959-

An'59-60, p. 197-221; *An*'61, p. 139-63; *An*'62 [con el título: *Editoriales y Librerías*], p. 149-74; Para los siguientes *Anuarios*, *V*. Romero Rojas, Francisco José, p. 113.

Listas alfabéticas, por ciudades, de las editoriales y librerías colombianas en existencia. Se suministra la dirección de cada editorial o librería.

ICC, BN, BLAA / LC, PU, CU, USC, UCLA

REVISTA Bibliográfica (Bogotá). Organo de la Librería "Torres Caicedo", 1º de agosto de 1878-1897. 39 números.

"Desde el número 25 aparece dirigida por L. M. Pérez e Hijos. Publica artículos sobre bibliografía de los distintos países americanos, obras en inglés, francés, etc. Es una publicación única en su género en Colombia aunque de carácter más comercial que intelectual". (*Bbcs*).

BN

* ROMERO ROJAS, FRANCISCO JOSÉ, *comp.*

Editoriales y librerías, en *Anuario bibliográfico «Rubén Pérez Ortiz» 1963; 1964-1965.* Bogotá, Imp. Patriótica del Instituto Caro y Cuervo, 1966-1967. (p. 160 86; 287-316).

Lista alfabética, por ciudades, de las editoriales y librerías colombianas en existencia. Se suministra la dirección de cada editorial o librería.

Para listas anteriores en el *Anuario, V.* Pérez Ortiz Rubén, p. 112.

ICC, BN, BLAA / LC, PU, CU, USC, UCLA

UNIVERSIDAD NACIONAL, *Bogotá.*

Catálogo de la librería universitaria. Obras de autores colombianos y extranjeros. Bogotá, Ediciones Nacionales, 1951. 30 p. (*Bbcs*)

VILAFRANCA Y FERRÉS, JOSÉ.

Catálogo general de la Ilustración Colombiana. Bogotá, 1878. 32 p. (*Bbcs*)

2. LIBRERIAS Y EDITORIALES EXTRANJERAS

BEHAR, DAVID y RAÚL, *comps.*

Bibliografía hispanoamericana. Libros antiguos y modernos referentes a América y España. Prólogo del Dr.

Enrique de Gandía. Buenos Aires, Librería Panamericana, 1947. XXIII, 372 p. ilus.

"Comprehensive catalog of 3, 618 titles offered by the Librería Panamericana, arranged by topics ..." (*Hdbk*'47).

Contiene numerosas referencias sobre obras colombianas.

LC

BOOK dealers in North America: A directory of dealers in secondhand and antiquarian books in Canada and the United States of America 1963-65. Fourth ed. London, Sheppard Press, 1963.

LC

CANNON, MARIE (Willis), 1904-

Latin American booksellers' catalogues and general bibliographies in 1940; a selected list of publications which appeared on this subjetc during the year 1940, with evaluative and informative notes on important items reprinted from the Handbook of Latin American Studies for 1940, by Marie W. Cannon [and] Murray M. Wise, Cambridge, Mass., Harvard U. Press, 1941. XVI, 26 p. 23 cm.

Contenido: *Latin American Book Catalogues,* by Mary Willis Cannon and *General,* by Murray M. Wise.

LC

INSTITUTO NACIONAL DEL LIBRO ESPAÑOL.

Guía de editores y libreros de España ... Madrid, [Selecciones Gráficas], 1964. 608 p. ilus. 21 cm.

BLAA

LIST of book stores and publishers in Latin America, en *The Pan American Book Shelf,* Pan American Union (Washington), III, Nº 4 (April, 1940), p. 152-69.

"A list compiled in the Columbus Memorial Library. Appendix at end of list gives United States dealers in Latin American books". (*Hdbk*'40). Menciona algunas librerías colombianas.
LC, PU

MAGGS BROS., *London.*

Bibliotheca Americana. Catalogue devoted entirely to books, prints, manuscripts, and autographs relating to America and the Philippines. London, 1922-27. 4 v.

"Se señalan 800 números, algunos relacionados con Colombia". (*Bbcs*).

— Spanish America and the Guianas; a selection of eight hundred books. London, Maggs bros., [1935]. 1 h. p., 118, [2] p. 24 cm.

Catalogue Nº 612, [1935]. 813 items.
LC

MÉXICO, *Fondo de Cultura Económica.*

Catálogo general, 1964. México, Tall. de Gráfica Panamericana, 1964. 627 p.
BLAA

SELECTED list of book dealers in the Americas, en *Hdbk*'38, p. 600-602.

Para Colombia se menciona a Camacho Roldán y Cía. (Librería Colombiana).
ICC / LC, PU, USC, UCLA

SHEARER, JAMES F.

Pioneer publisher of texbooks for Hispanic America; The House of Appleton, en *Hisp.,* XXXVII (February, 1944), p. 21-28.
LC, PU, USC, UCLA

UNIÓN PANAMERICANA, *Washington.*

Directorio de librerías y casas editoriales en América Latina. 6ª ed. Washington, D. C., 1958. xi, 160 p. 27½ cm. (Bibliographic Series, 2, part. 3).

"Para Colombia, p. 54-66. Registra la dirección de unas 300 librerías e imprentas de Bogotá, Barranquilla, Cali, Cartagena, Manizales, Medellín y Popayán". (*An*'57-58).

LC, PU

VINDEL, PEDRO.

Catálogo de la Librería de P. Vindel. Madrid, 1896-1916-17.

"Tomo IV: Biblioteca Ultramarina, Comprende 1115 obras y manuscritos referentes a América, Filipinas, Japón, China y otros países, con comentarios y 80 facsímiles". (*Bbcs*).

DICCIONARIOS DE LITERATURA Y GUIAS VARIAS

I. DICCIONARIOS DE LITERATURA

1. DICCIONARIOS DE LITERATURA COLOMBIANA

* DICCIONARIO de la literatura latinoamericana: Colombia. Washington, Unión Panamericana, 1959. x, 179 p. Edición provisional.

"Los estudios sobre los varios autores se dividen en tres partes bien definidas: 1) *biografías,* lo más suscinta posible, presentando sólo los datos que tengan interés para dar a conocer la personalidad literaria de cada autor; 2) *valoración,* o sea, análisis crítico del autor y de su obra, indicando influencias, tendencias, etc., y 3) *bibliografía,* subdividida a su vez en: a) bibliografía del autor y b) bibliografía sobre el autor". (*Introducción,* por Armando Correia Pacheco, p. VII).

"La selección de personalidades representativas, ya fallecidas, fue hecha por el Profesor Carlos García Prada, conocido investigador, historiador literario y crítico. Los estudios que llevan al pie las iniciales de sus correspondientes autores, fueron redactados por Carlos García Prada ya citado; Germán Arciniegas, ensayista e historiador colombiano; Kurt L. Levy, Profesor del Departamento de Italiano, Español y Portugués de la Universidad de Toronto, en el Canadá; y Aníbal Vargas Barón, Profesor del Departamento de Lenguas y Literaturas Romances de la Universidad de Washington". (*Introducción,* p. IX). Los estudios sin iniciales fueron redactados por Armando Correia Pacheco, Jefe de la División de Filosofía y Letras de la Unión Panamericana.

Contenido: *Introducción,* por Armando Correia Pacheco, p. v-IX; *Asesores del Diccionario de literatura latinoamericana,* p. x; *Clásicos colombianos de la Colonia al presente,* p. 1-138; *Autores colombianos vivos*, p. 139-174; *Bibliografía de las letras colombianas,* p. 175-79.

A pesar de su carácter provisional esta obra es fundamental para el estudio de las letras nacionales.

LC, PU, USC, UCLA

MADRID-MALO, NÉSTOR.

Ensayo de un diccionario de literatura colombiana, en *Bol. Cult. y Bibl.* (Bogotá), VII, núm. 3 (1964), p. 104-405; núm. 4, p. 613-18; núm. 5, p. 823-29; núm. 6, p. 1004-1013; núm. 7, p. 1183-94; núm. 8, p. 1377-86; núm. 9, p. 1615-21; vol. IX, núm. 9 (1966), p. 1166-74.

De una obra en preparación. Contiene letras A-C.

ICC, BN, BLAA / LC, UCLA

2. DICCIONARIOS DE LITERATURA GENERAL

ABRAMS, M. H.

A glossary of literary terms. New York, Holt, Rinehart, 1959. 105 p.

LC

ALDEN's cyclopedia of universal literature, presenting biographical and critical notices or specimens from the writings of eminent authors of all ages and all nations ... New York, Alden, 1885-91 20 v. 19½ cm.

Ordenado alfabéticamente.

LC

BARNET, SYLVAN.

A dictionary of literary terms ... Boston, Little Brown and Co., [1962 c 1960]. 96 p. 21 cm.

LC, NYPL

BECKSON, KARL and GANZ, ARTHUR.
A readers guide to literary terms. New York, Noonday Press, [1961]. 230 p. 21 cm.
LC

BENÉT, WILLIAM ROSE.
The reader's encyclopedia; an encyclopedia of world literature and the arts. N. Y., Crowell, [1948]. 1242 p.

Se concentra especialmente en la literatura en lengua inglesa. Define conceptos, términos, escuelas literarias, etc.
LC

BREWER, EBENEZER COBHAM.
The reader's handbook of famous names in fiction, allusions, references, proverbs, plots, stories and poems, by the Rev. E. Cobham Brewer ... Philadelphia, J. B. Lippincott Co., [1935]. 1243 p. 20½ cm.

1ª ed. London, Chatto and Windus, 1880. 1170 p. 19 cm.
LC

CASSELL'S encyclopedia of world literature. [American edition]. New York, Funk and Wagnalls, 1954. v.
LC

COLUMBIA dictionary of modern literature, ed. Horatio Smith. New York, 1947. v.
LC

* DICCIONARIO de literatura española. Madrid, Revista de Occidente, [1949]. 641 p.

2ª ed., *id.,* 1953.
3ª ed., *id.,* 1964. 1036 p.
Incluye algunos escritores colombianos.
ICC (1ª ed.) / LC

DICCIONARIO enciclopédico de las Américas: Geografía, historia, economía, política, literatura, arte, música, deporte, cine, teatro, etnografía, fauna, flora, ciencias generales. Buenos Aires, Ed. Futuro. S. R. L., 1947.
LC

DICCIONARIO enciclopédico hispano-americano de literatura, ciencias y artes. Edición profusamente ilustrada ... Barcelona, Montaner y Simón, 1887-99. 25 v. en 26. ilus., facsíms. 32 cm.

Varios vols. de apéndice. Hay eds. posteriores.
Contiene datos bio-bibliográficos sobre algunos escritores colombianos.
UC

DIE WELTLITERATUR. Biographisches, literahistorisches und bibliographisches Lexicon. Viena, ed. E. Frauwallner, 1951. 3 v.
LC

* DIZIONARIO LETTERARIO Bompiani delle opere e dei personaggi di tutti i tempi e di tutte le letterature. Milano, Bompiani, 1956 1959. 9 v. láms. rets. 21 cm.

Hay edición española: Barcelona, Montaner y Simón [c. 1959].
En su parte principal contiene obras famosas en orden alfabético. vol. VIII es un diccionario de personajes literarios. vol. IX incluye información sobre movimientos literarios, un índice de autores, etc. Se describen también obras musicales y pictóricas. Abundantes ilustraciones. Importante fuente.
ICC / LC, UCLA

ENCYCLOPEDIE de l'Amérique latine: politique, économique, culturelle. Préf. d'Edourd Bonnefous. Paris, Presses Universitaires de France, 1954. 628 p. 25 cm.

Contenido de interés: *Première Partie*: Chap. 6. La culture latinoamericaine: litterature, art, sciences (I. Le movement littéraire en Amérique de langue espagnole aux XIX et XX siècles: A) Avant Rubén Darío, par Alberto Zérega Fombona, p. [179]-184; B) Depuis Rubén Darío par Pierre Darmangeat, p. 184-88); *Deuxième Partie*: [*La Colombie*, par Georges Sachs, p. 435-59, con las siguientes secciones: Le cadre géographique, l'histoire, la situation économique, la vie intellectuele, Bibliographie, chronologie de la Colombie, Statistique de la Colombie].

Esta obra ofrece información sobre múltiples aspectos de Latinoamérica: geografía, historia, economía, política, cultura, etc. Los breves ensayos generales sobre literatura comprenden los siglos XIX y XX.

LC, UVa

EPPELSHEIMER, H. W.

Handbuch der weltliteratur, 2ª ed., Francfort, 1947, 1950. 2 v.

LC

HORNSTEIN, LILLIAN H., PERCY, G. D. and BROWN, STERLING A.

The reader's companion to world literature. 4th printing. New York, The New American Library, 1958. 493 p. (Mentor Book).

"Has explanations of literary concepts, brief biographies of authors from many countries and times, a notion of their contributions, summaries of contents and techniques of certain milestones in world literature, bits of mythology, philosophy, current ideas" (Gardiner H. London).

LC

NEWMARK, MAXIM.

Dictionary of Spanish literature. N. Y., Philosophical Library, 1956. 352 p. (Mid-Century Reference Library).

"... the coverage includes the great anonymous masterpieces, the major and minor novelists, poets, dramatists, essayists and literary critics, both of Spain and Spanish America. Also included are eminent Spanish literary scholars as well as outstanding hispanists of other countries, but especially those of the United States". (*Preface,* por Maxim Newmark, p. v).

V. r. de Oscar A. Fasel, en *Hisp.,* XXXIX (Nov., 1956), p. 500-501.

Incluye algunos importantes escritores colombianos. Da brevísimas bibliografías.

LC

OSORIO Y BERNARD, MANUEL, 1839-1904.

Apuntes para un diccionario de escritoras americanas en el siglo XIX, en *La España Moderna* (Madrid), año 3, núm. 36 (diciembre de 1891), p. 198-202; año 4, núm. 37 (enero de 1892), p. 196-306; núm. 38 (febrero de 1892), p. 166-173.

LC, UCLA

PERDIGÃO, HENRIQUE.

Diccionário universal de literatura (bio-bibliográfico-cronológico). Barcelos, Portucalense, Editora, 1934. XXIV, 790 p. 21 cm.

Ordenado por fechas de nacimiento.

LC

* SAINZ DE ROBLES, FEDERICO CARLOS, 1899-

Ensayo de un diccionario de la literatura. Madrid, Aguilar, 1949-50. 3 v. 24 cm.

2ª ed.: Madrid, Aguilar, 1954. 3 v.

Contenido. t. I: Términos, conceptos, "ismos" literarios; t. II: Escritores españoles e hispanoamericanos; t. III: Escritores extranjeros.

En el primer tomo aparecen los conceptos y términos literarios en orden alfabético.

"En relación a los literatos hispanoamericanos [...] Carecemos por circunstancias que no nos son imputables, de un conocimiento exacto del movimiento literario actual en Hispanoamérica. No hemos podido ponernos en comunicación con la mayoría de los literatos más ilustres de los países americanos de habla castellana. Por ello, para redactar sus fichas y para valorarlas nos hemos atenido a las últimas ediciones de las *Historias de la literatura hispanoamericana* de Leguizamón — Buenos Aires, 1945, y Alberto Sánchez [*sic*] — Buenos Aires, 1944, historiadores y críticos los dos muy reputados". *Advertencia muy importante,* 1ª ed., II, p. 7-[8].

Incluye algunos escritores colombianos.

ICC / LC, UVa (1ª ed.), VMI (1ª ed.)

SHIPLEY, JOSEPH TWADELL.

Dictionary of world literature; criticism, form, techniques. N. Y., Philosophical Library, 1946. 2 v.

Spanish America, por J. R. Spell, II, p. 892-914. Se mencionan algunos escritores colombianos.

LC, WLU, UCLA

THRALL, WILLIAM FLINT and HIBBARD, ADDISON.

A handbook of literature. Revised and enlarged by C. Hugh Holman. New York, The Odyssey Press, 1960, 598 p.

"... containing, acording to the dust jacket, more than 1,000 items 'pertinent to history, criticism, and interpretation of literature'. Terms and explanations are not limited to literature in English; a comprehensive, convenient reference for college students and teachers". (Gardiner H. London).

LC

VARELA DOMÍNGUEZ, G. D.

Diccionario mitológico y literario. Buenos Aires, 1952. 479 p.

VEGA, VICENTE.

Diccionario ilustrado de frases célebres y citas literarias. Barcelona, Gustavo Gili, 1952. 939 p.

Tiene índices de frases, citas, y de autores.

LC

II. LISTAS DE TESIS

1. TESIS (UNIVERSIDADES COLOMBIANAS)

NOTAS bibliográficas, en *El Repertorio Colombiano* (Bogotá), XVII, núm. 3 (enero de 1898), p. 239-40.

"Tesis universitarias de filosofía y letras, medicina y cirujía, derecho y ciencias políticas, apenas se mencionan títulos y autores" (J. J. Ortega Torres).

"Se anotan 17 tesis publicadas en dicho año: 4 de Filosofía y Letras, 10 sobre Medicina y 3 sobre Derecho y Ciencias Políticas" (*Bbcs*).

ICC / PU

2. TESIS (UNIVERSIDADES EXTRANJERAS)

ASLIB.

Index to theses accepted for higher degrees in the Universities of Great Britain and Ireland. v. 1- 1950-51- London. v. 25 cm. annual.

USC

BLACK, DOROTHY M., *comp.*

Guide to lists of master's theses, compiled by Dorothy M. Black. Chicago, American Library Association, 1965. 144 p. 24 cm.

USC

Boletín Informativo sobre estudios latinoamericanos en Europa. Amsterdam, Universiteit van Amsterdam, Studie- en Documentatiecentrum voor Latijns Amerika. Nº 1, abril, 1965-

"... bibliographical source to completed and in progress studies on Latin America in Europe". (*Hdbk*, Nº 28).

LC

Candioti, Marcial R.

Bibliografía doctoral de la Universidad de Buenos Aires y Catálogo cronológico de las tesis en su primer centenario, 1821-1920. Buenos Aires, 1920. 804 p.

Tesis de la facultad de Filosofía y Letras: 46. (C. K. Jones).

* Castillo, Homero.

La literatura hispanoamericana en las tesis de los Estados Unidos, en *Anales de la Universidad de Chile* (Santiago), CXIX, núm. 123 (1961), p. 131-41.

Excelente y muy útil compilación. Va hasta el año 1959. Incluye sólo tesis doctorales terminadas.

V. Larson, Ross F., p. 128-29.

ICC

Catálogo de las tesis doctorales manuscritas existentes en la Universidad de Madrid. Madrid, Gráfica González, 1952. 36 p.

"Has not been seen but, as might be expected, is said to have a considerable number of entries of Spanish American interest". (*Hdbk*'52).

* Dissertation abstracts; a guide to dissertations and monographs available in microfilm. v. I- Ann Arbor, University Microfilms, 1938- v. 22 x 28 cm. "Litoprinted".

Title varies: v. 1-11: *Microfilm abstracts...* [*V. Microfilm abstracts author index,* covering volumes 1-11, 1938-1951 of Microfilm abstracts (now Dissertation abstracts). Compiled by the Georgia Chapter, Special Libraries Association, with the cooperation of the University Microfilms, Ann Arbor, Mich. Atlanta, Georgia Chapter, Special Libraries Association, 1956. 1 v. 27 p. 21 cm.]

LC, USC

— Index to American doctoral dissertations, combined with Dissertation abstracts, 1955-1956. Compiled for the Association of Research Libraries. Ann Arbor, Mich., University Microfilms. v. 28 cm. (Dissertation abstracts, v. 16, Nº 13 [etc.]).

"This present compilation of doctoral dissertations accepted by American universities serves two purposes: It is a continuation of Doctoral dissertation[s accepted by American universities], and it is an index to dissertations, abstracted in Dissertation abstracts, vol. XVI-".

LC, USC

* DOCTORAL dissertations accepted by American universities, Nº 1-22; 1933, 1934 - 1954, 1955. New York, H. W. Wilson. 22 nº in 17 v. annual.

Superseded by Index to American doctoral dissertations combined with dissertation abstracts.

V. Tritier, Arnold H. and Marian Harman en esta sección.

LC, USC, UCLA

FLASHE, HANS, 1911-

Die Sprachen und Literaturen der Romanen im Spiegel der deutschen Universitätss chriften, 1885-1950; eine Bibliographie. Langues et littératures romanes dans les publications universitaires allemagnes, 1885-1950; une bibliographie. Bonn, H. Bouvier; Charlottesville, Va., Bibliographical Society of the University of Virginia, 1958. xxii, 299 p. 25 cm.

Added. t. p. in English: Romance languages and literatures as presented in German doctoral dissertations, 1885-1950; a bibliography.

Introduction in German, French and English.

Issued also as Bonner Beiträge zur Bibliotheks und Bücher-Kunde, Bd. 3.

Bibliography: p. xxi-xxii.

USC

HEDRICK, BASIL CALVIN, 1932-

Survey of investigations in progress in the field of Latin American Studies. Washington, Pan American Union, 1959. 76 p. 21 cm.

"This is the third survey made jointly by the Department of Cultural Affairs of the Pan American Union and the school of Inter American Studies".

Contiene información sobre 815 trabajos en varias disciplinas.

De interés: la sección de *Literatura,* p. 44-52. Incluye estudios y tesis en preparación (Master y de Ph. D.)

Indices por temas, lugar y autor.

Para "Surveys" anteriores *V.* Marasciulo, Edward y Kidder, Frederick Elwyn en esta sección.

LC, PU

KIDDER, FREDERICK ELWYN.

Survey of investigations in progress in the field of Latin American Studies. Washington, Pan American Union, 1956. 58 p. 18 cm.

"This is the second of such surveys made jointly by the Department of Cultural Affairs of the Pan American Union and the school of Inter-American Studies".

Incluye tesis sobre literatura.

Para otros "Surveys" auspiciados por las mismas entidades *V.* Marasciulo, Edward y Hedrick, Basil Calvin en esta sección.

LC, PU

— Doctoral dissertations in Latin American area studies, 1959-1960, en *The Americas,* Academy of American Franciscan History, vol. XVIII, Nº 3 (Jan., 1962), p. 304-10.

"First of a proposed annual listing to be published in the *Inter-American Notes* section of *The Americas*". (*Hdbk,* Nº 24).

PU

— Theses on Pan American topics prepared by candidates for doctoral degrees in universities and colleges in the United States and Canada. Compiled by Frederick Elwyn Kidder and Allen David Bushong. Washington, Pan American Union, 1962. 124 p. 27 cm. (Pan American Union. Columbus Memorial Library Bibliographical series, Nº 5. [4th ed.].

Earlier editions by Pan American Union, Columbus Memorial Library, Published under title: *Theses on Pan American Topics Prepared by Candidates for Degrees in Colleges and Universities in the United States.*

V. r. de Claude L. Hulet, en *Hisp.,* XVIII, Nº 3 (Sept., 1965), p. 619.

La mayoría de las tesis incluídas en estas compilaciones no son de literatura.

LC, PU

* Larson, Ross F.

La literatura hispanoamericana en las tesis doctorales de los Estados Unidos, en *Anales de la Universidad de Chile* (Santiago), núm. 133 (1965), p. 157-70.

"En *Anales,* Nº 123 (1961), págs. 131-141, el profesor Homero Castillo ofrece una recopilación de las tesis doctorales sobre temas relacionados con la América Hispana y su producción literaria que se habían efectuado en los planteles universitarios de los Estados Unidos hasta 1959 . . .

El trabajo que ofrecemos a continuación tiene por motivo facilitar no sólo los títulos omitidos en la lista original, sino también añadir los que se han aunciado a partir de 1959. Tenemos la esperanza de que juntamente las dos listas abarquen la completa producción de tesis sobre temas hispanoamericanos hasta principios de 1964". (p. 157).

V. Castillo, Homero, p. 125.

ICC

LISTAS DE « HISPANIA »:

* LEAVITT, STURGIS E., *comp.*

A bibliography of theses dealing with Hispano-American literature: XVIII (May, 1935), p. 169-82.

Esta lista se publicó en tirada aparte. Abarca el período 1915-34. En su mayoría las tesis incluídas son de "Master". Hay algunas sobre autores colombianos.

V. del mismo autor: *Clearing house for theses,* en *Hisp.*, XVIII (December, 1935), p. 456-58.

— Theses dealing with Hispano-American language and literature - 1937: XXI (May, 1938), p. 111-13.

—— 1938: XXII (May, 1939), p. 115-16.

"Authors and titles of completed M. A. theses and Ph. D. theses either completed or in preparation". (*Hdbk*'38).

—— 1939: XXIII (May, 1940), p. 92-94.

"Authors and titles of completed M. A. and Ph. D. theses, and of Ph. D. theses in preparation". (*Hdbk*'40).

—— 1940: XXIV (May, 1941), p. 197-201.

"This list of master's and doctor's theses is here extended to include the universities of México and Havana", (*Hdbk*'41).

—— 1941: XXV (May, 1942), p. 204-208.

"This list of master's and doctor's theses is here extended to include the University of Puerto Rico". (*Hdbk*'42).

—— 1942: XXVI (May, 1943), p. 180-83.

"This list of masters' and doctors' theses includes the contribution of the Universities of Havana, Puerto Rico, and Mexico". (*Hdbk*'43).

—— 1943: XXVII (May, 1944), p. 163-66.

"Includes theses from the Universities of Puerto Rico and Mexico". (*Hdbk*'44).

* Barret, L. Lomas. *comp.*

Theses dealing with Hispano-American language and literature-1944: XXVIII (May, 1945), p. 210-11.

"List of theses devoted to literary and philological subjects". (*Hdbk*'45).

—— 1945: XXIX (May, 1946), p. 220-21.

—— 1946: XXX (May, 1947), p. 200-202.

"Continuation of a list published annually since 1935. Noted here are five completed Ph. D. Theses, 26 completed M. A. theses, and 18 Ph. D. theses in preparation. Twenty-five universities of the United States are represented; there are none from abroad" (*Hdbk*'47).

—— 1947: XXXI (May, 1948), p. 157-60.

"Sixty four out of 71 deal with literature" (*Hdbk*'48).

—— 1948. With a retrospective comment: XXXII (May, 1949), p. 148-57.

—— 1949: XXXII (May, 1950), p. 119-25.

—— 1950: XXXIV (May, 1951), p. 148-54.

* SMITHER, WILLIAM J.

[Doctoral theses in the Hispanic languages and literatures], 1951: XXXV (May, 1925), p. 173-78.

—— 1952: XXXVI (May, 1953), p. 164-69.

—— 1953: XXXVII (May, 1954), p. [185]-202.

— Dissertations on the Hispanic languages and literatures (subject Index), 1935-1954: XXXVII (May, 1954), p. 185-202.

—— 1954: XXXVIII (May, 1954), p. 182-86.

—— 1955: XXXIX (Sept., 1956), p. 320-24.

—— 1956: XL (May, 1957), p. 196-99.

—— 1957: XLI (May, 1958), p. 195-99.

—— 1958: XLII (May, 1959), p. 214-19.

—— 1959: XLIII (May, 1960), p. 219-22.

—— 1960: XLIV (May, 1961), p. 285-91.

—— 1961: XLV (May, 1962), p. 269-73.

—— 1962: XLVI (May, 1963), p. 333-39.

—— 1963: XLVII (May, 1964), p. 326-33.

* HULET, CLAUDE L.

Dissertations in the Hispanic languages and literatures, 1964: XLVIII (May, 1965), p. 284-94.

—— 1965: XLIX (May, 1966), p. 263-71.

—— 1966: L (May, 1967), p. 297-304.

Estas listas de tesis publicadas por *Hispania* son las más completas y útiles que aparecen en los Estados Unidos. Actualmente registran tesis terminadas y en preparación.

ICC / LC, USC, UCLA

---

* MAPES, E. K.

Bibliografía de tesis sobre literatura iberoamericana preparadas en las universidades de iberoamérica, en *Revista Iberoamericana* (México), VI, núm. 11 (febrero de 1943), p. 203-206.

"This list, though incomplete, is valuable in the orientation of graduate studies. It includes theses from 1935 to 1940". (*Hdbk*'43).

LC, PU, KU, USC, UCLA

MARASCIULO, EDWARD, *comp.*

Survey of research and investigations in progress and contemplated in the field of Latin American subjects in colleges and universities in the United States and Canada during the school year 1952-1953. Gainesville, School of Inter-American Studies, University of Florida, 1953. 24 h. 28 cm.

"Survey ... undertaken jointly by the Department of Cultural Affairs of the Pan American Union Washington D. C., and the school of Inter-American Studies of the University of Florida at Gainesville".

Para "Surveys" posteriores auspiciados por las mismas entidades *V.* Kidder, Frederick Elwyn y Hedrick, Basin Calvin, en esta sección.

LC, PU

MARCHANT, A., AND SHELBY, CH., *eds.*

Investigations in progress in the United States in the field of Latin American humanistic and social studies. Washington, The Library of Congress, 1942. XI, 236 p. Mimeografiado.

Jonhn E. Englekirk, advisory editor.

De interés: *Literatura,* p. 211-14; *Colombia,* p. 219.

Incluye algunas obras en preparación sobre literatura colombiana.

PU

MASTER abstracts; abstracts of selected master theses on microfilm. v. 1- 1962- Ann Arbor, Mich., University Microfilms. v. 23 cm.

USC

MERRIL, RAY MARCH, 1882-

American doctoral disertations in the Romance field, 1876-1926 ... New York, Columbia Univ. Press, 1927. 27 p. 19½ cm. (Institut des Études Françaises ... Publications).

LC

MORALES, FRANCISCO.

Tesis doctorales de la Universidad de Madrid. Años 1959-61, en *Boletín de Filología Española* (Madrid), año IV, núm. 10 (diciembre de 1963), p. 45-46.

Se incluyen varias tesis sobre literatura hispanoamericana.

ICC / LC

PALFREY, THOMAS ROSSMAN, 1895-

Guide to bibliographies of theses, United States and Canada, compiled by Thomas R. Palfrey ... and Henry E. Coleman Jr. ... 2nd. ed. Chicago, American Library Association, 1940. 54 p. 22 cm.

lrst. ed.: *id.,* 1936. 48 p.

USC

PAN AMERICAN UNION, *Washington.*

Theses on Pan American topics. Prepared by candidates for degrees in universities and colleges in the United States. Washington, D. C., 1931. 113 p. 27½ cm. (Bibliographic Series, Nº 5). Mimeografiado.

"Incluye algunas tesis sobre diversos aspectos colombianos". (*Bbcs*).

2ª ed. revisada y aumentada: *id.,* 1933. 113 p.

3ª ed. revisada y aumentada: *id.,* 1941. 170 p.

Contenido (3ª ed.): Thesis by Authors, p. 1-128; Index by subject, p. 129-70; Theses by Universities.

En la última ed. se incluyen tesis sobre literatura hispanoamericana, entre ellas unas pocas sobre Colombia.

LC, PU

PULVER, MARY M., *comp.*

Current research inventory, en *Latin American Research Review* (Austin, Tex.), I, núm. 2 (Spring, 1966), p. 109-47.

"Brief descriptions of current post-doctoral research conducted in the different Latin American, U. S., and Canadian institutions". (*Hdbk,* Nº 28).

LC

Research in progress in the modern languages and literatures, en *PMLA,* vols. LXIV-[¿LXXI?], 1949 [¿1956?].

ICC (Colección incompleta) / LC, USC, UCLA

Rubin, Selma F., *comp.*

Survey of investigations in progress in the field of Latin American studies, 1965. Washington, Pan American Union, Department of Educational Affairs, 1966. 103 p.

"Listing of 843 projects-in-progress ..." (*Hdbk,* Nº 28).

PU

Tesis de grado publicadas en Estados Unidos sobre Colombia, en *Bol. Cult. y Bibl.* (Bogotá), IX, núm. 8 (1966), p. 1596-1606.

Comprende tesis terminadas y en preparación. Sólo incluye una tesis sobre literatura de las numerosas que se han preparado en los Estados Unidos.

ICC, BN, BLAA / LC, UCLA

Texas University. *Institute of Latin American Studies.*

Master of arts theses and doctoral dissertationes of Latin American interest accepted by the University of Texas, 1893-1952, en *University of Texas Publ.,* Nº 5216, Austin, Tex. (1952), p. 54-83.

"Some 300 items, arranged by years. Vastly the greater part are in the field of history, or have historical implications". (*Hdbk*'52).

Algunas tesis incluídas son de literatura.

TU

— Seventy-five years of Latin American research at the University of Texas; master theses and doctoral dissertations 1893-1958, and publications of Latin American interest 1941-1958. [Austin, ¿1959?]. 67 p. facsims. 23 cm. (Latin American Studies, 18).

Incluye tesis sobre literatura.

ICC / LC, TU

TRITIER, ARNOLD H., AND MARIAN HARMAN, *comps.*

Doctoral dissertations accepted by American universities, 1952-1953. Nº Compiled for Association of Research Libraries. N. Y., H. W. Wilson Co., 1953. 305 p.

V. Doctoral dissertations accepted by American universities, p. 126.

LC

UNIVERSITY of Southern California.

Abstracts of dissertations ... with the titles of theses and projects accepted for masters degrees, 1936-58. Los Angeles, Univ. of Southern California Press.
v. in 26 cm.

Dissertations are abstracted for various doctorats as follows: Doctor of Philosophy, 1936-58, [etc].

Abstracts of dissertations accepted July, 1958, are included in Dissertation abstracts. v. 20.

USC

III. PRECEPTIVA LITERARIA, METODOS Y TECNICAS DE INVESTIGACION

1. OBRAS COLOMBIANAS

ALVAREZ BONILLA, ENRIQUE, 1848-1913.

Tratado de retórica y poética, por Enrique Alvarez Bonilla, 2ª ed. Bogotá, Imp. de Vapor, 1899. 265 p. 17 cm.

3ª ed.: Bogotá, Camacho Roldán y Tamayo, 1912. 224 p.
[Nueva ed.]: Bogotá, Edit. Cromos, 1923.

Contenido (2ª ed.): *Pte.* 1ª, Libro I: De los pensamientos; Libro II: De las figuras; Libro III: De las expresiones; Libro IV: De la composición o coordinación de las cláusulas, *Pte.* 2ª, *Sección* 1ª, Libro I: Composiciones oratorias; Libro II: De las obras históricas; *Sección* 2ª, Libro III: De la versificación castellana; Libro IV: Poesías directas; Libro V: Poesía dramática; Libro VI: Poesías mixtas; Libro VII: Imitación, traducción, crítica.

BN (3ª ed., [Nueva ed.]), BLAA (2ª ed.)

BARRERA ORTIZ, FRANCISCO.

Tratado de retórica, oratoria y poética, arreglado, según los mejores autores, para el uso de los estudiantes de literatura. Bogotá, Imp. del Neogranadino, 1856. 4º, 188 p.

Contenido: Parte 1ª: Nociones jenerales; Parte IIª: De la poética.

Incluye ejemplos de autores españoles y colombianos.

ICC, BN

BENILDO MATÍAS, *Hno., El castellano literario. Tercer año. Preceptiva literaria* ... *V*. p. 270.

BONILLA, MANUEL ANTONIO, 1872-1947.

Apuntaciones sobre el lenguaje. (Adaptadas al programa oficial) ... Bogotá, Edit. Ferrini, 1939. 280 p. 22 cm.

ICC

— La lengua patria ... Ibagué, Imp. Deptal, 1948 305 p. 24 cm.

Contenido: 1. Gramática; 2. Sintaxis; 3. Preceptiva; 4. Correcciones y notas de lenguaje; 5. Redacción; 6. De las escuelas literarias.

ICC

— La palabra triunfante ... Bogotá, Edit. Cromos, 1944. xv, 558 p. 24 cm.

Contenido: Cualidades de la lengua castellana; Normas estéticas, gramaticales y filológicas; Doctrinas literarias; Síntesis de literatura española, americana y colombiana.

Se incluyen muestras de autores colombianos y extranjeros.

ICC

* BONILLA, MANUEL ANTONIO, 1872-1947.

Orientaciones literarias; lecciones de preceptiva literaria, arregladas por Manuel Antonio Bonilla ... Ibagué, Escuela Tipográfica Salesiana, 1936. 528 p., VI. 23½ cm.

2ª ed.: Con algunas mejoras y nuevas lecturas: Ibagué, Escuela Tipográfica Salesiana, 1938. 536 p. 24½ cm.

[¿3ª ed.?]: Bogotá, Edit. Librería Voluntad, 1941.

"Fuera de la parte preceptiva, la cual queda reducida en este libro a lo meramente indispensable, hay otra — *Orientaciones* — de suma importancia para cuantos aspiran a sacar el mejor provecho de estas enseñanzas: figuran allí autores españoles y americanos, especialmente colombianos. Y vienen después los *motivos* que son pensamientos, aforismos o conceptos, puestos al fin de cada sección, para que los desarrolle o explique el profesor". (*Introducción,* 2ª ed., p. 10).

ICC (2ª ed.), BLAA (1ª ed.) / LC (2ª ed.)

BORDA, JOSÉ JOAQUÍN, 1835-1878.

Lecciones de literatura ... Bogotá, Imp. de José M. Lombana, 1876. 128 p. 15 cm.

Contenido: *Parte primera*: Principios generales; *Parte segunda*: Lenguaje figurado; *Parte tercera*: Composiciones en prosa; *Parte cuarta*: Estructura del verso; *Parte quinta*: Composiciones en verso.

Se incluyen numerosos ejemplos de escritores nacionales.

ICC

GARCÍA, JUAN CRISÓSTOMO, *Pbro.*, 1883-

Nociones de retórica, por el presbítero D. Juan Crisóstomo García ... Bogotá, Imp. de San Bernardo, 1914. 2 h. p., VI, 172 p. 16 cm.

Dictamen, por Antonio Gómez Restrepo, p. II-III.

"Dedica este ensayo de opúsculos a la memoria de sus antiguos profesores, don Diego Fallon y don Enrique Alvarez Bonilla y rinde homenaje de respetuosa gratitud a los eximios maestros que le honraron [...] de palabra y por escrito". (*Advertencia*, p. V).

Incluye prosa y verso de autores nacionales y extranjeros.

Eds. posteriores con el título: *Nociones de literatura.*

BN

— Nociones de literatura, por Juan C. García, Pbro. ... Bogotá, Edit. Minerva, 1921. 320 p. 17 cm.

1ª ed.: 1914, con el título: *Nociones de retórica.*

3ª ed.: Bogotá, Escuela Tipográfica Salesiana, 1925. XVI, 344 p.

Resumen de la literatura nacional, [3ª ed.], p. 316-19.

Contiene verso y prosa de autores nacionales.

ICC, BN / LC (3ª ed.)

GÓMEZ RESTREPO, ANTONIO, 1869-1947.

Apuntes sobre literatura ... Bogotá, Imp. de M. Rivas, 1893. 233 p. 16 cm.

Contenido general: Parte 1ª. De lo bello; Parte 2ª. De la poesía; Parte 3ª. De la novela; Parte 4ª. De la oratoria; Apéndice: De la historia.

Obra basada en las conferencias dictadas por el autor, como profesor de literatura, en el Colegio Mayor de Nuestra Señora del Rosario. Colaboró en ella Rafael María Carrasquilla.

ICC

GONZÁLEZ ZEA, ABRAHAM, 1903-

Lecciones de preceptiva literaria; en desarrollo del programa del Ministerio de Educación ... Medellín, Edit. Bedout, 1958. 327 p. rets. 24 cm. (*An*'57-58)

HERRERA ESPADA, PEDRO.

Introducción al estudio de la literatura. Dedicada a las clases de Retórica, Arte poética y Oratoria. Bogotá, Imp. de J. A. Cualla, 1848. 1 h. p., 24 p.

1ª obra de este género publicada en Colombia. Se usa en ella el sistema de preguntas y respuestas.

BN

LITTON, GASTON, 1913-

Un manual de forma para la preparación de la tesis. Medellín, Edit. Universidad de Antioquia, 1960. 42 p. 33 cm. (Escuela Interamericana de Bibliotecología). Mimeografiado.

"Manual instructivo para la preparación de tesis, semejante al que tienen muchas universidades, para unificar la presentación a la vez que se instruye a los estudiantes en la forma de hacer investigaciones bibliográficas".

ICC

MARROQUÍN, JOSÉ MANUEL, 1827-1908.

Lecciones elementales de retórica y poética ... Bogotá, Librería Colombiana Camacho Roldán & Tamayo, 1898. IX, 126 p. 16 cm.

[2ª ed.]: con el título: *Retórica y poética.*

No incluye ejemplos de autores colombianos. Esta obra se basó en la de Lorenzo Marroquín, *Lecciones elementales de retórica y poética.*

ICC

— Retórica y poética ... Bogotá, Edit. Minerva, 1935. 159 p. 17 cm. (Selección Samper Ortega, 4).

Contenido: *Pte.* 1: Reglas comunes a todas las composiciones literarias; Adiciones: Observaciones aplicables a la prosa y a la poesía.

ICC / LC, KU, Dth, USC, UCLA

MARROQUÍN, LORENZO, 1856-1918.

Lecciones elementales de retórica y poética. Bogotá, Imp. de Medardo Rivas, 1882. VII, 71 p. 16 cm.

V. Marroquín, José Manuel, en esta sección.

ICC

MIRANDA, FÉLIX R., *Pbro.*

Técnica de la nota científica según el sistema de fichas. Bogotá, Edit. Cromos, 1945. 252 p. ilus., tabs. 19 cm.

ICC

OCHOA, NEPOMUCENO, *Pbro. Eudista.*

Análisis literario. Usaquén-Bogotá, D. E., Edit. San Juan Eudes, 1960. 85 p. 24 cm. (*An*'59-60)

OSPINA VÁSQUEZ, LUIS.

Del trabajo por fichas, en *Bol. Cult. y Bibl.* (Bogotá), I, núm. 7 (agosto de 1958), p. 196-201.

ICC, BN, BLAA / LC, UCLA

OTERO HERRERA, ANTONIO, 1876-

Lecciones de retórica y literatura, por Antonio Otero Herrera, 2ª ed. ... Bogotá, Librería Colombiana, 1914. 256 p. 17½ cm.

Autorizado concepto, por Antonio Gómez Restrepo, p. [3]-4. "El libro contiene, además, una selección de trozos escogidos de autores españoles y americanos muy propia para formar el gusto de los estudiantes y allí, al lado de las composiciones consagradas por la admiración de los siglos aparecen variadas muestras de literatura nacional". (*Autorizado concepto*).

ICC /LC

PERAZA SARAUSA, FERMÍN, 1907-

La documentación en Colombia. 2ª ed. Gainesville, Fla., 1962. 13 h. 28 cm. (Biblioteca del Bibliotecario, 66).

"Trabajo presentado al Seminario Latinoamericano sobre Documentación Científica, organizado por el Centro de Cooperación Científica de la UNESCO para América Latina, Lima, 3-8 septiembre de 1962".

PU

PÉREZ ARBELÁEZ, ENRIQUE, 1896-

Características bibliográficas y bibliografías, en *Revista de la Academia Colombiana de Ciencias Exactas, Físicas y Naturales* (Bogotá), VIII, núm. 29 (1950), p. 19-23.

"Estudio sistemático de las ciencias bibliográficas, con útiles informaciones de carácter técnico". (*Bbcs*).

BN

RESTREPO, FÉLIX, S. J., 1887- *El castellano en los clásicos* ...
V. p. 285.

RUANO, JESÚS MARÍA, S. J.

Lecciones de literatura preceptiva. Sacadas del estudio analítico-intuitivo de modelos clásicos e hispanoamericanos. Teoría y modelos ... 13ª ed. Bogotá, Edit. Voluntad, [1962]. 496 p. 21½ cm. (Textos Pax, S. J.).

1ª ed.: Bogotá, 1918.

[2ª ed.]: Bogotá, Casa Edit. de Arboleda y Valencia, 1920. XVIII, 525 p. 23½ cm.

3ª ed.: Notablemente reformada ... Bogotá, Colegio de San Bartolomé, 1927. 544 p. 23½ cm.

10ª ed.: Bogotá, Librería Voluntad, [1953]. 496 p. 22 cm.

11ª ed.: Bogotá, Librería Voluntad, 1956. 496 p. 22 cm.

12ª ed.: Bogotá, Edit. Voluntad, [1960].

ICC (2ª ed.), BLAA (11ª y 12ª eds.), BN (1ª, 10ª y 11ª eds.) / LC (3ª ed.)

SANABRIA QUINTANA, ANTONIO.

El trabajo de documentación. Apuntes para su preparación y presentación. Colaboración especial de Luis E. Parra Torres. Tunja, Imp. Departamental, [1965]. 131 p., 1 h. ilus. 16½ cm. (Biblioteca de Autores Boyacenses, 8). (*An*'64-65).

SEGURA, FAUSTINO.

Elementos de literatura preceptiva compuestos por el padre Faustino Segura. 8ª ed. ... Bogotá, Lit. Colombia, s. f. 2 h. p., 192 p. 20 cm.

[¿1ª ed.?]: Popayán, 1916. 244 p.

6ª ed.: Cali, Edit. América, 1942. 192 p. 20 cm.

Contenidos [6ª ed.]: Nociones preliminares; 1ª *parte*: Elocución; Reglas comunes a toda clase de composiciones; 2ª *parte*: Composiciones en prosa. Nociones generales: sección 1ª: composiciones destinadas a la lectura; sección 2ª: oratoria; 3ª *parte*: Composiciones en verso: poética. Apéndice: Escuelas literarias.

Incluye prosa y verso de escritores nacionales y extranjeros.

ICC (6ª ed.), BN (ed. 1916), BLAA (8ª ed.)

UNIVERSIDAD DE ANTIOQUIA. *Facultad de Ciencias de la Educación.*

Teoría literaria. [Medellín], 1963. 56 h. 32 cm. Mimeografiado. (*An*'63).

UNIVERSIDAD EXTERNADO DE COLOMBIA, *Bogotá.*

Metodología y técnica de la investigación bibliográfica. Bogotá, 1965. vi, 136 p. 24½ cm. (Publicaciones de la Universidad Externado de Colombia). (*An*'64-65)

VILLEGAS, ANGEL.

Retórica y acción oratoria. Respuesta al programa oficial de la materia en Colombia. Cartagena, Colombia, Edit. Bolívar, [1939]. 213 p. 5 h. 17 cm.

ICC

2. OBRAS EXTRANJERAS

ALEXANDER, CARTER, *coautor.*

Métodos de investigación. Con modelos tomados de la literatura pedagógica por Carter Alexander y Arvid J. Burke. Edición latinoamericana. Traducción de la 4ª ed. revisada, prólogo y notas adicionales por Miguel Angel Piñeiro. Washington, Unión Panamericana, 1962. 185 p., 1 h. 21 cm. (Manuales del Bibliotecario, 3).

Contenido general: Introducción: La energía potencial de las bibliotecas; Cap. I: Sugerencias generales para la investigación en

las biliotecas; Cap. II: Procedimientos de investigación en bibliotecas; Cap. III: La selección de encabezamientos; Cap. IV: La localización de libros mediante el catálogo de la biblioteca; Cap. V: La localización de libros en distintas bibliotecas; Cap. VI: La localización de publicaciones periódicas seriadas; Cap. VII: La elaboración de una bibliografía; Cap. VIII: Guía de una biblioteca profesional; Cap. IX: La lectura en bibliotecas; Cap. X: Las notas en el trabajo con materiales de biblioteca; Cap. XI: Libros de referencia; Cap. XII: La evaluación de libros y otras referencias; Apéndice.
ICC

ALONSO CORTÉS, N.
Elementos de preceptiva literaria. Valladolid, Imp. Colegio Huérfanos Caballería, 1931, 251 p. 23 cm.

— Nociones de preceptiva literaria, por Narciso Alonso Cortés. Valladolid, Artes Gráficas Afrodisio Aguado. 1934. 241 p. 22 cm.
LC

ALVAREZ BONILLA, ENRIQUE, 1848-1913.
Arte de hablar en prosa y verso, por José Gómez Hermosilla. Obra compendiada, por E. Alvarez Bonilla. Bogotá, Imp. de La Luz, 1883. 254 p.

ANGELES CABALLERO, CÉSAR AUGUSTO.
La tesis universitaria; investigación y elementos. Lima, 1964. 192 p. 21 cm.
USC

BONET, C. M.
La técnica literaria y sus problemas. Buenos Aires, Edit. Nova, [1957]. 137 p. 18 cm. (Compendios Nova de Iniciación Cultural, 10).
ICC

BOSCH GARCÍA, CARLOS, 1919-

La técnica de investigación documental. [2ª ed.]. México, D. F., Escuela Nacional de Ciencias Políticas y Sociales, 1963. 60 p., 1 h. 22 cm.
ICC

BOSCH GARCÍA, CARLOS, 1919-

La tesis profesional; método de investigación. [1ª ed.]. México, Edit. Pormaca [1966]. 69 p. 20 cm. (Colección Pormaca, 34).
USC

BUONOCORE, DOMINGO, 1899-

Bibliografía literaria y otros temas sobre el editor y el libro. Santa Fe, 1956. 47 p. 23 cm. (Instituto Social, Universidad Nacional del Litoral. Temas Bibliotecológicos, Nº 7).

"La finalidad de este breve ensayo es de mera orientación bibliográfica. Responde al propósito de presentar una visión de conjunto de las principales fuentes de información que debe conocer, tanto el estudiante para iniciarse con provecho en el tema, como el especialista para ahondar, con carácter exhaustivo, el tratamiento de estas cuestiones u otras colaterales que surjan en el curso de su investigación". (p. 7).
ICC / LC

BUSTO DUTHURBURU, JOSÉ ANTONIO DEL.

La tesis universitaria. 2ª ed. corr. [Lima], Studium, [1960]. XII, 187 p. 21 cm.
USC

CARABALLO, GUSTAVO, 1885-

Compendio de literatura preceptiva y breve noticia de la literatura hispano-americana, por Gustavo Caraballo ...

Buenos Aires, Agencia General de Librería y Publicaciones, [¿1928?]. [13]-156 p. 20½ cm.
LC

* CASTAGNINO, RAÚL H.
El análisis literario ... 3ª ed. aumentada. Buenos Aires, Edit. Nova, [1961]. 263 p.

Contenido: 1ª parte: Planteos Introductorios: I. Itinerario; II. Deslindes y conflictos de jurisdicción; III. Tareas analíticas. *2ª parte:* Análisis de los contenidos de la obra literaria: I. Aporte previo de la historia literaria; II. El tema; III. Presencia del medio geográfico; IV. Gravitación de lo temporal; V. Personajes y caracteres; VI. La acción; VII. Atando cabos. *3ª parte:* Análisis de las formas literarias: I. El vocabulario; II. Estilo y estilística; III. La expresión; IV. La expresión y los estímulos sensoriales; V. La expresión y los acentos de la intención; VI. Los matices de la afectividad; VII. Morfología y estilo; VIII. Sintaxis y estilo; Referencias bibliográficas.
LC

CASTAGNINO, RAÚL H.
¿Qué es literatura? Buenos Aires, Edit. Nova, [1954].

Contenido: I. Introducción; II. ¿Qué es literatura?; III. Literatura como sinfronismo; IV. Literatura, función lúdica; V. Literatura es evasión; VI. Literatura es compromiso; VII. Literatura, ansia de inmortalidad; VIII. El interrogante en pie; Referencias bibliográficas.
LC

CHASSANG, ARSÈNE.
La dissertation littéraire générale: classes supérieures de lettres et enseignement superieur, [par] A. Chassang [et] Ch. Senninger. Paris, Hachette, [1957]. 424 p. 23 cm.

Includes bibliographies.
USC

DÍAZ-PLAJA, GUILLERMO.

El estudio de la literatura (Los métodos históricos). Barcelona, SAYMA Ediciones y Publicaciones, 1963. 151 p.

"At times the text defies understanding..." (Luis Monguió).
LC

DUGDALE, KATHLEEN.

A Manual of form for theses and term reports. Rev. Bloomington, Ind., 1962. 58 p. ilus. 28 cm.
USC

EARNEST, ERNEST.

A foreword to literature. New York, Appleton-Century Crofts, 1945. 332 p.

"The nature of literature and the problems arising in interpretation. A good work for college students".
LC

FOERSTER, NORMAN, MACGALLIARD, JOHN, WELLEK, RENE, *et al.*

Literary scholarship: Its aims and methods. Chapel Hill, 1941.
NC

GATES, JEAN KEY.

El trabajo de investigación en el estudio universitario; cómo realizarlo y redactarlo valiéndose de la biblioteca, por Jean Key Gates. Capítulo XXIII de la obra *Guide to the use of books and libraries,* traducido y adaptado por Hernán Poveda. Cali, Universidad del Valle, Departamento de Bibliotecas, 1965. 11 p. 28 cm. Mimeografiado. (*An*'64-65)

* HAWS, GWEN HUNSAKER.

Practices of graduate schools in the United States regarding theses, dissertations and official publications. School of Graduate Studies, Utah State University. Logan, Utah State Univ. Press, [¿1965?]. 56 p. ilus. 23 cm.

Bibliography: p. 44-45.
USC

* KAYSER, WOLFGANG.

Interpretación y análisis de la obra literaria. 3ª ed. revisada. Madrid, Edit. Gredos, 1961. 594 p. (Biblioteca Románica Hispánica). Versión española de María D. Mouton y V. García Yebra.

"El presente libro es una introducción a los métodos que ayudan a comprender una creación literaria, como obra de arte". *(Prólogo a la primera edición alemana).*

Contenido: Cap. I. Supuestos filológicos; *1ª parte:* Conceptos elementales del análisis; Cap. II. Conceptos elementales del contenido; Cap. III. Conceptos fundamentales del verso; Cap. IV. Las formas lingüísticas; Cap. V. La estructuración; *Parte intermedia:* Cap. VI. Nociones fundamentales de la técnica; *Segunda parte:* Conceptos fundamentales de la síntesis; Cap. VII. El contenido; Cap. VIII. El ritmo; Cap. IX. El estilo; Cap. X. La estructura del género; Bibliografía.

ICC / LC, PU, USC, UCLA

KOEFOD, PAUL ERIC.

The writing requirements for graduate degrees. Englewood Cliffs, N. J. Prentice Hall, [1964]. XVIII, 168 p. 22 cm.

Includes bibliographical references.
USC

LACALLE, ANGEL.

Teoría literaria y breve historia del español. 2ª ed. Barcelona, Bosch, Casa Editorial, 1951. 238 p.

Contenido de interés: Parte general: I. La obra artística; II. Categorías estéticas; III. La creación literaria; IV. La obra literaria; V. El lenguaje; VI. El lenguaje (cont.); VII. Prosa y verso; VIII. El verso; IX. El verso español; X. La estrofa; XI. La estrofa (cont.); *Parte especial:* XII. Géneros literarios; XIII. La poesía épica; XIV. La poesía épica (cont.); XV. La novela; XVI. La historia; XVII. Poesía lírica; XVIII. La oratoria; XIX. La didáctica; XX. De la dramática; XXI. Obras dramáticas fundamentales; Obras dramáticas (cont.).

LC

LAPESA, RAFAEL.

Introducción a los estudios literarios. Madrid, Ediciones Anaya, 1965.

LC

* LASSO DE LA VEGA, JAVIER.

Cómo se hace una tesis doctoral; manual de técnica de la documentación científica ... 2ª ed. Madrid, Edit. Mayfe, 1958. XII, 597 p. 24 cm.

ICC

LAUSBERG, HEINRICH.

Manual de retórica literaria. Madrid, Edit. Gredos, 1966. 383 p.

USC

LAZO, RAIMUNDO.

Elementos de teoría y composición literarias (literatura preceptiva) ... La Habana, Edit. Minerva, 1938. 237 p. 20½ cm.

LC

LONDON, GARDINER H.

Aids to the study of literature, en *Hisp.*, XLIV, Nº 4 (December, 1961), p. 690-91.

ICC / LC, USC, UCLA

MCCRUM, BLANCHE PRICHARD.

Bibliographical procedure and style. A manual for bibliographers in the Library of Congress, by Blanche Prichard Mc Crum and Helen Dudenbostel Jones. Washington, The Library of Congress, Reference Department, 1549. VI, 127 p.

Contenido: *Part one*: Bibliographical Procedures: I. Planning the Bibliography; II. Procedures for preparing the Bibliography; *Part two:* Bibliographical style: I. Books, Pamphlets and other monographic publications; II. Documents; III. Serials; Appendixes.

"*Bibliographical Procedure and Style* is intended as a handbook of standard practice and techniques ..." (*Preface,* p. v).

ICC

* PARKER, WILLIAM R.

The MLA style sheet. Rev. ed. [N. Y.], The Modern Languages Association of America. [1967]. 32 p. 23½ cm.

Numerosas revistas literarias de los Estados Unidos siguen las normas de la *MLA style sheet* para la presentación de sus publicaciones.

LC, USC

REMOS Y RUBIO, J. J.

La obra literaria: estética y técnica. [La Habana], Imp. Fernández y Cía., 1941. 641 p. 21½ cm.

Bibliografía, p. [587]-99.

LC

* SAINZ DE ROBLES, FEDERICO CARLOS.

Los movimientos literarios (Historia-Interpretación-Crítica). Madrid, Aguilar, 1957. 448 p.

Bibliografía, p. 411-20.
LC

SÁNCHEZ ESCRIBANO, FEDERICO y PORQUERAS MAYO, ALBERTO, *Preceptiva dramática española del renacimiento y el barroco ... V.* p. 667.

SÁNCHEZ, LUIS ALBERTO, 1900-

Breve tratado de literatura general y notas sobre la literatura nueva, 6ª ed. Santiago de Chile, Ediciones Ercilla. 1941. 186 p.

Advertencia, por L. A. S., p. 7-12.
En sus comentarios, menciona algunos escritores colombianos.
USC

* SCHNEIDER, GEORGE, 1876-

Theory and history of bibliography, by George Schneider, translated by Ralph Robert Shaw. New York, Columbia Univ. Press, 1934. xiv, 306 p. 23½ cm.

"This is a textbook treating lists of literature; the portion devoted to theory of bibliography deals with the concept of 'bibliography', its relationship to scholarly and practical life, its terminology, the forms and types of lists of books, and, above all, with rules for the preparation of bibliographies. These rules cover all three parts of the process: collecting, listing, and arranging of titles". (*Author's Preface,* p. [ix]).
ICC

SEDWICK, RUTH.

The literary movements defined, en *Hisp.,* XXXVII (Nov., 1954), p. 466-71.
ICC / LC, USC, UCLA

* SEEBER, EDWARD DERBYSHIRE, 1904-

A style manual for sudents [based on the MLA style sheet] for the preparation of term papers, essays and theses

... Bloomington, Indiana University Press, [1966, c1964]. 94 p. 20 cm.
USC

TAMAYO Y RUBIO, JUAN.
Teoría y técnica de la literatura, ensayo. 3ª ed. Madrid, [Imp. J. Murillo], 1932. 312 p. 18½ cm.
LC

TURABIAN, KATE L.
A manual for writers of term papers, theses, and dissertations. Reissue. Chicago, University Press Publications, 1960.
"An authoritative guide to correct scholarly style for typewritten reports of research in both scientific and nonscientific fields".
LC

UNIVERSIDAD DE PUERTO RICO. *Escuela de Administración Pública.*
Manual para la preparación de informes y tesis. [San Juan, Puerto Rico], Colegio de Ciencias Sociales, [1961]. VIII, 259 p. ilus. 28 cm.
ICC

UNIVERSITY of Southern California. *Office of University Publications.*
University of Southern California regulations for format and presentation of theses and dissertations. Rev. [Los Angeles], 1964. 17 h. 28 cm.
USC

* WELLEK, RENE Y WARREN, AUSTIN.
Teoría literaria. 2ª ed. ampliada y corregida. Madrid, Edit. Gredos, 1959. 430 p. (Biblioteca Románica His-

pánica). Versión castellana de José María Gimeno Capella.

"... el libro, en su infinito despliegue y crítica de los más opuestos puntos de vista, resulta siempre interesante. El lector español tiene aquí ahora en pocas páginas todo lo que el mundo de la cultura ha preparado o piensa hoy sobre el estudio de la obra literaria". (Damaso Alonso, *Prólogo español*, p. 9).

Contenido general: Prólogo; I. *Definiciones y distinciones:* Cap. I. La literatura y los estudios literarios; Cap. II. Naturaleza de la literatura; Cap. III. Función de la literatura; Cap. IV. Teoría, crítica e historia literarias; Cap. V. Literatura general, literatura comparada y literatura nacional; II. *Operaciones preliminares:* Cap. VI. Ordenación y fijación del material; III. *El acercamiento extrínseco al estudio de la literatura;* Cap. VII. Literatura y biografía; Cap. VIII. Literatura y psicología; Cap. IX. Literatura y sociedad; Cap. X. Literatura e ideas; Cap. XI. La literatura y las demás artes; IV. *El estudio intrínseco de la literatura:* Introducción; Cap. XII. El modo de ser de la obra de arte literario; Cap. XIII. Eufonía, ritmo y metro; Cap. XIV. Estilo y estilística; Cap. XV. Imagen, metáfora, símbolo, mito; Cap. XVI. Naturaleza y forma de la ficción narrativa; Cap. XVII. Géneros literarios: Cap. XVIII. Valorización; Cap. XIX. Historia literaria.

Excelente *Bibliografía* (p. 367-406), de acuerdo al orden de los capítulos de la obra.

ICC / LC, USC

IV. MANUSCRITOS

1. MANUSCRITOS (OBRAS COLOMBIANAS)

MANUSCRITOS, en *Catálogo de la Biblioteca Laureano García Ortiz,* v. 4. Bogotá, [s. f., s. p.]. Copia mecanografiada.

Incluye un buen número de manuscritos colombianos de interés literario.

V. Catálogo de la Biblioteca Laureano García Ortiz, p. 71.

QUECEDO, FRANCISCO.

... Manuscritos teológico-filosóficos coloniales santafereños ... Excerta ex disserta ad lauream in Facultate Theologica Pontificiae Universitatis Xaverianae. Bogotae, Pontificia Universitas Xaveriana, 1952. 106 p. 24½ cm.
(*An*'51-56)

2. MANUSCRITOS (OBRAS GENERALES)

ACADEMIA DE LA HISTORIA, *Madrid. Biblioteca.*

Catálogo de los manuscritos de América existentes en la "Colección de jesuítas" de la Academia de la Historia, por A. R. Rodríguez Moñino. Badajoz, 1935. 90 p. 22 cm.

"Tirada de 300 ejemplares en papel corriente, numerados de 1 al 300 y cinco en gran papel Ingres numerados I a V".

"Para la formación del presente catálogo hemos repasado uno por uno los doscientos veinticuatro tomos de papeles varios que integran la colección [...] Todas los [*sic*] papeletas se han redactado en presencia de los respectivos originales ...

Se copia el título, principio y fin de cada papel y se hace constar el tamaño, número de hojas, carácter de la letra, etc. Con números romanos va indicado el del tomo correspondiente y en cifras árabes el papel o página de cada volumen". (*Nota preliminar,* p. 8).

Incluye datos sobre algunos MSS relativos a la Nueva Granada.

LC

ACOSTA, JOAQUÍN, 1799-1852, *Catálogo de los libros y manuscritos que entre otros tuvo presente el coronel Joaquín Acosta para escribir su Compendio histórico del descubrimiento y colonización de la Nueva Granada ...* *V.* p. 435.

BRITISH MUSEUM. *Dept. of Manuscripts.*

The catalogues of the manuscript collections [by T. C. Skeat, Keeper of manuscripts], rev. ed. [London], Trustees of the British Museum, 1962. 45 p. 25 cm.
LC

BUTLER, RUTH LAPHAM.

Important acquisitions of manuscripts and rare printed material relating to Latin America in libraries of the United States, en *Hdbk,* Nº 11 (1945), p. 360-64.

— The Latin American manuscripts in the Royal Library at Copenhaguen, en *Hdbk*'37, p. 482-87.
MSS generales.
ICC / LC, PU, USC, UCLA

CARDOZO, MANUEL S.

A Guide to the manuscripts in the Lima Library, the Catholic University of America, Washington, D. C., en *Hdbk*'40, p. 471-504.
ICC / LC, PU, USC, UCLA

CASTAÑEDA, CARLOS EDUARDO, and DABBS, JACK AUTREY.

Guide to the Latin American manuscripts in the University of Texas Library. Cambridge, Harvard University Press, 1939. x, 217 p.

"A complete list ... [with the exception of the Manuel Gondra papers ... acquired after the present guide was prepared] of the manuscript sources in the University of Texas for the study of the history and culture of Latin America and the former provinces of Spain within the present limits of the United States. It represents the accumulation of over a millon pages of original manuscripts, transcripts, typed copies and photostats gathered during the past forty years" (*Introduction*).

"Sobre Colombia Nº 1942. Se menciona la 'Relación de la Provincia de Antioquia', por don Francisco de Silvestre". (*Bbcs*).

V. también de los mismos autores en *Hdbk'*40: *The Manuel E. Gondra Collection,* p. 505-17, y *Calendar of the Manuel E. Gondra Manuscript Collection of the University of Texas Library.* México, Edit. Jus, 1952.

LC, TU

CORTÉS, VICENTA.

Informe sobre la colección de manuscritos relativos a la América Latina en la Biblioteca del Congreso. Washington, 1960. 41 p. 27 cm.

LC

DESDEVISES DU DEZERT, GEORGES NICOLAS.

Les sources manuscrites de l'histoire de l'Amérique latine á la fin du XVIIIe siécle (1760-1807), en *Nouvelles Archives des Missiones Scientifiques et Littéraires* (Paris), Nouv. ser., XII (1914).

LC

DOMÍNGUEZ BORDONA, JESÚS.

Manuscritos de América (Catálogo de la Biblioteca de Palacio, vol. 9). Madrid, 1935. 250 p.

"A competent guide to the rich and largely unused collection of manuscripts which were formerly part of the royal library". (*Hdbk'*35).

"Guía de la colección de manuscritos sobre América de la Biblioteca Real. Sobre el Nuevo Reino de Granada, Nos. 251, 255, 282, 287, 304, 310, 316, 321, 322, 323, 324, 359, 519, 538, 540, 541, 542, 559, 560". (*Bbcs*).

LC

* ESPAÑA. *Ministerio de Educación Nacional.*

Inventario general de manuscritos en la Biblioteca Nacional. Madrid, Dirección General de Archivos y Bibliotecas. Servicio de Publicaciones, 1953, 1956-1959.
5 v. 25 cm. (Catálogos de Archivos y Bibliotecas, 18).

Contenido: t. 1: 1 a 500; t. 2: 501 a 896; t. 3: 897 a 1100; t. 4: 1101 a 1598; t. 5: 1599 a 2099.
ICC / LC

GAYANGOS, PASCUAL DE.

Catalogue of the manuscripts in the Spanish language in the British Museum. London, The Trustees, 1875-93. 4 v.

"Class 5 (v. 2 and 4): Spanish settlement in America" (C. K. Jones).
ICC (2 v.)

GRUBB, HENRY A.

A tentative guide to manuscript materials in Latin American archives and libraries, en *Hdbk*'36, p. 219-30.

"A list of printed Catalogs of Manuscripts and Archives with References to Inventories and to brief descriptions of collections of manuscripts for which no printed catalog exists".
Para Colombia, p. 227.
ICC / LC, PU, USC, UCLA

HISPANIC SOCIETY OF AMERICA.

Manuscripts in the Library of the Hispanic Society of America ... edited by A. D. Savage ... New York, Printed by order of the Trustees, 1927- v. 16½ cm. (Hispanic Notes and Monographs).
LC

HUSSEY, ROLAND D., *ed.*
Manuscript Hispanic Americana in the Harvard College Library, en *Hisp. Am. Hist. Rev.*, XVII, Nº 2 (1937), p. 259-77.

"List of 101 items, mostly on history. Useful index of persons mentioned or cited". (*Hdbk*'37).
LC, PU, USC, UCLA

LIBRARY OF CONGRESS. *Division of Manuscripts.*
Handbook of manuscripts in the Library of Congress. Washington, Govt. Print. Off., 1918. 750 p.
LC

MOREL-FATIO, ALFRED.
Bibliothèque nationale. Département des manuscrits. Catalogue des manuscrits espagnols et des manuscrits portugais. Paris, Imprimerie Nationale, 1892. xxvii, 422 p. (C. K. Jones)

NEWBERRY LIBRARY, *Chicago, Edward E. Ayer Collection.*
A check list of manuscripts in the Edward E. Ayer Collection, compiled by Ruth Lapham Butler. Chicago, The Newberry Library, 1937. viii p., 1 h., 295, [1] p. 25½ cm.

"Printed ... in an edition of 500 copies".
"An exceedingly useful finding list of this rich collection of manuscripts, photographs, and transcripts with a strong representation in the Spanish colonial period". (*Hdbk*'37).
LC

THE NEW YORK PUBLIC LIBRARY. *Manuscript Division.*
Dictionary Catalog ... Boston, G. K. Hall, [¿196?]. 2 v.
LC, NYPL

OCHOA Y RONNA, EUGENIO DE.

Catálogo razonado de los manuscritos españoles existentes en la Biblioteca Real de París, seguido de un suplemento que contiene los de las otras tres bibliotecas (del Arsenal, de Sta. Genoveva y Mazarina). París, Imp. Real, 1884. x, 703 p. 27½ cm. (C. K. Jones)

PATERSON, JERRY E.

Spanish and Spanish American manuscripts in the Yale University Library, en *Yale U. Lib. G.,* XXXI, Nº 3 (Jan., 1957), p. 110-33.

"... a listing of the collections of Spanish and Spanish American manuscripts divided by subject and date. Each entry describes the manuscript, giving the author, the date, an indication of the subject, the pages and other pertinent data". (*Hdbk,* Nº 20).

LC, Y

* PAZ, JULIÁN.

Catálogo de manuscritos de América existentes en la Biblioteca Nacional. Madrid, Tip. de Archivos, 1933. VIII, 728 p. 25 cm.

ICC

SANTIAGO DE CHILE. BIBLIOTECA NACIONAL.

[Books and manuscripts relating to or printed in Spanish America before 1800; 2376 titles selected from the Medina bibliographies. v p., 1154-1800]. 248 reels.

Microfilm copies, made in 1941-43, of the originals in the Biblioteca Nacional, Santiago de Chile. Positive.

Negative films in Brown University Library, numbered: HA-M 1-234 (reels 229-230, duplicates, not sent to the Library of Congress); NC 1-14; Ms 1-2.

Reels 1-232 are reproductions of books in the Medina Collection of the Biblioteca Nacional; reels 247-248 are of manuscripts.
LC

SCHULZ, HERBERT C., *et al.*
Ten centuries of manuscripts in the Huntington Library. San Marino, Calif., Huntington Library, 1952.
LC

THAYER OJEDA, TOMÁS.
La sección de manuscritos de la Biblioteca Nacional de Chile, en *Hisp. Am. Hist. Rev.* (Baltimore), IV, Nº 1 (1921), p. 156-97.
LC, PU, USC, UCLA

* TUDELA DE LA ORDEN, JOSÉ.
Los manuscritos de América en las bibliotecas de España. Madrid, Cultura Hispánica, 1954. 585 p. 21 cm.
ICC

VATICANO, *Biblioteca Vaticana.*
... Norme per l'indice alfabetico dei manoscritti. Città del Vaticano, [Ind. Tip. Romana], 1938. 1 h. p., [v]-VII, 206 p. 23½ cm.
BLAA

V. ANONIMOS Y SEUDONIMOS

1. COLOMBIANOS

ACOSTA DE SAMPER, SOLEDAD, 1833-1913.
Seudónimos, en *Papel Periódico Ilustrado* (Bogotá), VI, núm. 74 (1º de septiembre de 1884), p. 23.

"Los de José María Samper: *Jeremías Páramo, P. S., Plutarco, Kornicoff, Juan de la Mina.* De ella misma: *S. A. S., Andina, Aldebarán, Bertilda, Renato y Orión.* De su hija Bertilda Samper Acosta: *Berenice, B. S., M. J. B.* Es una carta a [Alberto Urdaneta]." (José J. Ortega Torres).

ICC, BN, BLAA / PU

LAVERDE AMAYA, ISIDORO, 1852-1903.

Seudónimos de colombianos, en *Apuntes sobre bibliografía colombiana* ... Bogotá, Imp. de Zalamea Hnos., 1882, p. 237-40.

ICC, BN, BLAA / LC, PU, NYPL, NC, UCLA

OTERO MUÑOZ, GUSTAVO, 1894-1957.

Seudónimos de escritores colombianos. Bogotá, Instituto Caro y Cuervo, 1957. 22 p. 24 cm.

Separata de *Thesaurus* (Bogotá), XIII (1958), p. 112-31. Se reimprimió en *Bol. Cult. y Bibl.* (Bogotá), III, núm. 2 (febrero de 1960), p. 123-37.

La lista de seudónimos está arreglada alfabéticamente.

ICC, BN, BLAA / LC, UCLA

* PÉREZ ORTIZ, RUBÉN, 1914-1964.

Seudónimos colombianos. Bogotá, Imp. Patriótica del Instituto Caro y Cuervo. (Serie Bibliográfica, II).

Prólogo, por Guillermo Hernández de Alba, p. IX-XII.

Introducción, por Rubén Pérez Ortiz, p, XIII-XVI.

Contenido: 1ª parte: Del seudónimo al nombre, p. 1-144; *2ª parte:* Del nombre al seudónimo, p. 145-273; Bibliografía: Algunas obras y artículos que constituyen fuente de seudónimos colombianos, p. [275]-76.

La fuente más autorizada y completa que existe hasta la fecha sobre seudónimos colombianos.

ICC, BN, BLAA / LC, PU, UCLA

RIASCOS GRUESO, EDUARDO.

Seudónimos de publicistas colombianos, en *Boletín de la Academia de Historia del Valle del Cauca* (Cali), núm. 100 (noviembre de 1954), p. 240-46; núm. 101 (marzo de 1955), p. 46-48; núm. 102 (julio de 1955), p. 164-68.

BN

2. GENERALES

BARROS ARANA, DIEGO, 1830-1907.

Notas para una bibliografía de obras anónimas i seudónimas sobre la historia, la jeografía y la literatura de América. Santiago de Chile, Imp. Nacional, 1882. 171 p. 26 cm.

LC

* MEDINA, JOSÉ TORIBIO, 1852-1931.

Diccionario de anónimos y seudónimos hispanoamericanos. Buenos Aires, Imp. de la Universidad, 1925. 2 v. en 1. 28 cm.

"Numerosas referencias a obras anónimas y seudónimas colombianas". (*Bbcs*).

Se han publicado algunos trabajos para complementar la obra de Medina que abunda en seudónimos chilenos. *V.*, por ej., de Ricardo Victorica, *Errores y omisiones del Diccionario de anónimos y seudónimos hispanoamericanos de José Toribio Medina.* Buenos Aires, Viau y Zona, 1928, y *Nueva espanortosis al Diccionario de anónimos y seudónimos de J. T. Medina.* Buenos Aires, Rosso, 1929.

LC

MOORE, E. R.

Bibliografía. Anónimos y seudónimos hispanoamericanos, en *Revista Iberoamericana* (México), V, núm 9 (mayo de 1942), p. 179-97.

"Bibliography of books and articles on anonymous authors and pseudonyms. Forty entries, carefully described". (Shasta M. Bryant).

LC, PU, USC, UCLA

NOGUÉS Y GASTALDI, JOSÉ MARÍA.

Seudónimos, anónimos, anagramas e iniciales de autores y traductores españoles e hispanoamericanos. 1891.

Se conserva en la Biblioteca Nacional de Madrid.

URIARTE, JOSÉ EUGENIO DE, 1842-1909, *Catálogo razonado de las obras anónimas y seudónimas de autores de la Compañía de Jesús pertenecientes a la antigua Asistencia Española ... V*. p. 725.

VI. INSTITUTOS Y ORGANIZACIONES CULTURALES

1. COLOMBIANOS

ACADEMIA COLOMBIANA DE HISTORIA, *Bogotá.*

Academia Colombiana de Historia, 1902-1952. [Bogotá, Talleres de la Litografía Colombia, 1952]. 3 h. p., 89 p. láms., rets. 31 cm.

"Album que contiene la vida gráfica de la Academia Colombiana de Historia en los cincuenta años de su fundación. El descubrimiento, la conquista, la colonia, la independencia y la república, aquí figuran en sus mejores hechos y en sus más grandes hombres".

ICC

ACADEMIA COLOMBIANA DE HISTORIA, *Bogotá.*

Informes anuales de los secretarios de la Academia durante los primeros cincuenta años de su fundación, 1902-1952. Bogotá, Edit. Minerva, 1952. 765 p. rets. 24 cm.

"Se publica esta obra con ocasión del primer centenario de la Academia".

ICC, Ac Col.

ACADEMIA COLOMBIANA DE LA LENGUA, *Bogotá.*

Estatutos de la Academia Colombiana. Bogotá, Tip. Regina, 1944. 27 p. 16 cm.

Personal de la Academia Colombiana, p. [13]-16.

ICC/ LC

— Estatutos de la Academia Colombiana, correspondiente de la Española. 3ª ed. Bogotá, Escuelas Gráficas Salesianas, 1942. 30 p. 16 cm.

ICC

— Estatutos, personal, leyes. 4ª ed. Bogotá, Prensas del Ministerio de Educación Nacional, 1950. 47 p. 22 cm.

ICC

— Estatutos adoptados el 29 de abril de 1957. Personal el 1º de diciembre de 1957. Disposiciones legales varias. [Bogotá, Edit. Pax, 1957]. 23 p.

ICC

ACADEMIA DE LA HISTORIA, *Cartagena de Indias.*

Tercer congreso hispanoamericano de historia, Segundo de Cartagena de Indias. [Cartagena de Indias, Ta-

lleres Gráficos Mogollón], 1962. III, 421 p., 3 h. front. (ret), ilus. 24½ cm.
ICC

ARIAS, JUAN DE DIOS, 1896-
Una institución cultural santandereana. Academia de Historia de Santander. Biblioteca "Santander". Revista "Estudio". Bogotá, Imp. Nacional, 1954. 186 p. 21 cm.

Homenaje a la "Academia de Historia de Santander", al cumplirse el vigésimo quinto aniversario de su fundación (1929-1954).
ICC

ASOCIACIÓN DE ESCRITORES DE COLOMBIA, *Bogotá.*
Asociación de Escritores y Artistas de Colombia ... Junta directiva, socios, seccionales, club de amigos del arte, concursos, planes para 1955. 23 p. 15 cm.

— Estatutos de la Asociación de Escritores y Artistas de Colombia. Bogotá, [Imp. Iqueima], 1956. 23 p. 17 cm.
ICC

BOGOTÁ. BIBLIOTECA NACIONAL.
Directorio intelectual de la ciudad. Mayo 1934. Bogotá, Edit. Minerva, S. A., [1934]. 78 p. 12 cm.

"Lista de los periódicos y revistas que actualmente se publican en Bogotá", p. 39-78.
LC, NYPL

CASA DE LA CULTURA DE CÚCUTA. *Escuela de Teatro.*
Prospecto 1963-1964. [Cúcuta, Imp. Deptal., 1963]. 33 p. ilus. 22½ cm. (*An*'63)

ESCUELA INTERAMERICANA DE BIBLIOTECOLOGÍA, *Medellín.*
Catálogo de publicaciones. Nº 3. Medellín, Edit. Universidad de Antioquia, 1963. 30 p. 28 cm. (*An*'63)

INSTITUTO CARO Y CUERVO:

ACHURY VALENZUELA, DARÍO, 1906-
La extensión cultural en 1945. Bogotá, Prensas de la Biblioteca Nacional, 1945. 128 p. 1 h. 24 cm.
Instituto Caro y Cuervo, p. 29-34.
BN

FLÓREZ, LUIS, 1916-
El Instituto Caro y Cuervo, en *Lengua española.* Bogotá, Imp. Nacional, 1953, p. 267-89. (Publicaciones del Instituto Caro y Cuervo. Series Minor, III).

Breve historia del Instituto y comentarios sobre sus fines, labores y publicaciones.
ICC, BN, BLAA

INSTITUTO CARO Y CUERVO, *Bogotá.*
Catálogo de las publicaciones del Instituto Caro y Cuervo. Bogotá, Prensas del Ministerio de Educación Nacional, 1949. 12 p.
ICC, BN, BLAA

— Centro Andrés Bello. Establecido en conformidad con el Acuerdo entre el Consejo de la Organización de los Estados Americanos y el Instituto Caro y Cuervo. Acuerdo de cooperación. Estatutos. 1958. 14 p. 23 cm.
Contenido: Acuerdo de cooperación; Estatutos.
ICC

— El Instituto Caro y Cuervo; Información general - 1962. Bogotá, Imp. Patriótica del Instituto Caro y Cuervo, 1962. 8 p. 23½ cm.

Organización y publicaciones del Instituto.
ICC

* — Publicaciones del Instituto Caro y Cuervo. Bogotá, Imp. Patriótica del Instituto Caro y Cuervo, 1966. 27 p. 20½ cm.

Se incluyen todas las publicaciones del Instituto hasta esa fecha.
ICC

— Reorganización. Publicaciones. Bogotá, Instituto Caro y Cuervo, 1947. 23 cm.

Separata de *Thesaurus* (Bogotá), IIII, núms. 1-3, 1947.
ICC

— Seminario Andrés Bello. Primer semestre de labores. 1959. 30 p. 23 cm.

Separata de *Thesaurus* (Bogotá), XIII, 1958.
ICC

MESA, CARLOS E., *C. M. F.*

El Instituto Caro y Cuervo de Bogotá. Salamanca, 1950. p. 249-54. 24 cm.

Separata de *Helmántica,* Nº 2.
ICC

* RIVAS SACCONI, JOSÉ MANUEL, 1917-

Informe sobre una misión cumplida en los Estados Unidos de la América del Norte. 1948. 15 p.
ICC

* RIVAS SACCONI, JOSÉ MANUEL, 1917-

Informe del Director del Instituto Caro y Cuervo al Ministro de Educación Nacional. 1951. 30 p. 23 cm.

— Memoria del Director del Instituto Caro y Cuervo sobre las labores del Instituto durante el año de 1951. 1952. 19 p. 23 cm.

Separata de *Thesaurus* (Bogotá), VII, núms. 1-3, 1951.

— Informe rendido a la Unión Panamericana sobre las labores desarrolladas por el Instituto Caro y Cuervo en la continuación del Diccionario de Cuervo, durante el año de 1960. 1961. 4 p. 23 cm.

Separata de *Thesaurus* (Bogotá), XV, 1960.

— Informe sobre las labores del Instituto Caro y Cuervo en el período comprendido entre junio de 1959 y junio de 1960. 1961. 16 p. 23 cm.

Separata de *Thesaurus* (Bogotá), XV, 1960.

— Informe sobre las labores del Seminario Andrés Bello en el año de 1960. 1961. 16 p. 22 cm.

Separata de *Thesaurus* (Bogotá), XVI, 1961.

— Informe sobre las labores del Instituto Caro y Cuervo en el período comprendido entre junio de 1960 y junio de 1961. 1962. 22 p. 23 cm.

Separata de *Thesaurus* (Bogotá), XVII, núm. 3, 1962.

— Informe sobre las labores del Instituto Caro y Cuervo en el período comprendido entre junio de 1961 y junio de 1962. 1962. 26 p. 23 cm.

* RIVAS SACCONI, JOSÉ MANUEL, 1917-

Informe de las labores del Instituto Caro y Cuervo en el período comprendido entre junio de 1962 y junio de 1963. 8 p. 23 cm.

Separata de *Thesaurus* (Bogotá), XVIII, núm. 3, 1963.

— Informe sobre las labores del Seminario Andrés Bello en el año de 1962. 1963. 16 p. 22 cm.

— Informe sobre las labores del Instituto Caro y Cuervo en el período comprendido entre julio de 1963 y junio de 1964, dirigido al Ministro de Educación, 1964. p. 7-14. 27½ cm.

En *Noticias Culturales* (Bogotá), núm. 47, diciembre de 1964.

— Informe sobre las labores del Instituto Caro y Cuervo en el período comprendido entre julio de 1964 y junio de 1965. 1965. 12 p. 28 cm.

Separata de *Noticias Culturales* (Bogotá), núm. 58, noviembre de 1965.

— Informe que presenta el Director del Instituto Caro y Cuervo al Consejo de la Organización de Estados Americanos sobre las labores del Centro Andrés Bello durante el año de 1965. 1966. 12 p. 27½ cm.

— Informe sobre las labores del Instituto Caro y Cuervo en el período comprendido entre julio de 1965 y junio de 1966, dirigido al Ministro de Educación Nacional. 1967. 12 p. 27½ cm.

ICC

* RIVAS SACCONI, JOSÉ MANUEL, 1917-

El Instituto Caro y Cuervo, en *Santander* (Bucaramanga, Colombia), enero de 1956, p. 44-47.

PU

ZÉNDEGUI, GUILLERMO DE.

Santuario de la lengua española: El Instituto Caro y Cuervo. [Washington, Unión Panamericana, 1964]. 6 h. ilus. (fotos). 27 cm.

Separata de *Américas,* Revista de la Organización de Estados Americanos, febrero de 1964.

Hay edición en inglés.

ICC

INSTITUTO COLOMBIANO DE CULTURA HISPÁNICA, *Bogotá.*

Estatutos y documentos ... Bogotá, Edit. Cosmos, [1952]. 42 p. 17 cm.

ICC

— Publicaciones del Instituto de Cultura Hispánica, en *Bol. Cult. y Bibl.* (Bogotá), III, núm. 12 (diciembre de 1960), p. 867-68.

ICC, BN, BLAA / LC, UCLA

INSTITUTO COLOMBIANO DE CULTURA HISPÁNICA, *Bogotá.*

Itinerario de cultura hispánica (Memoria del II Congreso de Institutos de Cultura Hispánica, reunido en Bogotá del 6 al 11 de octubre de 1958). Bogotá, Edit. Kelly, 1958. 164 p. 1 h. láms. (fotos). 23 cm. (Ediciones "Ximénez de Quesada").

ICC

SÁNCHEZ CAMACHO, JORGE, *Perfil de los fundadores de la Academia Colombiana* ... *V*. p. 205.

SOCIEDAD EL CASINO LITERARIO. *Medellín.*
Aniversario tercero, 25 de octubre de 1887. Medellín, Imp. El Espectador, 1890. 122 p.
BN

SOLÍS MONCADA, JOSÉ, *La Academia Antioqueña de Historia y sus hombres* ... *V*. p. 206.

SUÁREZ, MARCO FIDEL, 1855-1927.
Cómo se fundó la Academia Colombiana, en *Obras,* I. Edición preparada por Jorge Ortega Torres. Prólogo de Fernando Antonio Martínez. Bogotá, Instituto Caro y Cuervo, 1958, p. 747-54. (Clásicos Colombianos, III).
Uno de los ensayos de su libro *Escritos literarios e históricos.* Se refiere a las tentativas que se hicieron en Colombia durante el siglo XIX por fundar una Academia Nacional y a la fundación de la Academia Colombiana de la Lengua.
ICC, BN, BLAA / LC

2. EXTRANJEROS

ACADEMIA ECUATORIANA DE LA LENGUA, *Quito.*
Memorias de la Academia Ecuatoriana correspondiente de la Real Española. Quito, Imp. del Gobierno, 1887. 164 p. 28 cm.
Contenido: t. I. Entrega 3ª.
ICC

ACADEMIA ESPAÑOLA DE LA LENGUA, *Madrid.*
Memorias de la Academia Española. Madrid, Academia Española de la Lengua, 1870-1926. 12 v. 23 cm.

Contenido: t. 1-6. Temas diversos; t. 7. Gramática del Poema del Cid, por Fernando Araújo Gómez; t. 8. Temas diversos; t. 9. Diccionario de calígrafos españoles, por Manuel Rico y Sinobas; t. 10-12. Noticias y documentos relativos a la historia y literatura españolas, recogidos por Cristóbal Pérez Pastor.

ICC

— Obras publicadas por la Real Academia Española. Madrid, 1949. 38 p. 19 cm.

ICC

ACADEMIA MEXICANA DE LA LENGUA.

Memorias de la Academia Mexicana correspondiente de la Española. México, D. F., Edit. Jus, 1945- v. 23 cm.

ICC

ASOCIACIÓN de Academias de la Lengua Española. Comisión Permanente (1951-1953). México, D. F., [Edit. Jus], 1953. 94 p. 23 cm.

ICC

BRITISH MUSEUM.

The British Museum, a guide to its public services. [London], The Trustees, 1962. 72 p. ilus. 22 cm.

LC

CONGRESOS DE ACADEMIAS DE LA LENGUA ESPAÑOLA.

Academia Mexicana de la Lengua, correspondiente de la Española. Primer Congreso de Academias de habla española. Ciudad de México, [Gráfica Panamericana], 1951. 22 p. 20 cm.

V. r. de Donald D. Walsh, en *Hisp.,* XXXVI (August, 1953), p. 390.
ICC

CONGRESOS DE ACADEMIAS DE LA LENGUA ESPAÑOLA.

Memoria del primer Congreso de Academias de la Lengua Española, celebrado en México del 23 de abril al 6 de mayo de 1951. México, Comisión Permanente de la Asociación de Academias de la Lengua Española, 1952. 553 p. 24 cm.
ICC

— Memoria del segundo Congreso de Academias de la Lengual Española, celebrado en Madrid, del 22 de abril al 2 de mayo de 1956. Madrid, Comisión Permanente de la Asociación de Academias de la Lengua Española, 1956. 689 p. 24 cm.
ICC

— Tercer Congreso de Academias de Lengua Española; actas y labores. Bogotá, julio 27 - agosto 6, 1960. Bogotá, Academia Colombiana de la Lengua, 1960. 683 p. 23 cm.
ICC

— Tercer Congreso de Academias de la Lengua Española, 27 de julio - 6 de agosto, 1960, año del sesquicentenario de la independencia. Programa, reglamento y relación de los señores congresistas. [s. p. i.] 9 h. láms. 21 cm.

V. Jesús María Yepes, *El tercer Congreso de Academias de la Lengua Española.* Bogotá, Ediciones de la División de Divulgación Cultural del Ministerio de Educación Nacional, 1961. 43 p. 23 cm.
ICC

* Consejo Superior de Investigaciones Científicas, *Madrid.*

Estructura del Consejo Superior de Investigaciones Científicas. Madrid, [Ediciones Jura], 1951. 250 p. 20 cm.

ICC

Cotarelo y Mori, Emilio.

Discurso acerca de las obras publicadas por la Real Academia Española, leído en la junta pública del 7 de octubre de 1928 ... con ocasión de celebrarse la "Fiesta del Libro" e inaugurar una exposición de las referidas obras. Madrid, Tip. de la "Revista de Archivos", 1928. 91 p. 60 hojas con fotograbados. 27 cm.

Contenido: Discurso; Catálogo sistemático de las obras publicadas por la Real Academia Española; Fotograbados de las obras, emblemas, sellos y medallas de la Real Academia Española.

ICC

Díaz Machicao, Porfirio.

Breve historia de la Academia Boliviana, correspondiente de la Real Española, en *Bol. Acad. Col.* (Bogotá), IX, núm. 32 (junio-septiembre de 1959), p. 287-92.

ICC, BN, BLAA / LC

Directorio de sociedades doctas, institutos de investigación y otras entidades culturales ... Washington, D. C., Oficina de Cooperación intelectual, Unión Panamericana [¿1937?]. 5 Nos. en 1 v. 28½ cm.

Hay ed. en inglés.

Contenido: Nº 1: Artes y letras.

LC

FLÓREZ, LUIS, 1916-

Academias de la lengua española, en *Lengua española.* Bogotá, Imp. Nal., 1953, p. [161]-72. (Publicaciones del Instituto Caro y Cuervo. Series Minor, III).

Información general sobre la Academia Española y las correspondientes americanas.

ICC, BN, BLAA

* HILTON, RONALD, *ed.*

Handbook of Hispanic source materials and research organizations in the United States. Toronto, University of Toronto Press, 1942. 441 p.

2nd. ed. Stanford, California University Press, 1956. xvi, 448 p. 23 cm.

Ed. en español con el título *Los estudios hispánicos en los Estados Unidos* ... versión y adaptación española de Lino Gómez Cepeda. Madrid, Ediciones Cultura Hispánica, 1957. 493 p.

"The arrangement is by states. Institutions listed include libraries, archives, and museums, with statements, sometimes bibliographical, of their Hispanic resources. Organizations mentioned include committees, institutes and others, their publications as well as their activities being noted". *(Hdbk'42).*

V. r. de la 2ª ed. por George T. Cushman, en *Hisp.,* XXXIX (Nov., 1956), p. 486-87.

ICC / LC, PU, UVa, KU

HISPANIC SOCIETY OF AMERICA.

A history of the Hispanic Society of America, museums and library, 1904-1954: with a survey of the collections. By members of the staff. New York, Printed by order of the Trustees, 1945. 569 p.

"Besides the outstanding items [...] described in the library collection, the main body of which was originally the private library of the founder, there are many other manuscripts and about 9,000 early printed books. These works together with some

90,000 books printed after 1700 constitute one of the most comprehensive research libraries in America devoted to Spanish and Portuguese art, history and literature".

LC, WLU

* — Catalogue of publications, by Clara Louisa Penny. ... with fifty five illustrations. New York, Printed by order of the Trustees, 1943. XIV, 151 p. ilus. 23 cm. (Hispanic Notes and Monographs; essays, studies and brief biographies issued by the Hispanic Society of America).

Util guía sobre las publicaciones de la Hispanic Society of America: libros, revistas, folletos, etc., con pertinentes comentarios. El catálogo está organizado de acuerdo al orden cronológico de las publicaciones.

LC

— Handbook, museum and library collections. New York, Printed by order of the Trustees, 1928. 442 p. ilus. 23 cm. (Hispanic Notes and Monographs).

LC

INDEX generalis. The year-book of universities, libraries, astronomical observatories, museums, scientific institutes. Paris, Editions Spes, 1926. 1708 p.

BN

* INSTITUTO INTERNACIONAL DE LITERATURA IBEROAMERICANA.

Memoria del primer congreso internacional de catedráticos de literatura iberoamericana. México, Universidad Nacional, 1939.

—— segundo ... Berkeley and Los Angeles, Univ. of California, 1941. VIII, 406 p. 24 cm.

—— tercer ... New Orleans, Tulane Univ. Press, 1944. VIII, 251 p. 24½ cm.

—— cuarto congreso del Instituto Internacional de Literatura Iberoamericana. Habana, Ministerio de Educación, 1949.

—— quinto congreso de literatura iberoamericana: La novela iberoamericana, Albuquerque, Univ. of New Mexico, 1952.

—— sexto congreso del Instituto Internacional de Literatura Iberoamericana. México, Imp. Universitaria, 1954.

V. r. de Robert G. Mead, en *Hisp.,* XXXVIII (Nov., 1955), p. 511.

—— séptimo congreso del Instituto de Literatura Iberoamericana. Berkeley and Los Angeles, Univ. of California, 1957. 20 cm.

V. r. de Robert G. Mead, en *Hisp.,* XL (Nov., 1957), p. 501.

—— octavo congreso del Instituto de Literatura Iberoamericana: La literatura del Caribe y otros temas. México, Cultura, 1961.

UCLA

PIERCE FRANK, *comp.*

Actas del primer Congreso Internacional de Hispanistas celebrado en Oxford del 6 al 11 de septiembre de 1962. Publicadas bajo la dirección de Frank Pierce y Cyrial A. Jones. Oxford, The Dolphin Book, 1964. 494 p., 1 h. 24 cm.

ICC

RUBIO, DAVID.

Fundación hispánica de la Biblioteca del Congreso, en *Hisp.*, XXII (February, 1939), p. 101-102.
LC, USC, UCLA

QUELLE, OTTO, 1879- *Verzeichnis wissenchaftlicher Einrichtungen, Zeitschriften und Bibliographien der Ibero-Amerikanischen kulturwelt* ... *V*. p. 45-46.

* SABLE, MARTIN H.

Master directory for Latin America. Los Angeles, Calif., Univ. of California, Latin American Center, 1965. 438 p. (Reference Series, 2).

"A helpful compendium of data on a wide variety of associations, organizations, and institutions with some connection to Latin America ..." (*Hdbk*, Nº 28).
LC, UCLA

SÁNCHEZ, JOSÉ.

Academias literarias del Siglo de Oro Español. Madrid, Edit. Gredos, 1961. 357 p. 19 cm. (Biblioteca Románica Hispánica, II: Estudios y Ensayos, 48).
ICC / LC, UCLA

— Academias y sociedades literarias de México ... Chapel Hill, University of North Carolina, 1951. 277 p. 22 cm. (Studies in the Romance Languages and Literatures).
ICC

* SEVERANCE, HENRY O., *comp.*

Handbook of the learned and scientific societies and institutions of Latin America. Washington, D. C., Priv. pub., 1942. 123 p. Mimeographed.

"Approximately 1200 entries. Brief reference is made to the serial publications of the organizations listed". (*Hdbk'*40).

LC, PU

SEVILLA. UNIVERSIDAD. *Escuela de Estudios Hispanoamericanos.* Escuela de Estudios Hispano-Americanos. Sevilla, 1951. 65 p. ilus. 19 cm.

LC

* TERRY, EDWARDS DAVIS.

The Academia Española and the corresponding Academies in Spanish America, 1870-1956. Ann Arbor, Mich., University Microfilms, [1959].

Microfilm copy (positive) of typescript.

Collation of the original, as determined from the film: VII, 234 l.

Thesis — University of North Carolina.

Abstracted in Dissertation Abstracts, v. 19 (1959), Nº 10, p. 2618.

Bibliography: leaves 228-34.

NC

* THE WORLD of learning 1957, eighth edition. London, Europa Publications, 1957. 1038 p. 24 cm.

ICC

BIOGRAFIAS

I. ENCICLOPEDIAS Y DICCIONARIOS CON INFORMACION BIO-BIBLIOGRAFICA

1. DICCIONARIOS (AUTORES COLOMBIANOS)

ARBOLEDA, GUSTAVO, 1881-1938.

Diccionario biográfico general del antiguo departamento del Cauca ... Por Gustavo Arboleda ... Quito, Casa Editorial de J. I. Gálvez, 1910. VIII, 151 p. 24 cm.

—— ... Nueva ed., rev. y considerablemente enriquecida. Cali, Arboleda, imprenta, [1926]. xv, 710 p. 20 cm.
PU

— Diccionario biográfico y genealógico del antiguo Departamento del Cauca. Bogotá, Librería Horizontes, 1962. xv, 488 p. 24 cm. (Biblioteca Horizontes).
ICC

* CORREA, RAMÓN C., 1896-

Diccionario de boyacenses ilustres, por Ramón C. Correa. Tunja, Imp. Deptal., 1955 [en la cubierta y en el colofón, 1957]. 364 p. ret. 23 cm. (Publicación de la Academia Boyacense de Historia y del Gobierno del Departamento de Boyacá).

ICC

MEJÍA ROBLEDO, ALFONSO.

Vidas y empresas de Antioquia. Diccionario biográfico y económico. Medellín, Colombia, Imp. Deptal. de Antioquia, 1951, [¿1952?]. 554 p. 1 h. rets. 24½ cm.

"Random notes on books, enterprise and outstanding men of Antioquia, the Yankeeland of Colombia". (*Hdbk*'52).

BN, BLAA

* MELO LANCHEROS, LIVIA STELLA.

Valores femeninos de Colombia. Bogotá, D. E., [Talleres Carvajal Hnos.], 1966. 1244 p.

BLAA

* OSPINA, JOAQUÍN, 1875-1951.

Diccionario biográfico y bibliográfico de Colombia. Bogotá, 1927-1939. 3 v. rets. 24 cm.

"Comprende desde la conquista hasta nuestros días. Figuran todos los gobernantes desde Jiménez de Quesada ..., arzobispos y obispos; militares de rango en nuestras guerras civiles, literatos, poetas y artistas en general; médicos, jurisconsultos, ingenieros, académicos, magistrados, y todas aquellas personas que se han levantado sobre el nivel común por obras justificables".

"El más completo diccionario biográfico publicado en Colombia; las informaciones bibliográficas son en extremo deficientes". (*Bbcs*).

Bibliografía: v. I, p. 10-[12]. Duplicada en v. II, p. [13]-[16]; v. III, p. 15-[18].

ICC, BN / LC, CU, Dth

PERRY, OLIVERIO, 1900- *ed.*

Quién es quién en Colombia. 1944- Bogotá, Ed. Kelly, [1945]. 377 p. ilus.

2ª ed.: Bogotá, Oliverio Perry y Cía., Editores, [1948]. xv. 540 p. 3ª ed.: Bogotá, Edit. Argra, 1961. 387 p.

"Biographical dictionary, followed by sections 'Directorio Profesional de Colombia' and 'Industrias de Colombia' ". (*Hdbk*'45).

ICC / LC, PU

— Quién es quién en Venezuela, Panamá, Ecuador, Colombia, con datos recopilados hasta el 30 de junio de 1952. Bogotá, Oliverio Perry, 1952. LIII, 1074 p. 27 cm.

"A relatively full current collective biographical work. Sketches vary considerably in form and content. Many photographs of subjects. This revision of a 1948 publication contains about 4000 items. About half are for Colombia". (*Hdbk*'52).

ICC / LC, PU

— Quién es quién en La Gran Colombia. Cultura y economía en: Colombia, Ecuador, Venezuela. Bogotá, Edit. Argra, 1956. XVI, 688 p. ilus. 27 cm.

[Nueva ed.]: [¿Caracas?], O. Perry, [1964]. 1131 p.

LC

RIVAS, RAIMUNDO, 1889-1946.

Los fundadores de Bogotá, (diccionario biográfico), estudio presentado al segundo congreso de historia y geografía hispano-americanas, reunido en Sevilla en mayo de 1921, por Raimundo Rivas ... Bogotá, Colombia, S. A., Imp. Nacional, 1923. XIII, 442 p. 25 cm. (Biblioteca de Historia Nacional, vol. XXXI).

2ª ed.: Bogotá, Edit. Selecta, 1938. 2 v.

ICC / LC, PU (2ª ed.)

2. ENCICLOPEDIAS Y DICCIONARIOS GENERALES

BIOGRAPHY index; a cumulative index to biographical material in books and magazines, [v.] 1- Jan., 1946 / July, 1949. New York, H. W. Wilson Co. v. 27 cm.

Cumulated from quartely numbers and annual cumulations. Editors: Jan., 1946 / July, 1949- B. Joseph, C. W. Squires.

LC

CORTÉS, JOSÉ DOMINGO, 1839-1884.

Diccionario biográfico americano. Este volumen contiene los nombres con los datos biográficos i enumeración de las obras de todas las personas que se han ilustrado en las letras, las armas, las ciencias, las artes, en el continente americano, por José Domingo Cortés ... París, Imp. Lahure, 1875. XII, 552 p. 26½ cm.

LC

* DICCIONARIO biográfico español e hispanoamericano, publicado bajo la dirección de Gaspar Sabater, con colaboración de reputados especialistas españoles e hispanoamericanos. Dirección artística: Gabriel Mateu Mairata. Palma de Mallorca, Instituto Español de Estudios Biográficos, 1950- v. ilus., rets. 25 cm.

v. I: A-F.

LC, UVa

DICCIONARIO cronológico biográfico mundial. Madrid, Aguilar, 1952.

En sus 1.400 biografías sólo incluye unas pocas de latinoamericanos.

LC

DICCIONARIO enciclopédico de la lengua castellana, contiene las voces, frases, refranes y locuciones de uso corriente en España y América, las formas desusadas que se hallan en autores clásicos y la gramática y sinonimia del idioma, todo ilustrado con ejemplos y citas de escritores antiguos y modernos; la biografía de los hombres que más se han distinguido en todos los tiempos, la geografía universal, la historia, la mitología, etc., etc., compuesto por Elías Zerolo, Miguel de Toro y Gómez, Emiliano Isaza y otros escritores españoles y americanos. Completado y puesto al día con un extenso suplemento redactado por distinguidos literatos hispanoamericanos bajo la dirección de Claudio Santos-González. Nueva ed. ... Contiene también el Diccionario de la rima, por Peñalver ... Paris, Garnier Hnos; 19?- 3 v. ilus., rets., mapas. 31½ x 24½ cm.

Contenido: t. 1: A-G; t. 2: H-Z. Suplemento.

3ª ed.: *id.* Obra adornada con 671 retratos, 93 mapas en negro e iluminados, 637 viñetas y 1 cuadro de banderas. Contiene también el Diccionario de la rima, por Peñalver. Tomo primero-[segundo], A-[Z]. París, Garnier Hnos., 1900. 2 v. 32 x 24½ cm.

ICC / LC

DICCIONARIO enciclopédico ilustrado de la lengua española. Barcelona, Edit. Ramón Sopena, [1965, c1954]. 4 v. ilus.

LC

* DICCIONARIO enciclopédico U. T. E. H. A. México, Unión Tipografía Hispano-Americana, [c1950]. 10 vols. 23 cm.

Util e importante obra de referencia para Hispanoamérica. Contiene información sobre algunos escritores colombianos vivos y muertos.

ICC / PU

DICCIONARIO hispánico universal. Enciclopedia ilustrada en lengua española ... Barcelona, Edit. Exito, [s. a.]. 2 v. ilus. 26½ cm.

De interés: t. 2: Biografía, geografía e historia, etc.
ICC

DICCIONARIO Salvat; enciclopédico popular ilustrado ... Barcelona, Imp. y Edit. Salvat y Cía., [1907-19-?]. 9 v. ilus. 26 cm. 2 Apéndices.

2ª ed. con el título: *Diccionario enciclopédico Salvat* ... Barcelona, Salvat, 1935- v. ilus. 26 cm.
LC

ENCICLOPEDIA ilustrada cumbre ... México, D. F., Edit. Cumbre, 1958. 14 v. 24½ cm.

Contiene información bio-bibliogrjfica sobre algunos escritores colombianos.
LC

* ENCICLOPEDIA italiana di scienze, lettere ed arti. [Roma], Istituto Giovanni Treccani, [c1949-1951]. 35 v. ilus.

Apéndice [1948-1961]. 3 v. en 5. ilus.
Indice [2ª ed., c1952]. 1329 p.
Incluye bibliografías.
ICC / LC, USC, UCLA

* ENCICLOPEDIA universal ilustrada europeo-americana. Barcelona, Espasa, 1905-33. 70 vols. en 72 y 10 vols. de apéndice. Suplemento anual, 1934- Barcelona, Espasa-Calpe, 1935-

La enciclopedia más importante en lengua española. Contiene información sobre escritores colombianos.
ICC / LC, PU, KU, USC, UCLA

GARCÍA CARAFFA, ALBERTO, y GARCÍA CARAFFA, ARTURO, *eds.*

Enciclopedia heráldica y genealógica hispano-americana. t. 1-79. Madrid, Imp. Antonio Mayo, 1919-1957. 79 v. ilus.

"This work has sufficient value for bibliographical research upon Spanish American officials, and even residents [...] even though it is not yet completed (v. 79 goes through 'Romanza'). Many names not only show men who served in America, but have 'ramos americanos'. The work was suspended in 1935, with v. 57, and resumed in 1947". (*Hdbk*, Nº 21).

LC

HIRSCHOWICZ, ERWIN, *ed.*

Contemporâneos inter-americanos. Bibliografias de contemporâneos inter-americanos ilustrados. Rio de Janeiro, Editôra Enciclopédica Contemporânea Inter-Americana, 1945. 1069, XXI, p. 28 cm.

LC

* LIBRARY OF CONGRESS. *Hispanic Foundation.*

National directory of Latin Americanists. Biobibliographies of 1884 specialists in the social sciences & humanities. Washington, Library of Congress, 1966. (Hispanic Foundation Bibliographical Series, Nº 10).

"This directory provides bibliographical information on 1884 persons in the United States whose experience and professional training qualify them as specialists in the Latin American field". (*Introduction,* [by] Howard F. Cline, p. 1).

LC, PU, USC

MARTÍNEZ, BENIGNO T.

Diccionario biográfico-bibliográfico de escritores antiguos y modernos nacidos en los países de habla castellana, escrito en vista de las fuentes más autorizadas, extractado y traducido de los diccionarios, revistas, periódicos, catálogos y otras obras biográficas y bibliográficas publicadas en Europa y en América. Director: Benigno T. Martínez ... Introducción. Buenos Aires, Imp. de Stiller y Laass, 1886. 100 p. 27½ cm.

Contenido: *1ª parte*: Plan de la obra y su alcance; *2ª parte*: Fuentes biográficas; Fuentes bibliográficas; *3ª parte*: Indicadores bibliográficos del tomo I; *4ª parte*: Biografías comprendidas en el tomo I, letra A.

No se publicaron más volúmenes. El tomo I incluye algunas fuentes biográficas de interés.

LC

MARTINVILLE, HENRI.

Le dictionnaire biographique illustré de l'Amérique latine. Paris, 1913- 15 pts. 28½ cm.

(*C. K. Jones*)

NEW international Encyclopaedia. 2ª ed. ... New York, Dodd, Mead and Co., 1935. 25 v. 26 cm.

First published 1902-1904.

v. 24-25 contain supplement, edited by Herbert Treadwell Wade.

LC

WHO is who among living authors of older nations, covering the literary activities of living authors and writers of all countries of the world except the United States of America, Canada, Mexico, Alaska, Hawaii, Newfoundland, The Philippines, The West Indies and Central America. Ed. by A. Lawrence. Los Angeles, Calif., Golden Syndicate Pub. Co., [1931]. 482 p.

CU

* WHO'S who in Latin America; outstanding living men and women of Spanish America and Brazil; editor Percy Alvin Martin ... assistant editor, Manoel da Silveira Soares Cardozo ... Stanford University, Calif., Stanford University Press; London, H. Milford, Oxford University Press, [c1935]. xxiv, 438 p. 23½ cm.

2nd. ed. revised an enlarged, *id.* [c1940]. xxxii, 558 p. 23½ cm.

"The first edition of the dictionary, published in 1935, contained approximately 1100 biographical summaries. The present edition gives some 1,550 names ..." (*Hdbk'* 45).

3rd. ed.: Ronald Hilton editor, 1945-51. Part 3: *Colombia, Ecuador, and Venezuela* ... Calif., Stanford Univ. Press, 1951. xvii, 149 p.

LC, UC

II. BIOGRAFIAS, BIO-BIBLIOGRAFIAS Y GENEALOGIAS COLECTIVAS

I. BIOGRAFIAS, BIO-BIBLIOGRAFIAS Y GENEALOGIAS SOBRE AUTORES COLOMBIANOS

ACOSTA DE SAMPER, SOLEDAD, 1833-1913.

Biografías de hombres ilustres o notables, relativas a la época del descubrimiento, conquista y colonización de la parte de América denominada actualmente EE. UU. de Colombia ... Bogotá, Imp. de la Luz, 1883. xvi, 447 p. 22 cm.

Prólogo, por J. M. Samper.

Lista de las obras más importantes consultadas para escribir la presente. p. [445]-47.

287 biografías.

ICC / PU, UVa, NC, NYPL

ACHURY VALENZUELA, DARÍO, 1906- *ed., El libro de los cronistas* ... *V.* p. 242.

ARAGÓN, ARCESIO, 1872-

Popayán ... Popayán, Imp. y Enc. del Departamento, 1930. [¿1931?]. 607, [1] p. 24 cm.

"A la memoria del Libertador en el primer centenario de su muerte, dedica este homenaje el autor".

Apéndice: Conceptos varios relativos a las obras del doctor Arcesio Aragón: p. [523]-602.

PU

ARAGÓN MEJÍA, GABRIEL.

Genealogía de las familias de Antioquia. [Medellín, Imp. Dptal., 1911]. 774 p. 22 cm.

"Contiene la lista de los fundadores de casi todas las familias antioqueñas de origen español que vinieron desde el año 1540 a 1810 a establecerse a nuestras montañas".

LC

— Genealogías de Antioquia y Caldas. 2ª ed. notablemente aumentada y corregida. Medellín, Librería y Tipografía Buffalo, 1932. v. 23½ cm.

LC

ARANGO GONZALO, *De la nada al nadaísmo* ... *V.* p. 244.

ARBOLEDA LLORENTE, JOSÉ MARÍA.

Payaneses ilustres, en *Bol. Hist. Ant.* (Bogotá), XXXV, núms. 411-13 (enero-marzo de 1949), p. 1-22.

"A speech delivered at the Panteón de los Próceres de Popayán honoring twenty-six prominent citizens and officials of the colonial era in Colombia. The short biographical sketches of these men are lavish in praise of their character and work". (*Hdbk*'49).

ICC, BN, BLAA / UCLA

ARRIETA, DIÓGENES A.

Colombianos contemporáneos. Caracas, Imp. de "La Opinión Nacional", 1833- v. 20 cm. (Primera serie).

Contenido: t. 1: José J. Ortiz.
LC

BARAYA, JOSÉ MARÍA, 1828-1878.

Biografías militares o historia militar del país en medio siglo ... Bogotá, Imp. de Gaitán, 1874. xvi, 288, [2] p. 24 cm.

Epílogo, p. [115]-32.
72 biografías.
LC, PU, Y

BRONX, HUMBERTO, *seud.*

Clásicos colombianos. Medellín, Imp. Deptal, [1949]. 186 p. 23 cm.

Contenido: Biografías críticas de M. A. Caro, Cuervo, Suárez, Monseñor R. M. Carrasquilla y A. Gómez Restrepo.
ICC, BN

CABALLERO CALDERÓN, LUCAS.

Figuras políticas de Colombia. Bogotá, Edit. Kelly, [1945]. 223 p. 20 cm.

17 semblanzas.
LC, PU

CAICEDO ROJAS, JOSÉ, 1816-1898.

Escritos escogidos de José Caicedo Rojas ... Bogotá, Imp. de vapor de Zalamea Hnos., 1883, 1891. 2 v. 23 cm.

De interés: v. I. Apuntes de ranchería, noticias biográficas y artículos varios.
PU

— Apuntes de ranchería y otros escritos escogidos ... Bogotá, Imp. Nal., 1945. 395 p. (Biblioteca Popular de Cultura Colombiana, 78).

ICC, BN, BLAA / LC

CAMACHO CARRIZOSA, GUILLERMO, 1876-1932.

Santiago Pérez y otros estudios. Prólogo de Julio H. Palacio. Bogotá, Edit. Cromos, 1954. 202 p. 20 cm.

"... veintidós estudios divididos en tres géneros, llamados ensayos biográficos, crítica histórica y polémica'.

Ensayos biográficos: Santiago Pérez, Miguel Antonio Caro, Julio H. Palacio, etc.

LC

CAMACHO CARRIZOSA, JOSÉ, 1865-1905.

Artículos varios de José y Guillermo Camacho Carrizosa. [Bogotá, Editorial Minerva, 1936]. 1 h. p., [5]-166 p., 1 h. 20 cm. (Selección Samper Ortega, 67).

Contenido: *José y Guillermo Camacho Carrizosa*, por Alejandro Bermúdez; José Camacho Carrizosa: *Hombres y partidos;* Guillermo Camacho Carrizosa: *Rafael Núñez, Salvador Camacho Roldán, Evaristo Rivas Groot, Rafael Uribe, Rafael Reyes.*

ICC, BN, BLAA / LC, USC

CARRASQUILLA, FRANCISCO DE PAULA.

Retratos instantáneos de notabilidades colombianas. Bogotá, Casa Editora de J. J. Pérez, 1890. 112 p.

BN

CASAS, JOSÉ J., 1865-1951.

Semblanzas (Diego Fallon y José Manuel Marroquín). Bogotá, Edit. Minerva, 1936. 165 p. (Selección Samper Ortega, 52).

Contenido: Don José Joaquín Casas; Diego Fallon; Semblanzas de don José M. Marroquín.
ICC, BN, BLAA / LC, PU, USC

COBO VELASCO, ALFONSO.

Calendario biográfico y genealógico de Santiago de Cali. Algunos apuntes relativos a la historia de la ciudad de Santiago de Cali y ligera genealogía de varios de sus hijos y benefactores, compilados de archivos notariales y parroquiales, de libros, revistas y periódicos, 1536-1961. [s. p. i.], 1962. 223 p. ilus. 24 cm. (*An*'62)

ESTRADA MONSALVE, JOAQUÍN, 1910-

... Hombres. [Bogotá, Edit. Cromos, 1963]. 231 p., 2 h. 20 cm. (Biblioteca de Autores Colombianos, 53).

Contenido de interés: Tomás Cipriano de Mosquera; Rafael Núñez; Miguel Antonio Caro; José Manuel Marroquín; Rafael Reyes; Marco Fidel Suárez; Guillermo Valencia; Aquilino Villegas; Jorge Holguín; Antonio Gómez Restrepo; Gabriel Turbay; Belisario Caicedo González; Rafael Gómez Hurtado, etc.
PU

* FLÓREZ DE OCARIZ, JUAN, 1612-1692.

Las genealogías del Nuevo Reyno de Granada ... Recopiló don Jván Flórez de Ocariz ... En Madrid: por Ioseph Fernández de Buendía, impresor de la Real capilla de Su Magestad, año de M.DC.LXXIV. 2 v. 29½ cm.

vol. 2º: Año de 1676.
"Constituye una buena historia del Reino de Granada en la época de la conquista". — Palau y Dulcet.
2ª ed.: Bogotá, Biblioteca Nal., 1943-[1946]. 2 v. (Publicaciones del Archivo Histórico Nacional, núm. [14]).
"This seventeenth century work on New Granada contains

an introductory essay on nobility, rank and heraldry, lists of early settlers, genealogical sketches of 92 notables, and notes on 80 cities and towns giving information on the founding, history, and coats of arms of each". (*Hdbk*'43).

[¿3ª ed?]: t. 3. Bogotá, Edit. Kelly, 1955. 290 p. ilus. 23½ cm.

"New edition directed, annotated, and illustrated by Enrique Ortega Ricaurte with collaboration of Carlota Bustos Losada. Re-edition of the original of 1674, with pertinent documents and illustrations". (*Hdbk*, Nº 20).

ICC (ed. de 1955) / LC (1ª, 2ª y 3ª eds.), NYPL (2ª ed.), Y (1ª ed.)

GARCÍA VALENCIA, JULIO CÉSAR, 1894-1959.

La Universidad de Antioquia; bocetos biográficos de los rectores. 2ª ed. Medellín, Colombia, Ediciones de la Revista Universidad de Antioquia, 1945. 424 p. 23 cm.

ICC

GARCÍA ORTIZ, LAUREANO, 1865-1945.

Estudios históricos y fisonomías colombianas. Serie primera. Publicaciones de la Academia Nacional de Historia en homenaje a la ciudad de Bogotá en su IV centenario. Bogotá, Editorial A B C, [¿1938?]. xv, 315 p.

"These studies [in Serie 1ª] contain reminiscences of General José M. Córdoba and estimates of the personality of President Francisco de Paula Santander, as well as of the Colombian historian J. M. Restrepo". (*Hdbk*'38).

—— Serie segunda. *id.*, 1939. 232 p.

ICC (1ª Serie) / LC, PU, NYPL, UVa, Dth

GONZÁLEZ BRUN, GUILLERMO.

Gobernantes de Colombia, 1470-1538, 1810-1936. Bogotá, Edit. Suramericana, 1936. 220 p. rets. 17 cm. (Banco de la República, núm. 335).

ICC

GREIFF BRAVO, LUIS DE, 1908-

Semblanzas y comentarios. Bogotá, Edit. A B C, 1942. 251 p. rets. 24 cm.

ICC

HERNÁNDEZ DE ALBA, GUILLERMO, 1906-

Linajes bogotanos. La familia Rivas, en *Bol. Hist. Ant.* (Bogotá), XXVIII, núms. 323-24 (septiembre-octubre de 1941), p. 911-17.

"Brief mention of the outstanding members of a distinguished family of Bogota, from the arrival there of Miguel de Rivas y Gomez de la Asprilla in 1741 to the present, with portraits". (*Hdbk*'41).

ICC, BN, BLA / LC, UCLA

HOLGUÍN Y CARO, MARGARITA, 1875-1967.

Los Caros en Colombia. Su fe, su patriotismo, su amor. 2ª ed. Bogotá, Instituto Caro y Cuervo, 1953. 334 p., 3 h. 25 cm.

1ª ed.: Bogotá, Edit. Antena, 1942. 239 p.

ICC (1ª y 2ª eds.)

INSTITUTO COLOMBIANO DE OPINIÓN PÚBLICA.

Biografía de algunos colombianos ilustres mencionados como tales en una encuesta, en *Opinión Pública* (Bogotá), núms. 37-38 (enero 1, 16 de 1951), p. 1-4.

BN

JARAMILLO MEZA, JUAN BAUTISTA, 1892-

El poeta y su comarca. Manizales, Colombia, Edit. Renacimiento, 1962. 178 p., 2 h. 24 cm.

Colección de biografías, discursos y semblanzas.
ICC

JIMÉNEZ MOLINARES, GABRIEL.

Linajes cartageneros ... Ed. oficial. tomo 2º. Cartagena, Imp. Departamental, 1958. 267 p. 24 cm. (Publicación de la Dirección de Educación Pública).
(*An*'57-58)

LAVERDE AMAYA, ISIDORO, 1852-1903, *Apuntes sobre bibliografía colombiana*... *V*. p. 12; *Bibliografía femenina*... *V*. p. 13.

LIBRO azul de Colombia. Blue Book of Colombia. Bosquejos biográficos de los personajes más eminentes. Biographical sketches of the most prominent personages. Historia condensada de la república. Abridged history of the republic. Artículos especiales sobre el comercio, agricultura y riqueza mineral, basados en las estadísticas oficiales. Special articles relative to commerce, agriculture, & mineral wealth, based on official statistics. [New York, Printed by the J. J. Little & Ives Company], 1918. 4 h. p., 725 p. ilus., rets. música. 31½ cm.

Spanish and English.
LC, PU

LOZANO Y LOZANO, JUAN, 1902- *Obras selectas. Poesía-prosa* ... *V*. p. 370.

MARTÍNEZ SILVA, CARLOS, 1847-1903.
Ensayos biográficos. Bogotá, Imp. Nal., 1935. 241 p. 24½ cm. (Obras Completas, VI).

Contenido: *Esbozo crítico-biográfico,* [por Carlos Eduardo Coronado]; José María Vergara y Vergara; José María Samper; Pedro Justo Berrío; Juan Díaz Perlier (El Marquesito); Sebastián Ospina; Miguel Samper.
BN / PU, NC, Dth

MARTÍNEZ SILVA, CARLOS, 1847-1903, *Escritos varios* ... V. p. 371.

MARTÍNEZ SILVA, CARLOS, 1847-1903.
Tres colombianos (Pedro Justo Berrío, J. M. Vergara y Vergara, José María Samper), en *Biblioteca Popular,* t. X. Bogotá, Librería Nueva, 1895.
ICC, BN, BLAA

MARTÍNEZ VILLAMARÍN, CONSTANTINO.
Presidentes de Colombia; contiene las biografías sintéticas de los mandatarios colombianos desde José Miguel Pey hasta Alberto Lleras Camargo. Tunja, Imp. Deptal., 1947. 208 p. 23 cm.
BN

MARTÍNEZ M., GUILLERMO E., *Algunos prosistas del Valle del Cauca* ... *V.* p. 251.

MENDOZA VÉLEZ, JORGE DE, 1910-
... Gobernantes de la Nueva Granada (Síntesis biográficas). Historia de Colombia, 1ª ed. Bogotá, Edit. Minerva, 1952. 254 p., 3 h. ilus. rets. 18½ cm.

2ª ed.: ... Bogotá, Edit. Minerva, 1953. 325 p., 2 h. ilus. rets. 20 cm.

3ª ed. con el título: *Gobernantes de Colombia; 1810-1957 (Compendio de la historia patria), 1492-1957,* 3ª ed. revisada y aumentada ... Bogotá, Edit. Minerva, 1957. 349 p. 24 cm.

ICC (3ª ed.) / LC (1ª ed.), PU (2ª ed.)

* MESA ORTIZ, RAFAEL M., *ed.*

Colombianos ilustres (Estudios y biografías), con juicio de la Academia Nacional de Historia y Prólogo de D. Antonio Gómez Restrepo ... Bogotá, Imp. de la "República", 1916. 5 v. rets 25 cm.

Imprint varies: v. 2. Bogotá, Arboleda y Valencia; v. 3-4. Bogotá, Imp. de San Bernardo; v. 5. Ibagué, Tip. de "El Meridiano".

"La obra que prepara el señor Mesa Ortiz tiene la ventaja de contener trabajos de diversas plumas lo que hará de su galería una especie de antología de la prosa colombiana muy valiosa desde el punto de vista literario". (*Prólogo,* I, p. XXVII).

Contenido: t. 1 (1916): *Prólogo,* por Antonio Gómez Restrepo; *José Joaquín Ortiz,* por Rafael M. Carrasquilla; *Enrique Alvarez Bonilla,* por Jorge Alvarez Lleras; *José Manuel Restrepo,* por José Manuel Marroquín; *Miguel Samper,* por Carlos Martínez Silva; *Diego Fallon,* por J. J. Casas; *Manuel Ancízar,* por José María Samper; *Joaquín Mosquera,* por Guillermo Valencia; *Antonio Ricaurte y Lozano,* por J. D. Monsalve; *Luis A. Robles,* por Antonio José Iregui; t. II: (1917): *Julio Arboleda,* por M. A. Caro; *José Fernández Madrid,* por Arturo Quijano; *Francisco Margallo,* por J. M. Marroquín; *José Camacho Carrizosa,* por Eduardo Rodríguez Piñeres; *Ruperto S. Gómez,* por Ozías S. Rubio y A. Gómez Restrepo; *José Félix Merizalde,* por Pedro M. Ibáñez; *José M. Quijano Otero,* por José M. Cordovez Moure; *José David Guarín,* por Pedro Gómez Corena; *Gregorio Gutiérrez González,* por Rafael Escobar Roa; *José Concha,* por Lorenzo Marroquín; *José Ignacio Ricaurte y Lozano,* por J. D. Monsalve; t. III (1919): *Salvador Camacho Roldán,* por Antonio José Iregui; *Enrique Alvarez Henao,* por Jorge Bayona Posada; *Pedro Justo Berrío,* por Eduardo Zuleta; *Rafael Celedón,* por José Manuel Manjarrés; *Anselmo Pineda,* por Adolfo León Gómez; *José Gabriel Peña y Valencia,* por Belisario Matos Hurtado; t. IV (1922): *Mariano*

Ospina, por Estanislao Gómez Barrientos; *Roberto Suárez,* por Daniel Arias Argáez; *Bartolomé Calvo,* por Gustavo Arboleda; *Julio Garavito A.,* por Jorge Alvarez Lleras; *Hermano Luis Gonzaga,* por Juan Crisóstomo García; *Fernando Serrano,* por Luis Febres Cordero; t. V (1929): *Policarpa Salavarrieta,* por Eduardo Posada; *Vicente Azuero,* por Fabio Lozano y Lozano; *Ricardo Carrasquilla,* por J. M. Marroquín y R. M. Carrasquilla; *José Padilla,* por Enrique Otero D'Costa; *Angel Cuervo,* por Rufino J. Cuervo; *José Manuel Groot,* por Miguel A. Caro; *José Pascasio Martínez,* por Ramón C. Correa; Indice de los tomos I-V.

ICC / LC, PU, CU, Y, UC

MOLINA, JUAN JOSÉ, 1838-1902, *Antioquia literaria ... V.* p. 252.

MONSALVE MARTÍNEZ, MANUEL, *Colombia. Posesiones presidenciales, 1810-1954 ... V.* p. 252.

MORENO, MAGDA.

Dos novelistas y un pueblo. Medellín, Edit. Bedout, 1960. 183 p. rets. 17 cm.

Bosquejos biográficos de Tomás Carrasquilla y de Francisco de P. Rendón. (*An*'59-60)

* NIETO CABALLERO, LUIS EDUARDO, 1888-1957.

Colombia joven. Primera serie. Bogotá, Arboleda y Valencia, 1918. 320 p. 20 cm.

La generación del centenario, por L. E. Nieto Caballero, p. [3]-4.

"He buscado expresar lo que siento respecto de unos pocos de los jóvenes que pertenecen a la generación del centenario, o sea de los que empezaron a hacerse conocer unos años antes o unos después de la gran fecha". (*La generación del centenario,* p. [3]).

Contenido: 1. Alberto Sánchez; 2. Manuel A. Carvajal; 3. Carlos Alberto Lleras; 4. Pepe Gómez; 5. José Miguel Arango;

6. Alfonso Villegas Restrepo; 7. Gustavo Arboleda; 8. Federico Martínez Rivas; 9. Abel Marín; 10. Enrique Santos; 11. Carlos Villafañe; 12. Calixto Torres; 13. Laureano Gómez; 14. Joaquín Güel; 15. Laurentino Quintana; 16. León de Greiff; 17. Gonzalo París; 18. José Vicente Castro; 19. Aquilino Villegas; 20. Enrique Olaya Herrera; 21. José Eustasio Rivera; 22. Pedro Alejo Rodríguez; 23. Luis Tablanca; 24. Tulio E. Tascón; 25. Juan M. Agudelo; 26. Coroliano Leudo; 27. Armando Solano; 28. Gonzalo Restrepo; 29. Raimundo Rivas; 30. Eduardo Santos; 31. Antonio Alvarez-Lleras; 32. Los Restrepos Riveras; 33. Manuel José Salazar; 34. Enrique Restrepo; 35. Jorge Martínez; 36. Miguel Jiménez López; 37. Emilio Valenzuela; 38. Luis Serrano Blanco; 39. Liborio Escallón; 40. Miguel Rash-Isla; 41. Anselmo Gaitán U.; 42. Rafael Escallón; 43. Delio Seraville; 44. Alfonso López; 45. Rodolfo Danies; 46. Aurelio Martínez Mutis; 47. Manuel Laverde Liévano; 48. J. M. Saavedra Galindo; 49. M. A. Cuéllar Durán; 50. Arturo Suárez; 51. Rafael Avello Salcedo; 52. Ricardo Nieto; 53. Tomás Márquez; 54. Pedro Luis Rivas; 55. José Antonio Escandón; 56. Carlos A. Torres Pinzón; 57. Francisco José Chaux; 58. Mariano Ospina Pérez; 59. Miguel S. Valencia; 60. Carlos Melguizo; 61. Tomás Rueda Vargas; 62. Lázaro Tobón; 63. Jesús Tobón Quintero; 64. Alberto Vélez Calvo; 65. Alfonso Paláu; 66. José Guillermo Posada; 67. Gustavo Gómez; 68. Luis A. Calvo; 69. Francisco Giraldo; 70. D. García Vásquez; 71. Alberto Samper; 72. F. Jaramillo Medina; 73. Luis López de Mesa; 74. R. Gómez Campuzano; 75. G. Uribe Holguín; 76. José Umaña Bernal; 77. Julián Uribe Gaviria; 78. Alberto Manrique Martín; 79. Hernando Uribe Cualla; 80. Ricardo Rendón; 81. Juan C. Martínez; 82. Leopoldo de la Rosa; 83. G. Cote Bautista; 84. Luis Bernal; 85. Luis Carlos López; 86. E. Rodríguez Triana; 87. V. Casas Castañeda; 88. Tobón Mejía; 89. Fabio Lozano y Lozano; 90. Nazario Restrepo; 91. Jerónimo Velasco; 92. Luis Samper Sordo; 93. Gustavo del Castillo; 94. Felipe S. Paz; 95. Roberto Liévano; 96. Antonio J. Irisarri; 97. Cornelio Hispano; 98. Eduardo Castillo; 99. Hipólito Pereira; 100. Gabriel Porras Troconis.

ICC, BN / LC, PU, NYPL, Y

— Hombres del pasado. Bogotá, [Litografía Colombia, 1944]. 157 p., 1 h. ret. 16 cm. (Colección Antologías de "Sábado").

Contenido: Santiago Pérez Triana; Rafael Reyes; Uribe Uribe; José Vicente Concha.
ICC

ORTEGA RICAUTE, ENRIQUE, 1893-1962, *Bibliografía académica ... V*. p. 16-17.

OTERO MUÑOZ, GUSTAVO, 1894-1957, *Ensayo sobre una bio-bibliografía colombiana ... V*. p. 19; *Hombres y ciudades ... V*. p. 253-54.

* OTERO MUÑOZ, GUSTAVO, 1894-1957.
Semblanzas colombianas. Bogotá, Edit. A B C, 1938. 2 v. VIII, 314; 320 p. (Biblioteca de Historia Nacional, 55, 56).

"Publicación de la Academia Colombiana de Historia en homenaje a la ciudad de Bogotá en el IV centenario de su fundación".

Contenido: v. I: Cronistas primitivos, Escritores coloniales, Literatos de la revolución, Escritores de la Gran Colombia; v. II: Prosistas y poetas de la Nueva Granada.
ICC / LC, NYPL, UVa, Dth, KU

OTERO GUZMÁN, SAMUEL.
Cien costeños meritorios. Cartagena, Imp. Deptal., 1918-1925. 2 v. rets. 21 y 23 cm.
ICC

PANESSO POSADA, FERNANDO.
Familias de Antioquia ... en *Universidad Pontificia Bolivariana* (Medellín), XXVII, núm. 78 (abril-julio de 1957), p. 57-98; núm. 80 (febrero-abril de 1958), p. 331-54; núm. 83 (abril-julio de 1959), p. 193-206.

"De la obra en preparación *Apellidos en Antioquia y Caldas*".
ICC / LC

PARDO DE HURTADO, ISABEL, *seud.* Diana Rubens, 1910-
Mujeres colombianas (desfile de escritoras y poetisas) ...
V. p. 254.

POSADA, EDUARDO, 1862-1942.

Apostillas a la historia colombiana. Madrid, Editorial América, [1918]. 261 p. 19 cm. (Biblioteca de la Juventud Hispanoamericana, [VIII]).

Contiene varias biografías sobre autores colombianos.
ICC / LC

PUENTES, MILTON, 1905-

Grandes hombres de Colombia. Bogotá, [Tip. Hispana], 1962. 270 p. 24 cm.
BN / LC

RESTREPO TIRADO, ERNESTO, 1862- *Gobernantes del Nuevo Reyno de Granada durante el siglo XVIII* ... *V.* p. 453.

RESTREPO, FÉLIX, S. J., 1887-1965.

Autores colombianos para el diccionario histórico de la lengua española, en *Bol. Acad. Col.* (Bogotá), VIII, núm. 28 (julio-sept. de 1958), p. 199-217.

"Esta lista tiene por base la encuesta realizada por la academia colombiana en 1957 para señalar los 50 mejores autores de la literatura colombiana...".
ICC, BN, BLAA / LC

RESTREPO POSADA, JOSÉ, 1908- *Arquidiócesis de Bogotá; datos biográficos de sus prelados* ... *V.* p. 737.

RESTREPO SÁENZ, JOSÉ MARÍA, 1880-1949.

... Biografías de los mandatarios y ministros de la Real Audiencia (1671-1819) ... Bogotá, Edit. Cromos, 1952. VI, 585 p. 25 cm. (Biblioteca de Historia Nacional, LXXXIV).

ICC

RESTREPO, PASTOR.

Genealogías de Cartagena de Indias. Orígenes de las familias, en *Bol. Historial* (De la Academia de Historia de Cartagena de Indias), Cartagena (enero de 1946), p. 43-46; (febrero de 1946), 32-38; (marzo de 1946), p. 34-41; (abril de 1946), p. 41-44.

PU

RESTREPO, VICENTE.

Apuntes para la biografía del fundador del Nuevo Reino de Granada, y vidas de ilustres prelados, hijos de Santafé de Bogotá. Gonzalo Jiménez de Quesada. El Illmo. Sr. d. Hernando Arias de Ugarte. El Illmo. Sr. d. Lucas Fernández de Piedrahita. Por Vicente Restrepo ... Bogotá, Imp. de A. M. Silvestre, 1897. x, 210 p. 17½ cm.

LC

RINCÓN NEMESIANO.

Desde la cumbre (Estudios biográficos) ... Quito, Escuela Tipográfica Salesiana, 1940. 1 v. rets. 23 cm.

Biografías de: Manuel Canuto Restrepo, Obispo de Pasto; Santiago Pérez Triana; Leonidas Medina, Obispo de Pasto; José Dolores Monsalve; Angel María Guerrero y Rosero; Manuel María

Rodríguez; Samuel Jorge Delgado; Wenceslao Gálvez; José Rafael Sañudo.
ICC

RIVAS, RAIMUNDO, 1889-1946, *comp.*
Documentos sobre la familia Rivas, I. Documentos relativos al maestre de campo don Juan de Rivas (1667-1755) fundador de la familia en el Nuevo Reino de Granada. II. Documentos relativos al doctor don Miguel de Rivas (1729-1804) tronco de la familia en Santafé de Bogotá. III. Familia Rivas; datos tomados de las Genealogías de Santafé de Bogotá, por José M. Restrepo Sáenz y Raimundo Rivas. Bogotá, Edit. Minerva, 1930. 151 p. rets. 25 cm.
Edición privada.
ICC /LC

— Familias bogotanas ... 1538-1850, en *Bol. Hist. Ant.* (Bogotá), XXV (julio-agosto de 1938), p. 516-34.
ICC, BN, BLAA / LC, UCLA

RIVAS, RAIMUNDO y RESTREPO SÁENZ, JOSÉ MARÍA.
Genealogías de Santa Fe de Bogotá. Bogotá, Librería Colombiana, [1928].
Comprende las letras A-F.
LC

ROMERO DE NOHRA, FLOR, y PACHÓN CASTRO, GLORIA.
Mujeres de Colombia. Bogotá, Edit. Andes, 1961. 287 p. rets. 27 cm.
ICC / PU

* SAMPER, JOSÉ MARÍA, 1828-1888.

Galería nacional de hombres ilustres y notables o sea colección de bocetos biográficos ... v. 1. Bogotá, Imp. de Zalamea, 1879. VII, 396 p., 2 h. 22 cm.

Contenido: Simón Bolívar; J. Acosta; Julio Arboleda; I. Arroyo; V. Cardoso; P. Cuéllar; Pedro Fernández Madrid; M. Fernández Saavedra; F. González; J. Manuel Groot; Santos Gutiérrez; G. Gutiérrez González; Ilmo. A. Hernán; J. H. López; M. M. Mallarino; F. Montoya; J. M. Obando; S. Ospina; J. París; R. de la Parra; C. Pinzón; J. M. Plata; Lino de Pombo; R. Vanegas; J. M. Vergara y Vergara, etc.

Y

SANABRIA, EDGARD.

Antepasados ilustres de don Miguel Antonio Caro, en *Revista Nacional de Cultura* (Caracas), año 8, núm. 61 (marzo-abril de 1947), p. 103-24.

"Biographical notes on the founder of the Caro family of Colombia, the humorous poet Francisco Javier Caro, and his illustrious descendants Antonio Jose Caro and José Eusebio Caro". (*Hdbk*'47).

LC

SÁNCHEZ CAMACHO, JORGE.

Perfil de los fundadores de la Academia Colombiana. [Bucaramanga, Imp. del Depto., 1958]. 18 p. 22 cm.

ICC

SCHUMACHER, HERMANN ALBERT, 1839-1890.

Südamerikanische studien; drei lebens-und culturbilder: Mutis, Caldas, Codazzi, 1760-1860. Berlin, E. S. Mittler und sohn, 1884. XIII, 559 p. 23½ cm.

The "Anmerkungen" (p. 421-559) are of bio-bibliographical interest. (C. K. Jones).

LC

SILVA TORRES, JULIO.

Varones ilustres de mi tierra (Santa Rosa de Viterbo). Bogotá, Edit. A B C, 1947. 230 p., 1 h. rets. 17 cm.

Contenido: Biografías de: Carlos Arturo Torres, General Rafael Reyes, Clímaco Calderón, Carlos Calderón R., Luis Carlos Rico.

ICC

SOLÍS MONCADA, JOSÉ.

La Academia Antioqueña de Historia y sus hombres. Apuntes biográficos. [Medellín, Colombia, Imp. Oficial, 1935]. 449 p. rets. 24 cm.

ICC / LC

SORIANO LLERAS, ANDRÉS.

Orígenes del apellido Lleras en Colombia, en *Bol. Hist. Ant.* (Bogotá), XLV, núms. 522-24 (abril-junio de 1958), p. 337-40.

"Genealogical notes on the origin of the Lleras family of Colombia". (*Hdbk',* Nº 24).

ICC, BN, BLAA / LC, UCLA

SOTO BORDA, CLÍMACO.

Siluetas parlamentarias; Congreso Nacional de 1896, corregidas y aumentadas. Bogotá, Imp. de La Luz, 1897. 161 p.

BN

SUÁREZ, MARCO FIDEL, 1855-1927.

Semblanzas y necrologías, en *Obras,* I. Edición preparada por Jorge Ortega Torres. Prólogo de Fernando Antonio Martínez. Bogotá, Instituto Caro y Cuervo, 1958, p. 759-1044. (Clásicos Colombianos, III).

Contiene cerca de cuarenta artículos, la mayoría sobre figuras nacionales.
ICC, BN, BLAA / LC

TELLO, JAIME, 1918- *Colombia, el hombre y el paisaje* ... *V*. p. 256-57.

URIBE VILLEGAS, GONZALO, *Los arzobispos colombianos desde el tiempo de la colonia hasta nuestros días* ... *V*. p. 738.

VALENCIA, GUILLERMO, 1873-1943.

Oraciones panegíricas. Bogotá, Editorial A B C, 1952. 284 p. (Biblioteca de Autores Colombianos, 25).

"20 eulogies of Bolívar, Julio Arboleda, Isaacs, and other leading figures". (*Hdbk*, Nº 19).
ICC, BN, BLAA / LC

VALLEJO, ALEJANDRO.

Políticos en la intimidad. [Bogotá, La Librería Antena], 1936. XXVIII, 155, [1] p. 17 cm. (Ediciones "Antena").

Contenido: Políticos en pantuflas; *Prólogo* de Darío Achury Valenzuela; Jorge Eliécer Gaitán; Alfonso López y Cía; Gabriel Turbay; Augusto Ramírez Moreno; Laureano Gómez; Plinio Mendoza Neira; Juan Lozano y Lozano.
LC

VEGA, FERNANDO DE LA, 1891-1952.

Letrados y políticos. Cartagena, Colombia, Imp. Deptal., 1926. 260 p., 2 h. 17½ cm.

Contenido: Julio Betancourt; El último caudillo (Benjamín Herrera); Proemio (Poesía de Ricardo Román Vélez); Carlos Arturo

Torres; Doña Soledad; De Núñez; Silva, poeta; Gutiérrez González; general Reyes.
ICC / LC, NYPL

VERGARA Y VERGARA, JOSÉ MARÍA, 1831-1872.

Obras escogidas ... publicadas por sus hijos Francisco José Vergara, Pbro., Ana Vergara de Samper y Mercedes Vergara y Balcázar, en el primer centenario de su nacimiento, bajo la dirección de Daniel Samper Ortega ... Bogotá, Edit. Minerva, 1931. 4 v. ret. 18 cm.

t. 3: Biografías.
ICC

VESGA Y AVILA, J. M.

Perfiles colombianos. 1ª ser. Diputados y ministros. Bogotá, 1908. (*C. K. Jones*)

VISBAL, MAURICIO N.

Hombres ilustres de Cartagena, en *América Española* (Barranquilla), XVI, núm. 53-54 (julio-agosto de 1942), p. 49-62.
PU

2. BIOGRAFIAS, BIO-BIBLIOGRAFIAS Y GENEALOGIAS GENERALES

ARCINIEGAS, GERMÁN, 1900-

América mágica; los hombres y los meses. 2ª ed. Buenos Aires, Edit. Sudamericana, 1961. 317 p., rets.

"This is the second edition of a volume that originally appeared in 1959. Seemingly nothing new has been added to this very pleasant group of essays on a widely assorted group of Latin American figures". (*Hdbk,* Nº 24).
LC, UCLA

AVELLA MARTÍNEZ TEMÍSTOCLES, 1841-

Estudios biográficos de la historia de América. Bogotá, Zalamea, 1888. 65 p.

BN

AZPURÚA, RAMÓN.

Biografías de hombres notables de Hispano-América, coleccionadas por Ramón Azpurúa. Obra mandada publicar por el ejecutivo nacional de los Estados Unidos de Venezuela, presidido por el gran demócrata general Francisco L. Alcántara ... Caracas, Imp. Nal., 1877. 4 v. 23 cm.

Colombia: J. Acevedo de Gómez; M. Ancízar; J. M. Baraya; R. Celedón; J. García del Río; M. M. Madiedo; F. Pérez; J. M. Quijano Otero; F. A. Zea.

LC, UVa, Y

CARBONELL, MIGUEL ANGEL.

Hombres de nuestra América, prólogo de Ismael Clark. Habana, Imp. "La Prueba", 1915. 228 p. 20½ cm.

De interés: J. M. Vargas Vila; José A. Silva.

LC

CORTÉS, JOSÉ DOMINGO, 1839-1884.

Biografía americana, o, galería de poetas célebres de Chile, Bolivia, Perú, Ecuador, Nueva Granada, Venezuela, México, Uruguai [*sic*], R. Argentina. Santiago de Chile, Imp. de "El Independiente", 1871.

Breves esbozos biográficos. Entre los colombianos figura Rafael Pombo.

LC

García Calderón, Ventura, 1886-1959.

Semblanzas de América ... Madrid, La Revista Hispano-Americana "Cervantes", [¿1920?]. 206 p.

Se incluye una semblanza sobre José A. Silva.
UVa, KU

González Ruano, César.

Veintidós retratos de escritores hispanoamericanos. Madrid, Cultura Hispánica, 1952. 133 p. (Colección Hombres e Ideas).

Entre los colombianos figura J. M. Vargas Vila.
LC

Los hombres del siglo xx. Estudios biográficos de hispano-americanos y contemporáneos. México, 1909-10. 184 p.

178 biografías. (*C. K. Jones*)

Lohmann Villena, Guillermo.

Los americanos en las órdenes nobiliarias (1529- 1900). Madrid, Consejo Superior de Investigaciones Científicas, Instituto "Gonzalo Fernández de Oviedo", 1947. 2 v. ilus. 26 cm.

Contenido: 1. Santiago; 2. Calatrava; Alcántara; Montesa; Carlos III; Malta.
LC

Martí, José, 1853-1895.

Nuestra América ... La Habana, Edit. Trópico, 1939-40. 5 v. facsíms. 20½ cm. (Obras Completas de Martí).

De especial interés: v. 2. Venezuela, Colombia, Argentina.
LC

MEDINA, JOSÉ TORIBIO, 1852-1931, *Noticias de los jesuítas expulsados de América* ... *V.* p. 740-41.

MONTOTO DE SEDAS, SANTIAGO, 1890- *Nobiliario hispanoamericano del siglo XVI* ... *V.* p. 460.

PAN AMERICAN UNION. Division of Intellectual Cooperation, *Hombres, tierras y voces de América* ... *V.* p. 283.

RAGUCCI, RODOLFO MARÍA, 1887- *Escritores de Hispanoamérica; notas biográficas y antología anotada* ... *V.* p. 284.

SANÍN CANO, BALDOMERO, 1861-1957.

De mi vida y otras vidas. Bogotá, Edit. A B C, 1949. 254 p.

"Autobiographical notes by the [...] Colombian critic, with side sketches of some of his acquaintances and friends: Silva, Valencia, Lugones, Fitzmaurice-Kelly, Brandes, Cunninghame Graham, Bertrand Russell". (*Hdbk*'49).

ICC

SERRANO DE WILSON, EMILIA, *Baronesa de Wilson,* 1834-

Americanos célebres: glorias del Nuevo Mundo ... [Barcelona, Tip. de los Sucs. de N. Ramírez y Co., 1888]. 2 v. rets. 29 cm.

LC

* TORO, JOSEFINA DEL.

A bibliography of the collective biography of Spanish America. Río Piedras, 1938. VII, 140 p.

"Comprende las biografías colectivas hispanoamericanas por países. Incluye los Diccionarios biográficos y las más conocidas colecciones biográficas publicadas en Colombia". (*Bbcs*).

De especial interés: General works, p. 1-14, Nos. 1-57; Colombia, p. 73-79, Nos. 252-80.

LC, UVa

* TORRES CAICEDO, JOSÉ MARÍA, 1830-1889.

Ensayos biográficos y de crítica literaria sobre los principales poetas y literatos hispano-americanos. París, Librería de Guillaumin y Cía., 1863-1868. 3 v.

"Una de las mejores obras del inquieto y brillante polígrafo colombiano; se ocupa, entre otros varios poetas y prosistas hispanoamericanos, de doña Silveria Espinosa de Rendón, José Eusebio Caro, José Fernández Madrid, Julio Arboleda, Manuel María Madiedo, Lázaro M. Pérez, J. de Torres y Peña, José Manuel Groot y Florentino González". (*Bbcs*).

LC, Y

* URIBE MUÑOZ, BERNARDO.

Mujeres de América. Medellín, Imp. Oficial, 1934. XXI, 460 p.

"Entre las páginas 39 y 112 de esta obra se presentan las biografías de escritoras y poetisas colombianas". (Bbcs).

ICC / LC, Y

VALCÁRCEL, DANIEL.

Biografías hispanoamericanas en el Archivo General de Indias. Lima, D. Miranda, 1959. 127 p.

"Biographical data on some 400 persons, from their *Relaciones de méritos y servicios* in the Archivo General de Indias. Most are related to colonial Peru, buy many other parts of America are also represented. A useful compendium". (*Hdbk*, Nº 23).

LC

VARGAS VILA, JOSÉ MARÍA, 1860-1933.

Los césares de la decadencia ... París, Librería Americana, 1913. 244 p. 18 cm.

"Esta obra completa, contiene [...] los estudios históricos sobre el cesarismo: En México - En Guatemala - En el Ecuador - En Santo Domingo".

Contenido: Preliminar. - En Colombia: Rafael Núñez, Miguel A. Caro, Manuel A. Sanclemente, José M. Marroquín, Rafael Reyes.

LC

* VELÁSQUEZ BRINGAS, ESPERANZA, 1899-

Indice de escritores. México, Herrero Hnos. - Sucesores, [1928]. 320 p. 19 cm.

"Hemos apartado el comentario crítico o la alusión demasiado local a fin de dar a la obra una seriedad que le permita ser saludada con simpatía; y a la vez damos únicamente la información imprescindible, despojando de *adornos innecesarios* a cada biografía". (*Proemio*).

252 biografías. *Colombia*: Gregorio Castañeda Aragón; Cornelio Hispano [*seud.* de Ismael López]; Luis C. López; Diego Mendoza; Julio Mercado; Luis E. Nieto Caballero; Eduardo Posada; Baldomero Sanín Cano.

LC

COLECCIONES, ANTOLOGIAS Y COMPILACIONES DE MISCELANEA LITERARIA

I. LITERATURA COLOMBIANA

1. COLECCIONES

* ACADEMIA COLOMBIANA DE HISTORIA.

Historia extensa de Colombia. Bogotá, Ediciones Lerner, 1965- 23 v.

En curso de publicación.

Plan general: v. 1. Prehistoria: t. 1 y 2. Etnohistoria y arqueología; t. 3. Lenguas y dialectos indígenas en Colombia; v. II. Descubrimiento y conquista del Nuevo Reino de Granada, Régimen de gobernadores, 1499-1550; v. III. Nuevo Reino de Granada. Real Audiencia y Presidentes: t. 1. Presidentes letrados, 1550-1605; t. 2. Presidentes de capa y espada, 1605-1628; t. 3. Presidentes de capa y espada, 1628-1654; t. 4. Presidentes de capa y espada, 1654-1740; v. IV. Nuevo Reino de Granada. El Virreinato: t. 1. 1740-1753; t. 2. 1753-1810; v. V. La primera república: 1810-1816; v. VI. La reconquista española: t. 1. Invasión pacificadora. Régimen del terror. Mártires, conspiradores y guerrilleros, 1815-1817; t. 2. Contribución de las guerrillas a la campaña libertadora, 1817-1819; v. VII. La Gran Colombia, 1819-1830; v. VIII. La Nueva Granada, 1831-1858; v. IX. Régimen Federal. Confederación Granadina. Estados Unidos de Colombia, 1858-1885; v. X. La República de Colombia: t. 1. 1885-1910; t. 2. 1910-1957; v. XI. Integración del territorio colombiano; v. XII. Demarcación de las fronteras de Colombia; v. XIII. Historia eclesiástica: t. 1. La Conquista espiritual, 1510-1650. Estado espiritual de los aborígenes. La evangelización en su aspecto jurídico. Las órdenes misioneras. Las Diócesis de Santa Marta y Cartagena. Arquidiócesis de Bogotá. La Diócesis de Popayán. Los métodos misioneros. Catequesis. Sínodos. Concilios, Devociones, Clero indígena. El arte y el canto como métodos de apostolado. Arquitectura. Colegios, seminarios y universidades. Conventos de monjas. Visión sintética del período 1510-1650; t. 2. La iglesia neogranadina en su edad media, 1650-1819; t. 3. La iglesia en la república; v. XV. La legislación y el derecho en Colombia; v. XV. Economía y hacienda pública: t. 1. De los aborígenes a la Federación; t. 2. La república unitaria, 1886-1942. v. XVI. Historia de la educación; v. XVII. Historia diplomática; v. XVIII. Historia militar. Campaña libertadora. Las guerras civiles. La reforma militar; v. XIX. Raíz y desarrollo de la literatura colombiana; v. XX. Las artes en Colombia. Pintura. Escultura. Música. Arquitectura. Artes menores; v. XXI. Etapas de la cultura colombiana; v. XXII. Morfología de la nación colombiana; v. XXIII. Indices generales.

Una de las empresas editoriales de mayor alcance que se haya emprendido en Colombia. La elaboración de los diversos tomos fue encomendada a un grupo muy distinguido de colaboradores. Esta colección, en su forma completa, constituirá una fuente muy importante para el estudio de la historia y de la cultura colombianas.

V. Abel Cruz Santos, *Presentación de la historia extensa de Colombia,* en *Bol. Cult. y Bibl.* (Bogotá), VIII, núm. 5 (1965), p. 729-34.

ICC, BN, BLAA

Biblioteca de autores antioqueños. Medellín, Imp. Deptal., 1949- v.

ICC (colección incompleta), BLAA

Biblioteca de autores boyacenses. Tunja, Secretaría de Educación del Depto., Extensión Cultural, [¿1958?]-

ICC (colección incompleta)

BIBLIOTECA de autores caucanos. Popayán, Edit. Universidad del Cauca, [1950]- v.
ICC

* BIBLIOTECA de autores colombianos. Bogotá, Edit. A B C, 1952-1958. 111 v. (Ministerio de Educación Nacional, Ediciones de la Revista *Bolívar*).

v.	1	Maya, Rafael, *Los tres mundos de don Quijote y otros ensayos.*
v.	2-3	Pérez Francisco de Paula, *Derecho constitucional colombiano.* 2 v.
v.	4	Vega José de la, *La federación en Colombia (1810-1912).*
v.	5	García Samudio, Nicolás, *Crónica del muy magnífico capitán D. Gonzalo Suárez Rendón.*
v.	6	Vásquez, Rafael, *Ya pasó el sol.*
v.	7	*La literatura colombiana.* Estudios críticos de Antonio Gómez Restrepo, Juan Valera, Marcelino Menéndez y Pelayo y Antonio Rubió y Lluch.
v.	8	Arboleda, Sergio, *La constitución política.*
v.	9	Gómez Restrepo Antonio, *Oraciones académicas.*
v.	10	Pombo, Rafael, *Antología poética.*
v.	11	Naranjo Villegas, Abel, *Ilustración y valoración.*
v.	12	Arboleda, Julio, *Poesías.*
v.	13	Porras Troconis, Gabriel, *Biografía de José María Córdoba.*
v.	14	Carrasquilla, Rafael María, *Pbro., Estudios y discursos.*
v.	15-20	O'Leary, Daniel Francisco, *Memorias.* 6 v.
v.	21	Pabón Núñez, Lucio, *Muestras folclóricas del Norte de Santander.*
v.	22	Villegas, Aquilino, *Las letras y los hombres.*
v.	23	Suárez, Marco Fidel, *Estudios escogidos.*
v.	24	Núñez, Rafael, *Diccionario político.*
v.	25	Valencia, Guillermo, *Oraciones panegíricas.*
v.	26	Forero, Manuel José, *Camilo Torres.*

v. 27 Azula Barrera, Rafael, *Poesía de la acción.*
v. 28 Castellanos, Dora, *Verdad de amor.*
v. 29-33 Carbonell, Abel, *La quincena política.* 5 v.
v. 34 Ospina, Edurado, S. J., *El romanticismo; estudio de sus caracteres esenciales.*
v. 35 Vallejo Félix Angel, *Hacia una sociedad nueva.*
v. 36 Motta Salas, Julián, *La Anábasis.*
v. 37 Rincón y Serna, Jesús, *La bolivariada.*
v. 38 Samper, José María, *Selección de estudios.*
v. 39 Betancur, Cayetano, *Introducción a la ciencia del derecho.*
v. 40-41 Guzmán Noguera, Ignacio de, *Pensamientos.* 2 v.
v. 42 Frankl, Víctor, *Estudios filosóficos.*
v. 43 Cuervo, Angel, *Cómo se evapora un ejército.*
v. 44-52 Simón, Pedro, *Fray, Noticias historiales de las conquistas.* 9 v.
v. 53 Estrada Monsalve, Joaquín, *Hombres.*
v. 54 Gutiérrez, José F., *Bolívar y su obra.*
v. 55 Henao Mejía, Gabriel, *Juan de Dios Aranzazu.*
v. 56 Noguera Barreneche, Rodrigo, *Del conocimiento de Dios.*
v. 57-61 Groot, José Manuel, *Historia eclesiástica y civil de la Nueva Granada.* 5 v.
v. 62 Caro, José Eusebio, *Epistolario.*
v. 63-64 Restrepo Tirado, Ernesto, *Historia de la Provincia de Santa Marta.* 2 v.
v. 65 Carrasquilla, Rafael María, *Sermones y discursos escogidos.*
v. 66-69 Gómez Restrepo, Antonio, *Historia de la literatura colombiana.* 4 v.
v. 70 Trujillo Gutiérrez, Eduardo, *Pbro., Antología mariana.*
v. 71 Mosquera, Manuel José, *Discursos y sermones.*
v. 72-72A Cortés Lee, Carlos, *Pbro., Sermones inéditos.* 2 v.
v. 73-74 Ghisletti, Louis V., *Los mwiskas; una gran civilización precolombina.* 2 v.
v. 75 Ortiz, Sergio Elías, *Estudios sobre lingüística aborigen de Colombia.*
v. 76 Martínez Silva, Carlos, *Escritos varios.*

v. 77 Palacios, Eustaquio, *El Alférez Real.*
v. 78 Caro, José Eusebio, *Escritos filosóficos.*
v. 79 Maya, Rafael, *La musa romántica en Colombia.*
v. 80 Maya, Rafael, *Estampas de ayer y retratos de hoy.*
v. 81 Porras Troconis, Gabriel, *Cartagena hispánica, 1533 a 1810.*
v. 82-83 Pérez, Francisco de Paula, *Derecho constitucional colombiano.* 2 v.
v. 84 Rodríguez Freyle, Juan, *Conquista y descubrimiento del Nuevo Reino.*
v. 85 Vallejo, Félix Angel, *Política: misión y destino.*
v. 86 Giraldo Jaramillo, Gabriel, *Estudios históricos.*
v. 87-98 Suárez, Marco Fidel, *Sueños de Luciano Pulgar.* 12 v.
v. 99 Silva, José Asunción, *Obra completa (Prosa y verso).*
v. 100 Robledo, Emilio, *Vida del Mariscal Jorge Robledo.*
v. 101-102 Arango, Jaime, *Historia de la Gobernación de Popayán.* 2 v.
v. 103 Castillo, Francisca de la Concepción del, *Su vida, escrita por ella misma.*
v. 104-105 Castillo, Francisca de la Concepción del, *Afectos espirituales.* 2 v.
v. 106-107 Hernández B., Ernesto, *Pbro., Urabá heróico.* 2 v.
v. 108-109 Arboleda Llorente, José María, *Vida del Illmo. señor Manuel J. Mosquera.* 2 v.
v. 110 Miramón, Alberto, *José Asunción Silva.* 2ª ed.
v. 111 Maya, Rafael, *Obra poética.*

ICC (colección incompleta), BN, BLAA / LC

* BIBLIOTECA de autores contemporáneos. Bogotá, Ministerio de Educación Nacional, 1955-

Se han publicado 15 v. hasta la fecha.
ICC (colección incompleta), BLAA

BIBLIOTECA de autores costeños. Barranquilla, Biblioteca del Atlántico, [1944-?].

ICC (colección incompleta)

BIBLIOTECA de autores chocoanos. Quibdó, Dirección de Educación Pública, [1955]- v.

ICC (colección incompleta)

BIBLIOTECA de autores huilenses. Neiva, Imp. Deptal., 1950- v.

ICC (colección incompleta)

BIBLIOTECA de autores nortesantandereanos. Cúcuta, Colombia, [195-]- v.

ICC (colección incompleta), BLAA

BIBLIOTECA de autores tolimenses. Ibagué, Imp. Deptal., [195-]- v.

ICC (colección incompleta)

BIBLIOTECA de autores vallecaucanos. Cali, Imp. del Depto., [195-]- v.

ICC (colección incompleta), BLAA

BIBLIOTECA de cultura colombiana. Bogotá, Ministerio de Educación Nacional. 1962- v.

v. 1 Achury Valenzuela Darío, *Análisis crítico de los Afectos espirituales de Sor Francisca Josefa de la Concepción del Castillo.*

v. 2 Cortés Lee, Carlos, *Monseñor, Sermones inéditos.*

v. 3 Rodríguez Freyle, Juan, *El Carnero.*

ICC

* BIBLIOTECA de cultura hispánica. Instituto Colombiano de Cultura Hispánica. Bogotá, 1952- v.

Publicaciones: W. T. Walsh, *Isabel la Católica;* Miguel Aguilera, *América en los clásicos españoles;* Miguel A. Caro, *Ideario hispánico;* Arturo Abella Rodríguez, *Entrevista con España;*

Agustín Rodríguez Garavito, *De la estameña de España a la bruma de la sabana;* Carlos Restrepo Canal, *España en los clásicos colombianos;* Hugo Velasco A., *Retorno a la hispanidad;* Alvaro Sánchez, *Pbro., El apóstol del Nuevo Reino San Luis Beltrán; Pintura española,* Mensajero de Barcelona, pintura contemporánea; Rafael Gómez Hoyos, *Pbro., La Iglesia en Colombia;* Abel Naranjo Villegas *et al., José Ortega y Gasset en Colombia;* Carlos Restrepo Canal y Francisco Sánchez Arévalo, *comps., Menéndez y Pelayo en Colombia;* Carlos Restrepo Canal *et al., Conferencias sobre la Expedición Botánica;* José María de Ots y Capdequí, *Las instituciones del Nuevo Reino de Granada al tiempo de la independencia;* Alvaro Sánchez, *Pbro., Por los valores del espíritu;* Rafael Gómez Hoyos, *ed., Itinerario de cultura hispánica* (Memoria del II congreso de Institutos de Cultura Hispánica); Guillermo Hernández de Alba, *Diario de observaciones de José Celestino Mutis* (1760-1790); Noel Estrada Roldán, *Clamor de España;* Miguel Aguilera, *Raíces lejanas de la independencia; Flora de la Real Expedición Botánica del Nuevo Reino de Granada,* t. XXVII, XLIV. (Esta lista se extrajo de: *Publicaciones del Instituto de Cultura Hispánica,* en *Bol. Cult. y Bibl.* [Bogotá], III, núm. 12 [diciembre de 1960], p. 867-68).

ICC, BN, BLAA

BIBLIOTECA de escritores caldenses. Manizales, Imp. Deptal., 1944- v. [Se ha publicado en tres épocas].

ICC (colección incompleta), BLAA

BIBLIOTECA de escritores vallecaucanos. Cali, [La Voz Católica, ¿1954?]. 4 v. 24 x 11½ cm.

v. 1 Romero Soto, Luis Enrique, *Itinerario histórico de la cultura colombiana.*

v. 2 Moreno Mosquera, Antonio, *El hombre: sujeto de la educación.*

v. 3 Andrade, Ramiro, *Nueva cuentística nacional.*

v. 4 Aguirre Quintero, Julio, *Papini.*

ICC (colección incompleta) / PU

* BIBLIOTECA de historia nacional. Bogotá, [Academia Colombiana de Historia, etc.], 1902- v. ilus. 23 x 25½ cm.

Fundada por Eduardo Posada y Pedro M. Ibáñez.

v. 1 Vargas Jurado, J. A., *La patria boba.*
v. 2 Posada, Eduardo, *comp., El precursor.*
v. 3 Posada, Eduardo e Ibáñez, Pedro María, *Vida de Herrán.*
v. 4 *Los comuneros.* Prólogo de Eduardo Posada.
v. 5 Aguado, Pedro de, *Fray, Recopilación historial.*
v. 6 Guerra, José Joaquín, *La convención de Ocaña.*
v. 7 León Gómez, Adolfo, *El tribuno de 1810.*
v. 8 Posada, E. e Ibáñez, P. M., *comps. Relaciones de mando.*
v. 9 Posada, Eduardo, *comp. Obras de Caldas.*
v. 10-12 Ibáñez, Pedro M., *Crónicas de Bogotá.* 3 v.
v. 13 Posada, Eduardo, *El 20 de julio.*
v. 14 Posada, Eduardo, *Biografía de José María Córdoba.*
v. 15 Posada, Eduardo, *comp., Cartas de Caldas.*
v. 16 Posada, Eduardo, *Bibliografía bogotana,* t. I.
v. 17-18 Cuervo Márquez, Carlos, *Vida de José Ignacio de Márquez.* 2 v.
v. 19 Monsalve, José Dolores, *Antonio de Villavicencio y la revolución de la Independencia.*
v. 20 Urrutia, Francisco José, *Páginas de historia diplomática.*
v. 21 Robertson, William Spencer, *Francisco de Miranda y la revolución de la América española.*
v. 22-24 Cuervo, Luis Augusto, *comp., Epistolario del doctor Rufino Cuervo.* 3 v.
v. 25 Orjuela, Luis, *Ricaurte y sus impugnadores ante la crítica.*
v. 26 Ortega, Alfredo, *Resumen histórico.*
v. 27 Mesa Nicholls, Alejandro, *Biografía de Salvador Córdoba.*
v. 28 Gutiérrez, Rufino, *Monografías,* t. I.
v. 29 Monsalve, José Dolores, *Antonio de Villavicencio y la revolución de la independencia,* t. II.
v. 30 Gutiérrez, Rufino, *Monografías,* t. II.

v. 31 Rivas, Raimundo, *Los fundadores de Bogotá* (Diccionario biográfico).

v. 32 Ibáñez, Pedro M., *Crónicas de Bogotá,* t. IV.

v. 33 Posada, Eduardo, *comp., Congreso de las Provincias Unidas.*

v. 34 Cortázar, Roberto, *comp., Congreso de Angostura. Libro de actas.*

v. 35 Cortázar, Roberto, *Congreso de Cúcuta. Libro de actas.*

v. 36 Posada, Eduardo, *Bibliografía bogotana,* t. II.

v. 37 Cortázar, Roberto, *comp., Congreso de 1823. Actas.*

v. 38 Monsalve, José Dolores, *Mujeres de la independencia.*

v. 39 Posada, Eduardo, *Apostillas.*

v. 40 Monsalve, José Dolores, *comp., Actas de la diputación del Congreso de Angostura.*

v. 41-44 Posada Gutiérrez, Joaquín, *Memorias histórico-políticas.* 4 v.

v. 45 Oviedo, Basilio Vicente de, *Cualidades y riquezas del Nuevo Reino de Granada.*

v. 46 Cortázar, Roberto, *comp., Congreso de 1824. Senado. Actas.*

v. 47 Ortega, Alfredo, *Ferrocarriles colombianos.*

v. 48 Otero D'Costa, Enrique, *Comentos críticos sobre la fundación de Cartagena de Indias.*

v. 49 Rivas Vicuña, Francisco, *Las guerras de Bolívar,* t. I (1812-1814).

v. 50 Rivas, Raimundo, *El andante caballero Antonio Nariño. La juventud.*

v. 51-53 Rivas Vicuña, Francisco, *Las guerras de Bolívar,* t. 2 (1814-1817); t. III (1817-1819); t. IV (La patria granadina).

v. 54 Mosquera, Tomás Cipriano de, *Memoria sobre la vida del Libertador.*

v. 55-56 Otero Muñoz, Gustavo, *Semblanzas colombianas.* 2 v.

v. 57-58 Rivas, Raimundo, *Los fundadores de Bogotá.* 2ª ed. 2 v.

v. 59-60 Pérez Sarmiento, José Manuel, *comp., Causas célebres a los precursores.* 2 v.

v. 61 García Samudio, Nicolás, *Crónica del muy magnífico capitán don Gonzalo Suárez Rendón.*

v. 62 García Borrero, Joaquín, *Neiva en el siglo XVII.*

v. 63 Restrepo Sáenz, José María, *Gobernadores y próceres de Neiva.*

v. 64 Carranza B., Alejandro, *San Dionisio de los caballeros de Tocaima.*

v. 65 Cortázar, Roberto, *comp., Congreso de 1824. Cámara de Representantes. Actas.*

v. 66 Cortázar, Roberto, *comp., Las ciudades confederadas del Valle del Cauca en 1811.*

v. 67-68 Hernández de Alba, Guillermo *et al., comps., Archivo epistolar del general Domingo Caycedo.* 2 v.

v. 69 Rodríguez Plata, Horacio, *Andrés María Rosillo y Meruelo.*

v. 70 Acevedo Latorre, Eduardo, *Colaboradores de Santander en la organización de la república.*

v. 71 Hernández de Alba, Guillermo y Lozano y Lozano, Fabio, *comps., Documentos sobre el doctor Vicente Azuero.*

v. 72 Restrepo Sáenz, José María, *Gobernadores de Antioquia.*

v. 73 Robledo, Emilio, *Vida del mariscal Jorge Robledo.*

v. 74 Bueno y Quijano, Manuel Antonio, *Pbro.,* y Buenaventura Ortiz, Juan, *Historia de la Diócesis de Popayán.*

v. 75 Vargas Sáenz, Pedro C. M., *Historia del Real Colegio de San Francisco de Popayán.*

v. 76 Briceño, Manuel, *La revolución (1876-77). Recuerdos para la historia.*

v. 77 Hernández de Alba, Guillermo, *comp., Archivo epistolar del General Domingo Caycedo,* t. III.

v. 78 Cortázar, Roberto, *comp., Congreso de 1825. Cámara de Representantes. Actas.*

v. 79 Rodríguez Piñeres, Eduardo, *comp., La vida de Castillo y Rada.*

v. 80 Ortega Díaz, Alfredo, *Ferrocarriles colombianos. Legislación ferroviaria.*

v. 81 Rodríguez Piñeres, Eduardo, *comp., Selección de escritos y discursos de Santiago Pérez.*

v. 82 Otero D'Costa, Enrique, *comp., Primer libro de actas del Cabildo de Pamplona en la Nueva Granada (1556-61).*

v. 83 Otero Muñoz, Gustavo, *La vida azarosa de Rafael Núñez.*

v. 84 Restrepo Sáenz, José María, *Biografías de los mandatarios y ministros de la Real Audiencia (1671-1819).*

v. 85 Cortázar, Roberto, *comp., Congreso de 1825. Senado. Actas.*

v. 86 García Benítez, Luis, *Reseña histórica de los obispos que han regentado la Diócesis de Santa Marta.* 1ª parte.

v. 87 Samper Ortega, Daniel, *Don José Solís, Virrey del Nuevo Reino de Granada.*

v. 88 Gilij, Felipe Salvador., *Pbro., Ensayo de historia americana.* Trad de Mario Germán Romero y Carlo Bruscatini.

v. 89 Martínez Delgado, Luis, *Noticia biográfica del prócer Joaquín Camacho.*

v. 90 Camargo Pérez, Gabriel, *Archivo y otros documentos del coronel Salvador Córdova.*

v. 91 Hernández de Alba, Guillermo, *El proceso de Nariño a la luz de documentos inéditos.*

v. 92 Hernández de Alba, Guillermo, *Memorias del Presbítero José Antonio de Torres y Peña.*

v. 93 Ortega Ricaurte, Enrique, *Documentos sobre el 20 de julio de 1810.*

v. 94 Forero, Manuel José, *Camilo Torres.*

v. 95 Friede, Juan, *Gonzalo Jiménez de Quesada a través de documentos históricos. Estudio biográfico.*

v. 96-97 Cárdenas Acosta, Pablo E., *El movimiento comunal de 1871 en el Nuevo Reino de Granada.* 2 v.

v. 98 Rodríguez Plata, Horacio, *La antigua provincia del Socorro y la independencia.*

v. 99 Díaz Díaz, Oswaldo, *Los almeydas.*

v. 100 Lozano y Lozano, Fabio, *Anzoátegui.*

v. 101 Tisnés, Roberto María, J. C. M. F., *Fray Ignacio Mariño. O. P.*

v. 102 Romero, Mario Germán, *Pbro., El héroe niño de la independencia: Pedro Acevedo Tejada.*

v. 103 Perdomo Escobar, José Ignacio, *Pbro., Historia de la música en Colombia.* 3ª ed.

v. 104-105 Ortiz, Sergio Elías, *comp., Colección de documentos para la historia de Colombia.* 2 v.

v. 106 *Segundo centenario del nacimiento de Antonio Nariño (1765-1965).*

ICC, BN, BLAA / LC

* BIBLIOTECA de la presidencia de Colombia. Bogotá, 1954-1958. 50 v.

v. 1-4 Restrepo, José Manuel, *Diario político y militar.* 4 v.

v. 5 Mosquera, Tomás Cipriano de, *Memoria sobre la vida del General Simón Bolívar.*

v. 6 López, Manuel Antonio, *Recuerdos históricos. Colombia y Perú, 1819- 1826.*

v. 7 Horacio, *Sus mejores obras.* Traducción en verso de Roberto Jaramillo.

v. 8 Gumilla, P. Joseph, *El Orinoco ilustrado. Historia natural, civil y geográfica de este gran río.*

v. 9-12 Castellanos, Joan de, *Elegías de varones ilustres de Indias.* 4 v.

v. 13 Pérez Ayala, José Manuel, *Baltasar Jaime Martínez Compañón y Bujanda.*

v. 14-15 Uribe Uribe, Rafael, *Por la América del Sur.* 2 v.

v. 16-17 Caro, Miguel Antonio, *Estudios de crítica literaria y gramatical.* 2 v.

v. 18-20 Varios autores, *Discursos académicos.* 3 v.

v. 21 García Bacca, Juan David, *Antología del pensamiento filosófico en Colombia [de 1647 a 1761].*

v. 22 Sandoval, P. Alonso de, *De instauranda Aethiopum salute. El mundo de la esclavitud negra en América.*

v. 23 Rivero, Juan, S. J., *Historia de las misiones en los llanos de Casanare y los ríos Orinoco y Meta.*

v. 24 Ancízar, Manuel, *Peregrinación de Alpha por el norte de la Nueva Granada.*

v. 25 Domínguez Camargo, Hernando, *San Ignacio de Loyola; Poema heroico.*

v. 26 Ribero, P. Juan de, S. J., *Teatro de el desengaño.*

v. 27 Cuervo Márquez, Carlos, *Estudios arqueológicos y etnográficos.*

v. 28-29 Santa Gertrudis, Fray Juan de, *Maravillas de la naturaleza.* 2 v.

v. 30 Restrepo, José Manuel, *Autobiografía. Apuntamientos sobre la inmigración en 1816, e índices del "Diario Político".*

v. 31-34 Aguado, Pedro de, *Fray, Recopilación historial.* 4 v.

v. 35-38 Mercado, P. Pedro de, *Historia de la Provincia del Nuevo Reino de Quito de la Compañía de Jesús.* 4 v.

v. 39-43 Santa Teresa, P. Severino de, *Historia documentada de la iglesia en Urabá y el Darién.* 5 v.

v. 44 Rodríguez, Manuel del Socorro, *Fundación del Monasterio de la Enseñanza, Epigramas y otras obras inéditas.*

v. 45 Restrepo, Emiliano E., *Una excursión al territorio de San Martín.*

v. 46 Suárez, Marco Fidel, *Estudios gramaticales.*

v. 47 Reclús, Eliseo, *Colombia;* traducida y anotada por F. J. Vergara y Velasco.

v. 48-50 Vergara y Vergara, José María. *Historia de la literatura en Nueva Granada.* 3 v.

ICC, BN, BLAA

BIBLIOTECA de la Sociedad Arboleda. Bogotá, [192-]- v.

ICC (colección incompleta).

BIBLIOTECA de la Unión de Escritores y Periodistas de Colombia. Bogotá, Edit. Iqueima, [195-]- v.

ICC (colección incompleta), BLAA

BIBLIOTECA de la Universidad del Valle. Cali, [195-]- v.

ICC (colección incompleta)

BIBLIOTECA de los "Penúltimos". Bogotá, [Edit. Santa Fé], 1934- v.
ICC (colección incompleta), BN

BIBLIOTECA de los "Ultimos". Bogotá, [Edit. Santa Fe], 1934- v.
ICC (colección incompleta)

BIBLIOTECA del estudiante. Cartagena, Dirección de Educación Pública de Bolívar. Extensión Cultural, 1942-
ICC (colección incompleta)

BIBLIOTECA *del folklore colombiano* ... *V.* p. 703.

* BIBLIOTECA Eduardo Santos. Academia Colombiana de Historia. Bogotá, 1949- v.

v. 1 Ortiz, S. E. *Franceses en la Independencia de la Gran Colombia.*

v. 2-7 *Curso superior de historia de Colombia*: t. 1 (1781-1830); t. II (1781-1830); t. III (1781-1830); t. IV (1492-1600); t. V (1492-1600), t. VI (1601-1700).

v. 8 Miramón, Alberto, *El doctor Sangre.*

v. 9 Giraldo Jaramillo, Gabriel, *Notas y documentos sobre el arte en Colombia.*

v. 10 López de Mesa, Luis Eduardo, *Escrutinio sociológico de la historia colombiana.* 2ª ed.

v. 11 Rodríguez Piñeres, Eduardo, *Hechos y comentarios. Nova et vetera.*

v. 12 Rodríguez Plata, Horacio, *José María Obando íntimo.*

v. 13 Sin publicar hasta la fecha.

v. 14 Soriano Lleras, Andrés, *Lorenzo María Lleras.*

v. 15 Ortiz, Sergio Elías, *Agustín Agualongo y su tiempo.*

v. 16 Martínez Delgado, Luis, *Popayán ciudad procera.*

v. 17 Ortega Ricaurte, Daniel, *Cosas de Santafé de Bogotá.*

v. 18 Pérez Aguirre, Antonio (Salustio), *25 años de historia de Colombia, 1853 a 1878. Del centralismo a la federación.*

v. 19 Ortiz, Sergio Elías, *Génesis de la revolución del 20 de julio de 1810.*

v. 20 Restrepo Canal, Carlos, *Nariño periodista.*

v. 21 Restrepo Canal, Carlos, *Nariño una conciencia criolla contra la tiranía.*

v. 22 Martínez Delgado, Luis y Ortiz Sergio, Elías, *El periodismo en la Nueva Granada.*

v. 23 Vergara y Velasco, F. J., *1818, Guerra de Independencia.* (2ª ed.).

v. 24 Miramón, Alberto, *Dos vidas no ejemplares.*

v. 25 Sánchez Camargo, Jorge, *El general Ospina* (*Biografía*).

v. 26 Gómez Picón, Rafael, *Timaná; de Belalcázar a la Gaitana; parábola de violencia y libertad.*

v. 27 Tisnés J., Roberto María, *Movimientos pre-independientes grancolombianos.*

ICC (colección incompleta); BN, BLAA

*Biblioteca popular de Cultura Colombiana. Bogotá, Ministerio de Educación de Colombia, 1942-1952. 160 v. 19½ cm.

v. 1 Castellanos, Juan de, *Historia de la gobernación de Antioquia y de la del Chocó.*

v. 2 Espinosa, José María, *Memorias de un abanderado.*

v. 3 Cordovez Moure, José María, *Reminiscencias de Santa Fe y Bogotá,* t. I.

v. 4 Caldas, Francisco José de, *Semanario del Nuevo Reino de Granada,* t. I.

v. 5 Pérez Triana, Santiago, *De Bogotá al Atlántico.*

v. 6 Palacios, Eustaquio, *El Alférez Real.*

v. 7 Díaz Castro, Eugenio, *El rejo de enlazar.*

v. 8 Ordónez Ceballos, Pedro, *Viaje del mundo.*

v. 9 Ancízar, Manuel, *Peregrinación de Alpha.*

v. 10 Espagnat, Pierre de, *Recuerdos de la Nueva Granada.*

v. 11 Acosta, Joaquín, *Descubrimiento y colonización de la Nueva Granada.*

v. 12-15 Fernández de Piedrahita, Lucas, *Historia general de las conquistas del Nuevo Reino de Granada.* 4 v.

v. 16 Castillo, Francisca J. de la Concepción del, *Mi vida.*

v. 17 Cordovez Moure, José M., *Reminiscencias de Santa Fe y Bogotá,* t. 2.

v. 18 *Romancero colombiano.*

v. 19 Díaz, Eugenio, *La Manuela.*

v. 20 Guarín, José David, *Las tres semanas.*

v. 21 Castellanos, Juan de, *Historia de Cartagena.*

v. 22 Caldas, Francisco José de, *Semanario del Nuevo Reino de Granada,* t. 2.

v. 23 Restrepo, José Manuel, *Historia de la revolución de la República de Colombia en la América Meridional,* t. 1.

v. 24 Castillo, Francisca J. de la Concepción del, *Afectos espirituales,* t. 1.

v. 25-26 Cordovez Moure, J. M., *Reminiscencias de Santa Fe y Bogotá,* t. 3-4.

v. 27 Soto Borda, Clímaco, *Diana cazadora.*

v. 28 Gómez, Efe, *seud., Cuentos.*

v. 29 Isaacs, Jorge, *María.*

v. 30 Combes, Margarita, *Roulin y sus amigos.*

v. 31 Rodríguez Freyle, Juan, *Conquista y descubrimiento del Nuevo Reino de Granada.*

v. 32 Restrepo, José Manuel, *Historia de la revolución de la República de Colombia en la América Meridional,* t. 2.

v. 33 Caldas, Francisco José de, *Semanario del Nuevo Reino de Granada,* t. 3.

v. 34-35 López, José Hilario, *Memorias.* 2 v.

v. 36 Castillo, Francisca J. de la Concepción del, *Afectos espirituales,* t. 2.

v. 37-38 Cordovez Moure, José M., *Reminiscencias de Santa Fe y Bogotá,* t. 5-6

v. 39 Sanín Cano, Baldomero, *Ensayos.*

v. 40 Barba Jacob, Porfirio, *seud., Antorchas contra el viento.*

v. 41-42 Mancini, Jules, *Bolívar.* 2 v.

v. 43 Restrepo, José Manuel, *Historia de la revolución de la República de Colombia en la América Meridional,* t. 3.

v. 44-45 Gumilla, José, *El Orinoco ilustrado.* 2 v.

v. 46 Mollien Gaspar T., *Viaje por la república de Colombia en 1823.*

v. 47 Cordovez Moure, José M., *Reminiscencias de Santa Fe y Bogotá,* t. 7.

v. 48a,b Núñez, Rafael, *La reforma política en Colombia,* t. 1 (1-2).

v. 49 Forero, Manuel José, *Santander en sus escritos.*

v. 50 Osorio Lizarazo, José A., *El hombre bajo la tierra.*

v. 51 Núñez, Rafael, *La reforma política en Colombia.* t. 2.

v. 52 Samper, José María, *Ensayo sobre las revoluciones políticas.*

v. 53 Vargas, Pedro Fermín de, *Pensamientos políticos.*

v. 54 Torres, Carlos A., *Idola Fori* (Idolos del Foro).

v. 55 Restrepo, José Manuel, *Historia de la revolución de la República de Colombia en la América Meridional,* t. 4.

v. 56-57 Obando, José María, *Apuntamientos para la historia.* 2 v.

v. 58 Cordovez Moure, José M., *Reminiscencias de Santa Fe y Bogotá,* t. 8.

v. 59 La Moyne, Augusto, *Viajes y estancias en la América del Sur.*

v. 60 Flórez, Julio, *Poesías.*

v. 61 Núñez, Rafael, *La reforma política en Colombia,* t. 3.

v. 62-65 Zamora, Alonso de, *Historia de la provincia de San Antonio.* 4 v.

v. 66 Restrepo, José Manuel, *Historia de la revolución de la República de Colombia en la América Meridional,* t. 5.

v. 67 Cordovez Moure, José M., *Reminiscencias de Santa Fe y Bogotá,* t. 9.

v. 68 Vejarano, Jorge Ricardo, *Nariño; su vida, sus infortunios, su talla histórica.*

v. 69 Perdomo Escobar, José Ignacio, *Historia de la música en Colombia.*

v. 70 Restrepo Jaramillo, José, *Dinero para los peces.*

v. 71 Restrepo, José Manuel, *Historia de la revolución de la República de Colombia en la América Meridional,* t. 6.

v. 72 Núñez, Rafael, *La reforma política en Colombia,* t. 4.

v. 73 Escritores de la Colonia, «*La Eneida*», «*Phedra*», *de Racine.*

v. 74 Amórtegui, Octavio, *El demonio interior.*

v. 75 Cordovez Moure, José M., *Reminiscencias de Santa Fe y Bogotá,* t. 10.

v. 76-77 Marroquín, Lorenzo, *Pax.* 2 v.

v. 78 Caicedo Rojas, José, *Apuntes de ranchería y otros escritos escogidos.*

v. 79 García del Río, Juan, *Meditaciones colombianas.*

v. 80 García Ortiz, Laureano, *Algunos estudios sobre el general Santander.*

v. 81 Silva, José Asunción, *El libro de versos.*

v. 82 Grillo, Max, *Granada entreabierta.*

v. 83 Acosta de Samper, Soledad, *Los piratas en Cartagena.*

v. 84-85 Cuervo, Angel, *Vida de Rufino Cuervo y noticias de su época.* 2 v.

v. 86 Núñez, Rafael, *La reforma política en Colombia,* t. 5.

v. 87 Jiménez, José Joaquín, *Crónicas.*

v. 88 Cordovez Moure, José M., *Reminiscencias de Santa Fe y Bogotá, t.* 11.

v. 89 Rueda Vargas, Tomás, *La sabana de Bogotá.*

v. 90 Pérez Triana, Santiago, *Reminiscencias tudescas.*

v. 91 Pérez, Felipe, *Episodios de un viaje.*

v. 92 Rivera, José Eustasio, *La vorágine.*

v. 93-94 Camacho Roldán, Salvador, *Memorias.* 2 v.

v. 95 Vergara y Vergara, José María, *Vida y escritos del general Antonio Nariño.*

v. 96 Santos, Eduardo, *Las etapas de la vida colombiana.*

v. 97 Rueda Vargas, Tomás, *Visiones de historia.*

v. 98 Carrasquilla, Tomás, *Entrañas de niño. Salve Regina.*

v. 99 Torres, Carlos A., *Discursos.*

v. 100 Posada, Julio, *El machete y otros cuentos.*

v. 101 Caballero, José María, *Particularidades de Santafé.*

v. 102 Ortiz, Juan F., *Pbro., Reminiscencias.*

v. 103 Rivas, Medardo, *Los trabajadores de tierra caliente.*

v. 104 Gamboa, Isaías, *La tierra nativa.*

v. 105-106 Rivera y Garrido, Luciano, *Impresiones y recuerdos.* 2 v.

v. 107-108 Samper, José María, *Historia de un alma.* 2 v.

v. 109 Hernández de Alba, Guillermo, *Aspectos de la cultura en Colombia.*

v. 110 Saffray, Doctor, *Viaje a Nueva Granada.*

v. 111 Zerda, Liborio, *El Dorado.*

v. 112 Reclús, Eliseo, *Viaje a la Sierra Nevada de Santa Marta.*

v. 113 Nariño, Antonio, *La Bagatela.*

v. 114 Obeso, Candelario, *Cantos populares de mi tierra.*

v. 115 Caicedo Rojas, José, *Recuerdos y apuntamientos.*

v. 116-117 Restrepo, José Manuel, *Historia de la revolución de la república de Colombia en la América Meridional,* t 7-8.

v. 118-119 Núñez Rafael, *La reforma política en Colombia.* t. 6-7.

v. 120 Orbea, Fernando de, *Comedia nueva; la conquista de Santa Fe de Bogotá.*

v. 121 Silvestre Sánchez, Francisco, *Descripción del Reyno de Santa Fe.*

v. 122 Triana, Miguel, *Por el sur de Colombia.*

v. 123 Julián, Antonio, *Pbro., La perla de la América.*

v. 124 Triana, Miguel, *La civilización chibcha.*

v. 125 Camacho Carrizosa, Guillermo, *Crítica histórica.*

v. 126 Rivas Groot, José María, *Novelas y cuentos.*

v. 127 Caparroso, Carlos Arturo, *Antología lírica; 100 poemas colombianos.*

v. 128 Torres, Carlos A., *Estudios varios.*

v. 129 Arboleda Sergio, *La república en la América española.*

v. 130 Umaña Bernal, José, *Poesía, 1918-1945.*

v. 131 Groot, José Manuel, *Historia y cuadros de costumbres.*

v. 132 Vega, Fernando de la, *De Bolívar a Concha.*

v. 133 Isaacs Jorge, *Estudios sobre las tribus indígenas del Magdalena.*

v. 134 Restrepo, Félix, S. J., *Colombia en la encrucijada.*

v. 135-136 Samper, José María, *Historia crítica del derecho constitucional colombiano.* 2 v.

v. 137-142 Posada Gutiérrez, Joaquín, *Memorias histórico-políticas.* 6 v.

v. 143-146 Pombo, Manuel Antonio, *Constituciones de Colombia.* 4 v.

v. 147 Maya, Rafael, *Obra poética.*

v. 148 Caro, José Eusebio, *Antología; verso y prosa.*

v. 149 Caro, Miguel A., *Estudios constitucionales.*

v. 150 Caro, Miguel A., *Artículos y discursos.*

v. 151 Casas Castañeda, José Joaquín, *Antología poética.*

v. 152 Holguín, Carlos, *Cartas políticas, publicadas en el "Correo Nacional".*

v. 153-156 Ibáñez, Pedro María, *Crónicas de Bogotá* 4 v.

v. 157-160 Guerra, José Joaquín, *Estudios históricos.* 4 v.

ICC (colección incompleta), BN, BLAA / LC

* Biblioteca Santander. Bucaramanga, Imp. Deptal. [1932]- v.

v. 1 Martínez Mutis, Aurelio, *Mármol.*

v. 2 Otero Muñoz, Alfonso, *Cosecha lírica;* Díaz Roberto de J., *Hojas al viento.*

v. 3 Antolínez, Luis Enrique, *Versos y prosas líricas;* Martínez Daniel, *Temas científicos, educativos e históricos.*

v. 4 Martínez Silva, Carlos, *Ensayos literarios e históricos.*

v. 5 Otero D'Costa, Enrique, *Montañas de Santander.*

v. 6 Barrera Parra, Jaime, *Notas del week-end.*

v. 7 Harker, Simón S., *Páginas de historia santandereana.*

v. 8 Gutiérrez, José Fulgencio, *Bolívar y su obra.*

v. 9 Otero Muñoz, Gustavo, *Wilches y su época.*

v. 10 Vezga, Florentino, *Memoria sobre el estudio de la botánica en el Nuevo Reino de Granada.*

v. 11 Reyes Rojas, Luis, *De algunas glorias de la raza y gente de Santander.*

v. 12 Gómez Parra, Pedro, *Santander (ensayo biográfico)*.
v. 13 Forero Franco, Guillermo, *Sermones laicos*.
v. 14-15 *Conferencias dictadas en el Centro de Historia de Santander*. 2 v.
v. 16 García, José Joaquín, *Crónicas de Bucaramanga*.
v. 17 Arias, Juan de Dios, *Historia santandereana*.
v. 18 Forero Reyes, Camilo, *Abejas de mi colmena*.
v. 19 Matos Hurtado, Belisario, *Fechos e subcesos de la mía cibdad*.
v. 20 Vega, Fernando de la, *Bolívar legislador, Núñez bolivariano*.
v. 21 Valenzuela, Eloy, *Primer diario de la Expedición Botánica*.
v. 22 Arias, Juan de Dios, *Una institución cultural santandereana*.
v. 23 Harker, Adolfo, *Mis recuerdos*.
v. 24 Arias, Juan de Dios, *Folklore santandereano*, t. 2.
v. 25 Sánchez Camacho, Jorge, *Marco Fidel Suárez*.
v. 26 Valderrama Benítez, Ernesto, *Monseñor Evaristo Blanco*.
v. 27 Sánchez Camacho, Jorge, *Diccionario de voces y dichos del habla santandereana*.
v. 28 Arias, Juan de Dios, *Letras santandereanas*.

ICC (colección incompleta).

BIBLIOTECA "Sur América". Bogotá, Biblioteca "Sur América", 1915-19. v. 19 cm.
PU

COLECCIÓN Antologías de "Sábado". Bogotá, Litografía Colombia, 1944- v.
ICC (colección incompleta)

COLECCIÓN Caballito de Mar. Bogotá, Ediciones Tercer Mundo, 196- v.
ICC (colección incompleta), BLAA

COLECCIÓN de folletos con temas diferentes editados en el siglo XIX. Bogotá, 1857. p. irreg. 18 cm.
ICC

COLECCIÓN La Tertulia. Medellín, Colombia, 196- v.
ICC (colección incompleta), BLAA

COLECCIÓN narrativa colombiana contemporánea. Bogotá, Ediciones Tercer Mundo, 196- v.
ICC (colección incompleta), BLAA

COLECCIÓN navegante. Bogotá, Librería Suramérica, 194 - v.
ICC (colección incompleta)

COLECCIÓN popular de clásicos maiceros. Medellín, Edit. Bedout, 1954- v.
ICC (colección incompleta), BLAA

COLECCIÓN Populibro. Bogotá, Edit. Revista Colombiana, Ltd., 1966-
BLAA

COLECCIÓN "Rojo y Negro". Medellín, Colombia, Universidad Pontificia Bolivariana, 1966- v.
ICC (colección incompleta)

COLECCIÓN vivencia del pasado. Bogotá, Ediciones Tercer Mundo, 196 - v.
ICC (colección incompleta), BLAA

"EDICIONES Papel Sobrante". Medellín, Colombia, [Edit. Carpel-Antorcha], 1967- v.

v. 1 Hernández M., Oscar, *Poemas de la casa.*
v. 2 Osorio D., Antonio, *La ciudad deshabitada* (poemas).
v. 3 Escobar, Eduardo, *Invención de la uva* (poemas).
v. 4 Martínez Arango, Gilberto, *El grito de los ahorcados.*
v. 5 Collazos, Oscar, *El verano también moja las espaldas.*

v. 6 Lushei, Glenna, *Letter to the North, Carta al norte* (poemas).
v. 7 Lopera, Jaime, *La perorata y otras historias.*
v. 8 Mejía Vallejo, Manuel, *Cuentos de zona tórrida.*
BLAA

* [Festivales del libro colombiano]. Biblioteca básica de cultura colombiana. Lima, Editora Latinoamericana, [¿1959?-]. Director: Eduardo Caballero Calderón.

Primera Serie:

1. José María Cordovez Moure, *Reminiscencias de Santafé y Bogotá.* 243 p.
2. Tomás Carrasquilla, *Sus mejores cuentos.* 175 p.
3. Eduardo Zalamea, *Cuatro años a bordo de mí mismo.* 244 p.
4. Eduardo Caballero Calderón, *El cristo de espaldas.* 151 p.
5. Hernando Téllez, *Sus mejores páginas.* 115 p.
6. *Los mejores cuentos colombianos,* [I]. 108 p.
7. *Las mejores poesías colombianas,* [I]. 169 p.
8. Jorge Zalamea, *En gran Burundún - Burundá ha muerto; El rupto de las sabinas, farsa romántica.* 95 p.
9. Gabriel García Márquez, *La hojarasca.* 136 p.
10. Germán Arciniegas, *El caballero de El Dorado.* 223 p.

Segunda Serie:

11. Tomás Carrasquilla, *La marquesa de Yolombó.* 343 p.
12. Eduardo Caballero Calderón, *Siervo sin tierra.* 192 p.
13. José Eustasio Rivera, *La vorágine.* 232 p.
14. Porfirio Barba Jacob, *Poesías completas.* 240 p.
15. Indalecio Liévano Aguirre, *Rafael Núñez.* 456 p.
16. *Los mejores cuentos colombianos,* II. 136 p.
17. *Las mejores poesías colombianas,* II. 147 p.
18. Silvio Villegas, *La canción del caminante.* 163 p.
19. Alberto Lleras Camargo, *Sus mejores páginas.* 271 p.
20. Alvaro Gómez Hurtado, *La revolución en América.* 255 p.

BLAA

* Selección Samper Ortega de literatura colombiana. Biblioteca Aldeana de Colombia. Publicaciones del Ministerio

de Educación Nacional. Bogotá, Edit. Minerva, [1935-37]. 100 v. 20 cm. Varias ediciones.

Sección I: Prosa literaria:

v. 1 Caro, M. A., *Del uso en sus relaciones con el lenguaje.*
v. 2 Cuervo, R. J., *El castellano en América.*
v. 3 Suárez, M. F., *Escritos.*
v. 4 Marroquín, J. M., *Retórica y poética.*
v. 5 Guzmán, Diego Rafael de, *De la novela.*
v. 6 Carrasquilla, R. M., *Oraciones.*
v. 7 Valencia Guillermo, *Discursos.*
v. 8 Gómez Restrepo, Antonio, *Crítica literaria.*
v. 9 Torres, C. A., *Idola fori.*
v. 10 Solano, Armando, *Prosas.*

Sección II: Cuento y novela:

v. 11 *Varias cuentistas colombianas.*
v. 12 Carrasquilla, Tomás, *novelas.*
v. 13 Rendón, F. de P., *Inocencia.*
v. 14 Silvestre, L. S. de, *Tránsito.*
v. 15 Rivas Groot, J. M. y Evaristo, *Cuentos.*
v. 16 Pérez Triana, Santiago, *Reminiscencias tudescas.*
v. 17 *Tres cuentistas jóvenes* (Manuel García Herreos, J. A. Osorio Lizarazo y E. Arias Suárez).
v. 18 Samper Ortega, Daniel, *La obsesión.*
v. 19 *Varios cuentistas antioqueños.*
v. 20 *Otros cuentistas.*

Sección III: Cuadros de costumbres:

v. 21 Groot, J. M., *Cuadros de costumbres.*
v. 22 *Cuadros de costumbres,* de Rafael Eliseo Santander, Juan Fco. Ortiz y José Caicedo Rojas.
v. 23 Díaz, Eugenio, *Una ronda de don Ventura Ahumada y otros cuadros.*
v. 24 Vergara y Vergara, J. M., *Las tres tazas y otros cuadros.*
v. 25 Silva, Ricardo, *Un domingo en casa y otros cuadros.*

v. 26 Guarín, J. D., *Cuadors de costumbres.*

v. 27 Pombo, Manuel, *La niña Agueda y otros cuadros.*

v. 28 Rivera y Garrido, Luciano, *Memorias de un colegial.*

v. 29 Restrepo, Juan de Dios [Emiro Kastos], *Mi compadre Facundo y otros cuadros.*

v. 30 Camargo, Rafael M. [Fermín de Pimentel y Vargas], *Un sábado en mi parroquia y otros cuadros.*

Sección IV: Historia y leyendas:

v. 31 Restrepo, José M., *Historia de la Nueva Granada.*

v. 32 Espinosa, José M., *Memorias de un abanderado.*

v. 33 Posada Gutiérrez, Joaquín, *La batalla del Santuario.*

v. 34 Cordovez Moure, José M., *De la vida de antaño.*

v. 35 Peñuela, Cayo L., *Boyacá.*

v. 36 Posada, Eduardo, *El Dorado.*

v. 37 Rivas, Raimundo, *Mosquera y otros estudios.*

v. 38 *Leyendas* de José María Quijano Otero, Luis Capella Toledo, Camilo S. Delgado y Manuel José Forero.

v. 39 Otero D'Costa, Enrique, *Leyendas.*

v. 40 Narváez, Enrique de, *Los mochuelos.*

Sección V: Ciencias y educación:

v. 41 Caldas, Francisco J. de, *Viajes.*

v. 42 Uribe Angel, Manuel, *La medicina en Antioquia.*

v. 43 Samper, Miguel, *Escritos.*

v. 44 Uribe, J. A., *Cuadros de la naturaleza.*

v. 45 Uricoechea, Ezequiel, *Antigüedades neogranadinas.*

v. 46 Camacho Roldán, Salvador. *Estudios.*

v. 47 Vezga, Florentino, *Botánica indígena.*

v. 48 Vezga, Florentino, *La Expedición Botánica.*

v. 49 López de Mesa, Luis, *La sociedad contemporánea y otros escritos.*

v. 50 Nieto Caballero, Agustín, *Sobre el problema de la educación nacional.*

Sección VI: Ensayos:

v. 51 Arboleda Sergio, *Las letras, las ciencias y las bellas artes en Colombia.*

v. 52 Casas, José Joaquín, *Semblanzas* (Diego Fallon y José Manuel Marroquín).

v. 53 Mora, Luis M., *Los contertulios de la Gruta Simbólica.*

v. 54 *Eruditos antioqueños* (Tomás O. Eastman, Laureano García Ortiz y B. Sanín Cano).

v. 55 Ospina, Mariano, *El Dr. José Félix de Restrepo y su época.*

v. 56 Vega, Fernando de la, *Crítica.*

v. 57 Nieto Caballero, Luis E., *Críticas.*

v. 58 Rueda Vargas, Tomás, *La sabana de Bogotá.*

v. 59 Pizano Restrepo, Roberto, *Biografía de Gregorio Vásquez.*

v. 60 Hernández, J. C., *Prehistoria Colombiana.*

Sección VII: Periodismo:

v. 61 Otero Muñoz, Gustavo, *Historia del periodismo en Colombia.*

v. 62 *Periodistas de los albores de la República* (Jorge Tadeo Lozano, Fray Diego Francisco Padilla, José María Salazar y Juan García del Río).

v. 63 Ancízar, Manuel, *Editoriales del Neo-granadino.*

v. 64 *Periodistas liberales del siglo XIX* (Felipe Pérez, Santiago Pérez, Tomás Cuenca, Felipe Zapata y Fidel Cano).

v. 65 Núñez, Rafael, *Los mejores artículos políticos.*

v. 66 Martínez Silva, Carlos, *Prosa política.*

v. 67 Camacho Carrizosa, José, *Artículos varios.*

v. 68 Cano, Luis, *Semblanzas y editoriales.*

v. 69 *Periodismo* (Eduardo, Enrique y Gustavo Santos).

v. 70 *Antología de periodistas.*

Sección VIII: Elocuencia:

v. 71 *Antonio Nariño, Francisco de P. Santander y Julio Arboleda.*

v. 72 *Bolívar, Camilo Torres y Francisco Antonio Zea.*

v. 73 *Oradores liberales.*

v. 74 *Oradores conservadores.*

v. 75 Mosquera, Manuel José, *Sermones.*

v. 76 *Oradores sagrados del fin de siglo.*

v. 77 Castro Silva, José Vicente, *Sermones y discursos.*

v. 78 García, Juan Crisóstomo, *Selección oratoria.*

v. 79 *Oradores sagrados de la generación del centenario.*

v. 80 *Los jóvenes oradores sagrados* (Jorge Murcia Riaño, Alvaro Sánchez, José Manuel Díaz y José Eusebio Ricaurte).

Sección IX: Poesía:

v. 81 *Los poetas (Flores de varia poesía).*

v. 82 *Los poetas del dolor y de la muerte.* Prólogo de Carlos García Prada.

v. 83 *Los poetas del amor y de la mujer.* Prólogo de Gustavo Otero Muñoz.

v. 84 *Los poetas (De la naturaleza).* Prólogo de Antonio Gómez Restrepo.

v. 85 *Los poetas (Ingenios festivos).*

v. 86 *Los poetas del amor divino.*

v. 87 *Los poetas (De la patria).*

v. 88 *Los poetas (Fábulas y cuentos).*

v. 89 *Las mejores poetisas colombianas.*

v. 90 *Los poetas (De otras tierras).*

Sección X: Teatro:

v. 91 Vargas Tejada, Luis, *Las convulsiones y Doraminta.*

v. 92 Fernández Madrid, José, *Atala y Guatimoc* (Tragedias en verso).

v. 93 Sáenz, Echeverría, Carlos y Lleras, José Manuel, *Piezas de teatro.*

v. 94 Samper, José María, *Un alcalde a la antigua y dos primos a la moderna.*

v. 95 Marroquín, Lorenzo y Rivas Groot, José M., *Lo irremediable.*

v. 96 *Traducciones teatrales por Roberto McDouall y Víctor E. Caro.*

v. 97 Céspedes, Angel M., *El tesoro.*

v. 98 Alvarez Lleras, Antonio, *Víboras sociales y Fuego Extraño.*

v. 99 Osorio, Luis E., *El iluminado.*

v. 100 Zalamea, Jorge, *El regreso de Eva.*

Indices. Bogotá, Editorial Minerva, 1937. 456 p. 20 cm.

Para un extenso comentario sobre esta colección *V.* Ignacio Rodríguez Guerrero, *Libros colombianos raros y curiosos,* en

Bol. Cult. y Bibl. (Bogotá), IX, núm. 5 (1966), p. 912-18. *V.* también reseña de Carlos García Prada, en *Books Abroad,* XII (1939), p. 151 y sgts.

ICC, BN, BLAA / LC, Y, USC

2. ANTOLOGIAS Y COMPILACIONES

ACADEMIA CARO, *Bogotá.*

Homenaje que la Academia de Caro de Bogotá tributa a Jesucristo con ocasión del Primer Congreso Eucarístico Nacional; piezas literarias recitadas en la velada celebrada en el teatro de Colón la noche del 7 de septiembre de 1913. Bogotá, Imp. de "La Unidad". [s. f.], 3 h. p., 49 p. rets. 15½ cm.

"En la solemne velada literaria que se celebró en el Teatro de Colón, fueron leídos por sus autores los discursos y las poesías que en seguida se insertan, cuya publicación fue ordenada por expreso acuerdo de la Corporación..." *(Prefacio,* s. p.).

Contiene prosa y verso.

BLAA

ACHURY VALENZUELA, DARÍO, 1906- *ed.*

El libro de los cronistas; notas y selección de Darío Achury Valenzuela. Bogotá, [Edit. Minerva, S. A.], 1936. 198 p. 18 cm. (Ediciones "Antena").

Prosa.

ICC / LC

ALBUM literario dedicado al centenario del Libertador Simón Bolívar ... Bogotá, N. Torres, 1883. 64 p. ret. 24 cm.

Prólogo, por Manuel M. Madiedo, s. p.

"Varios jóvenes presididos por el señor doctor Manuel M. Madiedo, nos hemos reunido con el objeto de hacer un álbum literario, el que será enviado a Venezuela, como contingente de la juventud colombiana en la fiesta del centenario del Libertador". (*Carta de la comisión encargada,* s. p.).

Contiene prosa y verso.

BN / Y

ALVAREZ D'ORSONVILLE, J. M., 1900-

... Colombia literaria: Reportajes. [Bogotá, Ministerio de Educación Nacional, 1965]. 495 p., 3 h. 21 cm. (Biblioteca de Autores Contemporáneos).

vol. II: *id.,* 1957. 501 p. 21 cm.

vol: III: [Bogotá, Prensas del Instituto Caro y Cuervo, 1960]. 441 p. 20 cm.

"Pensamiento de algunos escritores de Colombia expresado por medio de reportajes que han sido también transmitidos por la radio revista Colombia literaria, que dirije el autor".

ICC, BLAA / LC

ANTOLOGÍA colombiana. [s. l.], 1954. II, 118 p. 32 cm.

Mimeografiado. Sin página titular.

Contenido: 1ª Parte: Noticias bio-bibliográficas sobre los autores; 2ª Parte: Antología.

Contiene prosa y verso.

ICC

ANTOLOGÍA del humor colombiano. Recopilaron: Aquileo Sierra L., Agustín Jaramillo L. Medellín. [Edit. Bedout, ¿1927?]. 532 p.

"Comprende versos de cuarenta y un autores, y prosa de treinta y cinco".

Ficha suministrada por el padre José J. Ortega Torres.

ANTOLOGÍA de los discursos y poesías leídos en la noche del 19 de julio de 1911, en honor del M. R. P. Alfonso María

Morquillas. Cali, Tip. M. Sinisterra, [1911]. 39 p. 18 cm.
A la cabeza del título: Velada lírico-literaria.

Contiene prosa y verso.
BN

ARANGO, GONZALO.

De la nada al nadaísmo. Bogotá, Ediciones Tercer Mundo, 1966. 97 p.

Prosas y versos de algunos representantes del grupo nadaísta.
De especial interés: *Geniología de los nadaístas*, p. 12-23. [Noticias bio-bibliográficas sobre algunos nadaístas].
BLAA

ARCINIEGAS, ISMAEL ENRIQUE, 1865-1938.

Prosistas y poetas bogotanos. Homenaje del Ministerio de Educación Nacional a Bogotá, en su cuarto centenario. Bogotá, Edit. Centro, 1938. 2 v. 23 cm.

Edición conmemorativa de la fundación de Bogotá.
Antología compilada por Ismael Enrique Arciniegas y editada por Tomás Rueda Vargas.
Contenido: I. Prosistas; II. Poetas.
ICC, BN / LC, CU, NYPL, UCLA

ARIAS, JUAN DE DIOS, 1896-

Letras santandereanas. [Bucaramanga, Colombia], Academia de Historia de Santander, [1963]. III, 4-354 p., 1 h. 24 cm. (Biblioteca "Santander", 28).

Preámbulo, por Juan de Dios Arias, p. [5]-8.
Advertencia, p. 9: "No figuran en este volumen sino autores ya fallecidos".
Contiene prosa y versos.
ICC

ARRÁZOLA, ROBERTO, *ed.*

Sesenta plumas escriben para Ud. Prólogo, notas y selección de Roberto Arrázola. Buenos Aires, Edit. Colombia, [1944]. [7]-674 p. 20½ cm.

"Volumen de divulgación de los valores literarios colombianos en general". p. [7].

Antología de sesenta prosistas colombianos.

BN / LC, NYU

AZULA BARRERA, RAFAEL, 1912-

Los grandes prosistas colombianos. Bogotá, Lit. Colombia, 1944. 126 p. 15 cm. (Colección Antologías de "Sábado", 1).

Contenido: Selecciones de José Eustasio Rivera, Luis López de Mesa, Tomás Rueda Vargas, Armando Solano, Rafael Maya, José Camacho Carreño, José Mar, Silvio Villegas, Jaime Barrera Parra, Alberto Lleras, Augusto Ramírez Moreno, Luis Tejada, E. Caballero Calderón, Hernando Téllez, Rafael Azula Barrera, Eduardo Carranza, Arturo Camacho Ramírez, B. Arias Trujillo.

ICC

BOGOTÁ (COLOMBIA). *Concejo.*

Homenaje del Cabildo a la ciudad en su IV Centenario, 1538-1938. [Bogotá, Imp. Municipal, 1938]. XXVI, 1 h., 212 p. ilus., rets. 29 cm.

Número extraordinario del *Registro Municipal* del 6 de agosto de 1938.

Contiene prosa y verso.

BLAA

BORDA, IGNACIO, 1894-

Apoteosis de Colón; escritores colombianos muertos; su tributo en la universal conmemoración (homenaje de

D. Ignacio Borda) ... Bogotá, Imp. de "La Luz", 1892. 68 p., 2 h. ret., facsim. 23 cm.

"En nuestro anhelo de que todo concurra a la glorificación sin ejemplo, hemos querido evocar, por decirlo así, el espíritu de los escritores colombianos que escribieron y cantaron a Colón y que han pasado a la eternidad". (*Centenario de Colón,* por Ignacio Borda, s. p.).

BLAA

[Caicedo Rojas, José], 1816-1898.

Album de los pobres. Bogotá, Imp. de Gaitán, 1869. 96 p. 18 cm. Editor: José Caicedo Rojas. Compiladora: M. Párraga de Quijano.

Advertencia, p. 3-4.
Contiene prosa y verso de figuras femeninas.
BN, BLAA / Y

— El año nuevo. Bogotá, Imp. de Ancízar, 1849. 2 h. p. [3]-63, [3] p. front. ret., música. 13½ cm.

Dedicatoria: Bellas Granadinas, por los Editores, p. [3]-4.
Contiene prosa y verso.
BLAA

Castilla Barrios, Olga, *Breve bosquejo de la literatura infantil* ... V. p. 294.

* Colombie, en *Europe*: Revue mensuelle. Paris, Nº 423-24 (juillet-août, 1964), p. 1-203.

"Panorama de la littérature colombienne". (*Hdbk,* Nº 28).
Contiene una antología (prosa y verso) de autores nacionales con selecciones traducidas al francés.
ICC

CORONA de honor que la República y la amistad dedican al señor don Temístocles Tejada, eminente poeta americano. Bogotá, Imp. de Echeverría, 1897. 31 p. 23½ cm.

Contiene prosa y verso.
BLAA

[CORONA fúnebre a Daniel Bayona Posada], en DANIEL BAYONA POSADA, *Poesías* ... Bogotá, J. Casís, 1921, p. 51-108.

"... los editores han creído de justicia y de necesidad completar este libro con la recopilación de los homenajes rendidos a la noble memoria de Daniel Bayona Posada". *(Nota preliminar).*
Contiene prosa y verso.
LC, Y

CORONA fúnebre a la memoria del General Sergio Camargo. Bogotá, Imp. de "La Luz", 1909. 136 p. front., ret. 22½ cm.

Prosa.
BLAA

CORONA fúnebre del doctor José Joaquín Vargas. [Tunja, 1889]. 80 p. ret. 23 cm.

Prosa.
BLAA

CORONA fúnebre del General Abraham García formada de acuerdo con el artículo 5º del decreto número 423 que honra su memoria, expedido por el gobernador del Departamento, 1897. Medellín, Imp. del Departamento, 1897. 147 p. ret. 23 cm.

Contiene prosa y verso.
BLAA

CORONA fúnebre en honor del Dr. César Conto; homenaje de la juventud liberal caucana. Bogotá, Imp. de Echeverría, 1891. 1 h. p., 80 p. ret. 22½ cm.

Contiene prosa y verso.
BLAA

CORONA fúnebre en honor del doctor Eustaquio Palacios; homenaje de sus hijos. Cali, Imp. de Palacios, 1890. 2 h., 120 p. ret. 23 cm.

Contiene prosa y verso.
BLAA

CORONA fúnebre en honor del señor doctor José M. Rojas Garrido. Bogotá, Imp. de Echeverría, 1884. 112 p. ret. 22½ cm.

Contiene prosa y verso.
BLAA

CORONA fúnebre en honor del Sr. Sergio Arboleda. Ibagué, Imp. del Departamento, 1890. 2 h., 159 p. ret. 27 cm.

Contiene prosa y verso.
BLAA

CORTÁZAR, ROBERTO, RENGIFO, FRANCISCO M., y OTERO HERRERA, ANTONIO.

Nuevo lector colombiano, por Roberto Cortázar, Francisco M. Rengifo y Antonio Otero Herrera ... 30ª ed. Bogotá, Edit. Voluntad, [1962]. 288 p. ilus. 19 cm. Numerosas ediciones.

1ª ed.: Bogotá, Imp. de "La Luz", [1913]. xi, 356 p.

La mayor parte de las selecciones incluídas son de autores colombianos.

ICC, BN, BLAA / LC (1ª ed.), Y (1ª ed.)

CUENTOS y versos, segundo concurso literario femenino ... Medellín, J. L. Arango, 1920. 42 p. 1 h. 23 cm.

Contiene prosa y verso.

Fallo del jurado calificador, por G. Cano, A. Castro, y M. Ospina V., p, [3]-7.

Salutación por C. Mendía, p. [37]-42.

Contiene prosa y verso.

Y

DESPEDIDA al señor José Joaquín Borda. De "El Gris", núms. 10 i 11. Bogotá, Imp. de Gaitán, [¿1886?]. 16 p.

Con motivo del viaje de Borda al Perú.

Contiene prosa y verso.

BLAA

F[RANCO] V. C[ONSTANCIO], 1842-

Corona fúnebre; recuerdo tributado a la memoria del simpático y distinguido joven Cornelio Manrique ... Bogotá, Imp. de Gaitán, 1871. 1 h. p., [5]-35 p. 21½ cm.

Contiene prosa y verso.

BLAA

FRANCO O., JESÚS MARÍA.

Corona fúnebre dedicada a la memoria del eximio señor M. A. Caro, por Jesús María Franco O. Manizales, Imp. del Renacimiento, 1909. 2 h. p., 98 p. ret. 24 cm.

"... sólo podemos ofrendar a su memoria la presente *Corona fúnebre* formada con las producciones que algunos admiradores

del grande hombre han escrito con motivo de su muerte". (*Homenaje de gratitud,* por Jesús M. Franco, s. p.).
Contiene prosa y verso.
BLAA

GÓMEZ RESTREPO, ANTONIO, 1869-1947, *Historia de la literatura Colombiana* ... V. p. 296.

GUTIÉRREZ, BENIGNO A., 1899-1957.
Gente maicera, mosaico de Antioquia la grande. Medellín, Edit. Bedout, 1950. 303 p. 24 cm.
Contiene prosa y verso.
ICC / LC, PU

HOMENAJE a la memoria de Alberto Vélez Calvo. Bogotá, Edit. Centro, 1935. 3 h. p., [9]-232, [2] p. 1 ret. 17 cm.
Documentos: p. [169]-232.
Prosa.
BLAA

HOMENAJE a la memoria de Francisco de Paula Santander. Ibagué, [Edit. Apolo], 1940. 60 p. rets. 24 cm.
Contiene prosa y verso.
BLAA

HOMENAJE al Libertador Simón Bolívar; reimpreso en Caracas en 1842, del folleto publicado en Bogotá en 1831. Caracas, 1842. 48 p. 20 cm. Carece de portada.
Composiciones escritas a la muerte de Bolívar.
Contiene prosa y verso.
BLAA

HOMENAJE de "La Nación" al Sr. D. Miguel Antonio Caro el 10 de noviembre de 1888. Bogotá, Imp. de "La Nación", 1889. 126 p. ret. 22 cm.

Contiene prosa y verso.
ICC, BN

LAVERDE AMAYA, ISIDORO, 1852-1903.

Muestras de literatura colombiana, en *Apuntes sobre bibliografía colombiana,* con muestras escogidas en prosa y en verso ... Bogotá, Imp. de Zalamea Hnos., 1882, p. 1-252.

Indice, p. I-III.
ICC, BN, BLAA / LC, PU, NYPL, NC, UCLA

MARTÍNEZ M., GUILLERMO E.

Algunos prosistas del Valle del Cauca. [Cali, Colombia, Imp. del Depto., 1958]. 188 p. rets. 20 cm. (Biblioteca de Autores Vallecaucanos).

Contiene noticias biográficas.
ICC

[MERCHÁN, NEPOMUCENO], -1895.

Corona fúnebre; homenaje de respeto y gratitud que el patriotismo tributa a los hombres que fueron gloria de la patria ... Bogotá, Imp. de A. M. Silvestre, 1895. 55 p. rets. 22½ cm.

La *Corona* honra a José María Caro, a los generales Antonio M. Nariño, Lisandro Suárez H., al coronel Roberto de Narváez, etc.
Contiene prosa y verso.
BN, BLAA

MISCELÁNEA. [Bogotá, 1850-85]. 15 v. en 1. 15 cm.

Colección de folletos. Prosa.
PU

MISCELÁNEA de cuadernos, 1851-1858. 6 v. en 1. 15½ cm.

Colección de folletos. Prosa.
PU

* MOLINA, JUAN JOSÉ, 1838-1902.

Antioquia literaria. Colección de las mejores producciones de los escritores antioqueños desde 1812 hasta hoy, publicadas a inéditas. Con reseñas biográficas, por Juan José Molina. 2ª ed. Medellín, Imp. del Estado, 1878. 504 p., 25 cm.

Prólogo, por Juan José Molina, p. 3-5.
Antioquia literaria [discurso]. Pronunciado en Angostura el 15 de febrero de 1819, por el Presidente del Congreso de Venezuela, Sr. Francisco Antonio Zea, p. 7-8.
Contiene prosa y verso.
ICC, BN / PU

MONSALVE MARTÍNEZ, MANUEL.

Colombia. Posesiones presidenciales, 1810-1954. Bogotá, Edit. Iqueima, 1954. 557 p. ilus.

"Short sketches of Colombia's presidents and acting chief executives, the circumstances of their tenure of power, precede this collection of presidential addresses. Unfortunately, many of the speeches have been too zealously abbreviated by the compiler, thus reducing the value of what might have been a major source of Colombian political thought". *(Hdbk,* Nº 23).
LC

ORADORES conservadores. [Bogotá, Edit. Minerva, 1936]. 1 h. p. [5]-268, [2] p. 20 cm. (Selección Samper Ortega, 74).

ICC, BN, BLAA / LC, Y, USC

ORADORES liberales. [Bogotá, Edit. Minerva, 1936]. 1 h. p. [5]-209 p. 1 h. 20 cm. (Selección Samper Ortega, 73).

ICC, BN, BLAA / LC, Y, USC

ORTEGA TORRES, JOSÉ J., 1908- *Historia de la literatura colombiana* ... V. p. 300.

ORTIZ, JOSÉ JOAQUÍN, 1814-1892.

La guirnalda ... Publicada por José Joaquín Ortiz ... Bogotá, Imp. de Ortiz, 1855-1856. 2 t. en 1 v. rets. 21½ cm.

tomo I [serie I]: verso. tomo II [serie II]: prosa y verso.
ICC, BN, BLAA / Y (serie I).

— Liceo granadino; colección de los trabajos de este Instituto, tomo I. Bogotá, Imp. de Ortiz i Cía., 1856. 317 p. 22 cm.

Introducción, por Los Redactores, p. [3]-11.
Contiene prosa y verso.
BLAA / LC, Y

OTERO MUÑOZ, GUSTAVO, 1894-1957.

Hombres y ciudades. Antología del paisaje, de las letras y de los hombres de Colombia. Bogotá, Prensas del Ministerio de Educación, 1948. xxiii, 710 p. ilus. 22 cm.

Pórtico, p. XIII-XIX.

"Este libro es una antología del paisaje, de las letras, de la vida y de los hombres de Colombia. Por él desfilan la heráldica, la descripción, la historia, la biografía y los hechos capitales de veintidós ciudades nuestras". (*Pórtico,* p. XIX).

Contiene prosa y verso.

ICC, BN / LC, UVa, UMi

PALABRAS colombianas en honor de Francia. Bogotá, Juan Casís, editor, 1917. 95 [1] p. 17½ cm.

Introducción, por L. E. Nieto Caballero, p. [3]-9.

Contiene prosa y verso.

PU

PARDO DE HURTADO, ISABEL, *seud.* Diana Rubens, 1910-

Mujeres colombianas (desfile de escritoras y poetisas). Quito, Ecuador, "El Comercio", 1940, 94 p. 23 cm.

Breve definición de Diana Rubens, por Augusto Sacotto Arias, p. [7-8].

Prefacio, por Diana Rubens, p. 9.

Contiene prosa y verso.

LC

RAMÍREZ B., ROBERTO, *ed.*

Elocuencia colombiana. Bogotá, Imp. Comercial, 1912. II, 78 p., 1 h. ilus., rets. 24½ cm.

[2ª ed.]: Bogotá, Arboleda y Valencia, 1920 [¿1921?]. IX, 371 p.

[3ª ed.]: Bogotá, Edit. Minerva, 1928.

"A collection of addresses on various subjets, chiefly historical or political, with short biographical sketches of the authors".

LC (3ª ed.), PU (3ª ed.), Y (1ª ed.)

— Homenaje a la memoria del Dr. Rafael Núñez. Bogotá, Edit. Electra, 1904. 55 p.

Contiene prosa y verso.
BN

RAMOS, EUSTACIO.

Literatura de "El Artista" (Fundado en 1905). Directores: Eustacio Ramos, Joaquín Pontón. Bogotá, Imp. de Carteles, 1913. 156 p. 23 cm.

Introducción, por Eustacio Ramos y Joaquín Pontón, p, [3]-4.
Contiene prosa y verso.
ICC

RIVAS, RAIMUNDO, *et al.*

Centenario de Boyacá. Bogotá, Escuela Tip. Salesiana, 1920. 365 p. ilus. 33½ cm.

"Editado de orden de la Junta de Festejos del Centenario, por Raimundo Rivas, José Joaquín Guerra y Roberto Cortázar". (p. 2).
Preámbulo, p. 5-7.
Contiene prosa y verso.
BN / Y

[RIVERA GARRIDO, LUCIANO], 1846-1899.

En la tumba de Jorge Isaacs. Buga, Imp. de E. Domínguez, 1895. 3 h. p., 48 p. ret. 22½ cm.

Compilación formada a raíz de la muerte de Jorge Isaacs.
Contiene prosa y verso.
BLAA

SALGADO, CUPERTINO.

Homenaje del gobierno de Colombia al capitán Antonio Ricaurte, héroe de San Mateo, en el primer centenario de su natalicio (compilación formada por Cupertino Salgado). Bogotá, Imp. de "La Luz", 1886. VIII, 689 p. ret. 29½ cm.

Prólogo, por C. Salgado, p. [III]-VIII.
Advertencia, p. [IX].
Contiene prosa y verso.
ICC / LC, Y

SOCIEDAD DE ESTUDIOS HISTÓRICOS "FRANCISCO DE PAULA SANTANDER", *Cali*.

Homenaje al General Francisco de Paula Santander en el centenario de su muerte. Cali, Edit. América, 1940. 1 h., 94 p. ilus., rets. 24 cm.

Prosa.
BLAA

SOFFIA, JOSÉ ANTONIO, 1843-1885.

Album de la Caridad, en *Folletines de "La Luz"* (Desde el número 282 hasta el 361)). Bogotá, 1884, p. 393-98.

"Débese la formación de este Album al señor Jose Antonio Soffia, quien personalmente ha recogido todos los autógrafos, retratos y demás que contiene [...]. Se nos ha permitido tomar copia de los pensamientos, y los publicamos en el mismo orden en que están en el libro". (p. 393).
Contiene prosa y verso.
BN, BLAA

TELLO, JAIME, 1918-

Colombia, el hombre y el paisaje; una antología escogida ... Bogotá, Edit. Iqueima, 1955. xv, 302 p., 1 h. 23 cm.

"La antología *Colombia: el hombre y el Paisaje,* es de por sí una historia de esta literatura nuestra y una historia presentada no solamente con nombres de autores, citas biográficas y bibliográficas, sino también con el gran acierto de haber escogido trozos de cada una de las mejores obras de la gran biblioteca colombiana ..." *(Solapa).*

Prefacio, p. [XIII]-XV.

La antología va desde los tiempos modernos a la época colonial. Contiene prosa y verso.

ICC / UVa

20 DE JULIO DE 1859. Colección de los discursos i poesías con que los alumnos del Colejio de la Independencia solemnizaron este glorioso aniversario. Bogotá, Imp. de la Nación, 1859. 35 p. [paginación errada].

Contiene prosa y verso.

BN

VERDADERA ovación. Homenaje al señor General Rafael Reyes. Bogotá, Imp. de Vapor de Zalamea Hnos., 1895. 96 p. ret. 22 cm.

"La Imprenta de Zalamea Hermanos ofrece el humilde obsequio del presente folleto como un homenaje de admiración a los altos méritos y eximias virtudes públicas del benemérito general Rafael Reyes".

Contiene prosa y verso.

BLAA

VERGARA Y VERGARA, JOSÉ MARÍA, 1831-1872.

Escritores colombianos. Colección escojida de artículos en prosa y verso en [*sic*] más de cien literatos. Bogotá, Imp. de Ignacio Borda, 1884. 205 p., 1 h. 20 cm. (Biblioteca de "Las Noticias").

"Muchos de los artículos que van a insertarse en la presente colección los hemos recojido de diversos periódicos que ya no existen ni siquiera en la Biblioteca Nacional".

Contiene sólo prosa.

ICC, BN

— Mosaico, vols. I, IV-VI. [Bogotá, ¿1865-1866?]. 18 cm. MS.

Se conservan en el Museo Literario de Yerbabuena. Faltan vols. II-III.

Contienen prosa y verso.

ICC

[VEZGA, FLORENTINO], 1832-1890, *comp.*

Homenaje del gobierno de la Unión al finado Presidente doctor Francisco J. Zaldúa ... Bogotá, Imp. del "Diario de Cundinamarca", 1884. 84 p. 23½ cm.

Prosa.

BLAA

VILLAMIZAR MELO, JOSÉ LUIS, *Nombres y voces: Literatura santandereana* ... *V.* p. 303.

VILLEGAS, LUIS EDUARDO, 1848-1915.

Manuel Uribe A., Corona fúnebre. Boceto, relaciones del entierro, piezas oficiales, poesías, discursos, artículos y otras publicaciones relativas al ilustre antioqueño recogidas por Luis Eduardo Villegas. Medellín, Imp. Oficial, 1904. 199, VI p. ret. 22 cm.

Contiene prosa y verso.

BLAA

II. LITERATURA GENERAL

1. COLECCIONES

* BIBLIOTECA de Publicaciones del Instituto Caro y Cuervo. Bogotá, Instituto Caro y Cuervo, 1944-

v. 1 *Obras inéditas de Rufino José Cuervo.* Editadas por el R. P. Félix Restrepo S. I.

v. 2 Caro, Miguel A., *La canción de las ruinas de Itálica del Licenciado Rodrigo Caro,* con introducción, versión latina y notas. Publicadas por José Manuel Rivas Sacconi.

v. 3 Rivas Sacconi, José Manuel, *El latín en Colombia.* Bosquejo histórico del humanismo colombiano.

v. 4 Cuervo, Rufino José, *Disquisiciones sobre filología castellana.* Edición, prólogo y notas de Rafael Torres Quintero.

v. 5 Arciniegas, Ismael E., *Las odas de Horacio.* Seguidas del *Canto Secular* y de un fragmento de la *Epístola a los Pisones.* Traducción en rima castellana.

v. 6 Caro, Miguel A., *Poesías latinas.* Edición dirigida por José Manuel Rivas Sacconi.

v. 7 Caro, Miguel A., *Versiones latinas.* Edición dirigida por José Manuel Rivas Sacconi.

v. 8 Flórez, Luis, *La pronunciación del español en Bogotá.*

v. 9 Cueto y Mena, Juan de, *Obras.* Edición crítica, introducción y notas por Archer Woodford. Prólogo de José Manuel Rivas Sacconi.

v. 10 Jiménez de Quesada, Gonzalo, *El Antijovio.* Edición dirigida por Rafael Torres Quintero. Estudio preliminar por Manuel Ballesteros Gaibrois.

v. 11 Curcio Altamar, Antonio, *Evolución de la novela en Colombia.*

v. 12 Rohlfs, Gerhard, *Manual de filología hispánica.* Guía bibliográfica, crítica y metódica. Traducción castellana del manuscrito alemán por Carlos Patiño Rosselli.

v. 13 Flórez, Luis, *Habla y cultura popular en Antioquia.* Materiales para un estudio.

v. 14 Posada Mejía, Germán, *Nuestra América. Notas de historia cultural.*

v. 15 Domínguez Camargo, Hernando, *Obras.* Edición a cargo de Rafael Torres Quintero.

v. 16 Giese, Wilhem, *Los pueblos románicos y su cultura popular.* Guía etnográfico-folclórica.

v. 17 Canfield, Lincoln D., *La pronunciación del español en América.*

v. 18 Flórez, Luis, *Léxico de la casa popular urbana en Bolívar.*

v. 19 Serís, Homero, *Bibliografía de la lingüística española.*

v. 20 Pérez de Oliva, H., *Historia de la inuención de las Yndıas.* Estudio, edición y notas de José Juan Arrom.

v. 21 Flórez, Luis, *El español hablado en Santander.*

v. 22 Martín, José Luis, *La poesía de José Eusebio Caro.*

v. 23 Correa, Gustavo, *Realidad, ficción y símbolo en la novelas de Pérez Galdós.* Ensayo de estética realista.

Series minor:

v. 1 Leo, Federico, *Literatura romana.* Traducción castellana por P. U. González de la Calle.

v. 2 Torres Quintero, Rafael, *Bibliografía de Rufino José Cuervo.*

v. 3 Flórez, Luis, *Lengua española.*

v. 4 Mancini, Guido, *San Isidoro de Sevilla.* Aspectos literarios.

v. 5 Flórez, Luis, *Temas de castellano.* Notas de divulgación.

v. 6 Caparroso, Carlos Arturo, *Dos ciclos de lirismo colombiano.*

v. 7 Valderrama Andrade, Carlos, *El pensamiento filosófico de Miguel Antonio Caro.*

v. 8 Hernández de Mendoza, Cecilia, *Introducción a la estilística.*

v. 9 González de la Calle, Pedro Urbano, *Contribución al estudio del bogotano.* Orientaciones metodológicas para la investigación del castellano en América.

v. 10 Hamilton, Carlos D., *Nuevo lenguaje poético: De Silva a Neruda.*

Filólogos colombianos:

v. 1 *Rufino José Cuervo.* Estudio por Fernando A. Martínez. Bibliografía, por Rafael Torres Quintero.

v. 2 Ortega Torres, Jorge, *Marco Fidel Suárez.* Bibliografía.

v. 3 Martínez, Fernando Antonio, *Suárez, una vivencia del pasado.*

v. 4 *Miguel Antonio Caro.* Actos celebrados en su honor en la ciudad de Roma.

Clásicos colombianos:

v. 1 Cuervo, Rufino José, *Obras.* t. I. Estudio preliminar por Fernando Antonio Martínez.

v. 2 Cuervo, Rufino José, *Obras.* t. II. Bibliografía por Rafael Torres Quintero.

v. 3 Suárez, Marco Fidel, *Obras.* t. I. Edición preparada por Jorge Ortega Torres.

v. 4 Caro, Miguel Antonio, *Obras.* t. I. Estudio preliminar de Carlos Valderrama Andrade.

v. 5 Suárez, Marco Fidel, *Obras.* t. II: *Sueños de Luciano Pulgar.* t. I, II, y III y notas. Edición preparada por el Padre José J. Ortega Torres, con la colaboración de Horacio Bejarano Díaz.

Diccionario:

Cuervo, Rufino José, *Diccionario de construcción y régimen de la lengua castellana.* t. I. (A-B); t. II. (C-D); t. III. (E-H).

Serie bibliográfica:

v. 1 Giraldo Jaramillo, Gabriel, *Bibliografía de bibliografías colombianas.* 2ª ed. corregida y puesta al día por R. Pérez Ortiz.

v. 2 Pérez Ortiz, Rubén, *Seudónimos colombianos.*

v. 3 Ortega Torres, José J., *Indice de "El Repertorio Colombiano".*

v. 4 Ortega Torres, José J., *Indice del "Papel Periódico Ilustrado" y de "Colombia Ilustrada".*

v. 5 Orjuela, Héctor H., *Biografía y bibliografía de Rafael Pombo.* Con la colaboración en la parte bibliográfica de Rubén Pérez Ortiz.

v. 6 Orjuela, Héctor H., *Las antologías poéticas de Colombia.* Estudio y bibliografía.

v. 7 Orjuela, Héctor H., *Fuentes generales para el estudio de la literatura colombiana: Guía bibliográfica.*

Anuario bibliográfico:

Anuario bibliográfico colombiano 1951-1956. Compilado por Rubén Pérez Ortiz.

Anuario bibliográfico colombiano 1957-1958. Compilado por Rubén Pérez Ortiz.

Anuario bibliográfico colombiano 1959-1960. Compilado por Rubén Pérez Ortiz.

Anuario bibliográfico colombiano 1961. Compilado por Rubén Pérez Ortiz.

Anuario bibliográfico colombiano 1962. Compilado por Rubén Pérez Ortiz.

Anuario bibliográfico colombiano "Rubén Pérez Ortiz" 1963. Compilado por Francisco José Romero Rojas.

Anuario bibliográfico colombiano "Rubén Pérez Ortiz" 1964-1965. Compilado por Francisco José Romero Rojas.

Archivo epistolar colombiano:

Epistolario de Rufino José Cuervo y Emilio Teza. Edición, introducción y notas de Ana Hauser y Jorge Páramo Pomareda.

Publicaciones fuera de serie:

Cuervo, Rufino José, *Apuntaciones críticas sobre el lenguaje bogotano,* con frecuente referencia al de los países de Hispano-América. 9ª ed. corregida.

Torres Quintero, Rafael, *Bello en Colombia.* Estudio y selección. Homenaje a Venezuela.

Holguín y Caro, M., *Los Caros en Colombia. Su fe, su patriotismo, su amor.* 2ª ed.

Buesa, Tomás y Flórez, Luis, *El atlas lingüístico etnográfico de Colombia (ALEC).* Cuestionario preliminar.

Arròm, José J., *Esquema generacional de las letras hispanoamericanas.*

Malaret, A., *Lexicón de fauna y flora.*

Boyd-Bowman, Peter, *Indice geo-biográfico de cuarenta mil pobladores españoles de América en el siglo XVI.* t. I, 1493-1519.

El simposio de Cartagena. Agosto de 1963. Informes y comunicaciones.

Ferrán, Jaime, *Elegía sin nombre.*

Caro, Víctor E., *A la sombra del alero.*

Publicaciones periódicas:

Thesavrvs. — Boletín del Instituto Caro y Cuervo. t. I-XXI, 1945-1966.

Noticias Culturales. — Boletín informativo. Números 1 (15 de julio de 1961) — 76 (1º de mayo de 1967).

* BIBLIOTECA popular. Bogotá, Librería Nueva, 1894-1910. 25 v. Edit.: Jorge Roa.

"La *Biblioteca Popular,* de Jorge Roa, es la primera publicación, en su género, que apareció en el país, y un verdadero emporio de noticias históricas y literarias de evidente interés. Especie de grandiosa antología polifacética, en ella encontramos reproducidas, para circunscribirnos al ámbito nacional, numerosas piezas que de otro modo permanecerían quizá en el mundo del olvido". (Ignacio Rodríguez Guerrero).

"Comprende un total de 179 títulos de los cuales 69 pertenecen a autores colombianos".

Transcribimos a continuación el contenido que de esta importante colección da Ignacio Rodríguez Guerrero en *Libros colombia-*

nos raros y curiosos (*Bol. Cult. y Bibl.* IX, núm. 2 [1960], p. 254-59):

"t. I. Bogotá, 1892. 328 p. Rafael Pombo, *Fábulas y cuentos;* Edgar Allan Poe, *Cuentos extraordinarios;* Antonio Nariño, *Escritos varios;* Ludovico Halevy, *El abate Constantino;* Luis Vargas Tejada, *Fábulas políticas;* Juan Monsalve, *Los héroes;* Sergio Arboleda, *Estudios sociales;* Santiago Pérez, *Artículos y discursos.*

t. II. Bogotá, 1899. 298 p. Anatole France, *El cofre de nácar.* Traducción de J. A. Silva; Jerónimo Torres, *Ultimátum.* Deberes; Enrique Ibsen, *Casa de muñeca;* José Joaquín Ortiz, *María Dolores o la historia de mi casamiento;* William Ewart Gladstone, *Autonomía de Irlanda;* M. A. Caro, *Artículos de crítica;* Joaquín Camacho y Francisco José de Caldas,*Historia de nuestra revolución;* Conde León Tolstoy, *Cuentos para el pueblo.* Trad. de J. C. Rodríguez.

t. III. Bogotá, 1898. 328 p. Generales Pablo Morillo y F. de P. Santander, *Campañas de 1816 y 1819;* Alfonso Daudet, *Recuerdos de un literato;* general F. de P. Santander, *Cartas;* Luis de Llanos, *Cosas de mi tierra;* Victoriano Sardou, *La perla negra;* Salvador Díaz Mirón, *Poesías;* J. Manuel Marroquín, *Cuentas alegres y cuentos tristes.*

t. IV. Bogotá, s. f. 344 p. Auerbach, *Narraciones populares de la selva negra;* Camilo Torres, *Documentos históricos;* Eduardo Gutiérrez, *Una tragedia de doce años;* Tomás Cuenca, *Notas sobre la campaña de 1861 y pensamientos;* Ludovico Halevy, *Matrimonios por amor;* C. A. Echeverri, *Noches en el hospital;* Max Müller. *Amor alemán;* José M. Groot, *Cuadros y relaciones.*

t. V. Bogotá, s. f. 297 p. La Motte Fouque, *Ondina;* León Tolstoy, *Juan el imbécil;* José María Samper, *El sitio de San Agustín— Literatura fósil;* A. de Pontmartin, *La marquesa de Aurebonne;* G. Gutiérrez González, *Memorias sobre el cultivo del maíz en Antioquia;* C. Etlar, *La copa de oro;* Pedro Fernández Madrid, *Rasgos de la vida del general Fco. de Paula Vélez;* Carlos Dickens, *Cuentos;* Pbro. Carlos Cortés Lee, *Sermones.*

t. VI. Bogotá, 1894. p. 299-630. Francisco de Soto, *Memorias de 1827;* Hegesipo Moreau, *Cuentos de mi hermana;* Mariano Ospina, *Artículos;* Gustavo Adolfo Bécquer, *Leyendas;* Manuela Sáenz, Ezequiel Rojas, Florentino González y F. de P. Santander, *La cons-*

piración de septiembre; Alejandro Manzoni, *La peste de Milán en 1630;* Mark Twain, *Bocetos humorísticos;* Emiro Kastos, *Cuadros vivos,* Rubén Darío, *Azul.*

t. VII. Bogotá, 1894. 402 p. Lord Macaulay, *Cartas literarias y notas críticas;* Luis Vargas Tejada, *Recuerdo histórico;* Núñez de Arce, *Idilio. Tristezas;* François Coppée, *Cuentos;* Juan Donoso Cortés, *Discurso sobre la biblia.*

t. VIII. Bogotá, 1894. 327 p. Federico Schiller, *María Estuardo;* Larming, *Las mujeres del evangelio;* J. de Maistre, *Viaje alrededor de mi cuarto;* Rafael Núñez, *Poesías y artículos críticos;* S. Camacho Roldán, *Artículos.*

t. IX. Bogotá, 1895. 328 p. S. Camacho Roldán, *Artículos;* H. de Balzac, *Eugenia Grandet;* Eduardo Blanco, *Las queseras y Boyacá;* Manuel Uribe Angel, *Escritos varios.*

t. X. Bogotá, 1895. 355 p. Jorge Isaacs, *Poesías;* Manuel Ancízar, *Antonio José de Sucre;* Ricardo Carrasquilla, *Variedades;* Ramón de Campoamor, *Poemas y doloras;* Julio Arboleda, *Acentos republicanos;* Julio Arboleda, *Gonzalo de Oyón;* Carlos Martínez Silva, *Tres colombianos* (Vergara y Vergara, Samper, Berrío).

t. XI. Bogotá, 1904. 326 p. Simón Bolívar, *Discursos y proclamas. Cartas inéditas;* Andrés Bello, *Discursos universitarios. Poesías selectas;* José Eusebio Caro, *Historia del 7 de marzo de 1849;* Andrés Theuriet, *El padre Daniel;* Emilio Pouvillon, *Bernardita de Lourdes* (Misterio).

t. XII. Bogotá, 1896. 338 p. Juan Clemente Zenea, *Cantos de un mártir;* José Joaquín Ortiz, *Cartas de un sacerdote católico;* José María Vergara y Vergara, *Artículos olvidados;* Manuel Gutiérrez Nájera, *Poesías;* Pedro Antonio de Alarcón, *El capitán veneno;* Santiago Arroyo, *Apuntes históricos sobre la revolución de la independencia de Popayán.*

t. XIII. Bogotá, 1896. 340 p. Dante, *La divina comedia;* Miguel de Cervantes, *El licenciado Vidriera;* Guillermo Shakespeare, *El mercader de Venecia;* Juan Valera, *Asclepigenia-Parsondes;* Felipe Pérez, *Estela;* José Joaquín de Olmedo, *La victoria de Junín-Canto al vencedor de Miñarica.*

t. XIV. Bogotá, 1897. 322 p. Juan García del Río, *Página de oro de la historia de Cartagena;* Paul Bourget, *La edad del amor;* José Velarde, *Poemas;* Juan Francisco Ortiz, *Carolina la bella;* David Livingstone, *El Centro de Africa;* J. J. Molina, *Artículos literarios;* Juan Eugenio Hartzenbush, *Los amantes de Teruel;* La Bruyère, *Caracteres y retratos;* Candelario Obeso, *Lecturas para ti.*

t. XV. Bogotá, 1897. 339 p. R. P. Enrique Didon, *La muerte de Jesús;* Marmier, *La dictadura del doctor Francia;* Goethe, *Herman y Dorotea;* José J. Borda, *Koralia;* Gustavo Adolfo Bécquer, *Rimas;* Manuel María Mallarino, *Viaje por el Quindío;* Mariano José de Larra, *Artículos de Fígaro;* Benjamín Franklin, *La ciencia del buen Ricardo y consejos para hacer fortuna;* José Caicedo Rojas, *Los amantes de Usaquén.*

t. XVI. Bogotá, 1898. 344 p. Calderón de la Barca, *La vida es sueño;* Pablo Luis Courier, *Folletos políticos;* José María Quijano Otero, *Los Gutiérrez—¡Tierra...! Tierra!;* Enrique Lavedon, *Diario de una novia;* Manuel de Pombo, *Carta a Blanco White sobre la independencia de América y Filipinas;* José David Guarín, *Mi cometa— Entre Ud. que se moja;* José Zorrilla, *Tradiciones de Toledo;* Nicolás Gogol, *El abrigo.*

t. XVII. Bogotá, 1898. 346 p. H. W. Longfellow, *Poesías;* Hoffman, *El violín de Cremona;* Eugenio Díaz, *Cuadros de costumbres* (El trilladero de la hacienda de Chingatá - El trilladero del vínculo); Milton, *El paraíso perdido* (trad. de Aníbal Galindo); Cecilio Acosta, *Funerales del arzobispo Mosquera - La mujer - Poesías;* Antonio García Gutiérrez, *El trovador;* Guy de Maupassant, *Tres cuentos* (El literato - El aderezo del baile - Pierrot); Joaquín Pablo Posada, *Camafeos;* Manuel Antonio López, *Batalla de Ayacucho.*

t. XVIII. Bogotá, 1899. 332 p. Napoleón, *Arengas y proclamas;* José Manuel Restrepo, *Diario de un emigrado;* Enrique Heine, *Intermezzo lírico* (trad. de Pérez Bonalde); H. Stanley, *En el continente negro;* Diógenes A. Arrieta, *Poesías;* Chateaubriand, *El último abencerraje;* J. M. Vergara y Vergara, *Un manojito de hierba;* Hugo Conway, *El secreto del stradivarious;* Fernán Caballero, *Cuentos populares.*

t. XIX. Bogotá, 1899. 338 p. Henry Murger, *Baladas;* M. Menéndez Pelayo, *Historia de la poesía lírica en Colombia;* Alfonso de Lamartine, *Poesías;* Goethe, *Mignon;* Manuel Pombo, *Prosa y verso;* Julián del Casal, *Nieve;* Andersen, *Cuentos maravillosos;* Juan Manuel Lleras, *El espíritu del siglo.*

t. XX. Bogotá. 1899. 324 p. José María de Pereda, *Pachín González;* Rafael M. Merchán, *Emociones;* Lord Byron, *Peregrinación del Childe Harold;* F. Coppée, *Dolor benéfico;* José Eusebio Caro, *Poesías escogidas;* Alfredo Tennyson, *Idilios y poemas;* Luis Vargas Tejada, *Las convulsiones.*

t. XXI. Bogotá, 1901. 313 p. Enrique Conscience, *La tumba de hierro;* Jovellanos, *Diversiones públicas - Romerías de Asturias — El Paular;* Diego Fallon, *Poesías;* Swift, *Viajes de Gulliver;* Gray, Schiller, Poe, *Tres joyas literarias* (Elegía escrita en un cementerio de Aldea, La canción de la campana, El Cuervo).

t. XXII. Bogotá, 1902. 318 p. Anónimo, *El romancero del Cid;* Pedro A. Herrán, *Política de conciliación;* Enrique Sienkiewicz, *Janco el músico;* Manuel Acuña, *Hojas secas* (poesías); Moratin, *La derrota de los pedantes;* Victor Hugo, *Waterloo;* W. Irving, *La herencia del moro - La favorita de la aldea;* Topffer, *Viajes escolares.*

t. XXIII. Bogotá, 1902. 340 p. Angel Cuervo, *Cómo se evapora un ejército;* B. Pérez Galdós, *Marianela.*

t. XXIV. Bogotá, 1909. 328 p. Carlos Nodier, *El último banquete de los girondinos;* Víctor Alfieri, *La tiranía;* Carlos Sáenz Echeverría, *Juguetes cómicos;* Carlos Lombo, *Cuentos de Shakespeare;* Fray Luis de León, *Poesías;* Aristides Rojas, *El corazón de Girardot - Un corazón que clama por sepultura;* Edmundo de Amicis, *Cuentos escolares;* H. W. Longfellow, *Evangelina* (trad. de Rafael M. Merchán).

t. XXV. Bogotá, 1910. 317 p. F. de P. Santander, *Historia de las desavenencias con el libertador Bolívar;* Sir Walter Scott, *Cuentos de un abuelo;* Olegario V. Andrade, *Cantos;* Monseñor Irelano, *La iglesia y el siglo;* José de Espronceda, *El estudiante de Salamanca;* Antonio Aparisi y Guijarro, *Discurso de rústico - Pensamientos;* Manuel Gutiérrez Nájera, *Cuaresmas del duque Job;* Douglas Jerrold, *Las pláticas nocturnas de una mujer".*

ICC, BN, BLAA

FOULCHÉ-DELBOSC, RAYMOND, 1864-1929, *Manuel de l'hispanisant* ... *V*. p. 31-32.

SANTOS, EDUARDO, *ed.*
Lecturas populares; Colección de grandes escritores nacionales y extranjeros ... Editor: Eduardo Santos. Bogotá, Suplemento Literario de "El Tiempo", 1914. 5 v. 17 cm.
Prosa.
ICC

2. ANTOLOGIAS Y COMPILACIONES

A LA MEMORIA de Andrés Bello en su centenario, homenaje del "Repertorio Colombiano". Bogotá, Librería americana, 1881. 3 h., 128 p. 24 cm.
Contiene prosa y verso.
Y

ALBUM literario dedicado al centenario del libertador Simón Bolívar ... Bogotá, N. Torres, 1883. 64 p. ret. 24 cm.
Contiene prosa y verso.
BN / Y

AMUCHÁSTEGU, CARLOS J., *Curso de literatura hispanoamericana* ... *V*. p. 303.

* AN ANTHOLOGY of Spanish American literature. Second ed. New York, Appleton, Century-Crofts, [1967]. 2 v.
Prepared under the auspices of the Instituto Internacional de Literatura Iberoamericana by a committee consisting of John E. Englekirk, etc.
Irst. ed.: *id.,* 1946. Editors: Herman Hespelt *et al.*
"In this second edition the Anthology has been revised to serve as a companion volume to the *third* edition of *An Outline*

History of Spanish American Literature. [*V.* p. 303-304] published by the same committee and under the same auspices. Twenty-four additional authors have been added to the anthology".

Contenido general: *Irst Period*: From Discovery to Independence: I. Literature of discovery, conquest, exploration, and evangelization (1492-1600); II. Flowering and decline of colonial letters (1600-1750); III. Period of enlightenment and revolt (1750-1832); *2nd. Period*: From Independence to Mexican revolution: I. Romanticism (1832-1888); II. Realism and naturalism (1854-1918); III. Modernism (1882-1910); *3rd. Period*: From the Mexican revolution to the present: I. Poetry (A. Postmodernism; B. Vanguardismo); II. Prose (A. Essay; B. Fiction).

Contiene prosa y verso.

LC, Y, UVa, KU, USC, UCLA

* ANDERSON IMBERT, ENRIQUE y FLORIT, EUGENIO.

Literatura hispanoamericana; antología e introducción histórica. New York, Holt, Rinehart & Winston, [c1960]. XII, 1 h., 780 p. 26½ cm.

Prefacio, por E. A. I. y E. F., p. [v]-VI.

Lecturas complementarias, p. 751-56.

Glosario, p. [757]-62.

"Esta antología ha sido preparada especialmente para los estudiantes de literatura hispanoamericana en los Estados Unidos. Sin embargo, creemos que también ha de ser útil en los países de lengua española. No es un mero texto escolar, sino un repertorio de literatura ..." (*Prefacio,* p. v).

Contiene prosa y verso.

V. reseña de James W. Robb, en *Revista Interamericana de Bibliografía* (Washington), XI (octubre-diciembre de 1961), p. 342-44.

BLAA / LC, PU, USC, UCLA

BATRES JÁUREGUI, ANTONIO.

Literatura americana (Colección de artículos). Guatemala, El Progreso, 1879. 502 p.

Contiene prosa y verso.

Y

BAYONA POSADA, NICOLÁS, 1899-1963.

El alma de Bogotá; antología seleccionada y comentada por Nicolás Bayona Posada. Bogotá, Imp. Municipal, 1938. 3 h. p., XII, 501 p. rets. 20 cm.

"Homenaje del Cabildo de la ciudad con motivo del IV centenario de su fundación".

Indice biográfico y bibliográfico de autores que figuran en este libro, p. 489-501.

Contiene prosa y verso.

BN, BLAA

* BELLINI, GIUSEPPE, 1923-

La letteratura ispano-americana, I. Dalle origini al modernismo, II. Il novecento, di Giuseppe Bellini. Milano, La Galiardica, [1959]. 2 v. 25 cm.

Introduzione, p. I-X.

Contiene prosa y verso en traducción italiana.

LC

BELTRÁN, OSCAR RAFAEL, 1895-

Antología de poetas y prosistas americanos ... Buenos Aires, Ediciones Anaconda, [1937]. 4 v. 19 cm.

Contenido: v. I. Desde la época colonial hasta el siglo XX; v. II. La poesía gauchesca en el Río de la Plata; v. III. Sarmiento, Alberdi, Mitre, J. M. Gutiérrez, Cané, E. Wilde; v. IV. Escritores argentinos de los siglos XIX y XX. El teatro rioplatense.

LC, KU, USC

BENILDO MATÍAS, *Hno.*

El castellano literario. Tercer año. Preceptiva literaria. 9ª ed. Bogotá, Librería Stella [Edit. Iqueima], 1957. 248 p.

BN

BONILLA, MANUEL ANTONIO, 1872-1947.

La palabra triunfante ... Bogotá, Edit. Cromos, 1944. 2 h. p., [VII]-XV. 558 p. 25 cm.

"Ni en España ni en América se ha escrito libro como éste [...] que contiene el espíritu de la lengua española en la forma y sistema eficientes para llevar al conocimientos de los estudiosos todo lo que representa y significa nuestro idioma en los autores ejemplares de todos los tiempos [...]. Además este libro es una síntesis de literatura española, americana y colombiana". (*Advertencias*).

Contiene prosa y verso.

ICC / LC

BORDA, C.

Semana Literaria de "El Hogar". Bogotá, Imp. de Nicolás Pontón i Cía., 1869. Entrega 1ª, tomo I. 235 p.

BN

BOTERO Y BOTERO, RUBÉN.

Antología poética del buey. Manizales, Tip. Unión Obrera, 1950. 105 p.

Al lector, por Rubén Botero y Botero, p. 3.

El hermano buey ante la historia, por Camilo Ramírez, p. 5-9.

Incluye composiciones en verso y prosa lírica sobre el buey.

BN

* BUENO, MARÍA DEL PILAR.

Las mejores fábulas del mundo [1ª ed.]. Barcelona, De Gassó Hnos., [1959]. 424 p. ilus. 20 cm. (Enciclopedias de Gassó).

Prólogo con la primera fábula, p. [5]-15.

Contiene fábulas en prosa y verso.

LC

CAMARGO LATORRE, MANUEL.

Manual de declamación para escuelas y colegios —poesía, prosa y teatro. Selección dirigida por Manuel Camargo Latorre, 2ª ed. mejorada ... Autores nacionales y extranjeros de varias épocas y de fama universal. Bogotá, Cali, Librería Colombiana, 1939. 440 p. 24 cm.

LC, UCLA

* CAMPOS, JORGE.

Antología hispanoamericana. Madrid, Ediciones Pegaso. XVI, 641 p. 22 cm.

Contiene prosa y verso.

ICC / UVa, UCLA

CORONADO, MARTÍN.

Literatura americana, trozos escogidos en prosa y verso originales de autores nacidos en la América latina ... Selección hecha por Martín Coronado, 22ª ed. Buenos Aires, A. Estrada y Cía., [191-?]. 2 h. p., 7-516 p. 20 cm.

LC (19ª ed.), Y (1ª ed.), USC (23ª ed.)

CORTÉS, JOSÉ DOMINGO, 1839-1884.

Prosistas americanos; trozos escojidos de literatura coleccionados i extractados de autores americanos - uruguayos - bolivianos - ecuatorianos - cubanos - venezolanos - peruanos - chilenos - arjentinos - colombianos - americanos. París, Tip. Lahure, 1875. II, 440 p. 18 cm.

Colombia: J. Acevedo de Gómez, S. Acosta de Samper, M. Ancízar, J. J. Borda, J. Caicedo Rojas, F. J. de Caldas, J. E. Caro, R. J. Cuervo, J. García del Río, M. M. Madiedo, J. F. Ortiz, J. M. Quijano Otero, J. de D. Restrepo, J. M. Samper, J. M. Torres Caicedo, J. I. Truijllo, J. M. Vergara y Vergara.

Y

DA CAL, MARGARITA U., *ed.*

Literatura del siglo XX; antología selecta. Edited by Margarita U. Da Cal [and] Ernesto G. Da Cal. New York, Dryden Press, [1955]. 468 p. 22 cm. (The Dryden Press Modern Language Publications).

Preface, [by] M. U. Da Cal [and] E. G. Da Cal., p. VII-VIII. Incluye prosa de José E. Rivera.

LC, USC

DARNET DE FERREIRA, ANA JULIA, *Historia de la literatura americana y argentina (con su correspondiente antología)* ... *V.* p. 311.

DREIDEMIE, OSCAR J.

Antología castellana; colección de lecturas escolares para los alumnos de bachillerato, anotadas y comentadas por Oscar J. Dreidemie, S. J. ... Buenos Aires, Moly & Laserre, [¿1929?]. 2 v. ilus. (rets.). 22 cm.

Contiene prosa y verso.

LC

ECHEVERRI MARTÍNEZ, RAFAEL.

Antología escolar de Cundinamarca. Dirige Rafael Echeverri Martínez ... Bogotá, Imp. Deptal. 1940.

Contiene prosa y verso.

BN

ESTRELLA GUTIÉRREZ, FERMÍN, 1900- *Historia de la literatura americana y argentina, con antología* ... *V.* p. 312.

ESTRELLA GUTIÉRREZ, FERMÍN, 1900- *Nociones de historia de la literatura española, hispanoamericana y argentina, con antología* ... *V*. p. 312.

FERNÁNDEZ ALONSO, ELOY.

Savia nueva; páginas selectas de autores iberoamericanos, lecturas, biografías, iniciación literaria, [por] Leonardo Montalbán, Eloy Fernández Alonso y José D. Forgione. Buenos Aires, Kapelusz, [1946]. 260 p. ilus. rets. 20 cm.

"*Savia nueva* es una compilación de páginas escogidas cuya finalidad cardinal es familiarizar a los jóvenes alumnos con destacados cultivadores de la literatura hispanoamericana y brasileña". (*Preliminares*).

Contiene prosa y verso.

LC

FLAKOLL, DARWIN J.

New voices of Hispanic America, an anthology. Edited, translated, and with an introd. by Darwin J. Flakoll and Claribel Alegría. Boston, Beacon Press, [1962]. 226 p. 21 cm.

"Selection was restricted to the Spanish speaking countries of Latin America and to those writers born in 1914 or later". (*Preface*, p. VII-VIII).

Introduction, p. XIII-XXIV.

Contiene prosa y verso. Poemas en español e inglés.

LC, UCLA

LA FLOR colombiana. Biblioteca escogida de las patriotas americanas, o Colección de los trozos más selectos en prosa y verso. v. 1. París, En Casa de Bossange padre, 1826. 280 p. 13½ cm.

Y

FLÓREZ, LUIS, 1916- *coautor.*

Español y literatura. Primer curso según los programas vigentes, por Luis Flórez y Lucía Tobón de Castro. Bogotá, [Edit. Guadalupe], 1965. 2 v. ilus. 23 cm.

ICC

FOLLETINES y variedades de "El Eco Andino"; periódico político, literario y noticioso. Bogotá, M. Rivas, 1893. 80 p. 19 cm.

Contiene prosa y verso.

BLAA

FRONDIZI, JOSEFINA B.

Nuestra América; antología de la literatura hispanoamericana. San Juan, P. R., Departamento de Instrucción Pública, 1955. 207 p. ilus. 21 cm.

Prefacio, por J. B. de F., p. V-VII.

La antología se divide en tres partes: El hombre y su mundo, América y su historia y Forjadores de América. Contiene prosa de José E. Rivera y Germán Arciniegas.

LC

GAITÁN, JULIO C.

Diálogos y recitaciones para salón, escuelas y colegios. Bogotá, Librería Americana, 1912. 115 p.

Contiene prosa y verso.

BN

GARZÓN, EZEQUIEL, 1851-

Analectas ... Montevideo, Escuela Tipográfica Talleres Don Bosco, 1930. 1282 p. rets. 28½ cm.

Prólogo, por Ezequiel Garzón, p. [3]-5.

"En cuanto a la denominación o título que he dado a este libro, me ha parecido el de 'Analectas' el más apropiado, dada la diversidad de material que contiene.

Florilegio, trozos escogidos, Antología, Miscelánea, etc., etc. ..." (*Prólogo,* p. 4).

LC

* GHIRALDO, ALBERTO, 1874-

Antología americana. Madrid, Renacimiento, [Imp. de G. Hernández, Ciudad Lineal y Caro Raggio], [1923]. 5 v.

Vols. I-II, V contienen prosa.

BLAA (v. 1) / LC, KU, UCLA

GINER DE LOS RÍOS, GLORIA.

El paisaje de Hispanoamérica a través de su literatura. Antología. México, UNAM, 1958. 261 p.

LC

GIUSTI, ROBERTO FERNANDO, 1887- *Lecciones de literatura argentina e hispanoamericana, y antología anotada ...* *V.* p. 314.

[GODOY ALCAYAGA, LUCILA].

Lecturas para mujeres. [México], Secretaría de Educación, 1923. 395 p. 22 cm.

"... he recopilado esta obra sólo para la escuela mexicana que lleva mi nombre. Me siento dentro de ella con pequeños derechos y tengo, además, el deber de dejarle un recuerdo tangible de mis clases". (*Introducción ...*, p. 7).

Contiene prosa y verso.

LC, Y

GONZÁLEZ UGALDE, CARLOS.

Ultimo libro de lectura. Poemas de la infancia recopilados por Carlos González Ugalde. Obra aprobada por la Universidad de Chile i adoptada por el supremo gobierno como testo [*sic*] de lectura en las escuelas, 2ª ed. Santiago [de Chile], Imp. A. Bello, 1873. 175 [1] p. 24½ cm.

Prólogo, p. 7-8.
Contiene prosa y verso.
LC

LA GUIRNALDA literaria; colección de producciones de las principales poetisas i escritoras contemporáneas de América i España, tomo I ... Guayaquil, Imp. de Calvo, 1870. 486 p. 15 cm.

A las bellas hijas de América, por los Editores, p. [5]-13.
Contiene prosa y verso.
BN, BLAA

GUTIÉRREZ ISAZA, ELVIA.

Florilegio bolivariano ... [Medellín, Edit. Granamérica, 1955]. 346 p. 20 cm.

Palique de introducción, por Aurelio Martínez Mutis, p. 1-4.
Compilación en honor de Simón Bolívar. Contiene prosa y verso.
ICC

GUTIÉRREZ VILLEGAS, JAVIER, *comp.*

Pequeña antología bolivariana ... Medellín, Tipografía "Artes", 1953. 36 p. 19½ cm.
ICC

GUTIÉRREZ, JUAN MARÍA, 1809-1878.

El lector americano; colección de trozos escojidos, en prosa y verso, tomados de autores americanos, sobre moral social, maravillas de la naturaleza ... y otras materias relativas a la América del habla castellana. Extractados y ordenados por Juan María Gutiérrez. 1ª ed. argentina. Buenos Aires, C. Casavalle, 1874. 426 p. 16 cm.

Contiene prosa y verso. De Colombia, prosa de: Juan García del Río, M. Ancízar, José María Vergara y Vergara, Francisco J. de Caldas y P. A.

LC

HOLMES, HENRY ALFRED, 1883-

Spanish America in song and story, selections representing Hispano-American letters from the conquest to the present day, arranged and annotated by Henry Holmes ... New York, H. Holt & Co., [c1932]. 2 h. p., VII-XXXI, 578 p. 19½ cm.

Prólogo, por Gabriela Mistral, p. IX-XI.
Introduction, p. XXIII-XXXI.
Contiene prosa y verso.
LC, KU, USC, UCLA

HOMENAJE de Colombia al Libertador Simón Bolívar en su primer centenario, 1783-1883; ed. oficial. Bogotá, M. Rivas, 1884. VII, 446 p., 1 h., CXXVII p. front. ret. 34 cm.

Prólogo, por Manuel Ezequiel Corrales, Editor oficial, p. [V]-VIII.

Contiene prosa y verso.
Sección de poesías: p. [I]-CXVII al final.
BLAA

IRVING, THOMAS BALLANTINE and KIRSNER, ROBERT.

Paisajes del sur; an anthology of Spanish American literature and life, by Thomas Ballantine Irving and Robert Kirsner. New York, Ronald Press, [1954]. 223 p. ilus. 21 cm.

Preface, p. III-IV.
Contiene prosa y verso.
LC, USC

JARAMILLO ARANGO, RAFAEL, 1896-1963, *comp.*

Los maestros de la literatura infantil. Bogotá, [Litografía Villegas], 1958. 349 p. ilus. 23 cm.

Contiene prosa y verso.
ICC, BLAA

LAGOMAGGIORE, FRANCISCO.

América literaria. Producciones selectas en prosa y verso, coleccionadas y editadas por Francisco Lagomaggiore. Buenos Aires, La Nación, 1883. 606 p. 27½ cm.

Advertencia, por Francisco Lagomaggiore, p. [v]-VI.
Los poetas están agrupados en tres secciones: política, literaria y poética, y dentro de cada una de ellas por países.
LC

LASPLACES, ALBERTO, 1887-

Lecturas americanas; antología de poetas y prosistas americanos ... Montevideo, Tip. Atlántida, 1940. 2 h. p., [7]-305 p. 19½ cm.

Contiene prosa y verso.
LC

* LIBRARY OF CONGRESS, *Washington.*

Voces de poetas y prosistas ibéricos y latinoamericanos en el Archivo de literatura hispánica en cinta magnética de la Fundación Hispánica. 2ª ed. con voces nuevas. Washington, Library of Congress, 1961. 34 p. 26 cm. (Hispanic Foundation, Reference Department).

ICC / LC

LITERATURA de "El Heraldo". Bogotá, J. J. Pérez, 1893-1895. 4 t. en 2 v. 23½ cm.

Contiene prosa y verso.

ICC, BN, BLAA

MANTILLA, LUIS FELIPE, 1833-1877.

Libro de lectura Nos. 1-[3], por Luis F. Mantilla. Nueva York, Ivison, Phinney, Blakeman y Co., 1865-66. 3 v. 20 cm. (Mantilla - Serie de Libros de Lectura).

Vols. II y III contienen selecciones en prosa y verso escritas por colombianos.

LC

MANUAL de elocución. Libro destinado a las Escuelas Normales. Bogotá, Imp. de "La Luz", 1888. 155 p., 1 h. 23 cm.

Introducción, p. [3]-15.

Contiene prosa y verso.

ICC

MAZZEI, ANGEL, *Lecciones de literatura americana y argentina; con antología comentada y anotada ...* *V.* p. 316.

MERCHÁN, RAFAEL MARÍA.

Folletines de "La Luz". Editor Rafael María Merchán. Bogotá, Imp. de "La Luz", 1882-1884. 3 vols.

Vol. I (desde el núm. 117 hasta el 189).
Vol. II (desde el núm. 190 hasta el 288).
Vol. III (desde el núm. 289 hasta el 361).
Los folletines se comenzaron a publicar en volúmenes desde el núm. 117 cuando "La Luz" tuvo imprenta propia.
Contienen prosa y verso.
BN (vols. II-III), BLAA

MISCELÁNEA. Poemas. [Bogotá, 1872-1883]. 29 v. en 1. 17 cm.

Compilación de folletos. Contiene prosa y verso.
PU

MONTERDE GARCÍA ICAZBALCETA, FRANCISCO, 1894-

Antología de poetas y prosistas hispanoamericanos modernos. ... México, Universidad Nacional, 1931. 396 p. 19½ cm.

[*Advertencia*], p. [11]-12.
Los escritores se agrupan por países.
LC, KU, NTSU, USC, UCLA

NASCENTES, ANTENOR, 1886-

Antología espanhola e hispanoamericana, por Antenor Nascentes. Rio de Janeiro, Valverde, [1943]. 189, [1] p. 19½ cm.

Literatura hispanoamericana: p. 137-86.
Los escritores se agrupan por países.
Contiene prosa y verso en español.
LC

NELSON ERNESTO.

The Spanish American reader, by Ernesto Nelson ... with full notes and vocabulary. Boston, New York [etc.], D. C. Heath and company, [1916]. XIII, 367 p. 18 cm. (Heath's Modern Language Series).

Prosa de: Fco. José de Caldas, Manuel Ancízar, Juan Fco. Ortiz, Isaías Gamboa, Jorge Isaacs, Lorenzo Marroquín, Josefa Acevedo de Gómez.

LC

NERVO, AMADO, 1870-1919.

Lecturas literarias, tomadas de los mejores poetas y prosistas españoles e hispanoamericanos y seguidas de un breve juicio explicativo y crítico: arreglólas Amado Nervo. México, D. F., Edit. Patria, 1939. 3 h. p., [9]-352 p. 17 cm.

Contiene prosa y verso.

LC, USC

NOÉ, JULIO, 1893- *Curso y antología de literatura hispanoamericana y especialmente argentina* ... *V.* p. 318.

ORDÓÑEZ, M. S.

Album. Málaga, Tip. Carvajal, s. f. 40 p.

Contiene prosa y verso.

BN

ORLANDI, JULIO, *ed.*, *Literatura hispanoamericana* ... *V.* p. 318-19.

ORTIZ, JOSÉ JOAQUÍN, 1814-1892, *comp.*

Lecturas selectas en prosa y verso para los alumnos de las escuelas de Colombia ... Bogotá, Imp. de Medardo Rivas, 1880. 318 p., II p. 16 cm.

ICC

OYUELA, CALIXTO.

Trozos escogidos de la literatura castellana desde el siglo XII hasta nuestros días (España y América), por Calixto Oyuela ... v. 1, 2, 4. Buenos Aires, A. Estrada, 1885. 3 v. 18½ cm.

v. 1-2: Prosa - v. 4: Verso.

Y

PAN AMERICAN UNION. *Division of Intellectual Cooperation.*

Hombres, tierras y voces de América. [Buenos Aires, Edición de la Revista Americana de Buenos Aires, 1939]. 158 p. 24 cm.

Selección hecha por la Oficina de Cooperación Intelectual de la Unión Panamericana.

La razón de ser de estas páginas, p. [5]-7.

Contiene prosa y verso. Entre los escritores figura Carlos A. Torres.

LC, USC

PÉREZ, FELIPE, 1836-1891.

Folletines de "El Relator", por Felipe Pérez. Bogotá, Imp. de Echeverría, 1878. 2 h., 167 p. 24½ cm.

Indice en hoja preliminar.

Contiene prosa y verso.

BLAA

PÉREZ B., JOSÉ E., *comp.*

Compilación de composiciones en prosa y verso de diferentes autores ... Bogotá, Escuela Tipográfica Salesiana, 1941. 304 p.

2ª ed.: Ibagué, Escuela Tip. Salesiana, 1954.

Contiene prosa y verso de escritores colombianos y de unos pocos extranjeros.

BN / VMI (2ª ed.)

PROSA y verso [a la Virgen, a la Madre]. Trozos escogidos. Medellín, Colombia, Escuela Tip. Salesiana, s. f. 183 p., 2 h. 24 cm. [Nueva Colección, t. II].
ICC

QUIJANO, ARTURO.
Los cantores de Bogotá. [Bogotá], Aguila Negra Editorial, 1929. 102 p. 18 cm.
Pro Bogotá, por A. Q., p. 5-11.
Contiene prosa y verso.
ICC / LC

RAGUCCI, RODOLFO MARÍA, 1887-
Cumbres del idioma; antología escolar de poetas y prosadores españoles e hispanoamericanos, antiguos y modernos, presentados por orden cronológico con notas explicativas y síntesis completa de la historia literaria respectiva. Ilus. de Salvador Galant. Rosario de Santa Fe, Editorial "Apis", 1938. 2 v. ilus. rets. 24 cm.
Contenido: v. I. España. - v. II. América española.
LC

— Escritores de Hispanoamérica; notas biográficas y antología anotada ... Buenos Aires, Librería de Don Bosco, 1958. XVI, 388 p. rets. 22 cm.
Advertencia, p. VII-VIII.
Contiene prosa y verso.
ICC

REMOS Y RUBIO, JUAN NEPOMUCENO JOSÉ, 1896-

Antología comentada de textos españoles e hispanoamericanos. (Para uso de institutos y escuelas normales). Habana, J. Albela, 1926. 1 h., IV, 749 p. 24½ cm.

Introducción, p. I-IV.

Contiene prosa y verso.

LC

RESTREPO, FÉLIX, S. J., 1887-1965.

El castellano en los clásicos. Curso medio. Lecturas en prosa y verso. Comentarios. Analogía. Lexicología. Nociones de preceptiva literaria. 10ª ed. Bogotá, Librería Voluntad, [1959]. 271 p.

1ª ed.: Bogotá, [Colegio de San Bartolomé, 1920-]. 2 v. 20 cm.

ICC, BN, BLAA / LC

RICO, RICARDO, *comp.*

Libro del idioma. Antología de prosa y verso. Lecturas recomendadas por el Ministerio de Educación de Colombia. Selección, notas y vocabulario por Ricardo Rico. Medellín, Edit. Bedout, 1963. 571 p. 23 cm.

BN

RIVAS, MIGUEL.

El libro de oro de la literatura hispanoamericana; antología de los mejores poetas y prosistas de nuestra habla, precedida de un resumen histórico de la literatura española. Selección y compilación de Miguel Rivas y Juan Balagué. Barcelona, Edit. Lux, [1928]. 3 h., 601, [7] p. 21½ cm.

Prólogo, p. [I-II].

LC

RUEDA, EVARISTO.

Florilegio núm. 2. Colección de poesías, diálogos, juegos, lecturas instructivas ... Bucaramanga, Colombia, Imp. privada del Colegio de San Pedro Claver, 1924. 120 p. ret. 23 cm.

Advertencia, por Evaristo Rueda, s. p.
Contiene prosa y verso.
ICC

SALAS, SAULO, *seud.* de RAMÓN ECHEVERRI BOTERO.

Madre. Medellín, Tip. Bedout, s. f. 141 p.

Homenaje a las madres colombianas.
Contiene prosa y verso.
BN

SALVADOR. *Ministerio de Instrucción Pública.*

Acotaciones sobre literatura universal. San Salvador, T. G. Ariel, 1940. 4 h., IX, 289 p. 17½ cm.

Introducción, p. I-IX.
Contiene prosa y verso.
LC

SÁNCHEZ, ALVARO, 1896-

Madre: breve antología en verso y prosa ... 2ª ed. Bogotá, Edit. "Prensa Católica", 1959. 92 p. láms. 16 cm.

1ª ed.: [¿1948?].
Nota preliminar, por A. S., s. p.
Contiene prosa y verso.
BLAA

SCARPA, ROQUE ESTEBAN, 1914-

Lecturas americanas. Santiago de Chile, Zig-Zag, [1944]. 636 p. 18½ cm.

Prólogo, p. [7]-8.
Contiene prosa y verso.
BN / LC, UCLA

SEMANA Literaria de "El Hogar". Tomo I. Entrega 1ª. Bogotá, Imp. de Nicolás Pontón i Cía., 1869. 235 p. 19 cm.

Contiene prosa y verso.
ICC

SERRANO DE WILSON, EMILIA, *Baronesa de Wilson,* 1834-

El mundo literario americano; escritores contemporáneos, semblanzas, poesías, apreciaciones, pinceladas ... Barcelona, [etc.], Maucci, 1903. 2 v. ret., ilus. 18½ cm.

A grandes pinceladas, por La Baronesa de Wilson. p. [7]-11.
Contiene prosa y verso.
LC

* TORRES-RÍOSECO, ARTURO, 1897-

Antología de la literatura hispanoamericana; selección, comentarios, notas y vocabularios de Arturo Torres-Ríoseco ... New York, F. S. Crofts & Co., 1939. XIII, 225 p. 19½ cm.

2ª ed.: *id.,* 1941, xv, 311 p.
Introducción, p. v-VII.
Contiene prosa y verso. Se divide en secciones de novelistas, cuentistas, ensayistas y poetas.

Se incluyen noticias biográficas y notas críticas sobre los escritores.

V. r. de la 2ª ed. por Héctor H. Orjuela, en *Hisp.*, XLV, Nº 1 (March, 1962), p. 171-72.

LC, NTSU, UCLA, USC

UGARTE, MANUEL.

La joven literatura hispanoamericana, pequeña antología de prosistas y poetas. París, Librería Armand Colin, 1919. 322 p.

1ª ed.: *id.*, 1906.
Advertencia, p. [v]-VII.
Prefacio, por Manuel Ugarte, p. [IX]-XLVII.
LC, UVa, Y, KU, NTSU, USC, UCLA

URIBE MUÑOZ, BERNARDO.

Mujeres de América, por Bernardo Uribe Muñoz ... Medellín, Imp. Oficial, 1934. XXI p., 1 h., 460 p. ilus. (rets.) 24 cm.

Prólogo, por Carmen de Burgos, p. XVII-XX.
Las escritoras se agrupan por países.
Contiene prosa y verso.
ICC / LC, Y

VALDASPE, TRISTÁN, *Historia de la literatura argentina e hispanoamericana, con numerosos trozos selectos* ... V. p. 325.

WALSH, DONALD DEVENISH.

Cuentos y versos americanos, selected and edited by Donald Devenish Walsh ... New York, W. W. Norton & Co., [1942]. 192 p. 21 cm.

Preface, por D. D. W., p. 9-11.
Contiene prosa y verso.
V. r. de Michael Donlan, en *Hisp.,* XXV (October, 1942), p. 377-78.
LC

ZAMORA, JOSÉ M.

Homenaje. Seis asuntos de la vida del Libertador. Para el centenario de su muerte ... Bogotá, Librería y Papelería "El Mensajero", 1930. 71 p. 24 cm.

Dos palabras, por el autor, p. [3].
Contiene prosa y verso.
BLAA

ZORRILLA DE SAN MARTÍN, JUAN C.

Antología escolar hispanoamericana e iniciación literaria, adaptadas a los programas del sistema concéntrico reformado ... Santiago, Chile, Nascimento, 1931. 2 v. ilus. (rets.) 19 cm.

Contiene prosa y verso.
LC

ZORRILLA DE SAN MARTÍN, JUAN C., *Historia de la literatura y antología escolar hispanoamericanas* ... *V.* p. 326.

HISTORIA Y CRITICA DE LA LITERATURA

I. HISTORIAS DE LA LITERATURA

1. HISTORIAS DE LITERATURA COLOMBIANA

ARANGO FERRER, JAVIER, 1896-

Dos horas de literatura colombiana. [Medellín, Imp. Deptal., 1963]. 169 p. 19½ cm. (Ediciones La Tertulia, 6).

"... una rápida hojeada [*sic*] al desarrollo y sentido de nuestra literatura a partir de las formas precolombinas". (Manuel Mejía Vallejo, *Dos horas de literatura colombiana,* p. 8).

Contenido: Cap. I. Etapas históricas del ensayo; Cap. II. La novela; Cap. III. Cuento y teatro; Cap. IV. La poesía.

Carece de índices.

ICC / LC, USC

*— La literatura de Colombia. Buenos Aires, Imp. y Casa Edit. Coni, 1940. 158 p. (Las Literaturas Americanas, 3).

Contenido: Cap. I. Estampa histórica del ensayo; Cap. II. Teatro y novela; Cap. III. Breve noticia de la mujer en la literatura colombiana; Cap. IV. La poesía.

"Although the author says that he has had little experience with literary criticism, being a doctor, he gives a frank and straightforward account of the literature of Colombia". (*Hdbk'* 40).

"Este resumen de la literatura colombiana constituye dentro de su brevedad una de las visiones más originales y acertadas de las letras nacionales". (*Bbcs*).

ICC / LC, Dth, KU, USC

— Medio siglo de literatura colombiana, en JOAQUIM MONTEZUMA DE CARVALHO, *Panorama das literaturas das Americas (de 1900 a actualidade)*, t. I. Angola, Edição do Município de Nova Lisboa, 1958, p. 329-424.

LC

ARANGO FERRER, JAVIER, 1896- *Raíz y desarrollo de la literatura colombiana* ... *V*. p. 569.

ARANGO H., RUBÉN.

Mi literatura. Crítica de literatura colombiana. Medellín, Colombia, Imp. Dptal., [1950]. 350 p. 25 cm.

Contenido general: La colonia; La nueva patria.

"Superficial survey of Colombian letters from Jiménez de Quesada to *piedracielismo*". (*Hdbk*'50).

Texto escolar. Incluye muestras en prosa y verso de algunos autores y cuadros sinópticos. Obra deficiente.

ICC, BN / LC

* ARCINIEGAS, GERMÁN, 1900-

Un demi-siècle de lettres colombiennes, en *Europe* (Paris), No. 423-424 (juillet-août, 1964), p. 54-66.

Traducción de Julián Garavito.

Desarrollo de la literatura colombiana a partir del modernismo.

ICC

ARIAS BERNAL, J. D.

Historia de la literatura colombiana (Escrita en 5.000 palabras), en *San Simón*. Revista Organo del Colegio de San Simón (Ibagué), núm. 1 (6 de mayo de 1940), p. 41-44.

Breve panorama de la literatura colombiana. Termina con Rafael Núñez.

BN

ARIAS, JUAN DE DIOS, 1896-

Historia de la literatura colombiana. Para sexto año de bachillerato. 5ª ed. Bogotá, Edit. Iqueima, 1958. 269 p. ilus. 21 cm. (Colección La Salle).

1ª ed.: Bogotá, Talleres Gráficos Mundo al Día, 1947. 256 p.
2ª ed.: Bogotá, Edit. de la Litografía Colombia, 1950.
"A ıather elementary textbook, archaic and uninspiring". (*Hdbk'47*).

BN / PU (1ª ed.)

ARIAS, JUAN DE DIOS, 1896- *Letras santandereanas* ... *V*. p. 244.

BAYONA POSADA, NICOLÁS, 1899-

Panorama de la literatura colombiana. 10ª ed. revisada y puesta al día. Bogotá, Librería Colombiana, 1955. 310 p. 23 cm. (Ediciones Samper Ortega).

1ª ed.: Bogotá, Ediciones Samper Ortega, 1942. 148 p.
3ª ed.: Bogotá, Librería Colombiana, 1947.
5ª ed.: *id.,* 1951. 159 p.
7ª ed.: Bogotá-Cali, Librería Colombiana Camacho Roldán, 1959. 203 p.

Contenido [1ª ed.]: Introducción; Cap. I. Literatura precolombina; Cap. II. Literatura de la conquista; Cap. III. Literatura de la colonia (1ª época); Cap. IV. Literatura de la colonia (2ª época); Cap. V. Literatura de la independencia; Cap. VI. Literatura romántica; Cap. VII. Literatura de transición; Cap. VIII. La historia, la novela y el teatro; Cap. IX. La poesía moderna; Cap. X. El humanismo; Epílogo: Guía bibliográfica.

"Manual dedicado a la enseñanza secundaria" (*Bbcs*).

ICC (1ª ed.), BN, BLAA / LC (1ª ed.), Dth (3ª ed.), KU (2ª ed.)

CASTILLA BARRIOS, OLGA.

Breve bosquejo de la literatura infantil ... Bogotá, Aedita Ltda. Cromos, 1954. 271 p. 24 cm.

Tesis para optar el título de doctor en filosofía, letras y pedagogía.

A manera de prólogo, p. 15-16.

Introducción, p. 17-31.

"[la obra] ... sólo tiene por objeto dar una idea de nuestra literatura infantil y de sus principales cultivadores [...] es natural, por ello, que falten muchos nombres, especialmente en poesía, los de todos aquellos que por ser muy extensa su obra no se sitúan específicamente dentro del género infantil". (*A manera de prólogo,* p. 15).

Contiene prosa y verso.

ICC

CORREA, RAMÓN C., 1896-

Historia de la literatura boyacense. 2ª ed. ... Tunja, Imp. Deptal., 1950 [en la cubierta y en la última página, 1951]. 165 p., 1 h. 24 cm.

Contenido general: Advertencia; Cap. I. Los chibchas; Cap. II. Llegada de los conquistadores a territorio hoy de Boyacá; Cap. III. Presbítero don Joan de Castellanos; Sebastián García; Alonso de Carvajal; Sor Luisa Melgarejo; Cap. IV. Un certamen poético en Tunja en la época colonial; Cap. V. El doctor don Hernando Domínguez Camargo; Cap. VI. Fray Andrés de San Nicolás; La monja Sor Francisca Josefa del Castillo; Basilio Vicente de Oviedo; Cap. VII. Elocuencia y poesía; Cap. VIII. Literatura; Cap. IX. Historia; Cap. X. Leyenda histórica; Cap. XI. Cuadros de costumbres, novelistas; Cap. XII. Humorismo; Cap. XIII. Oratoria sagrada; Cap. XIV. Escritores varios.

"Minuciosa historia de las letras boyacenses desde los días del descubrimiento hasta la época actual". (*Bbcs*).

Carece de bibliografía.

ICC

CUERVO MÁRQUEZ, EMILIO.

Bosquejo del desarrollo de la literatura colombiana, en *Cromos* (Bogotá), XXII, núm. 517 (julio 31 de 1926), s. p.

Síntesis de la evolución de la literatura colombiana.
BN

ESTRADA MONSALVE, JOAQUÍN, 1910-

Literatura de Colombia: de la conquista al postmodernismo, [s. f.]. Copia mecanografiada.

Ficha suministrada por Otto Ricardo.
BN

GARAVITO, JULIÁN.

Un survol littéraire, en *Europe* (Paris), No. 423-24 (juillet-août, 1964), p. 47-53.

Síntesis de la evolución de las letras colombianas y consideraciones sobre los géneros literarios.

Contenido: Les origines; Le modernisme; Réalisme dans le roman; L'essai; Le théatre.
ICC

GARCÍA SAMUDIO, NICOLÁS.

Colombian literature, en *Hisp. Am. Hist. Rev.,* IV, 1921, p. 330-47; — *Bull.* (Washington, D. C.), LIII (1921), p. 258-76.

"Lecture delivered in Spanish at Columbia University, New York, March 6, 1920, before the American Association of Teachers of Spanish. The translation into English was made by señorita Dora Gomes Casseres, a Colombian living in New York". (*Note*).

Traza la evolución de las letras colombianas hasta 1920. Omite algunas figuras importantes como Hernando Domínguez Camargo.
LC, PU

* GÓMEZ RESTREPO, ANTONIO, 1869-1947.

Historia de la literatura colombiana. [4ª ed.] ... [Bogotá, Litografía Villegas, 1957]. 4 v. 20 cm. (Biblioteca de Autores Colombianos, 66-69).

1ª ed.: Bogotá, Imp. Nal., 1938-[¿1945?]. 4 v.
2ª ed.: Bogotá, Imp. Nal., 1945-46. 4 v.
3ª ed.: Bogotá, Edit. Cosmos, 1953-54. 4 v. 20 cm. (Biblioteca de Autores Colombianos, 66-69).

Contenido general [4ª ed.]: v. I. Período colonial; v. II. Literatura ascética y religiosa. Una grande escritora mística. La historia. Historiadores, cronistas y biógrafos. v. III. Elementos de cultura desarrollados en la segunda mitad del siglo XVIII. La Expedición Botánica. Los grandes próceres. La poesía. Los poetas de Santafé. Apéndices. v. IV. Siglo XIX.

Obra capital de la historiografía literaria de Colombia. "Está formada por una serie de ensayos biográfico-críticos sobre diversos autores colombianos desde la época colonial hasta fines del siglo XIX". (*Bbcs*).

Contiene selecciones en prosa y verso de algunos escritores.

ICC, BN, BLAA / LC, CU (1ª ed.), NYPL (1ª ed.), USC, UCLA

— La literatura colombiana, por Antonio Gómez Restrepo. Bogotá [Talleres de Ediciones Colombia], 1926. 3 h. p., 5-194 p., 1 h. 18 cm.

"El presente estudio fue escrito a solicitud de la *Revue Hispanique* ... por cuenta de la Hispanic Society of America. Se imprimió en el tomo 43 [1918, Nº 103, p. 79-204] de dicha publicación". (*Advertencia*).

"Esta 'Breve reseña', como la calificó el autor constituye un ensayo sagaz sobre las letras colombianas a través de cuatro siglos; obra bien escrita, bien pensada y patrióticamente inspirada". (*Bbcs*).

La ed. de 1926 se reimprimió en *La literatura colombiana* ... Bogotá, Ministerio de Educación Nacional, Ediciones de la Revista Bolívar, 1952. *V.* Gómez Restrepo, Antonio, *et al.*, p. 297.

ICC, BN, BLAA / LC

— La literatura colombiana a mediados del siglo XIX. (Conferencia dada en la Sala Santiago Samper el día 2 de agosto de 1917), en *Bogotá. La literatura colombiana a mediados del siglo XIX.* Bogotá, 1926, p. 137-77.

"Ligero estudio del movimiento poético de mediados de siglo y del grupo de costumbristas que se formó alrededor de *El Mosaico*". (*Bbcs*).

Se incluye en Arrázola, Roberto, *Sesenta plumas escriben para Ud.* Buenos Aires, Edit. Colombia, [1944], p. 388-407. *V.* p. 245.

BN / LC

* GÓMEZ RESTREPO, ANTONIO, *et al.*

La literatura colombiana, por Antonio Gómez Restrepo, Juan Valera, Marcelino Menéndez y Pelayo y Antonio Rubió y Lluch. Bogotá, Ministerio de Educación Nacional, Ediciones de la Revista Bolívar, 1952. 412 p. 19 cm. (Biblioteca de Autores Colombianos, 7).

"Este volumen de la Biblioteca de Autores Colombianos contiene estudios de Gómez Restrepo, Menéndez y Pelayo, Juan Valera y Antonio Rubió y Lluch sobre literatura colombiana. Deliberadamente se han reunido en un solo volumen porque abarcan y estudian una misma época, acaso la más gloriosa de las letras nacionales, con excepción del estudio de Gómez Restrepo, que es una visión panorámica del pensamiento literario de Colombia desde Quesada hasta nuestros días". (*Nota preliminar*, p. [7]).

Contenido: Antonio Gómez Restrepo, *Breve reseña de la literatura colombiana;* Juan Valera, *Cartas americanas,* 1888 (Dirigidas a José María Rivas Groot); Marcelino Menéndez y Pelayo, *Historia de la poesía hispanoamericana* (*Colombia*); *La literatura colombiana juzgada por M. Menéndez y Pelayo* [Cartas a don Enrique Alvarez Bonilla]; Antonio Rubió y Lluch, *Comentarios a las cartas americanas de don Juan Valera* [Cartas a José Joaquín Ortiz].

ICC, BN, BLAA / LC

LAVERDE AMAYA, ISIDORO, 1852-1903.

La literatura colombiana, en *La España Moderna* (Madrid), año IV, núm. 46 (octubre de 1892), p. 124-35.

Artículo muy general cuya importancia reside en la mención que en él se hace de los periódicos literarios de la época.

LC, UCLA

* — Ojeada histórico-crítica sobre los orígenes de la literatura colombiana. Bogotá, Banco de la República, 1963. 201 p.

Apareció inicialmente en *Bol. Cult. y Bibl.* (Bogotá), IV, núm. 3 (marzo de 1961), p. 218-28; núm. 4 (abril de 1961), p. 270-81; núm. 5 (mayo de 1961), p. 478-90; núm. 7 (julio de 1961), p. 607-17; núm. 8 (agosto de 1961), p. 709-17; núm. 9 (septiembre de 1961), p. 826-36; núm. 10 (octubre de 1961), p. 946-54; núm. 12 (diciembre de 1961), p. 2011-2023.

Datos relativos a los primeros siglos de nuestra historia literaria. Hay interesantes noticias sobre la novela, el teatro, etc. y sobre algunos escritores.

BN, BLAA / LC, USC

LÓPEZ NARVÁEZ, CARLOS, 1897-

Media hora escasa de literatura colombiana. Tunja, [Imp. Deptal., 1963]. 15 p. 23½ cm.

Separata de la revista *Cultura* (Tunja), núms. 114-115.

BN

— Una hora escasa de literatura colombiana; De los cronistas primitivos a los poetas de "Piedra y Cielo", en *Bol. Cult. y Bibl.* (Bogotá), VI, núm. 7 (1963), p. 975-83.

"Sin pretensiones literarias ni empeño de narcisismos oratorios, les traigo a ustedes, jóvenes estudiantes [...] una lección preparada cuanto mejor me ha sido posible sobre los nombres, productos y cantidades, peso y medida, reducidos a comprimidos conceptuales críticos o valorativos, que desfilan por la historia y conforman el cuerpo de nuestra cultura literaria".

ICC, BN, BLAA / LC, UCLA

MATOS HURTADO, BELISARIO, 1890-1953.

Compendio de la historia de la literatura colombiana para uso de los colegios y de las escuelas de la República. Bogotá, Edit. Marconi, 1925. 234 p.

1ª ed.: *id.,* 1919.

"En el presente compendio he tratado de condensar los escritos de Vergara y Vergara, Menéndez y Pelayo, Valera, Rivas Groot, Laverde Amaya, Gómez Restrepo, Otero D'Costa y otros distinguidos publicistas que han consagrado brillantes páginas a nuestro pasado literario, y presentar así un cuerpo de doctrina que facilite tan importante estudio". (*Al lector,* s. p.).

"... manual destinado a la enseñanza". (*Bbcs*).

ICC, BN, BLAA / LC, Dth

* MAYA, RAFAEL, 1898-

Consideraciones críticas sobre la literatura colombiana. Bogotá, Lib. Voluntad, 1944. 146 p.

"A frank analysis of the characteristics of the literature of Colombia, pointing out more faults than good qualities". (*Hdbk'* 44).

"Conservando unidad de criterio, esta serie de ensayos constituye uno de los más penetrantes análisis de la literatura nacional". (*Bbcs*).

ICC, BLAA / LC, CU, Dth

MIRAMÓN, ALBERTO, 1912-

Literatura de Colombia, en GIACOMO PRAMPOLINI, *Historia universal de la literatura,* vol. XII. Buenos Aires, Uteha, 1941, p. 197-210.

"Resumen de la historia literaria nacional, con especial mención de los autores contemporáneos, que sirve de complemento a la breve noticia de Prampolini". (*Bbcs*).

LC

NÚÑEZ SEGURA, JOSÉ A., S. J.

... Literatura colombiana; sinopsis y comentarios de autores representativos. Medellín, Edit. Bedout, 1952. 495 p. rets. 24 cm.

[2ª ed.], *id.*, 1954. 511 p.
[3ª ed.], *id.*, 1957. 513 p.
4ª ed., *id.*, 1959. 575 p.
5ª ed., *id.*, 1961. 627 p.
6ª ed., *id.*, 1962. 681 p.

Texto escolar. Contiene prosa y verso de algunos escritores.

V. r. de la 2ª ed. por Fernando Caro Molina, en *Thesaurus* (Bogotá), XI (1955-56), p. 238-59.

ICC, BN, BLAA / LC, USC, UCLA

* ORTEGA TORRES, JOSÉ J., 1908-

Historia de la literatura colombiana. Bogotá, Edit. Cromos, 1934. XXVII, 1092 p. ilus. 20 cm.

2ª ed. aumentada. Con prólogo de Antonio Gómez Restrepo y de Daniel Samper Ortega. Bogotá, Edit. Cromos, 1935. XL, 1214 p. ilus. 24½ cm.

Contenido general [2ª ed.]: Prólogo a la primera edición: Carta al autor, por Antonio Gómez Restrepo; Prólogo de la segunda edición, por Daniel Samper Ortega; Preámbulo del autor; *1ª parte*: conquista y colonia; *2ª parte*: La independencia y los primeros años de la República (1810-1830); *3ª parte*: La República - siglo XIX (1830-1900); *4ª parte*: La República - siglo XX (1900-1935); Adiciones y enmiendas. Indices alfabéticos.

"Verdadero arsenal de documentos literarios, la obra del P. Ortega que incluye 568 trozos de 180 autores, sigue muy de cerca en el aspecto crítico las opiniones de Gómez Restrepo". (*Bbcs*).

Contiene prosa y verso de algunos escritores.

ICC (2ª ed.), BN, BLAA / LC (1ª y 2ª eds.), CU (2ª ed.), NYPL (2ª ed.), USC (2ª ed.)

OTERO MUÑOZ, GUSTAVO, 1894-1957.

Historia de la literatura colombiana, [1538-1930], en *Bol. Hist. Ant.* (Bogotá), XXI (febrero-marzo), p. 43-59; (abril-mayo), p. 161-80; (junio-julio), p. 306-29; (agosto), p. 417-32; (septiembre), p. 506-27; (octubre), p. 591-611; (noviembre), p. 681-708.

ICC, BN, BLAA / LC, PU, USC

*— Historia de la literatura colombiana (Resumen). Bogotá, Imp. de La Luz, 1935. 205 p.

Reimpresión: id., Bogotá, Librería Colombiana, C. Roldán y Cía. [etc.]. 1935. 205 p. ilus. 24 cm.

2ª ed.: con el título *Resumen de historia de la literatura colombiana*. Bogotá, Edit. A B C, 1957. 229 p. 24½ cm.

4ª ed.: *id.*, con numerosas adiciones, cuidadosamente revisada. Bogotá, Librería Voluntad, 1943. 334 p. ilus. 19½ cm.

5ª ed.: *id.* Bogotá, Edit. Voluntad, 1945.

"Manual de intención didáctica; las nuevas ediciones han ido mejorando y completando las informaciones literarias y crítico-biográficas". (*Bbcs*).

BN, BLAA / LC (1ª ed., 4ª ed.), PU (2ª ed.), CU (2ª ed.), KU (5ª ed.), NTSU (5ª ed.)

RUANO, JESÚS MARÍA, S. J., 1878-1928.

Resumen histórico-crítico de la literatura colombiana. Bogotá, Casa Edit. Santafé, 1925. XVI, 210 p. ilus. 21 cm.

2ª ed.: Bogotá, Imp. del C. de Jesús, 1933. XVI, 207 p. ilus. 19½ cm.

3ª ed.: *id.*, 1936.

4ª ed.: aumentada y adaptada al programa oficial por otros padres de la Cía. de Jesús. Bogotá, Edit. Pax, 1945. 286 p.

Bibliografía general y obras de consulta, 2ª ed., p. XII-XV.

"La primera obra de carácter didáctico publicada en Colombia". (*Bbcs*).

ICC (2ª ed.), BN (1ª ed.), BLAA / LC (1ª y 2ª eds.), CU (4ª ed.), Dth (2ª ed.)

* SANÍN CANO, BALDOMERO, 1861-1957.

Letras colombianas. México, Fondo de Cultura Económica, 1944. 213 p. (Colección Tierra Firme, 2).

Contenido general: Nota inicial; Preliminares; I. La literatura de la colonia; II. Nacimiento de una conciencia americana; III. La literatura en la república; IV. El modernismo; Registro de obras y autores.

"Resumen histórico-crítico de las letras colombianas; ensayo de divulgación sin novedad ninguna documental". (*Bbcs*).

"Dealing with one writer at a time the great Colombian critic presents the lives and work of the most important writers adequately and in a minimum of space. The book is an unusual example of restrain and concisión". (*Hdbk*'44).

V. r. de Herschell Brickell, en *Hisp.,* XXVIII (August, 1945), p. 449-51.

ICC, BLAA / LC, CU, UVa, KU, UCLA

VALOIS ARCE, DANIEL.

Literatura en Colombia (Breve reseña), en *El Tiempo*-Lecturas Dominicales (Bogotá), 2 de septiembre de 1956, p. 11.

"El presente estudio sobre la literatura colombiana fue escrito en Moscú por el doctor Daniel Valois Arce a solicitud de la revista soviética *Gaceta Literaria.* donde fue publicado; traducido al ruso, por Vadim Poliakovsky".

Trabajo fechado: Moscú, mayo de 1950.

ICC, BN, BLAA

* VERGARA Y VERGARA, JOSÉ MARÍA, 1831-1872.

Historia de la literatura en Nueva Granada. Parte primera. Desde la conquista hasta la independencia (1538-1820). Bogotá, Imp. de Echeverría Hnos., 1867. xxiv, 532 p. 16 cm.

2ª ed.: Con prólogo y anotaciones de Antonio Gómez Restrepo. Bogotá, Librería Americana, 1905. xxvii, 515 p. 22 cm.

3ª ed.: Con notas de Antonio Gómez Restrepo y Gustavo Otero Muñoz ... Bogotá, Edit. Minerva, 1931. 2 v. LXV, 511, 602 p.

4ª ed.: Bogotá, Edit. A B C, 1958. 3 v. (Biblioteca de la Presidencia de Colombia, 48-50).

"Obra clásica de la literatura colombiana hasta ahora no superada; el método, el estilo y la riquísima documentación, hacen de esta historia una de las fuentes esenciales de la cultura colombiana". (*Bbcs*).

ICC (2ª y 4ª eds.), BN (1ª, 2ª y 4ª eds.), BLAA / LC (2ª y 4ª eds.), Y (1ª, 2ª y 4ª eds.), KU (3ª ed.), NTSU (2ª ed.), UC (2ª y 4ª eds.), USC, UCLA

VILLAMIZAR MELO, JOSÉ LUIS.

Nombres y voces: Literatura santandereana. Cúcuta, Colombia, Imp. Deptal., 1966. 370 p. 21½ cm.

Misión y función del escritor contemporáneo, palabras prologales de Luis Anselmo Díaz Ramírez, p. 7-13.

Notas liminares, p. 17-19.

Contiene prosa y verso.

ICC

2. HISTORIAS DE LITERATURA GENERAL

AMUCHÁSTEGUI, CARLOS J.

Curso de literatura hispanoamericana ... Buenos Aires, Edit. Troquel, 1961. 332 p.

"Historical in approach, this manual takes up in chronological order de several literary movements, comments briefly on the principal authors, and includes excerpts from their major works". (*Hdbk,* Nº 28).

LC

* AN OUTLINE history of Spanish American literature, prepared under the auspices of the Instituto Internacional de Literatura Iberoamericana by a committee consisting of

E. Herman Hespelt, chairman editor, Irving A. Leonard, John E. Englekirk, John T. Reid [and], John A. Crow. New York, F. S. Crofts & Co., 1941. xxii, 170 p.

"An excellent compilation, which should do a great deal to further instruction in the colleges and universities of the United States". (*Hdbk'*41).

2nd. ed., *id.,* 1942. xxii, 192 p. ilus.

"Chronological tables of each period treated and additional items are given in this new edition". (*Hdbk'*42).

3rd. ed.: John E. Englekirk, chairman and editor, *et al.* New York, Appleton-Century Crofts, 1965. 252 p.

"The *Outline History* is completely revised and restructured in this edition. Its original five sections are reduced to three, which correspond more directly to the three major economic, social and political periods in the history of Latin America: '1st. period: From Discovery to Independence'; '2nd period: From Independence to Mexican Revolution'; '3rd. period: From Mexican Revolution to the Present'." (*Preface,* p. vii).

Bibliography, p. 231-46.

Obra básica de referencia. *V.* r. de la 3ª ed. por Robert G. Mead, en *Hisp.,* XLVIII (December, 1965), p. 958-59.

ICC (3rd ed.) / LC, PU, USC, UCLA

* Anderson Imbert, Enrique, 1910-

Historia de la literatura hispanoamericana. México, Fondo de Cultura Económica, 1954-61. 2 v. 18 cm. (Breviarios del Fondo de Cultura Económica, 89, 156).

Includes bibliographies.

1ª ed.: 1954; 2ª ed.: 1957; 3ª ed.: (Complementada con el Breviario 156): 1961; *Spanish American Literature: A History:* Translated from the Spanish by John V. Falconieri. Detroit, Wayne State University Press, 1963. x, 616 p. 24 cm.

Contenido: v. 1: La colonia, cien años de República; v. II. Epoca contemporánea. Bibliografía.

"Excellent survey of Latin American literature: succint yet thorough and dependable, the work of a writer of taste and critical acumen". (*Hdbk'* Nº 20).

V. r. de la 1ª ed. por Robert G. Mead, en *Hisp.,* XXXVII May. 1954), p. 254-55; de la 2ª por el mismo crítico *Ibid.,* XLI (March, 1958), p. 127 y de la trad. inglesa en *id.,* XLVII (March, 1964), p. 210.

ICC, BLAA / LC, USC, UCLA

ARIAS-LARRETA, ABRAHAM.

Pre-Columbian literatures: Aztec, Incan, Maya Quiché [The New World Library], 1964. 118 p. (Book I. - History of Indoamerican Literature).

Contenido: I. Historical references; II. Aztec literature; III. Incan literature; IV. Maya-Quiché literature; V. The Popol Vuh.

Incluye bibliografía.

LC

— From Columbus to Bolívar. [The New World Library], 1965. 158 p. (Book II. - History of Indo-American Literature).

Contenido: Chap. I. Introduction; Chap. II. Conquest and colonial literature; Chap. III. Revelation and study of the New World in Castillian; Chap. IV. Popular and official literature; Chap. V. Independence.

Incluye bibliografías.

LC

* ARROM, JOSÉ JUAN.

Esquema generacional de las letras hispanoamericanas. Ensayo de un método. Bogotá, Instituto Caro y Cuervo, 1963. 239 p.

Apareció inicialmente en *Thesaurus* (Bogotá), tomos XVI a XVIII, correspondientes a los años de 1961 a 1963.

Novedoso estudio sobre las generaciones literarias hispanoamericanas. No contiene valoración crítica de los escritores.

V. r. de Robert G. Mead, en *Hisp.,* XLVII (September, 1964), p. 680-81.

ICC, BN, BLAA / LC, PU, UCLA

AUBRUN, CHARLES VINCENT, 1906-

Histoire des lettres hispano-américaines. Paris, A. Colin, 1954. 223 p. 17 cm. (Collection Armand Colin, Nº 291. Section de Langues et Littératures).

"Concise and stimulating manual dealing with the cultural development of Spanish America". (*Hdbk'* Nº 19).

LC, KU

AYALA DUARTE, CRISPÍN.

Resumen histórico crítico de la literatura americana ... Caracas, Edit. Sur-América, 1927. 310 p., 1 h. 23½ cm.

2ª ed. con el título: *Resumen histórico de la literatura hispanoamericana.* Madrid, 1945. 479. 20 cm.

Colombia [2ª ed.], p. [217]-79.

LC, UVa (2ª ed.), KU (2ª ed.)

BANDEIRA, MANUEL, 1886-

Literatura hispano-americana. Rio de Janeiro, Pongetti, 1949. 223 p. 19 cm.

"Distinguished Brazilian poet's undistinguished bird's-eye view of Hispanic American literature". (*Hdbk*'49).

LC

BARRERA, ISAAC J., 1884-

Literatura hispanoamericana. Quito, Imp. de la Universidad Central, 1935. 459 p. 19 cm.

"Estudia detenidamente algunos escritores colombianos, particularmente los románticos: Julio Arboleda, José Joaquín Ortiz, Torres Caicedo, Rafael Núñez, Jorge Isaacs, Rafael Pombo y Gregorio Gutiérrez González". (*Bbcs*).

Para Colombia especialmente p. 352-76.

LC, UVa, KU

BAYONA POSADA, NICOLÁS, 1899-

Panorama de la literatura universal ... 15ª ed. revisada y puesta al día. Bogotá, Librería Colombiana, [1961]. 336 p. 19½ cm. (Ediciones Samper Ortega). Numerosas ediciones. Texto escolar.

Contenido: *1ª parte*: Literaturas orientales; *2ª parte*: Literaturas clásicas; *3ª parte*: Literaturas modernas.

Menciona algunos escritores colombianos.

ICC /LC

BAZIN, ROBERT.

Histoire de la littérature américaine de langue espagnole. Paris, Librairie Hachette, 1953. 354 p.

Trad. española con el título: *Historia de la literatura americana en lengua española.* Edición, noticia preliminar y notas complementarias al cuidado de Raúl H. Castagnino. Buenos Aires, Edit. Nova, [1958]. 412 p. 20 cm.

Contenido: Condiciones específicas de las literaturas hispanoamericanas; *1ª parte*: La generación de 1800-1830; *2ª parte*: La generación de 1830-1870; *3ª parte*: La generación de 1870-1900; Apéndice: I. Panorama de las literaturas contemporáneas; II. Literaturas nacionales; Guía bibliográfica.

"Bird 's-eye view of Spanish American literature by a French professor gifted with the art of synthesis and condensation". (*Hdbk*, Nº 19).

ICC / LC, KU, UCLA

BELTRÁN, OSCAR, RAFAEL, 1895-

Manual de historia de la literatura hispanoamericana. Responde a los programas oficiales para la enseñanza de la materia. Buenos Aires, M. Tato, 1938. 348, [4] p. 20 cm.

Obra muy general y de escaso contenido sobre Colombia.

LC, KU

BERENGER CARISOMO, ARTURO, 1905-, y BOGLIANO, JORGE.

Medio siglo de literatura americana. Madrid, Cultura Hispánica, 1952. 281 p. 22 cm.

Includes bibliography.

"Although this panorama was prepared for the Spanish reader unacquainted with Latin American letters, it is so weak and disorganized that it contributes little towards a just appreciation". (*Hdbk'52*).

LC

BLANCO, GARCÍA, FRANCISCO, 1864-1903.

La literatura española en el siglo XIX, por el P. Francisco Blanco García ... 2ª ed. Madrid, Sáenz de Jubera Hnos., 1894-1903. 3 v. 22 cm.

Parte 1ª, 1899; *Parte 2ª*, 1903; *Parte 3ª* [1ª ed.], 1894;*Parte 2ª* tiene índice de *Partes* 1-2; *Parte 3ª* no tiene índice.

De interés: v. 3: *La literatura hispanoamericana*: *apuntes para su historia en el siglo XIX*, p. 279-399. Está organizada por países. *Colombia*: p. [332]-49.

Obra muy general en lo relativo a Hispanoamérica. Presenta una síntesis de la literatura colombiana desde los últimos años de la época colonial hasta principios del siglo XX. Hay algunos errores y la obra en general revela falta de información.

LC, UVa, KU

BLANCO Y SÁNCHEZ, RUFINO, 1861-

Elementos de literatura española e hispanoamericana, por el Dr. D. Rufino Blanco y Sánchez ... 3ª ed. notablemente corregida y aumentada. Madrid, Tip. de la "Revista de Archivos, Bibliotecas y Museos", 1925. xvi, 567, [1] p. 24 cm.

Includes a chapter: *Hispanistas e hispanófilos*.

Notas biliográficas de la literatura general española e hispanoamericana: p. 484-500.

Obra abigarrada de intención didáctica pero muy deficiente en organización y en el aspecto crítico. Algunas secciones son simples catálogos de nombres.
LC

BRAVO VILLASANTE, CARMEN.
Historia de la literatura infantil española. Madrid, Revista de Occidente, [1959]. 270 p. ilus. 25 cm.
Bibliografía, p. 255-56.
LC

CABRALES, LUIS ALBERTO.
Curso de historia de la literatura castellana de España y América, por Luis Alberto Cabrales ... [2ª ed.]. Managua, Instituto Pedagógico de Varones, 1939. 261, [1] p. 21½ cm.
LC

CEBALLOS NIETO, DANIEL.
Literatura universal ... Ed. preliminar. Medellín, Universidad de Antioquia, 1958. 4 h., 34 p. 32 cm. (Escuela Interamericana de Bibliotecología - Manual para el curso B-3). Mimeografiado. (*An*'57-58)

CEJADOR Y FRAUCA, JULIO, 1864-1927.
Historia de la lengua y la literatura castellana. Madrid, Tip. de la Revista de Archivos, Bibliotecas y Museos, 1915-1922. 14 v. 25 cm.
Bibliografía general, [t. 1], p. xv-xx.
Bibliografía de la historia del teatro, [t. 2], p. 1-3.
t. 6-12 se ocupan de la historia de la literatura española en conjunto con la hispanoamericana.
Aparato bibliográfico general de la literatura castellana, t. 14, p. 277-393.
"En la monumental obra de Cejador algunos de los escritores colombianos merecen destacado lugar". (*Bbcs*).
LC, UVa, VMI

COESTER, ALFRED LESTER.

The literary history of Spanish America, by Alfred Coester ... New York, The McMillan Company, 1916. XII p., 2 h., 495 p. 20½ cm.

2nd. ed. enlarged, *id.,* 1928, XIII, 522 p. 20½ cm.

Trad. española con el título: *Historia literaria de la América española...* trad. del inglés de Rómulo Tovar. Madrid, Hernando, 1929. XII, 564 p.

Preface to the second ed.: "As this book was being finished in the first year of the great war certain information about writers of the day was not available which has since come to the author's knowledge. During the eleven years which have passed since publication the modernista movement has come to an end and a new generation of poets and novelists has risen to prominence. In preparing this second edition it was thougth best to rewrite a portion of chapter XIV as well as to discuss the younger writers. All the new matter has been placed together in chapters XV and XVI". (p. XII).

De interés: I. The Colonial Period; II. The Revolutionary Period; III. The Revolutionary Period in North America; IX. [*Colombia*, p. 273-304]; XIV. The Modernista Movement; XV. Dario's followers; Bibliography.

V. r de la 1ª ed. por G. W. Umphrey, en *Hisp.,* I (February, 1918), p. 60-62.

ICC (1ª ed.) / LC, VMI (2ª ed.), UVa (2ª ed.), KU (2ª ed.), NTSU (2ª ed.)

CROW, JOHN A.

Historiografía de la literatura iberomericana, en *Revista Iberoamericana* (México), II, núm. 4 (noviembre de 1940), p. 471-83.

"An important critical review of various histories of Spanish American literature". (*Hdbk*'40).

LC, PU, USC, UCLA

* DAIREAUX, MAX.

Panorama de la littérature hispanoaméricaine. Paris, Edition KRA, [1930]. 314 p. 19 cm.

"Las referencias a autores colombianos contemporáneos a que se concreta la obra, son exactas y los comentarios se cuentan entre los más ágiles y perspicaces de la crítica extranjera". (*Bbcs*).

LC, UVa, KU

DARNET DE FERREYRA, ANA JULIA.

Historia de la literatura americana y argentina (con su correspondiente antología). Retratos de Emilia Bertolé ... 2ª ed. Buenos Aires, A. Estrada y Cía., 1938. 2 v. ilus., rets. 22½ cm.

De Colombia se ocupa especialmente de los románticos José E. Caro y Gregorio Gutiérrez González.

LC

DÍAZ-PLAJA, GUILLERMO, 1903- *ed.*

Historia general de las literaturas hispánicas ... Con una introducción de D. Ramón Menéndez Pidal. Barcelona, Edit. Berna, [1949-1953]. 5 v. láms., rets. 27 cm.

Contenido: t. I. Desde los orígenes hasta 1400; t. 2. Pre-Renacimiento y Renacimiento; t. 3. Renacimiento y Barroco; t. 4, Pte. 1: Siglos XVIII y XIX; t. 4, Pte. 2: Siglos XVIII y XIX; t. 5. Post-Romanticismo y Modernismo.

De especial interés: t. III: *La vida cultural en los siglos XVI y XVII,* por Manuel Ballesteros-Gaibrois; t. IV, Pte. 1: *La poesía tradicional de Hispanoamérica,* por Juan Alfonso Carrizo; *El teatro en Sudamérica española hasta 1800,* por Guillermo Lohman V.; t. IV, Pte. 2: *El teatro hispanoamericano en el siglo XIX* (Excepto Río de la Plata, Cuba y Santo Domingo), por Agustín del Saz; *La novela hispanoamericana del XIX* (Excepto, México, Cuba y Santo Domingo), por Agustín del Saz; *La poesía hispanoamericana del siglo XIX* (Excepto México, Cuba y Santo Domingo), por Agustín del Saz.

ICC / LC

Díez-Echarri, Emiliano y Roca Franquesa, José María.

Historia de la literatura española e hispanoamericana. Madrid, M. Aguilar, 1960. xxxiv, 1590 p.

V. r. de Manuel D. Ramírez en *Hisp.*, XLIV (Dec., 1961), p. 769-70.

LC

Estrella Gutiérrez, Fermín, 1900-

Historia de la literatura americana y argentina, con antología [por] Fermín Estrella Gutiérrez [y] Emilio Suárez Calimano. Prólogo de Arturo Capdevila ... 9ª ed. Buenos Aires, Kapelusz [1961, c 1940]. 657 p. ilus. 20 cm.

Prólogo, por F. E. G. y E. S. C., p. xiii-xiv.
Contiene prosa y verso.

— Nociones de historia de la literatura española, hispanoamericana y argentina; con antología ... Buenos Aires, Kapelusz, [1954]. 454 p. ilus. 21 cm.

Prólogo, p. ix-x.
Contiene prosa y verso.
LC

Flores, Santiago G.

Introducción a la literatura mexicana e iberoamericana. México, Casa Unida de Publicaciones, 1952. 255 p. 20 cm.

"Unsuccessful attempt at a synthesis of Mexican and Spanish American literature. Spotty and superficial". (*Hdbk*'52).

Con excepción de Isaacs, Silva y Rivera, poco espacio se dedica en esta obra a los escritores colombianos.

LC

— Lecciones de literatura española e hispanoamericana, arregladas conforme al programa de las escuelas oficiales, por el profesor Santiago G. Flores. México, D. F., Edit. Patria, 1940. 2 h. p., [9]-412 p. 19 cm.

Bibliografía at end of some of the lessons.

LC

* GALLO, UGO.

Storia della letteratura ispano-americana. Milano, Nuova Accademia Editrice, 1954.

2ª ed.: rev. y aum. por Guiseppe Bellini, *id.,* 1958.

LC, UCLA

GINER DE LOS RÍOS, HERMENEGILDO, 1847-

Manual de la literatura nacional y extranjera antigua y moderna, por H. Giner de los Ríos ... Madrid, V. Suárez, 1909-17. 3 v. 22 cm.

Advertencia, [por] H. Giner de los Ríos, III, p. [v]-VI. *Literatura hispano-americana,* p. 207-324. Para Colombia, p. 270-83.

LC

GIORGI, MANUEL V.

Curso de historia de la literatura hispano-americana, por Manuel V. Giorgi ... [Buenos Aires, Talleres Gráficos "El Misionero"]. [1937]. 370 p., 3 h. 23 cm.

Texto escolar con especial concentración en la Argentina. Sólo considera algunas grandes figuras de la literatura hispanoamericana hasta el modernismo, inclusive. En lo relativo a Colombia termina con José A. Silva.

LC

GIUSTI, ROBERTO FERNANDO, 1887-

Lecciones de literatura argentina e hispanoamericana y antología comentada y anotada. 1ª ed. Buenos Aires, A. Estrada, [1947]. 512 p. 22 cm.

"... Es un cuadro de conjunto en que se dedican 6 capítulos a la literatura americana y seis a la Argentina".

LC

HAMILTON, CARLOS DEPASSIER, 1908-

Historia de la literatura hispano-americana. [1ª ed.]. New York, Las Americas Pub. Co., [1960-61]. 2 v. 23 cm. Se publicó una segunda edición.

Contenido: 1ª Pte. Colonia y siglo XIX; *2ª Pte.* Siglo XX.

LC, PU, USC

* HENRÍQUEZ UREÑA, PEDRO, 1884-1946.

Literary currents in Hispanic America. Cambridge, Massachusetts, Harvard Univ. Press, 1945. VI, 345 p.

"Eight Charles Eliot Norton lectures delivered at Harvard during 1940 and 1941, have here been enlarged and substantiated with some 90 pages of bibliographical notes ..." *(Hdbk'45)*.

Trad. española: *Las corrientes literarias en la América hispánica* [trad. de Joaquín Díez-Canedo]. México, Fonde [*sic*] de Cultura Económica, [1949]. 340 p. 22 cm.

Contenido: 1. El descubrimiento del Nuevo Mundo en la imaginación de Europa; II. La creación de una sociedad nueva [1492-1600]; III. El florecimiento del mundo colonial [1600-1800]; IV. La declaración de la independencia intelectual [1800-1830]; V. Romanticismo y anarquía [1830-1860]; VI. El período de organización [1860-1890]; VII. Literatura pura; VIII. Problemas de hoy [1920-1940]; Bibliografía.

V. r. de la 1ª ed. por Donald D. Walsh, en *Hisp.,* XXVIII (August, 1945), p. 443-44.

LC, USC, UCLA

LAZO, RAIMUNDO.

Literatura hispanoamericana, v. I: 1492-1780. México, Porrúa, 1965.

LC

LEGUIZAMÓN, JULIO A.

Historia de la literatura hipanoamericana ... Buenos Aires, Edit. Reunidas, S. A., Argentina, [1945]. 2 v. rets., facsíms. 22 cm.

Contenido: I. Posibilidad, sentido y épocas. Las letras coloniales. La época de la revolución. El romanticismo; II. El romanticismo (continuación). Modernismo y época contemporánea. Bibliografía general. p. 595-651.

Esta obra proporciona una útil bibliografía de las letras hispanoamericanas.

LC, UVa, KU

LINCOLN, J. N., *Guide to the bibliography and history of Hispano American literature* ... *V.* p. 39-40.

MARTÍNEZ ESTRADA, EZEQUIEL.

Panorama de las literaturas. Buenos Aires, Ed. Claridad. 383 p. (Biblioteca del Autodidacto, 4).

"Endeavors to summarize in less than 400 pages the world's literary history ... considers Guatemala as Vargas Vila's birth place". *(Hdbk,* 46).

LC

MARTÍNEZ, FELIPE.

Literatura argentina e hispano-americana. Buenos Aires, Moucci Hnos. e Hijos Editores, [s. f.]. 238 p.

2ª parte: *Literatura hispanoamericana: cap. VI.* [*Colombia,* p. 168-183].

LC

MAZZEI, ANGEL.

Lecciones de literatura americana y argentina; con antología comentada y anotada ... Buenos Aires, Ciordia y Rodríguez, [1952]. 428 p. ilus. 22 cm.

Prólogo, p. 5.
Contiene prosa y verso.
LC

MEAD, ROBERTO G., JR., 1913-

A note on Spanish American literary historiography, en *Hisp.,* XXXV, Nº 4 (Nov., 1952), p. 419-21.

Breve lista cronológica de las principales historias generales de las literaturas hispanoamericanas.
ICC / LC, PU, USC, UCLA

MEJÍA DE FERNÁNDEZ, ABIGAÍL.

Historia de la literatura castellana; estudio histórico-crítico que comprende la literatura hispanoamericana, por Abigaíl Mejía de Fernández ... 2ª ed. aum. considerablemente y corr. por su autora ... Barcelona, Araluce, [1934]. 488 p. 21 cm.

Bibliografía: p. [475]-80.
1ª ed.: Barcelona, Imp. Altés, 1929. 317 p.
Historia crítica de la literatura hispanoamericana, p. 275-473: comprende las siguientes secciones principales: Clásicos y clasicistas; Los pensadores de la América hispánica; Historiadores e historiógrafos; Los románticos de la América española; La poesía heroica; Poetas modernos y modernistas; Grandes figuras de teatro; La novela americana; Más poetisas y escritoras contemporáneas; polígrafos, grandes críticos y ensayistas.

Reseña la evolución de la literatura hispanoamericana. Incluye sólo grandes figuras. De Colombia menciona a José E. Caro, Miguel A. Caro, Rufino J. Cuervo, José M. Marroquín, Rafael Pombo, Diego Fallon, Julio Flórez, Julio Arboleda, José A. Silva, Guillermo

Valencia, Gregorio Gutiérrez González, José Caicedo Rojas, Jorge Isaacs, José María Samper, Baldomero Sanín Cano, José María Vargas Vila y José E. Rivera.

LC

MÉNDEZ BEJARANO, MARIO, 1857-

Instituciones de historia literaria, ensayo por D. Mario Méndez Bejarano ... 7ª ed. ... Madrid, Renacimiento, [¿1925?]. 2 v. 21½ cm.

Contenido: I. Parte general; II. Parte especial: literatura española.

Literatura hispano-americana hasta el siglo XX, por D. Pedro Sáinz y Rodríguez, v. 2. p. 690-748.

LC

— La literatura española en el siglo XIX (General, regional y americana) ... aumentada en un apéndice sobre la literatura hispanoamericana, por Pedro Sáinz y Rodríguez. Madrid, Gráfica Universal, 1921. VIII, 319 p. 20½ cm.

LC

MÉTRAUX, ALFRED.

South American Indian literature, en JOSEPH T. SHIPLEY, *Encyclopedia of literature,* II. New York, Philosophical Library, 1946, p. 851-63.

"Very useful systematic survey of the oral literature of indigenous South America, with note on sources, selected bibliography and brief treatment of related forms, *e. g.,* riddles and proverbs ...". *(Hdbk'* 47).

LC, WLU, UCLA

MONTES DE OCA, FRANCISCO.

Literatura universal. México, Edit. Porrúa, 1956. VIII, 409 p.

LC

MONTEZUMA DE CARVALJO, JOAQUIM.

Panorama das literaturas das Americas (De 1900 a actualidade) ... Angola, Edição do Município de Nova Lisboa, 1958. v. 22 cm.

Medio siglo de literatura colombiana, por Javier Arango Ferrer, t. I, p. 329-424.

V. comentario de Helcías Martán Góngora, en *Bol. Cult. y Bibl.* (Bogotá), II, núm. 7 (agosto de 1959), p. 415-17.

ICC / LC

NOÉ, JULIO, 1893-

Curso y antología de literatura hispanoamericana y especialmente argentina. 3ª ed. Buenos Aires, Angel Estrada y Cía., [s. f.]. 816 p.

1ª ed.: Buenos Aires, A. Estrada y Cía., 1940. 797 p.

LC (1ª ed.), UCLA (3ª ed.)

ORLANDI, JULIO, *ed.*

Literatura hispanoamericana. (Adaptada a los programas de IV, V y VI años de Humanidades). Santiago de Chile, Edit. del Pacífico, [1960]. 493 p. 19 cm.

"La poesía, el Teatro, el Cuento y el Ensayo, vienen acompañados de Antología adecuada y suficiente. No sucede lo mismo con la novela, por razones obvias; en ellas sólo se dan las páginas indispensables para entender el estilo y el mensaje de la obra".

Contenido general: 1ª Parte: Poesía Lírica; 2ª Parte: Teatro; 3ª Parte: Géneros narrativos; 4ª Parte: Literatura de ideas; Bibliografía.

Se dan breves noticias bio-bibliográficas y antología de los siguientes escritores colombianos: José A. Silva, Guillermo Valencia, Jorge Isaacs, José E. Rivera.

LC

PASTOR LÓPEZ, MATEO.

Modern spansk litteratur. Spanien och Latinamerica. Stockholm, Natur och kultur, 1960. 285 p.

"This rather dry textbook on the history of Spanish literature since modernismo also includes Latin América [The author is a young Spaniard [...] and the Swedish translation of his manuscript is in fact bad". *(Hdbk,* Nº 24).

LC

PAYRÓ, ROBERTO P.

Historia de la literatura americana. Guía bibliográfica. Washington, D. C., Unión Panamericana, 1950. 60 p.

"El objeto de esta bibliografía es proporcionar una guía ordenada de la historia de la literatura y de los estudios generales sobre la historia literaria de los pueblos de América". *(Advertencia,* s. p.).

"Se anotan 24 títulos sobre historia de la literatura colombiana, p. 18-19". (*Bbcs*). Algunas de las obras incluídas son estudios monográficos sobre géneros literarios.

V. r. de Robert G. Mead, en *Hisp.,* XXXIV (Feb., 1951), p. 127.

LC, UVa

PEREIRA SALAS, EUGENIO.

Breve historia de la literatura hispanoamericana, 1775-1905, en *Cahiers d'Histoire Mondiale* (Neuchatel, Switzerland), V, núm. 1 (1959), p. 94-115.

"A history of Spanish American literature which relates briefly the account of its evolution under the following topics: the period of enlightenment and closing colonial days, the literature of emancipation, the romantic movement with various subdivisions, post-romanticism and the influence of realism and modernism with several subdivisions. It contributes nothing new". *(Hdbk'* Nª 24).

LC

PERÉS Y PERÉS, RAMÓN DOMINGO, 1863-

Historia de la literatura española e hispanoamericana. Barcelona, R. Sopena, [1947]. 734 p. ilus. 21 cm. (Biblioteca Hispania).

2ª ed.: *id.,* 1954.
Literatura hispánica, p. 559-721.
Colombia, p. 609-25.
"Extremely dull and unoriginal ..." *(Hdbk'* 47).
LC

PÉREZ BUSTAMANTE, CIRIACO, *ed.*

Historia de la literatura universal. [Literatura hispanoamericana por Rodolfo Barón Castro y Guillermo Lohman Villena]. Madrid, 1946. 1000 p.

LC

PÉREZ, EMMA, 1901-

Literatura española y americana en doce unidades por Emma Pérez Fiallo, Olga Cabo, Marta Morera [y otros] ... La Habana, Cultural, S. A., 1944. xv, 377 p. ilus. 24 cm.

Includes bibliographies.
LC

PÉREZ VÉLEZ, GONZALO.

Curso de literatura universal; para colegios de bachillerato y escuelas normales, de acuerdo con el programa del Ministerio de Educación Nacional. Medellín, Edit. Granamérica, 1961. 234 p. 22 cm.

1ª ed.: Medellín, Imp. Dptal., [¿1955?]. 267 p. 22 cm.
(*An*'61)

PONCELIS, MANUEL.

Literatura hispano-americana. Madrid, R. Anglés, 1896.

Colombia, p. 39-58.

UVa

* PRAMPOLINI, GIACOMO, 1898-

Storia universal della letteratura ... Torino, Unione Tipografico-editrice Torinese, 1933- v. ilus. 26 cm.

Includes bibliographies.

Ed. en español, con el título *Historia universal de la literatura.* Buenos Aires, Uteha Argentina, 1940. Publicación dirigida por José Pijoan. 13 vols. [Los tomos XI y XII se ocupan de las literaturas iberoamericanas].

Para Colombia *V.* Miramón, Alberto, *Literatura de Colombia,* p. 299-300.

LC

RISCO, ALBERTO, S. J., 1873-

Historia de la literatura española universal. ... por el P. Alberto Risco, S. J. 16ª ed. Bogotá, Librería Voluntad, [1951]. 290 p., 1 h. 20 cm.
(*An*'51-56)

RODULFO, ELOY, *Hermano.*

Literatura universal, por el Hermano Rodulfo Eloy ... Bogotá, Librería Stella, [1958]. 427 p. rets. 21 cm.
(*An*'57-58)

SALAZAR Y ROIG, SALVADOR, 1892-

Curso de literatura castellana (histórica), por Salvador Salazar y Roig ... Habana, Imp. y Librería "La Moderna Poesía", 1926. 2 v. 24 cm.

t. I: *Prólogo*, p. [VII]-X.

"... hemos hecho un Programa de sesenta lecciones ... El Plan tiene la novedad de las diez y seis lecciones de literatura cubana que hemos incluído en las sesenta ya dichas [...] y las diez que, para considerar las más grandes figuras de la literatura hispano-americana, hemos colocado al final del curso". (p. VIII).

t. II: *Literatura cubana:* Lecciones XXXV-L.

Literatura hispano-americana: Lecciones: LI-LX, p. [456]-520. Lo relativo a Hispanoamérica está organizado por países.

Literatura colombiana, p. [474]-79. Se estudian solamente J. E. Caro, M. A. Caro, Rufino J. Cuervo, Rafael Pombo y José A. Silva. Se da la ciudad de Buga como el lugar de nacimiento de Rafael Pombo.

LC

* SÁNCHEZ, LUIS ALBERTO, 1900-

Historia de la literatura americana (Desde los orígenes hasta nuestros días). 3ª ed. Santiago, Ediciones Ercilla, 1942. 690 p. 17 cm.

[1ª ed.]: *id.* (Desde los orígenes hasta 1936). Santiago de Chile, Ercilla, 1937. 681 p.

[2ª ed.]: *id.* (Desde los orígenes hasta nuestros tiempos). Santiago, Ercilla, 1940. 690 p. (Colección Contemporáneos).

"Una de las obras más significativas sobre el conjunto de las letras americanas, a pesar de sus numerosas y a veces indisculpables errores de detalle" *(Bbcs).*

Contiene bibliografía selecta de la literatura hispanoamericana.

LC, UVa (1ª ed.), WLU (2ª ed.), KU (1ª ed.), NTSU (1ª ed.)

— Nueva historia de la literatura americana. Buenos Aires, Ed. Americalee, [1944]. 476 p.

5ª ed.: Asunción, Edit. Guaranía, [1950]. 598 p. 24 cm.

"Ambitious attempt to cover the literary history of all the Latin American nations and the United States from the conquest till today. The broadness of the subject leads often to mere cataloguing of names; and poor organization coupled with lack of selectivity aggravate matters. Chronological errors abound ..." (*Hdbk'* 45).

LC, KU

SPELL, JEFFERSON R.

Spanish American literature, en JOSEPH T. SHIPLEY, *Encyclopedia of literature,* II. New York, Philosophical Library, 1945, p. 892-914.

Breve síntesis de la literatura hispanoamericana.

LC, UCLA

* TORRES-RÍOSECO, ARTURO, 1897-

The epic of Latin American literature. New York, Oxford Univ. Press, 1942. VI, 279 p. 22½ cm.

"An important introduction to the study of Latin American literature, with critical evaluation of the first order". (*Hdbk'* 42).

Rev. ed.: New York, Oxford Univ. Press, 1946. 280 p. 22 cm.

Trad. española con el título *La gran literatura iberoamericana.* Buenos Aires, Emecé, 1945. 313 p. 20 cm.

"Adequate translation of *The Epic of Latin American Literature* (1942), one of the finest over all pictures of Latin American letters". (*Hdbk'* 45).

[New ed.]: Berkeley and Los Angeles, Univ. of Calif. Press, 1959. VII, 277 p.

Contenido: 1. The Colonial Centuries; 2. The Romantic Upheaval in Spanish America; 3. Modernism and Spanish American Poetry; 4. Gaucho literature; 5. The Spanish American Novel; 6. Brazilian Literature; Appendix: Notes and Bibliography.

LC, PU, USC, UCLA

— New world literature. Tradition and revolt in Latin America. Berkeley, Univ. of California Press, 1949. 250 p. 23 cm.

Contenido: I. Introduction; II. Colonial Culture in America; III. Sor Juana Inés de la Cruz; IV. Independence and Romanticism; V. Martín Fierro; VI. The Influence of French Culture; VII. A reevaluation of Rubén Darío; VIII. José Enrique Rodó; IX. Social Poetry; X. The Poetry of the future; XI. Parallel between Brazilian and Spanish American literature.

V. r. de Donald D. Walsh, en *Hisp.,* XXXII (Nov., 1949), p. 561-63.

LC, WLU, KU

— Panorama de la literatura iberoamericana. [Santiago de Chile, Edit. Zig-Zag, 1963]. 243 p.

"Este nuevo libro de Arturo Torres-Rioseco [...] puede en verdad ser considerado como una historia de la literatura iberoamericana desde sus primeros años hasta hoy, a través de una serie de ensayos unidos por una conciencia histórica..." *(Solapa).*

Contenido: Introducción; La Nueva España y su cultura; Sor Juana Inés de la Cruz; Independencia y romanticismo; Martín Fierro y la poesía gauchesca; Influencia de la cultura francesa; Revaluación de Rubén Darío; José Enrique Rodó; Poesía social; La poesía post-modernista; Paralelo entre las literaturas del Brazil y de la América Hispana; Novelistas hispanoamericanos de hoy.

Buena parte de este libro es extracto de *New World Literature* del mismo autor.

LC, UCLA, UC

VALBUENA BRIONES, ANGEL.

Literatura hispanoamericana. Barcelona, Gustavo Gili, 1962. 4 h. p., 556 p., 3 h. 21 cm.

v. IV de *Historia de la literatura española* de Angel Valbuena Prat.

ICC / LC

VALBUENA PRAT, ANGEL, 1900-

Historia de la literatura española e hispanoamericana, por Angel Valbuena Prat y Agustín del Saz. [2ª ed.]. Barcelona, Edit. Juventud, [1956]. 328 p. ilus. 23 cm.

1ª ed.: Barcelona, Edit. Juventud, 1951.
Panorama superficial de la literatura hispanoamericana.
LC, VMI (1ª ed.)

VALDASPE, TRISTÁN.

Historia de la literatura argentina e hispanoamericana, con numerosos trozos selectos. De acuerdo con los programa vigentes, por Tristán Valdespe. Buenos Aires, Casa Edit. "Alfa y Omega", 1920. xx, 260 p. 23½ cm.

Resumen de la historia de la literatura hispanoamericana, p. [224]-82.
3ª ed. ampliada: Buenos Aires, Moly y Laserre, [1939]. XXVIII, 282 p. ilus. 23 cm.
4ª ed.: Buenos Aires, Edit. "F. V. D.", 1943.
5ª ed.: *id.*, 1951.
De interés [4ª ed.]: Miguel A. Caro, p. 339; Principales poetas, p. 390-93; Principales prosistas, p. 393-95.
LC (2ª y 3ª eds.); KU (4ª ed.)

WAGNER, MAX LEOPOLD.

Die Spanish-amerikanische Literatur. Leipzig, Berlin, B. G. Teubner, 1924. VI, 81 p. 23 cm.

Vortwort, por Max Leopoldo Wagner, p. [III]-IV.
"El más significativo ensayo sobre las letras hispanoamericanas publicado en Alemania". *(Bbcs)*.
Reseña superficial de la literatura hispanoamericana. De Colombia se mencionan: Juan de Castellanos; H. Domínguez Camargo; J. Fernández Madrid; José E. Caro; G. Gutiérrez González; Antonio Nariño y José A. Silva.
LC, TU, UC

ZORRILLA DE SAN MARTÍN, JUAN C., *ed.*

Historia de la literatura y antología escolar hispanoamericanas; adaptadas a los programas del sistema concéntrico reformado ... Santiago, Chile, Nascimento, 1930-31. 2 v. ilus., rets. 18½ cm.

Colombia, II, p. [217]-42. Con antología [prosa y verso].
En la parte de ensayo menciona a Juan de Castellanos, Francisca Josefa de la Concepción del Castillo, Miguel A. Caro, Rufino J. Cuervo, José Manuel Groot, José María Vergara y Vergara, Marco Fidel Suárez, Antonio Gómez Restrepo, Jorge Isaacs, José M. Samper, José M. Marroquín, José M. Vargas Vila, Tomás Carrasquilla, José E. Caro, Julio Arboleda, José J. Ortiz, Gregorio Gutiérrez González, Rafael Pombo, Diego Fallon, Belisario Peña, G. Valencia, Julio Flórez, José A. Silva, Aurelio Martínez Mutiz, etc.
LC

* ZUM FELDE, ALBERTO, 1888-

Indice crítico de la literatura hispanoamericana. México, Edit. Guaranía, 1954- v. 24 cm. (Biblioteca de Pensadores y Ensayistas Americanos).

Contenido: *t. 1.* Los ensayistas; *t. 2.* La narrativa.
Obra fundamental en la historiografía literaria de Hispanoamérica.
LC

II. CRITICA LITERARIA

1. CRITICA SOBRE LITERATURA COLOMBIANA

AZULA BARRERA, RAFAEL, 1912-

Sentido y emoción del paisaje en la literatura colombiana, en *Revista Javeriana* (Bogotá), LIII, núm. 265 (junio de 1960), p. 329-44.
BN / PU

BRONX, HUMBERTO, *seud.*

Cincuenta años de literatura colombiana, en *Letras Universitarias* (Medellín), XXXVIII (mayo-junio de 1954), p. 11-13, 42-45.

PU

CAMACHO CARRIZOSA, GUILLERMO, 1876-1932.

Crítica histórica. [Bogotá, Ministerio de Educación Nacional, 1951]. 191 p. 20 cm. (Biblioteca Popular de Cultura Colombiana, 125).

De interés: Rafael Núñez; Salvador Camacho Roldán; Discurso de recepción en la Academia Colombiana de la Lengua; Santiago Pérez; *Pax.*

ICC, BN, BLAA / LC

CAMACHO CARRIZOSA, JOSÉ, 1865-1905.

Artículos varios de José y Guillermo Camacho Carrizosa. Bogotá, Edit. Minerva, [1935]. 166 p. 17 cm. (Selección Samper Ortega, 67).

Contenido: Hombres y partidos, por José Camacho Carrizosa; *Rafael Núñez, Salvador Camacho Roldán, Evaristo Rivas Groot, Rafael Uribe Uribe y Rafael Reyes,* por Guillermo Camacho Carrizosa.

ICC, BN, BLAA / LC, PU, Y, USC, UCLA

CAMACHO ROLDÁN, SALVADOR, 1827-1900.

Estudios ... Bogotá, Edit. Minerva, [1935]. 180 p. 17 cm. (Selección Samper Ortega, 46).

Contenido: El estudio de la sociología (discurso); *Manuela:* novela de costumbres colombianas por Eugenio Díaz; Gregorio Gutiérrez González.

ICC, BN, BLAA / LC, PU, Y, USC, UCLA

CAPARROSO, CARLOS ARTURO, 1908-

Breve guía literaria de Colombia, en *Rev. de las Indias* (Bogotá), marzo-mayo de 1948, p. 439-44.

ICC / PU

— La Gruta Simbólica, en *Rev. América,* XVI, núm. 49 (enero de 1949), p. 51-62.

"A literary group that used to meet in Bogota in 1902-1904. Among its members, mostly poets, were romantics such as Julio Florez and modernists such as Max Grillo". *(Hdbk'* 49).

ICC, BN, BLAA / LC

* — Tema y glosas. Bogotá, Edit. A B C, 1962. 126 p., 1 h. 20 cm.

Ensayos y comentarios sobre escritores y temas literarios nacionales.

ICC, BN, BLAA / LC

CARVAJAL, MARIO, 1896-

Estampas y apologías ... Bogotá, Edit. Lumen Christi, 1938. 176 p.

En su mayoría ensayos de carácter religioso. De interés: Sección VI: 1. Origen de un libro e interpretación de un destino poético [sobre *María,* de Isaacs]; 2. Estampa y apología de Eustaquio Palacios; 3. Evocación de Manuel Antonio Carvajal; 4. Estampa y apología de Gilberto Garrido; 5. Posición de Carlos Villafañe en la poesía colombiana; 6. De Jorge Isaacs a Antonio Llanos.

ICC, BN

CORDOVEZ MOURE, JOSÉ MARÍA, 1835-1918.

Reminiscencias de Santa Fe y Bogotá. Bogotá, Ministerio de Educación de Colombia, 1946. 7 v. 18 cm. (Biblioteca Popular de Cultura Colombiana, v. 3, 17, 58, 67, 75, 88). Hay varias eds.

Esta obra contiene algunos datos sobre figuras y sucesos literarios.

ICC, BN, BLAA / LC, UCLA

GARCÍA-PRADA, CARLOS, 1898-

Recent literary tendencies in Colombia, en *Books Abroad,* XV (1937), p. 162-63.

"In Colombia no definite literary tendency is manifest. Rather there is chaos and lack of orientation". *(Hdbk'* 37).

LC, USC

GARCÍA ORTIZ, LAUREANO, 1865-1945.

Bogotá en 1883, en *An. Acad. Col.* (Bogotá), VI (1939), p. 314-31.

"Important literary figures of that time, description of the city an the life in it". *(Hdbk'* 39).

ICC, BN / LC

GÓMEZ RESTREPO, ANTONIO, 1869-1947.

Algunos aspectos de la literatura colombiana. [s. p. i.], p. 305-24. 23 cm.

[*¿Separata* de *Cultura Venezolana?*].
Consideraciones generales sobre literatura colombiana e hispanoamericana.

* — Crítica literaria. Bogotá, Edit. Minerva, [1965]. 97 p. 17 cm. (Selección Samper Ortega, 8).

Contenido: Caro crítico; Rafael Pombo; Discurso pronunciado en la inauguración del busto de José E. Caro; Don José Joaquín Ortiz; Don José Caicedo y Rojas; Don Diego Fallon; Don Diego Uribe; Miguel Rash-Isla; José E. Rivera.

ICC, BN, BLAA / LC, PU, Y, USC, UCLA

GÓMEZ RESTREPO, ANTONIO, 1869-1947.

Discursos literarios. Bogotá, Imp. de "El Tiempo", 1907, p. 29-60. (Lecturas Populares, 2).

Contenido: Discursos pronunciados en las siguientes ocasiones: Juegos florales el 3 de diciembre de 1908; Coronación de Rafael Pombo; Peregrinación a la tumba de Diego Fallon; Elogio fúnebre a Miguel A. Caro.

ICC

— ... Oraciones académicas. Bogotá, [Edit. A B C], 1952. 360 p. 19 cm. (Biblioteca de Autores Colombianos, 9).

Colección de discursos. Algunos fueron pronunciados en honor de prominentes figuras literarias.

ICC, BN, BLAA / LC, UCLA

GONZÁLEZ SUÁREZ, FEDERICO, 1845-1917.

Páginas de historia colombiana; publicación de la Academia Colombiana de Historia con motivo del primer centenario del nacimiento del Sr. González Suárez. Bogotá, Edit. A B C, 1944. 268 p. 22 cm.

De interés: Memoria histórica sobre Mutis y la Expedición Botánica en el siglo pasado; Un opúsculo inédito de Francisco José de Caldas; Otro opúsculo de Caldas; Estudio sobre don Belisario Peña; Estudio sobre José María Vergara y Vergara.

ICC

GONZÁLEZ, JOSÉ IGNACIO.

Breves apuntamientos para un curso de historia literaria de Colombia, en Revista *Universidad de Antioquia* (Medellín), núm. 5 (octubre-noviembre de 1935), p. 74-85.

"An essay with critical comments on Jiménez de Quesada, Juan de Castellanos and others". *(Hdbk'* 35).

ICC, BLAA / LC

GRILLO, MAX, 1868-1949.

Ensayos y comentarios. 2ª ed. Paris, Editions "Le Livre Libre", 1927. 2 h. p., 346 p., 1 h. 19 cm.

De interés: Una visita a don Rufino J. Cuervo; R. J. Cuervo y la lengua castellana; Escritos de don Marco Fidel Suárez; Un gran poeta colombiano, R. Pombo; R. Pombo y su obra poética; J. Isaacs, correspondencia; La obra de B. Sanín Cano.

LC, Y, VMI

* IBÁÑEZ, JAIME, 1919-

Al pie de las letras. Bogotá, Ediciones "Hit", 1959. 90 p., 3 h. 19½ cm.

Contenido: Desarrollo de la novela colombiana; Espíritu de la poesía colombiana.

LC

IBÁÑEZ, PEDRO M., 1854-1919.

... Crónicas de Bogotá. [Bogotá, Edit. A B C, 1951]. 4 v. 20 cm. (Biblioteca Popular de Cultura Colombiana, 153-156).

1ª ed.: Bogotá, Imp. "La Luz", 1891. 486 p.

2ª ed.: notablemente aumentada, con numerosas ilustraciones ... Bogotá, Imp. Nal., 1913-23. 4 v. (Biblioteca de Historia Nacional, v. 10-12, 32).

Además de noticias históricas, anécdotas, etc., contiene datos sobre publicaciones, sucesos culturales, figuras literarias, etc.

ICC, BN, BLAA / Y, UC

ISAZA DE JARAMILLO MEZA, BLANCA, 1898-

... Del lejano ayer. [Manizales], Imp. del Departamento, 1951. 346 p., 3 h. 16½ cm.

Artículos de miscelánea. Incluye recuerdos e impresiones sobre algunos escritores nacionales.

ICC / PU

JARAMILLO MEZA, J. B., 1892-

... Estampas de Manizales. Tomo I. [Manizales], Imp. Departamental, 1951. 1 v. 16½ cm.

Páginas sobre Manizales y sobre escritores caldenses.

ICC, BN

LAVERDE AMAYA, ISIDORO, 1852-1903.

Fisonomías literarias de colombianos. Curazao, A. Bethencourt e hijos, Editores, 1890. 341 p.

"Comprende estudios sobre Mario Valenzuela, Daniel Mantilla, Eugenio Díaz, Rafael Eliseo Santander, Juan de Dios Restrepo, Carlos Posada, Manuel Ancízar, Emilio Antonio Escobar, Nicolás Pardo, Luciano Rivera Garrido, Medardo Rivas, Ricardo Silva, José María Angel Gaitán, Lázaro María Pérez, Rafael Pombo y Rafael Núñez". *(Bbcs).*

Dth

LIÉVANO, ROBERTO, 1894-

Viejas estampas. Bogotá, Ediciones del Concejo, 1948. 110 p. 25 cm.

Contenido: Tertulias literarias de antaño; Retablos coloniales; La conjuración septembrina.

BN / LC

LÓPEZ, ISMAEL, 1882-1962.
Kerylos; laudes de la belleza y del amor. Bogotá, Litografía Colombia, 1948. 190 p. ilus. 25 cm.

Reminiscencias, páginas autobiográficas y ensayos.
De interés: Escenario de un idilio inmortal [La hacienda El Paraíso de *María*]; José A. Silva y el misterio del arte; Guillermo Valencia, varón estético; Cartas inéditas de Guillermo Valencia.
ICC / PU

* LOZANO Y LOZANO, JUAN, 1902-
Ensayos críticos. Prólogo de Max Grillo. Bogotá, Edit. Santafé, 1934. 372 p. 17 cm. (Biblioteca de los Penúltimos, 5).

Contenido: Enrique Olaya Herrera; Laureano Gómez; Guillermo Valencia; Miguel Abadía Méndez; Jorge Eliécer Gaitán; Esteban Jaramillo; Alfonso López; Carlos E. Restrepo; Luis Cano; Alfredo Vásquez Cobo; Eduardo Santos; Alejandro López; Fabio Lozano Torrijos; Julio H. Palacio; Luis E. Nieto Caballero; José Vicente Concha.
ICC, BN / LC, PU

MARROQUÍN, JOSÉ MANUEL, 1827-1908.
Artículos literarios ... coleccionados por José Manuel Marroquín Osorio, Presbítero. Bogotá, Librería Santa Fe, 1920. 2 v. ret. 16 cm.

Recuerdos, comentarios, y algunas páginas de crítica.
ICC

— Obras escogidas en prosa y en verso, publicadas e inéditas, de José Manuel Marroquín, ordenadas por los redactores de "El Tradicionista", con un prólogo de los mismos. Bogotá, Imp. i Librería de "El Tradicionista", 1875. xxx, 254 p. 21½ cm.

De interés: Algunos ensayos de la sección: *Opúsculos en prosa.*
ICC / PU

MARTÍN, CARLOS, 1914-

Preludio y símbolo de nuestra literatura, en *Revista del Colegio de Boyacá* (Tunja), noviembre de 1944, p. 90-97.

PU

MARTÍNEZ SILVA, CARLOS, 1847-1903.

Escritos políticos, literarios y económicos. Seleccionados por Gustavo Otero Muñoz y Luis Martínez Delgado. Edición oficial. Bogotá, Imp. Nal., 1937. 366 p. (Obras completas del Doctor Carlos Martínez Silva, 8).

Contenido: Primera época: Colaboración en "La Caridad", "El Hogar" y "La Fe"; Segunda época: Colaboración en "El Repertorio Colombiano" (1878-1884); Tercera época: Colaboración en "El Repertorio Colombiano" y "El Correo Nacional" (1888-1899).

ICC

MAYA, RAFAEL, 1898-

De Silva a Rivera. Elogios. Bogotá, Publicaciones de la Revista "Universidad", 1929. 55 p.

Contenido: José A. Silva, lectura hecha en el Teatro Municipal de Bogotá la noche del 20 de noviembre del año 1928; José E. Rivera, oración ante el cadáver del poeta colocado en cámara ardiente en el Capitolio Nacional, la noche del 7 de julio de 1929.

VMI

* — La interferencia de los géneros en la literatura colombiana, en *Rev. de las Indias* (Bogotá), septiembre de 1940, p. 161-68.

ICC, BN, BLAA / PU

MEJÍA ROBLEDO, ALFONSO, 1897-

Cuatro maestros actuales de la literatura colombiana, en Revista *Universidad de Antioquia* (Medellín), junio de 1940, p. 401-31; -*Ateneo* (San Salvador), mayo-septiembre de 1940, p. 38-56.

A. Gómez Restrepo, B. Sanín Cano, G. Valencia y L. López de Mesa.

ICC

MEJÍA DUQUE, JAIME.

La llamada literatura "greco-quimbaya", en *Bol. Cult. y Bibl.* (Bogotá), VII, núm. 6 (1964), p. 974-82.

Consideraciones sobre el mal llamado "greco-quimbayismo" literario caldense.

ICC, BN, BLAA / LC, UCLA

MIRAMÓN, ALBERTO, 1912-

El nacimiento de nuestras letras, en *Vida* (Bogotá), octubre-noviembre de 1953, p. 55-57.

PU

MORA, LUIS MARÍA, 1869-1936.

Los contertulios de la Gruta Simbólica. Bogotá, Edit. Minerva, [1935]. 158 p. 17 cm. (Selección Samper Ortega, 53).

ICC, BN, BLAA / LC, PU, Y, USC, UCLA

— Croniquillas de mi ciudad. Bogotá, Edit. A B C, 1936. 287 p. 18½ cm.

"Reminiscences of childhood, schooling in the Colegio de Rosario, war activities, and recollections of many prominent men. Some poetry is included". (*Hdbk'36*).

ICC / LC, NC

* MORA, LUIS MARÍA, 1869-1936.
Los maestros de principios del siglo. Bogotá, Edit. A B C, 1938. 3 h. p., 203 p. 17 cm.

Contenido: Los maestros de principios del siglo; El cóndor viejo (a propósito de Rafael Pombo); El maestro Diego Fallon; Propiedad literaria; De la decadencia y el simbolismo; Los gramáticos y la gramática.

LC, NC

MORENO CLAVIJO, JORGE.
Los procesos literarios colombianos, en *Historium* (Buenos Aires), XII, núm. 135 (agosto de 1950), p. 53-54.
PU

ORTEGA RICAURTE, JOSÉ VICENTE, y FERRO, ANTONIO.
La Gruta Simbólica y reminiscencias del ingenio y la bohemia en Bogotá. Bogotá, Edit. Minerva, 1952. 424 p., 1 h. ilus. 24 cm.

Recuerdos de la bohemia bogotana de fines del siglo XIX y principios del XX. Se incluyen numerosas composiciones e improvisaciones de escritores de entonces.

ICC, BN

ORTIZ, JUAN FRANCISCO, 1808-1875.
Reminiscencias, opúsculo autobiográfico (1808 a 1861). Con prólogo de J. Manuel Marroquín. Bogotá, Librería Americana, 1907, XXXII, 318 p.

2ª ed.: *id.* 1914. 430 p.

3ª ed.: Bogotá, Ministerio de Educación Nacional, [1946]. 307 p. (Biblioteca Popular de Cultura Colombiana, 102).

Noticias autobiográficas y reminiscencias sobre acontecimientos históricos y culturales ocurridos en las primeras seis décadas del siglo XIX. Contiene información sobre algunos periódicos de la época.

ICC / PU, UVa

OSPINA RODRÍGUEZ, MARIANO, 1805-1885.

Artículos escogidos ... Coleccionados por Juan José Molina. Medellín, Imp. Republicana, 1884. 425 p. 19 cm.

De interés: Jacobo Molay (sobre el drama de Santiago Pérez).

ICC

OSPINA LONDOÑO, URIEL, 1925-

Medio siglo de actitud literaria, en Revista *Universidad de Antioquia* (Medellín), XXV, (1950), p. 613-22.

Consideraciones sobre nuestra literatura en la primera mitad del siglo actual.

ICC

OTERO MUÑOZ, GUSTAVO, 1894-1957.

El crimen de Cortés de Mesa en nuestra literatura, en *Bol. Hist. Ant.* (Bogotá), XXIV, (1937). p. 577-602.

"A three part article on the Oidor Luis Cortes de Mesa who reached Bogota in 1576 and was executed by order of the Audiencia for the murder of Juan de los Rios; the latter had defamed Cortes de Mesa's name. The last two sections discuss literary works of Juan Francisco Ortiz, Plaza, German Gutierrez de Piñeres and Eladio Vergara based on this historical incident". *(Hdbk'* 37).

ICC, BN, BLAA / LC

PABÓN NÚÑEZ, LUCIO, 1914-

Escritores de Ocaña, en *Quevedo, político de la oposición.* Bogotá, Edit. Argra, 1949, p. [199]-227.

Contenido: Prólogo: Alabanza de Ocaña; I. Indice para una historia de la literatura ocañera; II. Memorias de la adolescencia; III.Raudo episodio amoroso del más ilustre hijo de Ocaña.

ICC

PARDO DE HURTADO, ISABEL, *seud.* DIANA RUBENS.

Mujeres colombianas (desfile de escritoras y poetisas). Quito, Ecuador, "El Comercio", 1940. 4 h. p., 94 p. 23½ cm.

LC

PARÍS, GONZALO.

Los escritores jóvenes de Colombia, en *Cuba Contemporánea* (La Habana), XIX (1919), p. 395-402.

Ed. en inglés, con el título: *The Young Writers of Colombia,* en *Inter-America* (New York), II (1919), p. [241]-48.

LC

PIÑEROS CORPAS, JOAQUÍN, 1915-

Reflexiones sobre el estudio de la literatura colombiana, en *Bol. Acad. Col.* (Bogotá), XIII, núm. 47 (abril-mayo de 1963), p. 81-93.

"Discurso de posesión como académico numerario..."

V. José Manuel Rivas Sacconi, *Respuesta a don Joaquín Piñeros Corpas en el día de su recepción académica, Ibid.,* p. 94-103.

ICC, BN, BLA / LC

POSADA, EDUARDO, 1862-1942, *Apostillas* ... *V.* p. 202.

POSADA FRANCO, RAFAEL.

Baldomero Sanín Cano y otros ensayos. Palmira, Ediciones Posada & Cía., 1958. 191 p. rets. 17 cm.

(*An*'57-58)

REID, JOHN T.

Opportunities for research in Colombian literature, en *Hisp.,* XXII (May, 1939), p. 177-82.

LC, PU, USC, UCLA

RESTREPO, JOSÉ MIGUEL.

Médicos y medicina en la literatura colombiana, en Revista *Universidad de Antioquia* (Medellín), XLI, núm. 160 (enero-junio de 1965), p. 59-84.

ICC

* RIVAS SACCONI, JOSÉ MANUEL, 1917-

El latín en Colombia. Bosquejo histórico del humanismo colombiano. Bogotá, Talleres Editoriales de la Librería Voluntad, 1949. VIII. 484 p.

"Eight of the twelve chapters of this admirably documented study of writings in Latin and the use of this classic idiom deal with the colonial centuries. The author has made extensive use of manuscripts as well as printed materials in this encyclopedic treatment of his subject. Beginning with Latin quotations from early explorers and conquerors and their epitaphs, he brings the record down to the present centuy". (*Hdbk*'49).

"Admirable estudio del humanismo en Colombia; el método, el desarrollo y la documentación hacen de esta obra una de las contribuciones fundamentales al estudio de la cultura nacional". (*Bbcs*).

V. José María Restrepo Millán, *Un gran capítulo de historia cultural colombiana,* en *Boletín del Instituto Caro y Cuervo* (Bogotá), VI (1950), p. 344-66.

ICC, BN, BLAA / LC, PU

* RIVAS, RAIMUNDO, 1889-1946.

Mosquera y otros estudios. Bogotá, Edit. Minerva, [1936]. 206 p. 17 cm. (Selección Samper Ortega, 37).

Contenido: Raimundo Rivas; Mosquera; Amores de Solís; Discurso al recibirse en la Academia Colombiana; D. Santiago Pérez dramaturgo; Influencias literarias de José A. Silva.

ICC, BN, BLAA / LC, PU, Y, USC, UCLA

ROSALES, JOSÉ MIGUEL, 1870-

Historias y paisajes. Bogotá, Edit. de Cromos, 1929. 226 p. rets. 20½ cm.

1ª ed.: Barcelona, 1909.
De interés: El virrey fraile (Solís); El escenario de *María*.
ICC (1ª ed.) / LC

* RUEDA VARGAS, TOMÁS, 1879-1943.

A través de la vidriera. Bogotá, Edit. Kelly, 1951. 311 p.

De especial interés: Don José Caicedo Rojas; El Silva que yo conocí; Algo sobre círculos literarios; La familia Caro en Colombia; Don José María Samper.
Colección de semblanzas y ensayos.
ICC

— Escritos. ... Bogotá, [Antares], 1963. 3 v. 22½ cm.

De especial interés: t. III: Crítica, etc. (Hay varios ensayos de interés literario).
ICC

— Pasando el rato. Bogotá, Ediciones Colombia, [1925]. XIX, 152 p. 2 h. 17 cm.

De interés: Don Miguel Samper; Don José Caicedo Rojas; El Silva que yo conocí.
ICC

— ... La sabana de Bogotá. Madrid, Ediciones Guadarrama, 1954. 296 p., 4 h. láms. 24 cm.

[¿1ª ed.?]: [Bogotá, Edit. Minerva, 1936]. 199 p. 20 cm. (Selección Samper Ortega, 58).

De interés: La influencia del campo en Vergara y Vergara; La recordación centenaria del señor Marroquín; El rejo de enlazar [sobre J. M. Vergara y Vergara]; El Silva que yo conocí; El señor Caro y su casa; La familia Caro en Colombia; El libro de *Los Mochuelos*.

ICC / PU

RUMAZO, JOSÉ.

Las letras en Colombia, en *Boletín de la Academia Nacional de Historia* (Quito), XXXV, núm. 85 (enero-junio de 1955), p. 43-71.

PU

* SAMPER, JOSÉ MARÍA, 1828-1888.

Miscelánea ó colección de artículos escogidos de costumbres, bibliografía, variedades y necrología ... Paris, E. Denné Schimitz, 1869. 503 p. 18 cm.

De interés: *Parte segunda*: *Literatura*: Nuestra literatura; Santiago Pérez; Historia de la literatura en Nueva Granada; Coplas de Ricardo Carrasquilla, etc.

ICC / PU

— ... Selección de estudios. Bogotá, [Edit. A B C], 1953. 305 p., 2 h. 20 cm. (Biblioteca de Autores Colombianos, 38).

Contenido: Don José María Samper [Discurso pronunciado por el Dr. Carlos Martínez Silva en la sesión solemne de la Academia Colombiana, el 6 de agosto de 1889]; El Libertador Simón Bolívar; Bolívar, poeta; Julio Arboleda; Joaquín Acosta; Gregorio Gutiérrez González; José María Vergara y Vergara; Discurso de recepción en la Academia Colombiana; José Manuel Groot; Manuel Ancízar: *Tránsito;* Fernández Madrid, Lino de Pombo; Joaquín París; El sitio de San Agustín.

ICC, BN / LC

* SUÁREZ, MARCO FIDEL, 1855-1927.

Escritos. Bogotá, Edit. Minerva, [1936]. 171 p. 17 cm. (Selección Samper Ortega, 3).

Contenido: Jesucristo; La lengua castellana; Semblanzas: Don Francisco Antonio Zea; Don Rufino José Cuervo; Discurso pronunciado ante la estatua de Murillo Toro; Don Juan del Corral.

ICC, BN, BLAA / LC, PU, Y, USC, UCLA

— Escritos ... Compilados por Carlos Núñez Borda. Con prólogo de D. Antonio Gómez Restrepo. Bogotá, Casa Edit. de Arboleda y Valencia, 1914. xxiii, 429 p., 1 h. 21 cm.

Contenido: *1ª serie*: José E. Caro; Rafael Núñez; Miguel A. Caro.

ICC

— Escritos escogidos. Edición ordenada por la Dirección de Educación Pública, con motivo del primer centenario del nacimiento de don Marco Fidel Suárez. Medellín, Imp. Deptal., 1954. 321 p., 1 h. 24 cm.

Contenido: Discursos; Artículos; Sueños; Documentos.

ICC

UNAMUNO, MIGUEL DE, 1864-1936.

Literatura colombiana, en *El Nuevo Tiempo Literario* (Bogotá), año III, núm. 1239 (marzo 20 de 1906).

Reimpreso en *Revista Nueva* (Manizales), año III, entrega 25 (abril de 1906), p. 773-85.

ICC

URIBE RESTREPO, JUAN DE DIOS, 1859-1900.

Sobre el yunque. Obras completas, publicadas, ordenadas y anotadas por Antonio José Restrepo. Bogotá, Imp. de "La Tribuna", 1913. 2 v. ret. 20 cm.

Contiene ensayos sobre literatura colombiana.

ICC

VALENCIA GUILLERMO, 1873-1943, *Oraciones panegíricas* ... *V.* p. 207.

[VALMALA, ANTONIO DE], *seud.*

De la crítica literaria: "Ripios colombianos" de Antonio de Valmala, en *Bol. Cult. y Bibl.* (Bogotá), IV, núm. 12 (diciembre de 1961), p. 1192-2010.

ICC, BN, BLAA / LC, UCLA

VEGA, FERNANDO DE LA, 1891-1952.

Conferencia dictada por don Fernando de la Vega en la Universidad de Caracas, en *Santafé y Bogotá* (Bogotá), I, p. 123-39.

Sobre Suárez, Cuervo, M. A. Caro, Antonio Gómez Restrepo y José J. Casas.

ICC

— Crítica, por Fernando de la Vega. Bogotá, Edit. Minerva, [1936]. 1 h. p., 189 p. 20 cm. (Selección Samper Ortega, 56).

Contenido: D. Fernando de la Vega; El señor Suárez; El monumento a Isaacs; Núñez y la Regeneración; José María Samper; Elogio de don Diego Fallon; Antonio José Restrepo; Un gran periodista [Esteban Rodríguez Triana].

ICC, BN, BLAA / LC, PU, Y, USC, UCLA

— Entre dos siglos. Manizales, Colombia, A. Zapata, [1935]. 178 p., 2 h. 17 cm.

Contenido: Ante Bolívar; Núñez y la Regeneración; José María Samper; A través de una centuria [sobre Santiago Pérez]; Vergara y Vergara; Elogio de don Diego Fallon; Antonio José Restrepo; Monseñor Carrasquilla; Un gran periodista [Esteban Rodríguez Triana]; El lirismo de Rash-Isla.

ICC / LC, PU, CU

VEGA, FERNANDO DE LA, 1891-1952, *Letrados y políticos* ... *V*. p. 207-208.

VEGA, FERNANDO DE LA, 1891-1952.

Literatura nacional, en *A través de mi lupa*. Bucaramanga, Imp. del Dpto., 1951, p. 117-19.

ICC

VIDALES, LUIS.

Puntos sobre las íes en la literatura colombiana, en *Bol. Cult. y Bibl.* (Bogotá), VIII, núm. 10 (1965), p. 1484-96; 2ª parte, *Ibid.*, núm. 11, p. 1611; 3ª parte, *Ibid.*, núm. 112, p. 1786-93.

Original punto de vista sobre el valor de nuestras letras.

ICC, BN, BLAA / LC, UCLA

WILLS RICAURTE, GUSTAVO, 1923-1953.

Colombia en letras (Reseña de la actual producción literaria colombiana localizando el panorama en figuras destacadas de varios movimientos), en *Norte* (New York), diciembre de 1948, p. 32-33, 38-39.

PU

ZALAMEA, JORGE, 1905-

Consideraciones sobre la filantropía y la crítica literaria, en *Bol. Cult. y Bibl.* (Bogotá), VII, núm. 11 (1964), p. 1945-51.

"... me referiré a la desaparición o a la prolongada agonía de la crítica literaria en Colombia..." (p. 1945).

ICC, BN, BLAA / LC, UCLA

ZULETA, EDUARDO, 1864-1937.

Manuel Uribe Angel y los literatos antioqueños de su época. Bogotá, Talleres "Mundo al Día", 1937. 131 p. 17 cm.

ICC, BN

2. CRITICA SOBRE LITERATURA GENERAL

ADAMS, MILDRED.

Literary criticism in Spanish America, en *Comparative Literature Studies,* I (1964), p. 217-29.

LC

AITA, ANTONIO.

Las corrientes literarias de América, en *Nosotros* (Buenos Aires), núms. 258-59 (noviembre-diciembre de 1930), p. 229-43.

LC

— La expresión literaria de América, en *Memoria del tercer Congreso internacional de catedráticos de literatura iberoamericana.* New Orleans, Tulane, Univ., 1944, p. 221-37.

"A penetrating and thoughtful analysis of the characteristics of the literature of Spanish America". (*Hdbk*'44).

— La literatura y la realidad americana. Buenos Aires, Talleres Gráficos Argentinos L. J. Rosso, 1931. 131 p. 2 h. 19 cm.

Contenido: La literatura y la realidad americana; Las corrientes literarias de América; El paisaje en la literatura argentina.

Los dos primeros ensayos ofrecen interesantes puntos de vista sobre la literatura hispanoamericana en general. El autor hace atinadas observaciones sobre escritores colombianos como Silva, Isaacs, Rivera, Sanín Cano y Maya.

LC, KU

AMNER, FLOYD DEWEY, 1900-

Hispano-American culture studied through Hispano-American literature, an interpretative study. By F. Dewey Amner ... [Granville, O. Denison University], [c 1942]. 86 p. 29 x 23 cm.

Includes bibliographies.

LC

* ANDERSON IMBERT, ENRIQUE, 1910-

La crítica literaria contemporánea. Buenos Aires, Ediciones Gure, 1957. 154 p. (Colección Platania).

V. r. de Alfredo Roggiano, en *Hisp.,* XLI (September, 1958), p. 408-409.

LC

— Estudios sobre escritores de América. Buenos Aires, Raigal, 1954. 22 p. 21 cm.

De especial interés: Discusión sobre la novela en América; Notas sobre la novela histórica en el siglo XIX; Isaacs y su romántica *María.*

LC

ANDRADE COELLO, ALEJANDRO, 1886-

A través de los libros. (Ilustración del artista, profesor don Antonio Salgado). Quito, Imp. "Ecuador", 1935. 272 p. 19½ cm.

Contiene ensayos, reseñas y comentarios.

De especial interés: *Los cuentos de la montaña* [Sobre un libro de Blanca Isaza de Jaramillo Meza]; El poeta colombiano Arciniegas [Sobre sus libros: *Traducciones poéticas* y *Antología poética*]; El poeta Eduardo Uribe [Sobre su libro de versos: *La voz obsesionante*].

LC

ARROM, JOSÉ JUAN, 1910-

Certidumbre de América; estudios de letras, folklore y cultura. Habana, Anuario Bibliográfico Cubano, 1959. 160 p. 21 cm.

LC

AZULA BARRERA, RAFAEL, 1912-

Poesía de la acción. Bogotá, Edit. A B C, 1952. 382 p., 1 h. 20 cm. (Biblioteca de Autores Colombianos, 27).

Ensayos literarios e históricos.

De especial interés: la sección *Poetas de América* (Santos Chocano, José J. Casas, La estética de Rafael Maya, Antonio Gómez Restrepo).

ICC, BN, BLAA / LC, UCLA

* BALSEIRO, JOSÉ AGUSTÍN, 1900-

Expresión de Hispanoamérica. San Juan, Instituto de Cultura Puertorriqueña, 1960-63. 2 v. 23 cm.

De especial interés, v. I: Nombres, ideas y lenguas del continente americano; Algunos signos políticos en las letras de la

América española; Cuatro enamorados de la muerte en la lírica hispanoamericana [Martí, Gutiérrez Nájera, Casal, Silva].
LC, UCLA

BAR-LEWAW, ITZHAK.

Temas literarios hispanoamericanos. Prólogo de Pedro Gringoire. [1ª ed.]. México, B. Costa-Amic, 1961. 153 p. 22 cm.

De especial interés: Modernismo e impresionismo; José Asunción Silva: Apuntes sobre su obra.
LC

BASTIDE, ROGER, 1898-

América latina en el espejo de su literatura. [Versión de Jorge Luis Arriola]. Guatemala, Edit. del Ministerio de Educación Pública "José de Pineda Ibarra", 1959. 36 p. 21 cm. (Cuadernos del Seminario de Integración Social Guatemalteca, 3, 1ª Serie).

"De la revista *Anales*. Extrait du Nº 1, Janvier-mars, 1958".
LC

BECKSON, KARL E., *ed.*

Great theories in literary criticism. New York, Farrar, Straus, and Co., 1964.
LC

BEJARANO, JORGE, 1888-

Literatura y tuberculosis. Bogotá, Edit. Iqueima, 1959. 45 p., 1 h. láms. (rets.) 17 cm.
ICC

BERISSO, LUIS, 1866-

El pensamiento de América, precedido de un prólogo por Víctor Pérez Petit y de una noticia biográfica por Paul Groussac. Buenos Aires, F. Lajouane, 1898. 418 p. 19½ cm.

Ensayos sobre escritores y pensadores hispanoamericanos.

Para Colombia: Ensayos sobre Jorge Isaacs, Francisco José de Caldas y José María Samper.

LC

BLANCO FOMBONA, RUFINO, 1874-1944.

Letras y letrados de Hispanoamérica. Paris, Sociedad de Ediciones Literarias y Artísticas, 1908. xxv, 309 p. 19 cm.

Ensayos publicados anteriormente en revistas y periódicos literarios.

De especial interés: El peligro de América y el augurio de la poesía; La cuestión del neo-español; Literatura iberoamericana [Comentario sobre *Reminiscencias tudescas y Down the Orinoco in a Canoe,* de Santiago Pérez Triana].

LC

BOBADILLA, EMILIO, 1862-1921.

Grafomanos de América (Patología literaria), v. I. ... Madrid, V, Suárez, 1902. 290 p. 18½ cm.

De interés: un ensayo sobre Vargas Vila.

LC

BRENES MESÉN, ROBERTO, 1874-

Crítica americana. San José, Costa Rica, Ediciones del Convivio, 1936. 195 p. 21 cm.

Contiene ensayos, comentarios y reseñas sobre obras y escritores de Hispanoamérica.

De especial interés: A propósito del ensayo "Bolívar" que es parte del libro de Cornelio Hispano: *Los cantores de Bolívar*.

LC

CÁCERES, JULIO ALFONSO.

Panoramas del hombre y del estilo. Bogotá, Edit. Iqueima, 1949. 141 p.

De interés: Gilberto Garrido, poeta de lo azul; Barba Jacob o el sino; En torno a la poesía de Carlos Martín.

ICC, BN

CAMACHO CARRIZOSA, GUILLERMO, 1875-1932.

Crítica y política. Madrid, Sucs. de Rivadeneira, 1924. 297 p.

ICC, BN

CAMBOURS OCAMPO, ARTURO.

El problema de las generaciones literarias ... Buenos Aires, Edit. A. Peña Lillo, 1963. 332 p. (Colección Ensayos literarios, 1).

"Explores the theory of generations as applied to Argentine and other literatures". (*Hdbk,* Nº 28).

LC

CAMPOS, JORGE.

La literatura hispanoamericana en el siglo XIX. Valencia, 1948. 31 p. 25 cm. (Saitabi, Serie 2: Historia, núm. 19).

Tirada aparte de *Saitabi,* año 8, VI, núms. 29-30 (julio-diciembre de 1948), p. 195-223.

"Synopsis of literary trends from [...] liberation to modernism. Nothing new, but erudite and systematic".

LC

CANÉ, MIGUEL, 1851-1905.

En viaje. Selección, prólogo y notas de Fermín Estrella Gutiérrez. Buenos Aires, Edit. Kapelusz, 1958. 110 p. ilus. 15 cm. (Biblioteca de Grandes Obras de la Literatura Universal).

Hay otras ediciones de esta obra que incluye comentarios sobre escritores colombianos de fines del siglo XIX.

LC, NYPL

CANSINOS ASSENS, RAFAEL, 1883-

La nueva literatura ... colección de estudios críticos. 2ª ed. Madrid, Edit. Páez, 1925. 19 cm.

Especialmente sobre literatura española. En un ensayo sobre Rubén Darío; *Un recuerdo,* se menciona a Alfredo Gómez Jaime por quien Cansinos-Assens conoció a Rubén Darío.

LC, UVa, KU

CARILLA, EMILIO, 1914-

Americanismo literario, en *Boletín de Filología.* Univ. de Chile, Instituto de Filología (Santiago), XV (1963), p. 257-325.

LC

* CARO, MIGUEL ANTONIO, 1843-1909.

... Artículos y discursos. Bogotá, Edit. Iqueima, 1951. 431 p., 1 h. 20 cm. (Biblioteca Popular de Cultura Colombiana, 150).

Ensayos con temas predominantemente políticos. Entre los ensayos hay algunos sobre literatura.

ICC, BN, BLAA / LC, PU, UCLA

— Estudios críticos. [Bogotá, Imp. de El Tiempo, s. a.]. p. 283-320, 1 h. 17 cm. (Lecturas Populares. Serie II, 27).

Suplemento Literario de *El Tiempo*.

Contiene los ensayos: *Núñez de Arce* y *Don Quijote*.

ICC

— Estudios de crítica literaria y gramatical. Edición preparada por Darío Achury Valenzuela. Bogotá, Imp. Nacional, 1955. 2 v. 24 cm. (Biblioteca de la Presidencia de Colombia, v. 16, 17).

Contenido: v. I: Estudios literarios; v. II: Estudios gramaticales y de literatura latina.

De interés: v. 1: La crítica literaria; José E. Caro; Notas biográficas de Julio Arboleda; Gonzalo de Oyón; Don Rufino José Cuervo; Don Andrés Bello; Olmedo; Núñez de Arce; Poesías de Menéndez y Pelayo; Menéndez y Pelayo y la ciencia española; v. II: Afrancesamiento en literatura; El Quijote; Algo acerca de Horacio; Virgilio y el nacimiento del Salvador; Camila (La amazona virgiliana); Virgilio en España; De la aliteración considerada como elegancia métrica; Del verso eneasílabo.

ICC, BN, BLAA

— Obras completas ... ed. oficial hecha bajo la dirección de Víctor E. Caro y Antonio Gómez Restrepo. Bogotá, Imp. Nacional, 1918-45. 8 v.

De interés: v. 2 (Serie 1ª): Carta literaria; Aviaria catulliana; Afrancesamiento en literatura; Virgilio y el nacimiento del Salvador; Algo acerca de Horacio; La crítica literaria; José Eusebio Caro; José Manuel Groot; Fundación de la Academia Colombiana; El Quijote; Virgilio; del metro y la dicción en que debe traducirse la epopeya romana; Nuevos estudios sobre Virgilio; Una obra apócrifa; Juan María Gutiérrez; Sonetos y sonetistas; Ensayo métrico de una traducción de Byron; Literatura mejicana; Núñez de Arce; La conquista; v. 3 (Serie 2ª); Olmedo; Joan de Castellanos; Madrigales; Oración de estudios; Don Andrés Bello; Centenario de Bello; Cecilio Acosta; Diego Fallon; José María Roa Bárcena; XIX centenario de Virgilio; Camila (La amazona virgiliana); Virgilio estudiado en relación con las bellas artes; Poesías de Menéndez Pelayo; Menéndez Pelayo y la ciencia española; José Milla; Tejera y sus censores; Don Gabriel Alvarez de Velasco y su familia; Noticia biográfica de Julio Arboleda; Gonzalo de Oyón; v. 4 (Serie 3ª): Bibliografía boliviana; Sobre el término *Escuela;* Un misionero poeta; Curiosidades literarias; El centenario de Ricaurte; Importantísimo descubrimiento; Memorias histórico-políticas del general Posada; El general Santander; A caza de anónimos; Virgilio en España; San Cirilo de Alejandría; Cartas abiertas a Brake; *La Reforma política;* José Fernández Madrid; Don Rufino José Cuervo; Menudencias literarias; Un recuerdo histórico y una poesía latina; Soneto dialogado, Asociación literaria internacional americana; Angel María Céspedes; Joaquín Mosquera; Un himno en honor del Papa.

ICC

— Páginas de crítica, prólogo de Don A. Gómez Restrepo. Madrid, Edit. "América", [¿1919?]. 282 p. 19½ cm. (Biblioteca Andrés Bello, XLVI).

Contenido: *Caro crítico,* por A. Gómez Restrepo; Andrés Bello; Julio Arboleda; Juicios sobre Bolívar; El yanqui J. G. Draper; San Cirilo de Alejandría; Memorias histórico-políticas del general Posada Gutiérrez; El general Santander; La conquista de América.

ICC / LC

CARRASCO, ALIRIO.

Letras hispanoamericanas, desde la época colonial hasta nuestros días. Santiago, Imp. Chile, 1919. XVII, 475 p. 19 cm.

LC

CARRASQUILLA, RAFAEL MARÍA, 1857-1930.

... Estudios y discursos. [Bogotá, Edit. Santafé, 1952]. 362 p., 2 h. 19 cm. (Biblioteca de Autores Colombianos, 14).

De interés: Marco Fidel Suárez; Miguel A. Caro; Elogio de José Joaquín Ortiz; José Celestino Mutis; Francisca Josefa del Castillo; Alocución en homenaje a don Rufino José Cuervo; Alocución pronunciada en la Academia Colombiana en la junta pública a honra de Menéndez y Pelayo.

ICC, BN

CARRERA, JULIETA.

La mujer en América escribe; semblanzas. 1ª ed. México, Ediciones Alonso, 1956. 332 p. 21 cm.

"50-odd gossip sketches of women writers, good, bad, or indifferent..." (*Hdbk*, Nº 20).

LC

CASTRO SILVA, JOSÉ VICENTE, *Monseñor*, 1885-

Prólogo del Quijote y otros ensayos. Bogotá, Imp. Municipal, 1937. 342 p. 20½ cm.

Contenido: Prólogo del Quijote; La tristeza de Bolívar; Ante la tumba de Sucre; La tradición de los descubridores; El arzobispo Mosquera; José Celestino Mutis; Rafael Pombo; Educación y deporte; Educación y regionalismo; Erasmo roterdamo; Los dos humanismos.

ICC, BN / LC, PU

COESTER, ALFRED.

The interpretative value of Spanish-American literature, en *Hisp.*, XX (Feb., 1937), p. 19-26.

LC, PU, USC, UCLA

COLIN, EDUARDO, 1880-

Rasgos, por Eduardo Colin. México, Imp. Manuel León Sánchez, 1934. 165 p. 19 cm.

"Los artículos presentes se escribieron con diferencias de fechas, aun de algunos años. Sin embargo, los asuntos y escritores tratados guardan los 'rasgos' que se indican [...]. Mi intención es crítica, estética, dentro del tiempo, es claro, en una amplia modernidad de actitud y temas". (E. Colin).

De especial interés: La literatura de Colombia [Comentario muy general sobre escritores y características de la literatura nacional]; Vargas Vila.

LC

COMISIÓN PERMANENTE DEL PRIMER CONGRESO DE ACADEMIAS DE LA LENGUA ESPAÑOLA.

... Homenaje a Bello, Caro y Cuervo. Madrid, 1956. 446 p. 25 cm.

ICC

CONTRERAS, FRANCISCO, 1878-

L'esprit de l'Amérique espagnole. Paris, Editions de la Nouvelle Revue Critique, [1931]. 254 p. 19 cm.

De especial interés: *Introduction*: *Développment des lettres hispano-américaines,* p. 9-21, en que se hace una rápida reseña de las letras hispanoamericanas. Se mencionan algunos escritores nacionales: Isaacs, Silva, Valencia, Vargas Vila.

LC

— Les écrivains de l'Amérique espagnole. Paris, La Renaissance du Livre, [c1920]. 184 p. 19 cm.

Ensayos sobre literatura hispanoamericana. Menciona a los colombianos Cornelio Hispano, Jorge Isaacs, José A. Silva, Guillermo Valencia y J. M. Vargas Vila.

LC, KU

CONTRERAS, FRANCISCO, 1878-

Les écrivains hispano-américains et la guerre européene; preface de Philéas Lebesgue. Paris, Editions Bossard, 1917. 3 h. p., 93 p. 16 cm.

Contenido: I. Les penseurs et les écrivains d'idées; II. Les critiques et les écrivains d'imagination; III. Les poètes; IV. Les publicistes.

Ensayos en que se comenta la posición de los escritores hispanoamericanos en la primera guerra mundial. Se menciona a Santiago Pérez Triana.

LC

* CORREA, GUSTAVO.

El nacionalismo cultural en la literatura hispanoamericana, en *Cuadernos Americanos,* año 17, XLVII, núm. 2 (marzo-abril de 1958), p. 225-36.

"Nationalism in Spanish American Literature has passed through various stages: patriotic exaltation generated by anti-Spanish passions during the struggle for independence; the use of American themes; virtual *afrancesamiento;* the defense of its Latin heritage; nativist movements; and, finally, introspective examination of the nature of Argentinism, Mexicanism, etc." (*Hdbk,* Nº 24).

LC

CUERVO MÁRQUEZ, EMILIO, 1873-1937.

Ensayos y conferencias. Bogotá, Edit. Cromos, 1937. 240 p. 19 cm.

Ensayos y artículos sobre temas diversos. De especial interés: Francisco José de Caldas; El arte dramático nacional; José Asunción Silva. Su vida y su obra.

ICC

CUERVO, RUFINO JOSÉ, 1844-1911.

Escritos literarios compilados por Nicolás Bayona Posada. Bogotá, Edit. Centro, 1939. 113 p. 25 cm.

Contenido: "La lengua; Una nueva traducción de Virgilio [M. A. Caro. Bogotá 1873]; Ecos perdidos [Prólogo a *Ecos* ... de Antonio Gómez Restrepo. París, 1893]; Noticia biográfica de D. Angel Cuervo; Dos poesías de Quevedo a Roma; La lengua de Cervantes [Prólogo a *La lengua de Cervantes* por Julio Cejador y Frauca]; Fronda lírica [A guisa de prólogo para una nueva edición de *Fronda lírica* por Julio Flórez]". (*Hdbk*'39).

ICC /PU

DAVISON, NED J., *The concept of modernism in Hispanic criticism* ... *V*. p. 482.

DELFINO, VICTORIO M.

Origen y evolución de la crítica literaria, en *Nosotros* (Buenos Aires), núm. 54 (octubre de 1913), p. 35-46.

LC

DÍEZ-CANEDO, ENRIQUE, 1879-

Letras de América, estudios sobre las literaturas continentales. México, El Colegio de México, [1944]. 426 p. 22 cm.

Colección de artículos publicados previamente en revistas literarias.

De interés: De poesía colombiana, p. 158-266: [Comentario sobre la *Antología de líricos colombianos*, de Carlos García Prada; valoración de la crítica de M. Menéndez y Pelayo y de Valera sobre la lírica nacional y juicios sobre algunos modernistas colombianos].

LC, UVa, KU

DISCURSOS académicos (Varios autores) ... Bogotá, Edit. A B C, 1955. 3 v. 24 cm. (Biblioteca de la Presidencia de Colombia, 18-20).

"Compilation of lectures on sundry literary subjects by distinguished men of letters from Colombia: for instance, seven by Rafael M. Carrasquilla on Dante, Santa Teresa, etc.; four by Antonio Gómez Restrepo on Hugo, Santa Teresa, Cervantes, etc." (*Hdbk*, Nº 21).

El v. 4 contiene algunos discursos de recepción a la Academia Colombiana con sus respuestas.

ICC, BN, BLAA

DOMÍNICI, PEDRO CÉSAR.

Tronos vacantes; arte y crítica. Buenos Aires, Librería "La Facultad", J. Roldán y Co., 1924. 250 p. 21 cm.

Contiene un ensayo sobre José A. Silva.

LC

FAUQUIER, NINA.

La presencia de América en la literatura hispanoamericana desde principios del siglo XVI hasta fines del XIX, a través de la crítica literaria. [México], 1951. 112 p. 28 cm.

Tesis, Universidad Autónoma de México.
Bibliografía, p. 108-109.

LC

FERRER, JOSÉ.

Marginalia. Margen del padre Rivera Viera. Puerto Rico, Imp. Venezuela, 1939. 135 p. 19 cm.

De interés: comentario sobre *Idolos del foro*, de Carlos A. Torres.

FIGUEROA, PEDRO PABLO.

Pensadores americanos ... Santiago de Chile, Imp. de "El Correo", 1890. 137 p. 24 cm.

De interés: comentario sobre Lázaro María Pérez.
LC

— Prosistas y poetas de América moderna. Bogotá, Casa Edit. de J. J. Pérez, 1891. XI, 437 p.

Ensayos sobre autores hispanoamericanos. Figuran juicios sobre los colombianos Isidoro Laverde Amaya, Jorge Isaacs, José David Guarín, José María Samper, Lázaro María Pérez, Rafael Núñez, Rafael Pombo, y Ricardo Carrasquilla.
ICC / Y

FORD, JEREMIAH DENIS MATHIAS, 1873-

Main currents of Spanish literature. New York, Henry Holt and Co., 1919. VII, 248 p. 20 cm.

De interés: el capítulo *High Points of Spanish American Letters.*
LC, VMI

* GARCÍA PRADA, CARLOS, 1898-

Estudios hispanoamericanos. México, D. F., El Colegio de México, [1945]. 338 p. 23 cm.

"... fourteen *ensayos* published in periodicals or as prefaces and a score of book reviews. Most of the essays deal with poetry; some are important contributions in the field. Poets studied: José A. Silva, José Eustasio Rivera, Guillermo Valencia, Gregorio Gutiérrez González, Porfirio Barba Jacob, Luis Carlos López, Germán Pardo García, León de Greiff, Manuel González Prada, and Arturo Torres Ríoseco". (*Hdbk*'45).
LC, CU, KU, UCLA

— Letras hispanoamericanas: Ensayos de simpatía. Madrid, Ediciones Iberoamericanas, 1963. 2 v.

"Incluye [entre otros] estudios sobre G. Mistral, González Prada, J. A. Silva y Darío" .

ICC / LC

GARCÍA GODOY, FEDERICO.

Americanismo literario ... Madrid, Edit. América, 1917. 248 p. 19½ cm. (Biblioteca Andrés Bello, [XXXVII]).

De interés: *Pórtico,* p. 9-24 en que el autor hace interesantes consideraciones sobre la existencia de una literatura americana autóctona e independiente.

LC, UCLA

— La literatura americana en nuestros días. (Páginas efímeras). Madrid, Sociedad Española de Librería, [¿1915?]. 304 p. 19½ cm. (Biblioteca Andrés Bello).

Contiene un comentario sobre *Posturas difíciles,* de Luis Carlos López.

LC, KU, UVa

GARCÍA, JUAN CRISÓSTOMO, *Pbro.,* 1883-

Selección de escritos de Juan C. García, Pbro. Bogotá, Edit. Centro, 1941. 343 p. 22 cm.

Colección de piezas originales, ensayos, etc. De especial interés: En torno de Rin Rin (Sobre Rafael Pombo); Discurso de recepción en la Academia de La lengua y respuesta del académico Daniel Samper Ortega.

ICC, BN

GARCÍA ORTIZ, LAUREANO, 1865-1945.

Conversando ... [Bogotá], Ediciones Colombia, 1925. 182 p. 17½ cm. (Ediciones Colombia, 5).

Ensayos y comentarios sobre temas diversos. De especial interés: ¿Quid est veritas? (La muerte de José A. Silva); Camacho Roldán y su tiempo.

ICC

GARCÍA MÉROU, MARTÍN, 1862-1905.

Confidencias literarias. Buenos Aires, Imp. y Casa Editora "Argos", 1893. 237 p. 18½ cm.

Se mencionan numerosos escritores colombianos de fines del siglo XIX.

LC, Y

GARCÍA CALDERÓN, VENTURA, 1886-1959.

Semblanzas de América ... [Madrid], La Revista Hispanoamericana "Cervantes", [¿1920?]. 206 p. 19½ cm. (Biblioteca Ariel).

Incluye una semblanza sobre José A. Silva.

LC

GEORGE WASHINTON UNIVERSITY. *Washington, D.C. Seminar Conference in Hispanic American Affairs.*

Modern Hispanic America; edited by A. Curtis Wilgus, with a foreword by Cloyd Heck Marvin ... Washington D. C., The George Washington University Press, 1933. IX, 630 p. 23½ cm.

"A collection of lectures given in the Seminar Conference on Hispanic American Affairs at the George Washington University during the summer of 1932".

Contenido de interés: Modern Hispanic American literary development. The classical and the romantic movements, by C. K. Jones; *The modernist movement,* by C. K. Jones; *Europe and Hispanic America, Research opportunities in a neglected field,* by F. Rippy; *Intellectual cooperation between the Americas,* by J. A. Robertson.

LC, KU

GÓMEZ RESTREPO, ANTONIO, 1869-1947.

Algunos aspectos de la literatura hispanoamericana, en *Discursos académicos,* I. [Autores varios]. Bogotá, Edit. A B C, 1955, p. 418-30. (Biblioteca de la Presidencia de Colombia).

ICC, BN, BLAA / LC

GONZÁLEZ BLANCO, ANDRÉS.

Los contemporáneos; apuntes para una historia de la literatura hispanoamericana a principios del siglo XX ... París, Garnier Hnos., [1907-1909]. 3 v. 18 cm.

El v. II, serie 2, incluye un estudio sobre Carlos Arturo Torres.

LC, KU, UC

— Escritores representativos de América ... Madrid, Edit. América ... 1917. II, 351 p. 19½ cm. (Biblioteca Andrés Bello).

Incluye un ensayo sobre Carlos A. Torres que es esencialmente el mismo que aparece en la obra del mismo autor: *Los contemporáneos.*

LC, KU, TU, UCLA, UC

GONZÁLEZ RUANO, CÉSAR.

Veintidós retratos de escritores hispanoamericanos. Madrid, Cultura Hispánica, 1952. 133 p. (Colección Hombres e Ideas).

"22 sketches of Spanish American writers, from two to four pages in length and of unequal merit ...". (*Hdbk'* 52).

Entre los colombianos figura J. M. Vargas Vila.

LC

GONZÁLEZ, MANUEL PEDRO, 1893-

Ensayos críticos. Caracas, Universidad Central de Venezuela, 1963. 177 p.

"Se recoge en este libro un conjunto de ensayos de Manuel Pedro González - muchos de ellos publicados en revistas dispersas...".

De interés: Apogeo y rebalse de la novela en América; Bryant y Heredia, dos grandes pioneros de las relaciones culturales interamericanas; Crisis de la novela en América; B. Sanín Cano, "rector moral de repúblicas".

UCLA

— Estudios sobre literaturas hispanoamericanas; glosas y semblanzas. México, 1951. 386 p. 22 cm. (Ediciones Cuadernos Americanos, 19).

De interés: Significación de Sanín Cano, p. 313-27.

V. r. de Robert G. Mead, en *Hisp.,* XXXV (May, 1952), p. 152.

LC, UCLA

GRIFFIN, CHARLES CARROLL, 1902- *ed.*

Concerning Latin American culture; papers read at Byrdcliffe, Woodstock, New York, August, 1939, and edited by Charles C. Griffin. New York, Publ. by Columbia Univ. Press for the National Committee of the United States of America on International Intellectual Cooperation, 1940. xiv, 234 p. 22½ cm.

De interés: Cultural relations of the United States in the Western World, by B. M. Cherrington; *Spanish American literature and art,* by Concha R. James.

LC, VMI, KU

GRILLO, MAXIMILIANO, 1868-1949.

Alma dispersa. Paris, Garnier Hnos., [1912]. 247 p. 18 cm.

Ensayos sobre temas diversos. De especial interés: De los poetas nuevos; Literatura en decadencia; José A. Silva.

ICC

— Granada entreabierta. [Bogotá, Edit. A B C, 1946]. 338 p. 1 h. 19 cm. (Biblioteca Popular de Cultura Colombiana, 82).

Ensayos sobre temas y escritores nacionales y extranjeros.

ICC, BN, BLAA / LC

GRISMER, RAYMOND LEONARD, 1895-

Introduction to the classical influence on the literatures of Spain and Spanish America, en *Boletín del Instituto Caro y Cuervo* (Bogotá), V (1949), p. 433-46.

ICC / LC

GUTIÉRREZ GIRARDOT, RAFAEL, 1928-

Problemas de la crítica literaria, en *Cuadernos Hispanoamericanos,* LXII (Madrid), p. 307-24.

LC

— Problemas y método de la crítica literaria, en *Bol. Cult. y Bibl.* (Bogotá), IX, núm. 9 (1966), p. 1719-32.

Consideraciones sobre los problemas de la crítica literaria y planteamiento de un método.

ICC, BN, BLAA / LC, UCLA

GUZMÁN ESPONDA, EDUARDO, 1893-

Sitios y figuras. Bogotá, Edit. Pax, 1961. III, 299 p. láms. (parte rets.). 20 cm.

Ensayos sobre literatura colombiana y extranjera, impresiones de viaje, etc.

ICC

GUZMÁN, DIEGO RAFAEL DE, 1848-1920.

Selección literaria ... Ed. oficial. Bogotá, Imp. Nacional, 1922. x, 327 p. 22½ cm.

De especial interés: Importancia del espíritu español en las letras colombianas; De la novela; Memorias académicas.

ICC, BN / Y

HALL, VERNON, JR.

A short history of literary criticism. [2nd ed.]. New York, New York Univ. Press, 1963. VII, 184 p. (The Gotham Library).

"This wide-ranging survey of the history of literary criticism charts the shifting currents of literary thought from Plato to the present [...] The book as a whole reveals the shaping force of social and political ideas on literary taste and criticism".

LC

HENRÍQUEZ UREÑA, MAX, 1885-

El retorno de los galeones (Bocetos hispánicos). Madrid, Renacimiento ... 1930. 259 p. 18 cm.

[2º ed.] con el título: *El retorno de los galeones y otros ensayos.* México, Ediciones Galaxia y Ediciones de Andrea, 1963.

Contenido: Estudio sobre el intercambio de influencias literarias entre España y América durante los últimos cincuenta años; Desarrollo histórico de la cultura en la América española durante la época colonial.

LC, KU, UCLA

* HENRÍQUEZ UREÑA, PEDRO, 1884-1946.

Obra crítica. México, Fondo de Cultura Económica, 1960. 844 p.

De especial interés: Pedro Henríquez Ureña, por Jorge Luis Borges; El verso endecasílabo [De *Horas de estudio*]; El descontento y la promesa, Caminos de nuestra historia literaria, Hacia el nuevo teatro [De *Seis ensayos en busca de nuestra expresión*]; Romances en América, Apuntaciones sobre la novela en América: I. Por qué no hubo novela en la época colonial; II. Connatos de novela en la época colonial; III. Villaurrutia y la novela inglesa [De antología de artículos y conferencias]; El teatro de la América en la época colonial.

V. r. de Roberto G. Mead, en *Hisp.,* XLIII (December, 1960), p. 653-54.

LC

— Seis ensayos en busca de nuestra expresión. Buenos Aires, Madrid, Biblioteca Argentina de Buenas Ediciones Literarias, [1928]. 4 h. p., 198 p. 19 cm.

[¿2ª ed.?]: con el título *Ensayos en busca de nuestra expresión.* Buenos Aires, Raigal, 1952. 156 p.

Contenido: Seis ensayos en busca de nuestra expresión; Orientaciones: El descontento y la promesa, en busca de nuestra expresión. Caminos de nuestra historia literaria. Hacia el nuevo teatro; Figuras: Don Juan Ruiz de Alarcón, Enrique González Martínez, Alfonso Reyes; Dos apuntes argentinos: El amigo argentino, Poesía argentina contemporánea. Panorama de la otra América: Veinte años de literatura en los Estados Unidos.

LC, KU

HESPELT, T. H.

Spanish American literature, en *Encyclopaedia Britannica.* 14th ed., XXI, 1929, p, 149-59.

LC

HILTON, CHARLES A.
El concepto de civilización y barbarie en la literatura sudamericana. México, 1952. 122 p. 22 cm.

Tesis-Universidad Nacional Autónoma de México.
Bibliografía, p. 119-22.
LC

HOMENAJE. Estudios de filología e historia literaria lusohispanas e iberoamericanas, publicados para celebrar el tercer lustro del Instituto de Estudios Hispánicos, Portugueses e Iberoamericanos de la Universidad Estatal de Utrecht. La Haya, 1966. 603 p.
ICC

HOSTOS Y BONILLA, EUGENIO MARÍA DE, 1839-1903.
Meditando ... Hamlet-Plácido-Carlos Guido Spano-Guillermo Matta. - Lo que no quiso el lírico quisqueyano, etc. París, Sociedad de Ediciones Literarias y Artísticas, 1909. IX p., [5], 331 p. 20 cm. (Biblioteca Quisqueyana).

"En prenda de gratitud, y como testimonio de rendida veneración a la memoria de Don Eugenio María de Hostos, damos a luz varios artículos publicados por él en diferentes revistas...". (*Breve noticia,* p. v).
De interés: José María Samper (Comentario sobre el libro *Ensayo sobre las revoluciones políticas de las repúblicas colombianas* [*sic*]).
LC

HOZ, MANUEL EZEQUIEL DE LA, Y VENGOECHEA DE LA HOZ, MAGDALENA.
Crítica y ensayos. Barranquilla, [Imp. Departamental], 1962. 79 p. 24 cm.

Ensayos sobre temas diversos. Algunos tienen interés literario.
ICC

* INSTITUTO CARO Y CUERVO.

Estudios de filología e historia literaria. Homenaje al R. P. Félix Restrepo S. I., Presidente Honorario del Instituto. Bogotá, Talleres Edit. de la Librería Voluntad, 1950. (Boletín del Instituto Caro y Cuervo, t. V, 1949).

"Dedicamos este volumen del *Boletín del Instituto Caro y Cuervo* a publicar la miscelánea de estudios de filología e historia literaria que el Instituto Caro y Cuervo ofrece en homenaje al R. P. Félix Restrepo S. I., con motivo de haber sido designado su Presidente Honorario...". *(Propósito,* p. [VII]).

De especial interés: Historia literaria: Guillermo Hernández de Alba, *José Celestino Mutis, poeta latino;* Manuel José Forero, *Hallazgo de un libro de Jiménez de Quesada* [*El antijovio*]*;* José Manuel Rivas Sacconi, *Una poesía de León XIII interpretada por Caro; Bibliografía:* Raymond L. Grismer, *Introduction to the classical influence on the literatures of Spain and Spanish America;* José J. Ortega Torres, *Cervantes en la literatura colombiana;* Antanas Kimsa, *Bibliografía del R. P. Félix Restrepo, S. I.*

ICC / NYPL

JARAMILLO ANGEL, HUMBERTO, 1908-

Letras y letrados. Ensayos. [Manizales, Imp. Departamental], 1961 [en el colofón 1962]. 195 p. 16½ cm. (Biblioteca de Escritores Caldenses. Segunda época. v. 10). *(An'* 62)

JARAMILLO ARANGO, RAFAEL, 1896-

... Los maestros de la literatura infantil. Bogotá, [Caja de Crédito Agrario], 1956. 349 p., 1 h. ilus. 23 cm.

2ª ed.: Bogotá, [Litografía Villegas], 1958. 349 p. 23 cm.

V. comentario de Adel López Gómez, en *Bol. Cult. y Bibl.* (Bogotá), VIII, núm. 2 (1965), p. 267-70.

ICC

JORNADAS DE LENGUA Y LITERATURA HISPANOAMERICANA 1ª. *Salamanca,* 1953.

Comunicaciones y ponencias. Salamanca, 1956. 2 v. 25 cm. (Acta Salmanticensia. Filosofía y Letras, t. 10, núm. 1-2).

LC

LANDÍNEZ, VICENTE.

Almas de dos mundos. Tunja, Colombia, Imp. Deptal., 1958. 174 p. 17 cm.

"Breves cuadros de una ciudad colombiana y evocación de figuras ejemplares del país, amén de semblanzas de personajes literarios de valor universal. Sorprenden la agudeza del juicio y la recreación de seres. El estilo, de fuerte sabor azoriniano, es compacto, selectivo y armonioso. Sobresalen 'Tres instantes de Azorin', 'Visión de Montaigne', y 'Una nueva recreación de Silva'. (*Hdbk',* Nº 23).

BLAA

LEAVITT, STURGIS E., 1888- *Hispano-American literature in the United States; a bibliography of translations and criticism* ... *V.* p. 38.

LÓPEZ, ERNESTINA A.

¿Existe una literatura americana? ... Buenos Aires, M. Moreno, 1901. 333 p. 24 cm.

Tesis-Universidad de Buenos Aires.

Contenido: Elementos para la historia literaria americana; Examen de los elementos literarios americanos.

LC

[LÓPEZ, ISMAEL], *seud.* CORNELIO HISPANO, 1882-1962.

Los cantores de Bolívar en el primer centenario de su muerte. Bogotá, Edit. Minerva, 1930. 293 p. ret. 17 cm.

Contenido: A Bolívar en el centenario de su muerte; I. Los cantores de Bolívar: Olmedo, Bello, Baralt, Heredia, Ortiz, Caro, Silva. Antología bolivariana; II. Elogio de Bolívar; III. La quinta de Bolívar; IV. Retratos de Bolívar; V. Delante de Dios: Ideas religiosas de Bolívar; VI. La peregrinación a San Pedro Alejandrino; Oración en San Pedro Alejandrino; Máximas y pensamientos de Bolívar.

LC

LOZANO Y LOZANO, JUAN, 1902-

... Obras selectas. Poesía-Prosa. Medellín, Edit. Horizonte, [1956]. 940 p., 1 h. front. 21½ cm. (Colección de Clásicos y Contemporáneos Colombianos).

De interés: la sección de crítica literaria y artística: Ensayos críticos, Discursos y conferencias, En torno a las artes, Notas sobre hombres y libros.

ICC

MAÑACH, JORGE, 1898-

Relieve de la literatura latinoamericana, en *Hisp.,* XIX, (February, 1936), p. 75-84.

LC, PU, USC, UCLA

MARASSO ROCCA, ARTURO, 1890-

Estudios literarios ... Buenos Aires, "El Ateneo", P. García, 1920. 294 p. 1 h. 19 cm.

De interés: El verso alejandrino.

LC

MARINELLO, JUAN, 1899-

Literatura hispanoamericana: hombres, meditaciones. [México], Ediciones de la Universidad Nacional de México, 1937. 186 p. 3 h. 24 cm.

De interés: Tres novelas ejemplares [*Don Segundo Sombra, La vorágine, Doña Bárbara*].

LC, KU

— Meditación americana; cinco ensayos. Buenos Aires, Edit. Procyón, [1959]. 219 p., ilus. 20 cm.

De interés: Sobre la novela americana; Sobre el asunto en la novela.

LC

MARTÍNEZ SILVA, CARLOS, 1847-1903.

Ensayos literarios e históricos. Bucaramanga, Imp. del Depto., 1932. 196 p. 23 cm. (Biblioteca Santander, III).

Contenido: *Carlos Martínez Silva,* por Fernando de la Vega; Neologismos ortográficos; Bibliografía: Cuadro cronológico de los soberanos y magistrados de la Nueva Granada; El baile de las sombras; José María Vergara y Vergara; la política de los EE. UU. de América; La política del Quijote; Sobre la reforma en los estudios; Los refranes y la economía política; Elogio del doctor José María Samper; El Marquesito.

ICC, BN / LC, PU, Y

— Escritos varios. Selección por Luis Martínez Delgado. [Bogotá, Edit. Kelly, 1954]. 418 p., 2 h. 20 cm. (Biblioteca de Autores Colombianos, 76).

Contenido: Escritos literarios, Estudios biográficos, Escritos políticos, Escritos jurídicos.

De especial interés: El ensayo literario: *La política del Quijote* (Discurso de recepción en la Academia Colombiana).

ICC, BN, BLAA / LC

* MAYA, RAFAEL, 1898-

Alabanzas del hombre y de la tierra. Bogotá, Casa Edit. Santafé, [1934]. 362 p. 17½ cm. (Biblioteca de los Penúltimos, 2).

Contenido: José A. Silva; Baldomero Sanín Cano; Guillermo Valencia; Víctor M. Londoño; Cornelio Hispano; José E. Rivera; Porfirio Barba Jacob; Roberto Pizano; Antonio María Valencia; La tierra del Cauca; Nueva interpretación de Bécquer; Ante un justo; Carta a don Quijote; Exégesis de *La vida en la sombra;* La máscara del santo; La república estudiantil; Prosa profana para Berta Singerman; De Beatriz a María; Elogio de Antioquia.

ICC, BN / LC, WLU, VMI

— De perfil y de frente (Estudios literarios). [Cali, Colombia, Edit. Norma, 1966]. 272 p.

"Este libro ... es una recopilación de estudios literarios, publicados en la prensa del país, durante estos últimos años. Sin embargo, el hecho de versar, casi exclusivamente, sobre letras nacionales, le confiere cierto sentido de unidad..." (*Advertencia*).

De especial interés: Elogio de don Marco Fidel Suárez; José Eustasio Rivera; Los sonetos de Rivera; *El Moro* de Marroquín; El costumbrismo en Colombia, una modalidad de pensamiento nacional; Evocación de doña Agripina Montes del Valle; Evocación de Rafael Pombo; Don Julio Arboleda.

ICC, BLAA

— Estampas de ayer y retratos de hoy. [Bogotá, Edit. Kelly, 1954]. 450 p. 20 cm. (Biblioteca de Autores Colombianos, 80).

"Una serie de estudios críticos en los que se analizan los valores más representativos de la literatura nacional". Hay también unos pocos ensayos sobre escritores extranjeros.

ICC, BN, BLAA / LC, CU

— Los tres mundos de don Quijote, y otros ensayos. Bogotá, [Edit. A B C], 1952. 295 p., 1 h. 20 cm. (Biblioteca de Autores Colombianos, 1).

Contenido: Los tres mundos de don Quijote; Tomás Carrasquilla; Mi José Asunción Silva; Una revisión de Julio Flórez; Un poeta filósofo [sobre José E. Caro]; Marco Fidel Suárez, clásico de América; En el sepelio de Guillermo Valencia; La lección del estadio; Aspectos del romanticismo en Colombia; La continuidad lírica en Colombia; Nuestro amigo el libro; Hombre y naturaleza en la conquista de América; La Virgen de América.

ICC, BN, BLAA / LC

MEAD, ROBERT G., JR., 1913-

Temas hispanoamericanos: Libertad intelectual, González Prada, letras mexicanas y argentinas, valor e historiografía de la literatura hispanoamericana, Mariátegui, panamericanismo. México, Ediciones de Andrea, 1959. 159 p. 22 cm. (Colección Studium, 26).

Ensayos y reseñas de libros.

LC

MELÉNDEZ, CONCHA, 1904-

Asomante; estudios hispanoamericanos. [San Juan], Universidad de Puerto Rico, 1943. 3 h. p., 159 p. 21½ cm.

Contenido: Estudios puertorriqueños; Estudios hispanoamericanos; Libros a la vista.

LC

— Signos de Iberoamérica. México, Imp. Manuel León Sánchez, 1936. 187 p. 2 h. 24 cm.

De interés: Signos de Iberoamérica; Tres novelas de la naturaleza americana: *Don Segundo Sombra, La vorágine, Doña Bárbara;* Novelas del novecientos en América.

LC, UVa

MERCHÁN, RAFAEL MARÍA, 1844-1905.

Estudios críticos, por Rafael M. Merchán ... Bogotá, Imp. de La Luz, 1886. 4 h. p., 712 p. 19½ cm.

"La impresión de este volumen, detenida por la guerra, se comenzó en julio de 1884, y se adelantó a medida que iban apareciendo en *La Luz* los artículos que ocupan sus primeras páginas". (*Prólogo del autor,* s. p.).

De interés: Poesías de Rafael Tamayo; Versos de César Conto; Historia por Martínez Silva; *¿Justicia o fatalidad?* [Drama de Emilio A. Escobar]; Estalagmitas del lenguaje [Sobre las *Apuntaciones críticas,* de Rufino J. Cuervo]; La política en la historia [Sobre *Doctrinarismo y la autoridad,* de Felipe Pérez]; Las escuelas poéticas; El hiato; Miguel A. Caro, crítico.

BN / LC

— Estudios críticos; prólogo de Antonio Gómez Restrepo. Madrid, Edit. América, [¿1917?]. 293 p. 19 cm. (Biblioteca Andrés Bello, [XXVIII]).

De interés: Estalagmitas del lenguaje; Miguel A. Caro, crítico.

LC, UC

MESA, CARLOS E., *C. M. F.*

... Ensayos y semblanzas. [Bogotá, Edit. Santafé, 1956]. LVII, 59-364 p., 4 h. 20½ cm. (Biblioteca de Autores Contemporáneos).

De especial interés: *El Antijovio* de Jiménez de Quesada (reseña de la ed. publicada por el Instituto Caro y Cuervo); Colombia, reducto de hispanidad; Ideario hispánico de Miguel A. Caro; Rufino J. Cuervo, el sabio, el escritor, el cristiano; Marco Fidel Suárez, el estadista, el escritor, el cristiano.

LC

MOLINA, JUAN JOSÉ.

Ensayos de literatura y de moral, por Juan José Molina. Medellín, Imp. Republicana, 1886. VII, 394 p., 3 h. 18 cm.

De interés: La poesía (Sobre poesía colombiana).

ICC

MONGUIÓ, LUIS.

Estudios sobre literatura hispanoamericana y española. México, Ediciones de Andrea, 1958. 181 p. 21 cm. (Colección Studium, 20).

De especial interés: El concepto de la poesía en algunos poetas hispanoamericanos representativos; El negro en algunos poetas españoles y americanos anteriores a 1800; El origen de unos versos "A Roosevelt".

LC, CU

MONGUIÓ, LUIS, *et al.*

La cultura y la literatura iberoamericanas. México, Ediciones de Andrea, 1957. (Colección Studium, 16).

LC, UCLA, UC

MORALES BENÍTEZ, OTTO, 1920-

Estudios críticos. Bogotá, Edit. Iqueima, 1948. 11-204 p. (Ediciones Espiral).

De especial interés: Tomás Vargas Osorio; Vargas Osorio (II); Con la familia de la angustia (Cont. del ensayo anterior); Guillermo Valencia; Germán Pardo García; Bernardo Arias Trujillo; El conflicto del pensamiento contemporáneo.

BN

[MOREIRA DE SOUZA, ALVARO HENRIQUE], 1890-

O espírito ibero-americano (1ª serie). Ilustrações de Oswaldo Texeira ... Rio de Janeiro, Librería Española, 1928. XIII, [17]-328 p. ilus. ret. 19 cm.

De interés: Miguel Rash-Isla; Castañeda Aragón; Ritmos na noite [Sobre *La vida en la sombra,* de Rafael Maya]; Uma hora con Vargas Vila; Os mártires da Beleza [Sobre José Asunción Silva, etc.]; O Prometeo das selvas [Sobre *La vorágine,* de Rivera].

LC

NÚÑEZ, RAFAEL, 1825-1894.

Poesías y artículos críticos ... Bogotá, Librería Nueva, 1894. p. [261]-94. (Biblioteca Popular, 79).

De interés: La nueva literatura.

ICC, BN, BLAA

OLIVEIRA LIMA, MANOEL DE.

América latina e América ingleza. Rio, Paris, Livraria Garnier, [s. a.] 188 p.

"Deals mostly with Latin American writers".

LC

PABÓN NÚÑEZ, LUCIO, 1914-

Del plagio y de las influencias literarias, y otras tentativas de ensayo. Bogotá, D. E., Imp. Nacional, 1965. 238 p.

ICC

— La linterna y el buho. Madrid, Ediciones Hispanolusoamericanas, 1962. 434 p. 20½ cm.

Contenido: Sobre el apasionado caballero del orden don José Eusebio Caro; II. Sobre la poesía a través del amor, de la nostalgia, el pecado y la muerte; III. Sobre la novela y la escena; IV. Sobre la historia y lo presente; V. Sobre la razón, el idioma y la vocación literaria; VI. Sobre la política.

ICC

— Quevedo político de la oposición. Bogotá, ARGRA, 1949. 266 p.

"Newspaper articles dealing with classical writers (Le Sage, Quevedo, Rojas Zorrilla), contemporary writers of Spain (Laforet, Cela), and Latin American figures, old and new (Sarmiento, Bello, Larreta)". (*Hdbk*'49).

La obra también contiene artículos sobre escritores nacionales.

PU

PARDO TOVAR, ANDRÉS, 1911-

Voces y cantos de América. Prólogo de Rafael Maya ... Bogotá, Edit. Leticia, 1945. 302 p.

"Includes six critical essays, variously dated from 1933 to 1944. Keen analysis of the personalities and work of Rafael Pombo, José E. Rivera, Rómulo Gallegos, Jorge Isaacs, Eustaquio Palacios, Eduardo Carranza, Germán Pardo García, Octavio Amórtegui, Carlos A. Torres and José Enrique Rodó". (*Hdbk*'46).

BN / LC

PETRICONI, HELLMUTH, 1895-

Die Spanische literatur der gegenwart seit 1870, von dr. H. Petriconi. Wiesbaden, Dioskuren verlag, 1926. VII, 199 p. 19 cm.

Casi toda la obra es sobre literatura española. Se dedican algunas páginas al modernismo hispanoamericano.

LC

PICÓN-FEBRES, GONZALO, 1860-1918.
Apuntaciones críticas, por Gonzalo Picón Febres ... Caracas, Cooperativa de Artes Gráficas, 1939. xi, 283 p., 2 h. 22 cm.

De interés: José María Vargas Vila (novelista cuando joven); De Maracaibo a Bogotá.

LC

— Páginas sueltas (Semblanzas y estudios literarios). Curazao, A. Bethencourt é hijos, 1889. 370 p. 17 cm.

Incluye un estudio sobre D. A. Arrieta.

LC

PIÑEYRO Y BARRY, ENRIQUE JOSÉ N., 1839-1911.
Estudios y conferencias de historia y literatura. Nueva York, Imp. de Thompson y Moreau, 1880. x, 308 p.

De interés: *Un traductor colombiano de Virgilio* (M. A. Caro).

LC

*PORTUONDO, JOSÉ ANTONIO, 1911-
Períodos y generaciones en la historiografía literaria hispanoamericana, en *Cuadernos Americanos* (México), año 7, XXXIX, núm. 3 (mayo-junio de 1948), p. 231-52.

LC, UVa

— La historia y las generaciones. Santiago de Cuba, 1958.

LC

PUPPO, MARIO.
Il problema della storiografia letteraria, en *Cultura e Scuola*, II (1964), p. 11-17.

LC

QUEIROZ, MARÍA JOSÉ.

Do indianismo ao indigenismo nas letras hispano-americanas. Belo Horizonte, Brasil, Univ. de Minas Gerais, 1962.

LC

REID, JOHN T.

El americanismo en la literatura americana. Quito, Imp. de la Universidad, 1943.

LC

— The development of literary americanismo in Spanish America. Lectures delivered at the Hispanic-American Institute. Coral Gables, Florida, University of Miami, 1948. p. 29-48. (Hispano American Studies, 5).

"Regionalism and nationalism in Spanish American letters". (*Hdbk'48*).

LC

— Recent theories of americanismo, en *Hisp.*, XXIII (February, 1940), p. 67-72.

ICC / LC, PU, USC, UCLA

RESTREPO JARAMILLO, GONZALO, 1895-

Ensayos y discursos. Medellín, Tip. Industrial, [1938]. 233 p., 1 h. 23 cm.

De interés: Saludo a Guillermo Valencia a su llegada a Medellín; Cervantes; En el centenario de Isaacs.

ICC, BN

RIBEIRO, FRANCELINO.

Literaturas hispanoamericanas, en Revista *O Jornal* (Rio), 14 maio-24 dezembro, 1944.

"Twenty eight articles that constitute the best resume of Latin American literature published in Brazil".

LC

RIVAS GROOT, JOSÉ MARÍA, 1863-1923.

Páginas escogidas. Estudio preliminar de Antonio Gómez Restrepo. Anotaciones bibliográficas de José J. Ortega Torres, S. S. Bogotá, Escuelas Gráficas Salesianas, 1943. 139 p. 28 cm.

Contenido: *José María Rivas Groot,* por Antonio Gómez Restrepo; *Anotaciones bibliográficas sobre don José María Rivas Groot,* por el padre José J. Ortega Torres; I. Traducciones poéticas de don Miguel Antonio Caro; II. Prólogo a los dos tomos de la *Vida de Jesucristo,* por Monseñor Bougaud; III. El corazón de Cristo; IV. El Papa, árbitro internacional; V. La novela en la historia; VI. Discurso en la inauguración de la estatua de Menéndez Pelayo; VII. Prólogo de la obra *El Nuevo Reino de Granada en el siglo XVIII;* VIII. Santa Teresa de Jesús.

ICC

ROBB, JAMES WILLIS.

Spanish American literature, en *The New Catholic Encyclopedia.* New York, McGraw Hill Inc., 1967, v. XII, p. 512-17.

LC

RODÓ, JOSÉ ENRIQUE, 1872-1917.

El mirador de Próspero. [2ª ed.] ... Madrid, Edit. América, [etc., 1918]. 2 v. 19½ cm. (Biblioteca Andrés Bello, [XL-XLI]).

1ª ed.: 1913.

De interés: Rumbos nuevos (Con motivo de la publicación de *Idola fori,* de Carlos A. Torres).

LC

— El que vendrá. 2ª ed. Barcelona, Edit. Cervantes, 1930. 334 p., 1 h. 21½ cm.

De especial interés: La novela nueva; El americanismo literario: La voz de la raza; El escritor y el medio social; Juicios cortos: *La naturaleza, Constelaciones,* de J. Rivas Groot.

LC

RODRÍGUEZ GUERRERO, IGNACIO, 1912-

... Estudios literarios. Ed. oficial. Pasto, Imp. del Depto., 1947. 477 p. ret. 24 cm.

De interés: Cap. I. Jorge Isaacs; Cap. II. Rafael Pombo; Cap. VII. Montalvo en Colombia; Cap. VIII. Luis Felipe de la Rosa; Cap. X. Ideas biológicas y sociológicas de Fernando González; Cap. XI. El último de los románticos [sobre Ricardo Nieto]; Cap. XII. Barba Jacob en lengua inglesa; Cap. XV. Del tridecasílabo y del alejandrino [polémica con Aurelio Martínez Mutis]; Cap. XXVIII. Propósito del *Que-sais je,* de Núñez.

ICC, BN / PU, Dth

ROKHA, PABLO DE, 1894-

Interpretación dialéctica de América ... Buenos Aires, Ediciones Libertad, [1947-] v. ret. 24 cm.

Contenido: v. I. Los cinco estilos del Pacífico: Chile, Perú, Bolivia, Ecuador, Colombia.

PU

ROSS, WALDO.

El sentido de una cosmovisión en la literatura latinoamericana, en Revista *Bolívar* (Bogotá), núm. 43 (noviembre-diciembre de 1955), p. 927-40.

ICC, BN, BLAA / LC

* RUBIÓ Y LLUCH, ANTONIO, 1856-1937.

Estudios hispanoamericanos. Colección de artículos publicados desde 1889 a 1922. Bilbao, Edit. Eléxpuru Hermanos, 1923.

"Esta obra dedicada a don Miguel Antonio Caro, contiene los siguientes estudios sobre literatura colombiana: Semblanza de D. Miguel Antonio Caro, Homenaje a D. Miguel Antonio Caro, Comentarios a las cartas americanas de don Juan Valera, poesías de D. Rafael Núñez, D. Miguel Antonio Caro como poeta, Necrología de Don José Joaquín Ortiz, la literatura colombiana juzgada por Menéndez y Pelayo, *Ecos perdidos* de A. Gómez Restrepo". (*Bbcs*).

LC

SAMPER ORTEGA, DANIEL, 1895-1943.

Al galope (ensayos). Bogotá, Edit. Minerva, 1930. 140 p., 2 h. 17 cm.

Contenido: Fray Luis de León; La madre Castillo; Evocando a Pizano; Un libro [sobre la *Introducción a la historia de la cultura en Colombia* de López de Mesa]; Diálogo del pueblo y un novelista.

ICC, BN

SÁNCHEZ, JOSÉ.

Círculos literarios de Iberoamérica, en *Revista Iberoamericana* (México), IX, núm. 18 (mayo de 1945), p. 297-323.

"As a preliminary study the author assembles notes on the literary societies, *tertulias,* and academies that flourished and declined, chiefly during the colonial period but also including similar organizations of the nineteenth century". (*Hdbk*'45).

LC, PU, USC, UCLA

SÁNCHEZ-BOUDY, JOSÉ.

¿Existe una literatura hispanoamericana?, en *Bol. Cult. y Bibl.* (Bogotá), IX, núm. 2 (1966), p. 231-39.

"No hay una literatura hispanoamericana como existe, por ejemplo, una literatura española; hay, por el contrario, varias literaturas hispanoamericanas". (p. 233).

ICC, BN, BLAA / LC, UCLA

SÁNCHEZ, JOSÉ ROGERIO.

Autores españoles e hispanoamericanos (Estudio crítico de sus obras principales). Madrid, Perlado, Páez y Cía., 1911. 913, [2] p. 20½ cm.

TU

SÁNCHEZ, LUIS ALBERTO, 1900-

Ariel & Co., en *Revista Nacional de Cultura* (Caracas), año 2, núm. 16 (febrero-marzo de 1940), p. 138-47; núm. 17 (abril), p. 137-47.

"Exposes the weaknesses of Rodó's philosophy and proceeds to discuss *Los arieles*: Carlos Arturo Torres, Miguel Domínguez, Enrique Molina, Alejandro Deustua, and what they stand for". (*Hdbk*'40).

LC

— Balance y liquidación del novecientos. Santiago de Chile, Ediciones Ercilla, 1941. 6 h. p., [15]-210 p. 22 cm. (Colección Contemporáneos).

[Nueva ed.]: con el título: *¿Tuvimos maestros en nuestra América? Balance y liquidación del novecientos.* Buenos Aires, Raigal, 1956. 192 p.

"An analysis of what Rodó and disciples stood for, with a review of the spirit and ideas of the generation that followed. The book suffers from an excess of detail and from too frequent generalization".

LC, TU

— Escritores representativos de América. Madrid, Gredos, 1957. 3 v. 21 cm. (Biblioteca Románica Hispánica, 2. Estudios y Ensayos, 33).

De interés: v. I: Vargas Vila; v. II: Guillermo Valencia, Luis Carlos López, Miguel Angel Osorio.

LC, UCLA

* SANÍN CANO, BALDOMERO, 1861-1957.

Crítica y arte. Bogotá, Librería Nueva, 1932. 338 p. 3 h. 17 cm. (Autores Colombianos, Serie I, v. 2).

Ensayos sobre literatura colombiana y extranjera.
De interés: Guillermo Valencia o el modernismo; Rafael Maya o la pasión estética; ¿Existe una literatura hispanoamericana?

ICC, BN

— Ensayos. Bogotá, Edit. A B C, 1942. XII, 215 p. 18 cm. (Biblioteca Popular de Cultura Colombiana, 39).

De interés: Juan de Dios Uribe; José Ignacio Escobar; Un libro sagazmente americano (Sobre *América, tierra firme*, de Arciniegas); Colombia y los poetas.

ICC, BN

SANTOS GONZÁLEZ, CLAUDIO, *ed.*

Poetas y críticos de América. Paris, Garnier Hnos., [1912]. 4 h. p. 568 p. 18½ cm.

De interés: *Andrés Bello*, por M. A. Caro; *Julio Arboleda*, por M. A. Caro; *G. Gutiérrez González*, por Salvador Camacho Roldán.

LC, NTSU

SERRANO DE WILSON EMILIA, *Baronesa de Wilson*, 1834-

El mundo literario americano. Escritores contemporáneos, semblanzas, poesías, apreciaciones, pinceladas. Barcelona, [etc.], Maucci, 1903. 2 v. ilus. 18½ cm.

(*C. K. Jones*)

SILVIO JULIO, *seud.* de SILVIO JULIO DE ALBUQUERQUE LIMA.

Escritores de Colombia e Venezuela. Rio de Janeiro, Federação das Academias de Letras do Brasil, 1942. 210 p. 24 cm.

"Comprende diez estudios histórico-críticos sobre los siguientes temas: Coleção de autores colombianos, José Asunción Silva, Guillermo Valencia, Max Grillo, Gregorio Castañeda Aragón, Ricardo Nieto. A filologia e a critica em Miguel Antonio Caro, Carlos Arturo Torres, Luis López de Mesa, A Colombia em 1833 e o Conselheiro Lisboa". (*Bbcs*).

LC, CU, UVa, Dth

— Estudios hispanoamericanos. Rio de Janeiro, Librería Española, 1924. 345 p. 3 h. 19 cm.

De interés: Considerações sobre o latinoamericanismo; Os versos de Max Grillo.

LC

SMITH, THOMAS FRANCIS, *Contemporary criticism of the novel: The four basic approaches ... V.* p. 642.

SOSA, FRANCISCO, 1850-

Escritores y poetas suramericanos, por Francisco Sosa. México, Oficina Tip. de la Secretaría de Fomento, 1890. 1 h. p., XIX, 290 p. ret. 20½ cm.

De interés: Jorge Isaacs.

LC, KU, NTSU

STROUP, THOMAS B., and STOUDEMIRE, STERLING A., *eds.*

South Atlantic studies for Sturgis E. Leavitt. Washington, Scarecrow Press, 1953. 215 p.

De especial interés: Lawrence S. Thompson, *Resources for Research in Latin American Literature;* John A. Crow, *Some Aspects of Spanish-American Fiction.*

PU

* SUÁREZ, MARCO FIDEL, 1855-1927.

Escritos escogidos. Edición ordenada por la Dirección de Educación Pública, con motivo del primer centenario del nacimiento de don Marco Fidel Suárez. Medellín, Imp. Deptal., 1954. 321 p., 1 h. 24 cm.

ICC

— Estudios escogidos. Bogotá, Edit. Santafé, 1952. xv, 514 p., 2 h. 20 cm. (Biblioteca de Autores Colombianos, 23).

Los estudios están organizados por orden cronológico de composición. Hay algunos sobre literatura nacional y extranjera.

ICC, BN, BLAA / LC

— Obras, t. I. Edición preparada por Jorge Ortega Torres; prólogo de Fernando Antonio Martínez. Bogotá, Instituto Caro y Cuervo, 1958. 1491 p. ret. 18 cm. (Clásicos Colombianos, III).

Contenido: Escritos gramaticales, Escritos literarios e históricos. Semblanzas y necrologías. Escritos religiosos y apologéticos. Escritos filosóficos. Escritos pedagógicos. Traducciones.

De interés en este tomo: Escritos literarios e históricos y Semblanzas y necrologías.

ICC, BN, BLAA / LC

— Obras, t. II: Sueños de Luciano Pulgar. Edición y notas del Padre José J. Ortega Torres con la colaboración de Horacio Bejarano Díaz. Introducción de Emilio Robledo.

Bogotá, Imp. Patriótica del Instituto Caro y Cuervo, 1966. LXIV, 2217 p., 1 h. ret. 18 cm. (Instituto Caro y Cuervo. Clásicos Colombianos, V).

Contiene t. I-III de los *Sueños*.

— Selección de escritos. Edición al cuidado de José J. Ortega Torres. Bogotá, Librería Voluntad, 1942. xx, 471 p. 20 cm.

Contiene algunos estudios sobre escritores nacionales y extranjeros.

ICC, BN

— ... Sueños de Luciano Pulgar. Bogotá, [Edit. A B C], 1954. 12 v. 20 cm. (Biblioteca de Autores Colombianos, 87-98).

"Esta edición reproduce la realizada por la Librería Voluntad en 1941, bajo la dirección del R. P. José J. Ortega Torres y el doctor Manuel Antonio Bonilla".

Se han publicado varias eds. de los *Sueños*, algunos de los cuales tienen temas literarios.

V. Indice alfabético general de los Sueños de Luciano Pulgar, por Jesús M. Cortés, [Bogotá], Imp. del Banco de la República, 1956. 343 p.

ICC, BN, BLAA / LC, PU

SUX, ALEJANDRO.

Europeísmos y americanismos, en *Hisp.*, XXVIII (November, 1945), p. 563-64.

ICC / LC, PU, USC, UCLA

TÉLLEZ, HERNANDO, 1908-

Complicidad de la crítica, en *Bol. Cult. y Bibl.* (Bogotá), VII, núm. 2 (1965), p. 195-97.

En relación a la benevolencia o rigor de la crítica.

ICC, BN, BLAA / LC, UCLA

* — ...Literatura. Bogotá, Edit. Argra, 1951. 262 p., 1 h. 19 cm. (Escritores Colombianos).

Prólogo de B. Sanín Cano.
Ensayos sobre literatura colombiana y extranjera.
BN / PU

TORRE, GUILLERMO DE, 1900-

Claves de la literatura hispanoamericana. [Madrid, Taurus Ediciones, 1959]. 81 p. 19 cm. (Cuadernos Taurus, 27).

V. r. de James W. Robb, en *Revista Interamericana de Bibliografía* (Washington), XII (julio-septiembre de 1962), p. 311-13.
LC

— Tres conceptos de la literatura hispanoamericana. Buenos Aires, Editorial Losada, 1963. 244 p. (Biblioteca de Estudios Literarios).

"The first essay, which gives the title to the book, analyzes the concepts of Hispanic American literature held by Valera, Menéndez Pelayo, and Unamuno". (*Hdbk,* Nº 28).
LC

TORRES-RÍOSECO, ARTURO, 1897-

Aspects of Spanish American literature. Seattle, Univ. of Washington Press, 1963. VII, 95 p. 28 cm.

Bibliographical references included in *Notes,* p. 91-95.
V. r. de Harvey L. Johnson, en *Hisp.,* XLVII (September, 1964), p. 651-52.
LC, UC

* — Ensayos sobre literatura latinoamericana. Berkeley, Univ. of California Press, 1953. 207 p. 22 cm.

[¿Nueva ed.?]: México, Tezontle, 1958. 204 p. 22 cm.

De especial interés: Las teorías poéticas de Poe y el caso de José A. Silva; De la novela en América; La evolución social y la novela en América; El humorismo en la literatura hispanoamericana; Consideraciones sobre el pensamiento hispanoamericano.

V. r. de la 1ª ed. por Madaline W. Nichols, en *Hisp.*, XXXVII (May, 1954), p. 258.

LC, UVa, VMI, KU, UC

— Expressão litéraria do Novo Mundo. [Conferencias]. Tradução e notas de Valdemar Cavalcanti, ilus. de Luis Jardim. Rio de Janeiro, CEB, 1945. 360 p. 19 cm. (Coleção Pensamento Americano, 2).

LC

TORRES, CARLOS ARTURO, 1867-1911.

Discursos. Caracas, Emp. El Cojo, 1911. 160 p.

Contenido: La poesía y la historia; Literatura de ideas; Nariño; La literatura histórica en Venezuela; Hostos; Apéndice: Discurso del Sr. A. Gómez Restrepo en la recepción de D. Carlos A. Torres en la Academia Colombiana de la Lengua.

ICC

— Discursos. [Bogotá, Edit. Centro, 1946]. 125 p., 1 h. 19 cm. (Biblioteca Popular de Cultura Colombiana, 99).

Contenido: Mensaje del sentido común; La poesía y la historia; Nariño; La literatura de ideas; La literatura histórica en Venezuela; Hostos; Apéndice.

ICC

— ... Estudios de crítica moderna ... Madrid, Edit. América, [1917]. 354 p., 1 h. 19 cm. (Biblioteca Andrés Bello, v. 25).

Contenido: *Estudios ingleses*: En la cuna de Shakespeare. El primer centenario de Trafalgar. El *Manfredo* de Byron.

Herbert Spencer. John Morley; *Estudios americanos*: Hostos. Nariño. La literatura de ideas. La literatura histórica en Venezuela. La poesía y la historia; *Estudios varios*: Paul Bourget. Los poemas filosóficos de Alfredo de Vigny. Edgar Quinet. Diletantismo científico.

LC, Y

— Estudios ingleses. Estudios varios. Madrid, Librería de Angel de San Martín, [1906]. 325, II p. ret. 20 cm.

Contenido: Estudios ingleses: Estudios varios; Literatura colombiana: [I. Ultima conversación con Isaacs; II. Julio Flórez; III. *Selva* (poema por Diego Uribe); IV. I. E. Arciniegas; V. Reminiscencias tudescas; VI. Diletantismo científico]; Del movimiento literario en la Europa contemporánea.

ICC

— Estudios varios. Bogotá, [Edit. A B C], 1951. 302 p., 1 h. 19 cm. (Biblioteca Popular de Cultura Colombiana, 128).

Contenido: *Cap. I.* El crítico; Estudios histórico-políticos; Estudios de crítica literaria; Literatura europea; Literatura colombiana; Estudios ingleses; *Cap. II.* El pensador; Medio ambiente y plan de *Idola fori;* Estudio de la evolución de las ideas; Dos clases opuestas de supersticiones; Ojeada sobre la América española; Síntesis de la obra; *Cap. III.* El poeta; Influencias literarias; En el Coliseo; Traducciones; En la cuna de Shakespeare.

ICC, BN, BLAA / LC

TORRES PINZÓN, CARLOS A.

Prosas y esbozos. Bogotá, Tip. Nueva, [s. f.]. 174 p.

De interés: Luis López de Mesa; Roberto Liévano; Silva; Luis Vargas Tejada; Pedro Emilio Coll.

ICC

TORRES CAICEDO, JOSÉ MARÍA, 1830-1889, *Ensayos biográficos y de crítica literaria sobre los principales poetas y literatos hispanoamericanos* ... *V*. p. 211-12.

UGARTE, MANUEL, 1878-

La dramática intimidad de una generación. Madrid, [Prensa Española], 1951. 213, [3] p. 20 cm.

Comentarios y recuerdos alrededor de varias figuras literarias. Entre ellas José M. Vargas Vila.

LC

— Escritores iberoamericanos de 1900. Santiago de Chile, Edit. Orbe, 1943. 271 p.

2ª ed.: México, Edit. Vértice, 1947. 269 p.

Recuerdos y comentarios sobre varios escritores de fines del siglo XIX. Entre ellos José M. Vargas Vila.

LC

— Las nuevas tendencias literarias. Valencia, F. Sempere y Cía., [1909]. VIII, 227 p. 19 cm.

Prefacio, por Manuel Ugarte, p. [v]-VIII.

De interés: Una ojeada sobre literatura hispanoamericana (Consideraciones sobre la literatura de la época). Aparecen en la obra algunas reseñas sobre libros colombianos.

LC, UVa

URBANSKI, EDMUND STEPHEN.

El indio en la literatura latinoamericana, en *Américas* (Washington), XV (June, 1964), p. 20-24.

LC, PU

— Studies in Spanish American literature and civilization. Macomb, Ill., Western Ill. Univ., 1964. 67 p.

De especial interés: Jungle and love in the Amazonian novels of Rivera and Hudson; The Indian in modern Spanish American fiction.

LC

VALBUENA, ANTONIO DE, 1884-

Ripios ultramarinos, por D. Antonio de Valbuena (Miguel Escalada). Madrid, V. Suárez, 1896-1905. 4 v. ret. 18 cm.

Entre los poetas criticados figuran algunos colombianos.

LC

* VALERA, JUAN, 1824-1905.

Cartas americanas. Madrid, Imp. Alemana, 1915. 2 v. (Obras Completas, tomos XLI, XLII).

"En el primer volumen, p. 163-265, hace el señor Valera interesantes, severos y discutibles comentarios sobre literatura colombiana al margen del *Parnaso colombiano* de Julio Añez; las cartas están dirigidas a D. José María Rivas Groot". (*Bbcs*).

LC, UVa, WLU

VEGA, FERNANDO DE LA, 1892-1952.

A través de mi lupa. Bucaramanga, Colombia, Imp. del Depto., 1951. 238 p. 20 cm.

Ensayos sobre literatura colombiana y extranjera.

De especial interés: *Literatura nacional*, p. 117-22.

BN / LC

*— Algo de crítica ... Bogotá, Edit. Arboleda y Valencia, 1919. xx, 242 p., 2 h. rets. 18 cm.

Ensayos sobre Echegaray, R. Núñez, Darío, Gómez Restrepo, Rodó, R. Pombo, etc.

ICC, BN / VMI, CU

— Apuntamientos literarios. Cartagena, Tip. Mogollón, 1924. 251 p. 19 cm.

Ensayos sobre literatura colombiana y extranjera.
ICC, BN / LC, CU

*— Ideas y comentarios. Con prólogo de B. Sanín Cano. Bogotá, Edit. Cromos, 1927. 246 p., 2 h. 19 cm.

Ensayos sobre literatura nacional y extranjera.
ICC, BN / VMI

VERGARA Y VERGARA, JOSÉ MARÍA, 1831-1872.

Artículos literarios ... Primera serie. Con un retrato del autor y una noticia biográfica por D. José María Samper. Londres, J. M. Fonnegra, 1885. XXIX, 422 p., 1 h. 19 cm.

En general tiene el mismo contenido que el v. 2 de sus *Obras escogidas.*
ICC, BN / LC, Y, UC

— Obras escogidas ... publicadas por sus hijos Francisco José Vergara, Pbro., Ana Vergara de Samper y Mercedes Vergara y Balcázar, en el primer centenario de su nacimiento, bajo la dirección de Daniel Samper Ortega ... Bogotá, Edit. Minerva, 1931. 5 t. en 4 v. ret. 18 cm.

v. 2: Artículos literarios. De interés en este volumen: *José María Vergara y Vergara,* por José Manuel Marroquín; A Pía Rigán; Juicio crítico: *María;* Historia de Colombia por el señor J. M. Restrepo; *Manuela,* novela original de Eugenio Díaz.
ICC / LC

VILLEGAS, AQUILINO, 1879-1940.

... Las letras y los hombres. Bogotá, [Edit. A B C], 1952. 370 p. 20 cm. (Biblioteca de Autores Colombianos, 22).

Contenido: I. Los héroes; II. Las letras; III. La ciudad; Prosas diversas; Cuadernillo de poesía.

En la sección *Las letras* figuran algunos ensayos sobre escritores colombianos.

ICC, BN

VILLEGAS, SILVIO, 1900-

Ejercicios espirituales. Bogotá, Librería Suramérica, [1945]. 146 p. 17 cm. (Colección Navegante, 7).

Contenido: Popayán; Las ideas; Los hombres.

Dedica ensayos a Guillermo Valencia, Rafael Maya, Luis Alzate Noreña, Eduardo Castillo, M. F. Suárez, Jorge Holguín, José Eustasio Rivera, etc.

ICC

— La imitación de Goethe, por Silvio Villegas. Bogotá, Edit. Centro [etc.], 1940. 2 h. p. 228 p. 21½ cm.

Contenido: La imitación de Goethe; El primero y último amor de Goethe; La urna griega de John Keats; Imagen y realidad del amor; *Cumbres borrascosas;* La enciclopedia del recuerdo; Horacio y el imperialismo romano; Una lección de bellas artes; La evolución estética de Valencia; Tomás Calderón; El centenario de Isaacs; Los deberes del letrado; El paraíso de la poesía; Los poetas de "Piedra y Cielo".

LC

— Obra literaria. Prólogo de Juan Lozano y Lozano. Medellín, Ediciones Togilber, 1963. 729 p. front. (ret). 21 cm.

Contenido: Ejercicios espirituales; La imitación de Goethe; La canción del caminante; Escritores colombianos; Discursos y panegíricos.

LC

WEISINGER, NINA LEE.

A guide to studies in Spanish American literature. Boston, New York, D. C. Heath and Co., 1940. 129 p. 18½ cm.

"Gives 'an outline along broad lines of the several literary forms and movements that have manifested themselves from colonial times to the present', but is somewhat deficient in its reference list". (*Hdbk*'40).

LC, NTSU

WELLEK, RENÉ.

Historia de la crítica moderna (1750-1950). Madrid, Edit. Gredos, 1959, 1962. 2 v. 20 cm. (Biblioteca Románica Hispánica, I: Tratados y Monografías 9, t. 1 y 2).

Versión castellana de J. C. Cayol. Título original: *A History of Modern Criticism (1750-1950)*.

Contenido: t. 1. La segunda mitad del siglo XVIII; t. 2. El romanticismo.

ICC / LC

YÁÑEZ, AGUSTÍN, 1904-

El contenido social de la literatura iberoamericana. México, El Colegio de México, [¿1934?].

UVa

ZULETA, EMILIA DE.

Historia de la crítica española contemporánea. Madrid, Edit. Gredos, 1966. 452 p.

LC, UCLA

III. ESTILISTICA Y LINGÜISTICA EN LA CRITICA LITERARIA

I. OBRAS DE REFERENCIA

* COMITÉ INTERNATIONAL PERMANENT DE LINGUISTES.

Bibliographie linguistique des années 1939-1959. Publiée par le Comité International Permanent de Linguistes, avec une subvention de l'Organisation des Nations Unies pour l'Education, la Science et la Culture. Utrecht-Bruxelles, Spectrum, 1949-[1961]. 13 v. 24 cm.

Contenido: 1939 a 1961.

ICC

* HATZFELD, HELMUT.

Bibliografía crítica de la nueva estilística, aplicada a las literaturas románicas. Traducción del inglés por Emilio Lorenzo Criado. Madrid, Edit. Gredos, 1955. 660 p. 19 cm. (Biblioteca Románica Hispánica, I: Tratados y Monografías, 6).

Título original: *A Critical Bibliography of the New Stylistics Applied to the Romance Literatures, 1900-1952.* Chapel Hill, N. C., 1953.

ICC / LC

ROHLFS, GERHARD, 1892-

Manual de filología hispánica; guía bibliográfica, crítica y metódica. Traducción castellana del manuscrito alemán por Carlos Patiño Rosselli. Bogotá, [Librería Voluntad], 1957. 377 p. 22 cm. (Publicaciones del Instituto Caro y Cuervo, 12).

ICC

* SERÍS, HOMERO.

Bibliografía de la lingüística española. Bogotá, Imp. Patriótica del Instituto Caro y Cuervo, 1964. LVIII, 981 p.

Contenido: I. Lingüística general; II. Lingüística románica; III. Lingüística española; IV. Lenguas peninsulares; V. Dialectos hispánicos; VI. El español en América; VII. Enseñanza del español.

En este riquísimo repertorio bibliográfico el investigador podrá hallar numerosas fuentes sobre aspectos lingüísticos que atañen a la literatura.

ICC, BN, BLAA / LC, PU, UCLA

2. ESTUDIOS

ALONSO, AMADO, 1896-1952, *Materia y forma en poesía ...*
V. p. 581.

ALONSO, AMADO, 1896-1952.

Estudios lingüísticos. Temas hispanoamericanos. Madrid, Edit. Gredos, [1953]. 446 p. ilus., mapas. 19 cm. (Biblioteca Románica Hispánica, II: Estudios y Ensayos, 12).

ICC, LC

ALONSO, DÁMASO, 1898-

Cuatro poetas españoles (Garcilaso, Góngora, Maragall, Antonio Machado). [Madrid], Edit. Gredos, [1961]. 185 p. 19 cm. (Biblioteca Románica Hispánica, VII: Campo Abierto, 3).

ICC, LC

* — Estudios y ensayos gongorinos. Madrid, Edit. Gredos, [1955]. 617 p. facsíms., rets. 19 cm. (Biblioteca Románica Hispánica, II: Estudios y Ensayos, 18).
ICC / LC

ALONSO, DÁMASO, 1898- *Poesía española; ensayo de métodos y límites estilísticos* ... *V*. p. 581.

* ALONSO, DÁMASO Y BOUSOÑO, CARLOS.

Seis calas en la expresión literaria española (Prosa, poesía, teatro). 2ª ed. aumentada y corregida [por] Dámaso Alonso y Carlos Bousoño. Madrid, Edit. Gredos, [1956]. 359 p. 19 cm. (Biblioteca Románica Hispánica, II: Estudios y Ensayos, 3).
ICC / LC

ALONSO, MARTÍN.

Ciencia del lenguaje y arte del estilo. Con 79 ilustraciones. Madrid, Aguilar, 1953. xxx, 1327 p. 21 cm.
ICC

* BALLY, CHARLES, *et al.*

El impresionismo en el lenguaje [por] Charles Bally, Elise Richter, Amado Alonso y Raimundo Lida. 3ª ed. Buenos Aires, Univ. de Buenos Aires, [1956]. 259 p. 18 cm. (Colección de Estudios Estilísticos, 2).

2ª ed.: Buenos Aires, Universidad de Buenos Aires, 1942. 293 p.
ICC

BONET, CARMELO M., *La técnica literaria y sus problemas* ... *V*. p. 145.

BOUSOÑO, CARLOS, 1923- *Teoría de la expresión poética ...* *V*. p. 583.

CASTAGNINO, RAÚL H., *El análisis literario ...* *V*. p. 147.

CATALÁN MENÉNDEZ-PIDAL, DIEGO.
La escuela lingüística española y su concepción del lenguaje. Madrid, Edit. Gredos, [1955]. 169 p. 19 cm. (Biblioteca Románica Hispánica, II: Estudios y Ensayos, 22).
ICC

CONFERENCE ON STYLE. *Indiana University.*
Style in language. Edited by Thomas A. Sebeok. [Cambridge], Technology Press of Massachusetts Institute of Technology, [1960]. XVII, 475 p. 24 cm.
USC

DEVOTO, GIACOMO.
Linguistics and literary criticism. Trans. and adapted by M. F. Edgerton, Jr. New York, S. F. Vanni, [1963]. 150 p. 23 cm.
USC

— Studi di stilistica. Firenze, Felice Le Monnier, 1950. 252 p. 19 cm.
ICC

FERNÁNDEZ RETAMAR, ROBERTO.
Idea de la estilística... [La Habana], Universidad Central de las Villas, 1958. 139 p. 19 cm.
ICC

FLÓREZ, LUIS, 1916-

Lengua española. Bogotá, Imp. Nacional, 1953. 299 p. 19 cm. (Publicaciones del Instituto Caro y Cuervo, Series Minor, 3).

ICC / LC

* GUIRAUD, PIERRE.

La estilística. [Traducción directa de Marta G. de Torres Agüero]. Edición al cuidado de Raúl H. Castagnino. Buenos Aires, Edit. Nova, [1956]. 134 p. 17 cm. (Compendios Nova de Iniciación Cultural, 1).

Título original: *La stylistique.* Paris, Presses Universitaires de France, 1957. 118 p.

ICC / LC

HATZFELD, HELMUT.

Estudios literarios sobre mística española. Madrid, Edit. Gredos, [1955]. 405 p. 19 cm. (Biblioteca Románica Hispánica, II: Estudios y Ensayos, 16).

ICC / LC

HATZFELD, HELMUT, *Estudios sobre el barroco* ... *V*. p. 457-58.

HERNÁNDEZ DE MENDOZA, CECILIA.

Introducción a la estilística. Bogotá, Imp. Patriótica del Instituto Caro y Cuervo, 1962. VIII, 192 p.

"... esta es en realidad una síntesis objetiva y clara de numerosos tratados y estudios capitales, destinados a estudiantes que, aunque pueden y deben consultar siempre aquellos tratados, hallarán, no obstante, un auxiliar valioso para el trabajo diario en un manual de divulgación que no pretende substituir las obras originales consideradas en él y cuyo fin es, ante todo, despertar inquietudes por viejas y nuevas cuestiones de estética literaria". (Rafael Torres Quintero, *Presentación,* p. VII-VIII).

Contenido: I. Nociones de estética; II. Lengua y literatura; III. Estilística; IV. Teoría literaria; V. Ejemplos; Bibliografía.

V. r. de Sol Saporta, en *Hisp.,* XLVI (September, 1963), p. 661.

ICC, BN, BLAA / LC, UCLA

JENSCHEKE WEIGLE, MARÍA LUISA.

Nociones de lingüística general, según las clases del Prof. Dr. Rodolfo Lenz... Santiago de Chile, Imp. Universitaria, 1923. 510 p. ilus., láms. 25 cm.

ICC

KAYSER, WOLFGANG, *Interpretación y análisis de la obra literaria* ... *V.* p. 149.

LEVIN, SAMUEL R.

Linguistic structures in poetry. 's-Gravenhage, Mouton, 1962. 64 p. 23 cm.

USC

LORENZ, ERIKA, 1923- *Der mataphorische Kosmos der modernen spanischen Lyrick (1936-1596)* ... *V.* p. 590.

MACRÍ, ORESTE, 1913-

La stilistica di Dámaso Alonso. Roma, De Luca Editore, 1957. p. 41-71. 24 cm.

Estratto dalla Rivista *Letteratura,* anno V, Nº 29, Settembre-Ottobre, 1957.

ICC

MAROUZEAU, JULES, 1878-

La linguistique ou science du langage, 2 ed. Paris, P. Geuthner, 1944. 127 p. 23 cm.

USC

MARTINET, ANDRÉ.

Elementos de lingüística general. Madrid, Edit. Gredos, [1965]. 274 p. 20 cm. (Biblioteca Románica Hispánica, III: Manuales, 13).

Versión castellana de Julio Calonge.

Título original: *Eléments de linguistique générale.* Paris, Librairie Armand, 1960.

ICC / LC

MARTÍNEZ, FERNANDO ANTONIO, 1918-

Un aspecto de la teoría estilística. [Bogotá, Instituto Caro y Cuervo, 1949]. 7 p., ilus. 23 cm.

Separata de *Thesaurus,* Boletín del Instituto Caro y Cuervo, V, núms. 1, 2 y 3, 1949.

ICC / LC

MC LENNAN, LUIS JENARO, *Sobre la palabra poética: "Explication de texte" y lingüística general* ... *V.* p. 591.

MIDDLETON MURRY, J.

El estilo literario. México, Fondo de Cultura Económica, [1951]. 150 p. (Breviarios del Fondo de Cultura Económica, 46).

LC

PÁRAMO POMAREDA, JORGE, 1929-

Elementos de sintaxis estructural. Bogotá, Instituto Caro y Cuervo, 1961. 23 p. ilus., tab. dobl. 23 cm.

Separata de *Thesaurus,* Boletín del Instituto Caro y Cuervo, XVI, núm. 1, 1961.

ICC / LC

* PORZIG, WALTER.

El mundo maravilloso del lenguaje. Problemas, métodos y resultados de la lingüística moderna. Madrid, Edit. Gredos, [1964]. 507 p. 20 cm. (Biblioteca Románica Hispánica, III: Manuales, 11).

Versión castellana de Abelardo Moralejo.

Título original: *Das Wunder der Sprache, Probleme, Methoden und Ergebnisse der modernen Sprachwissenschaft.*

ICC / LC

RAS, AURELIO, 1881-

Reflexiones sobre el estilo. Madrid, Librería Beltrán, [1944]. 170 p. 20 cm.

USC

* SAPORTA SOL, *et al.*

Stylistics, linguistics, and literary criticism. New York, Hispanic Institute, 1961. 43 p.

LC

SPENCER, JOHN, *ed.*

Linguistics and style. Edited by John Spencer. London, Oxford Univ. Press [1956]. XII, 109 p. 20 cm.

USC

SPITZER, LEO, *La enumeración caótica en la poesía moderna.* Traducción de Raimundo Lida ... *V.* p. 510.

* SPITZER, LEO.

La interpretación ligüística de las obras literarias. Trad. y notas de A. Alonso y R. Lida. Buenos Aires, Imp. de la Univ. de Buenos Aires, 1932. 62 p.

LC

— Lingüística e historia literaria. Ensayos de estilística. Madrid, Edit Gredos, [1955]. 362 p. 19 cm. (Biblioteca Románica Hispánica, II: Estudios y Ensayos, 19).

Ed. en inglés con el título: *Linguistics and literary history* ... Princeton, Princeton Univ. Press, 1948. VI, 236 p. 23 cm.

ICC / LC

VELA, ARQUELES, 1899-

Análisis de la expresión literaria. México, Ediciones de Andrea, 1965. 143 p. 21 cm. (Colección Studium, 51).

USC

VOSSLER, KARL, 1872-1949.

Espíritu y cultura en el lenguaje. Traducción de Aurelio Fuentes Rojo... Madrid, Ediciones de Cultura Hispánica, 1959. 248 p. 22 cm.

ICC

— Filosofía del lenguaje; ensayos. Traducción y notas de Amado Alonso y Raimundo Lida con la colaboración del autor. Prólogo de Amado Alonso. 3ª ed. Buenos Aires, Edit. Losada, [1957]. 281 p. 20 cm. (Filosofía y Teoría del Lenguaje).

ICC

* — Introducción a la estilística romance. Traducción y notas de Amado Alonso y Raimundo Lida. 2ª ed. Buenos Aires, Universidad de Buenos Aires, 1942. 266 p. 19 cm. (Colección de Estudios Estilísticos, 1).

1ª ed. española: Buenos Aires, 1932.

ICC / LC

WELLEK, RENE, y WARREN, AUSTIN, *Teoría Literaria.* 2ª ed. ampliada y corregida ... *V*. p. 153-54.

IV. INFLUENCIAS Y RELACIONES ENTRE LAS LITERATURAS

1. LA LITERATURA COLOMBIANA EN RELACION CON OTRAS LITERATURAS

A) ESPAÑA:

ABELLA RODRÍGUEZ, ARTURO, 1915-

Entrevista con España. [Bogotá], Instituto Colombiano de Cultura Hispánica, [1952]. 215 p., ilus. 17 cm. (Biblioteca de Cultura Hispánica, v. 4).

ICC

ACADEMIA COLOMBIANA, *Bogotá.*

... Homenaje a don Marcelino Menéndez y Pelayo en el primer centenario de su nacimiento. Tres estudios por don Miguel Antonio Caro, don Antonio Gómez Restrepo [y] don José María Rivas Groot. Bogotá, [Edit. Antares], 1956. 95 p., 2 h. 24½ cm.

Contenido: Miguel Antonio Caro, *Poesías de Menéndez y Pelayo,* p. 7-50; Antonio Gómez Restrepo, *Elogio de don Marcelino Menéndez y Pelayo,* p. 51-85; José María Rivas Groot, *Menéndez y Pelayo y la América española,* p. 87-95.

ICC

* CABALLERO CALDERÓN, EDUARDO, 1910-

Cervantes en Colombia. Madrid, Afrodisio Aguado, S. A., 1948, 450 p. 25 cm.

Contenido: *Contribución de la crítica colombiana al estudio de Cervantes,* por E. Caballero Calderón, p. 17-46. ANEXOS CRÍTICOS: *La lengua de Cervantes,* por R. José Cuervo; *La política del Quijote,* por Carlos Martínez Silva; *Personalidad de Cervantes,* por Sergio Arboleda; *Don Quijote,* por M. A. Caro; *El libro que Cervantes hizo,* por José Ignacio Escobar; *Cervantes y el género novelesco,* por Diego Rafael de Guzmán; *Sancho Panza,* por Marco Fidel Suárez; *Cervantes: un vínculo inmortal de dos pueblos,* por B. Sanín Cano; *Quijote y ediciones,* por Eduardo Guzmán Esponda; *Duelos y quebrantos,* por Darío Achury Valenzuela. ANEXOS LITERARIOS: *Cervantes y Santafé de Bogotá,* por Antonio J. Restrepo; *La muerte de Cervantes,* por Antonio Gómez Restrepo; *Los tres mundos de don Quijote,* por Rafael Maya; *Divagaciones en torno al Persiles,* por el Rvdo. P. Carlos E. Mesa.

USC

CARO, MIGUEL ANTONIO, 1843-1909.

Epistolario... Correspondencia de don Rufino J. Cuervo y don Marcelino Menéndez y Pelayo. Bogotá, Edit.

Centro, 1941. xvi, 301 p., 1 h. 20 cm. (Publicaciones de la Academia Colombiana Correspondiente de la Española, 2).

ICC

— Ideario hispánico. Edición dirigida por Antonio Curcio Altamar. Bogotá, Instituto Colombiano de Cultura Hispánica, 1952. 211 p., 1 h. 17 cm. (Biblioteca de Cultura Hispánica, III).

"Aparece recogido en este tomito el pensamiento hispanista global —canción y discurso— de don Miguel Antonio Caro, continuador y émulo de don Andrés Bello...". *(Introducción,* s. p.).

Contenido general: 1ª parte: Obra poética; 2ª parte: Trabajos en prosa.

ICC

Carranza, Eduardo, 1913-

Menéndez y Pelayo a los cincuenta años de su muerte, en *Bol. Cult. y Bibl.* (Bogotá), V, núm. 7 (julio de 1962), p. 840-44.

— Menéndez y Pelayo y el humanismo colombiano, en *Bol. Cult. y Bibl.* (Bogotá), IV, núm. 2 (febrero de 1961), p. 115-18.

ICC, BN, BLAA / LC, UCLA

García Valencia, Julio César, 1894-1959.

Bibliografía Cervantina en Colombia, en *El Siglo* (Bogotá), 16 de mayo de 1947.

BN

— Cervantes en Antioquia. En el cuarto centenario del nacimiento de Don Miguel de Cervantes Saavedra. [Medellín, Colombia], Tip. Universidad, 1947. 217 p., 2 h. 24 cm.

"Homenaje del Instituto de Filología y Literatura y del Departamento de Extensión Cultural de la Universidad de Antioquia".

Contiene prosa y verso.

ICC

GÓMEZ RESTREPO, ANTONIO, 1869-1947.

Colombia y España, en *Discursos académicos* (Varios autores), v. I. Bogotá, Edit. A B C, 1955, p. 369-81. (Biblioteca de la Presidencia de Colombia, 18).

Discurso pronunciado en la Casa de España (Roma) en el año 1930.

ICC, BN, BLAA

— En el homenaje de Colombia a España (Año de 1910), en *Oraciones académicas*. Bogotá, Edit. A B C, 1952, p. 81-86. (Biblioteca de Autores Colombianos, 9).

ICC, BN, BLAA / LC, UCLA

GUZMÁN, DIEGO RAFAEL DE, 1848-1920.

Importancia del espíritu español en las letras colombianas, en *Selección literaria* ... Ed. oficial. Bogotá, Imp. Nal., 1922, p. 101-35.

ICC

HERNÁNDEZ DE ALBA, GUILLERMO, 1906-

[Discurso en homenaje a D. Marcelino Menéndez y Pelayo], en *Bol. Acad. Col.* (Bogotá), VI (1956), p. 356-67.

"Discurso pronunciado en representación de la Academia Colombiana y de los Institutos Caro y Cuervo y Colombiano de Cultura Hispánica, comisionados por el gobierno nacional para conmemorar el primer centenario del nacimiento de Don Marcelino Menéndez y Pelayo".

ICC, BN, BLAA / LC

* INSTITUTO COLOMBIANO DE CULTURA HISPÁNICA, *Bogotá.*

Menéndez y Pelayo en Colombia, 1856-1956. Homenaje del Instituto Colombiano de Cultura Hispánica al eminente polígrafo de la hispanidad, con ocasión del centenario de su nacimiento. Bogotá, Edit. Kelly, 1957. 365 p., 3 h. láms. (rets.). 23 cm. (Biblioteca del Instituto Colombiano de Cultura Hispánica, II).

Contenido: Estudio preliminar, por C. Restrepo Canal; *Don Marcelino Menéndez y Pelayo,* por José Eusebio Ricaurte; *Marcelino Menéndez y Pelayo,* por Guillermo Hernández de Alba; *Epistolario: Correspondencia de Menéndez y Pelayo y varias personalidades de las letras colombianas; Historia de la poesía en Colombia,* por M. M. y Pelayo; *Apuntes bibliográficos,* por Francisco Sánchez Arévalo.

ICC, BN, BLAA / LC

MARTÍNEZ, FERNANDO ANTONIO, 1918-

Dos alusiones cidianas. Bogotá, Instituto Caro y Cuervo, 1963. 8 p. 23 cm.

Separata de *Thesavrvs* (Bogotá), XVIII (1963).

Alusiones en *El Carnero,* de Juan Rodríguez Freile.

ICC / LC

NARANJO VILLEGAS, ABEL, 1912-; BETANCUR, CAYETANO; TRENDALL, ALFREDO.

José Ortega y Gasset en Colombia. Ensayos de Abel Naranjo Villegas, Cayetano Betancur y Alfredo Trendall, y antología de textos. Bogotá, Edit. Kelly, 1956. 191 p., 2 h. 22 cm. (Biblioteca del Instituto Colombiano de Cultura Hispánica, I).

Contenido: La idea de la hispanidad, por José Ortega y Gasset; *Sentido de un homenaje; Ortega y el estado,* por Abel Naranjo Villegas; *La seguridad metafísica; Dialéctica de la razón vital,* por Cayetano Betancur; *Una razón vital católica,* por Alfredo Trendall; *Primera introducción a la metafísica vital,* por Alfredo Trendall; *Antología de textos de la filosofía de Ortega y Gasset.*

LC

* ORTEGA TORRES, JOSÉ J., *Pbro.,* 1908-

Cervantes en la literatura colombiana, en *Boletín del Instituto Caro y Cuervo* (Bogotá), V (1949), p. 447-77.

Contenido: I. Explicación previa; II. Guión bibliográfico.

ICC, BN, BLAA / LC

PÉREZ SILVA, VICENTE, 1929-

"Don Quijote" en la poesía colombiana. Bogotá, Edit. Guadalupe, 1962. 206 p. 1 h., ilus., 23 cm.

Homenaje del autor, p. 9.

Limen, por V.P.S., p. 11-12.

Prólogo, por Noel Estrada Roldán, p. 13-14.

"Gran parte de los poemas aquí recogidos pertenecen a renombrados ganfaloneros de la lírica colombiana y, por ende, resultarán familiares o por lo menos conocidos. Otros, en cambio, quizás los más, por tratarse de recatados priores del santo oficio de la poesía, pueden escapar al peculio intelectual de los leyentes y desde luego, habrá otros tantos de los que no se haga ni la menor memoria. Nuestro ánimo ferviente para estos últimos y en los cuales podrán hallarse verdaderos joyeles de belleza literaria, no podría ser otro que recobrarlos de los dominios del olvido...". *(Limen,* p. 12).

ICC, BN / USC

RESTREPO, ANTONIO JOSÉ, 1855-1923.

Cervantes a Santa Fe de Bogotá - Sueño - Leyenda y Realidad, en *Bol. Cult. y Bibl.* (Bogotá), VII, núm. 8 (1964), p. 1399-1407.

ICC, BN, BLAA / LC, UCLA

RESTREPO CANAL, CARLOS, 1896-

... España en los clásicos colombianos. Selección y edición dirigida por Carlos Restrepo Canal. [Bogotá], Instituto Colombiano de Cultura Hispánica, [Pról. 1952]. 415 p., 1 h. 17 cm. (Biblioteca de Cultura Hispánica, VI).

BN

ROBLEDO, ALFONSO, 1876-

Una lengua y una raza; Ofrenda a España en el tercer centenario de la muerte de Cervantes. Bogotá, Arboleda y Valencia, 1916. 127 p. 20 cm.

Contenido: España; Cervantes y el Quijote; La lengua castellana; El castellano en América; Unión hispano-americana; La inmensa Hispania.

LC

TORRES QUINTERO, RAFAEL, 1909-

[Discurso en homenaje a don Marcelino Menéndez y Pelayo], en *Bol. Acad. Col.* (Bogotá), VI (1956), p. 351-55.

"Discurso del doctor Rafael Torres Quintero, Subdirector del Instituto Caro y Cuervo, en la inauguración de un retrato de Don Marcelino Menéndez y Pelayo, destinado a dicho Instituto".

ICC, BN, BLAA / LC

— Cervantes en Colombia. Ensayo de bibliografía crítica de los trabajos cervantinos producidos en Colombia, en *Boletín del Instituto Caro y Cuervo* (Bogotá), IV, núm. 1 (enero-abril de 1948), p. 29-89. *Separata,* Bogotá, 1948. 63 p.

"El más completo estudio bibliográfico sobre Cervantes publicado en Colombia, precedido de una nota histórica y acompañado de breves comentarios críticos". *(Bbcs).*

ICC / LC

B) FRANCIA:

AGUILAR, ENRIQUE, *Fray.*

Origen de la lengua francesa y su influencia en la literatura colombiana. Cali, [s. edit.], 1945. 16 p. 24 cm.

ICC

ARRUBLA, JUAN MANUEL.

Caro y Sully Prudhomme. Bogotá, Edit. Librería Nueva, 1930. 82 p. 20 cm.

ICC

BIBLIOTECA "LUIS ANGEL ARANGO", *Bogotá.*

Exposición bibliográfica. Relaciones literarias y editoriales entre Francia y Colombia, Catálogo. Bogotá, [Imp. Patriótica del Instituto Caro y Cuervo], 1964. 18 p. 23 cm.

Contenido: I. Traducciones colombianas de autores franceses; II. Textos franceses de autores colombianos; III. Obras francesas relativas a Colombia; IV. Obras colombianas relativas a Francia;

V. Ediciones francesas de obras colombianas; VI. Documents concernant l'histoire de la Colombie; VII. Libros franceses modernos.

ICC

COLEGIO MÁXIMO DE LAS ACADEMIAS DE COLOMBIA, *Bogotá.*

Homenaje de las Academias de Colombia a la cultura francesa ... [Bogotá, Antares, 1964]. 4 p. 34½ cm.

ICC

* — Presencia de Francia en la cultura colombiana. Bogotá, [Imp. Patriótica del Instituto Caro y Cuervo], 1965. 66 p., 1 h. 16 cm. (Colegio Máximo de las Academias de Colombia, 2).

ICC

* GARCÍA VALENCIA, ABEL.

El genio de Francia en la literatura colombiana, en Revista *Universidad de Antioquia* (Medellín), septiembre-octubre de 1944, p. 211-18.

ICC / PU

* MAYA, RAFAEL, 1898-

Francia en la literatura colombiana, en Revista *Bolívar* (Bogotá), XX (junio de 1953), p. 841-55.

ICC, BN, BLAA / LC

MEJÍA RODRÍGUEZ, ALFONSO, 1893-

La France, notre mère intellectuelle; conférences et articles, [s. edit.], 1918. 144 p. 20 cm.

Text in Spanish.

PU, CU

PALABRAS *colombianas en honor de Francia* ... V. p. 254.

C) OTROS PAISES EUROPEOS:

ARCINIEGAS, GERMÁN, 1900-

Italia; guía para vagabundos. Buenos Aires, Edit. Sudamericana, 1958. 239 p. 20 cm.

ICC

CARO, MIGUEL ANTONIO, 1843-1909.

Virgilio estudiado en relación con las bellas artes, en *Papel Periódico Ilustrado* (Bogotá), II, núm. 27 (22 de septiembre de 1882), p. 34-38.

"Comprende: I. Retrato de Virgilio. II. Eneas y su familia. III. Historia de Eneas y de Dido. IV. Varios asuntos. V. Medallas. VI. Ediciones ilustradas de Virgilio. Con un grabado, p. 33. Firma *Aurelio*". (J. J. Ortega Torres).

ICC

HAUSER, ANA y PÁRAMO POMAREDA, JORGE, *eds.*

Epistolario de Rufino José Cuervo y Emilio Teza. Edición, introducción y notas de Ana Hauser y Jorge Páramo Pomareda. Bogotá, [Imp. Patriótica del Instituto Caro y Cuervo], 1965. LIX, 454 p., 1 h. (incl. rets., facsíms.). 23 cm. (Publicaciones del Instituto Caro y Cuervo. Archivo Epistolar Colombiano, 1).

ICC / LC

LÓPEZ NARVÁEZ, CARLOS, 1898-

D'Annunzio en Colombia, en *Bol. Cult. y Bibl.* (Bogotá), VI, núm. 1 (1963), p. 104-109.

ICC, BN, BLAA / LC, UCLA

* PÉREZ SILVA, VICENTE, 1929-

Dante en la literatura colombiana, en *Bol. Cult. y Bibl.* (Bogotá), VIII, núm. 12 (1965), p. 173-84.

ICC, BN, BLAA / LC, UCLA

RIVAS SACCONI, JOSÉ MANUEL, 1917-

Colombia e Italia, en *Bol. Acad. Col.* (Bogotá), VII (1957), p. 14-16.

"... discurso pronunciado [...] durante la ceremonia de entrega de la estatua del dios Silvano, obsequiada a Colombia por el gobierno de Italia, en la ceremonia efectuada en el pabellón de ese país en la Tercera Feria Internacional de Bogotá".

ICC, BN, BLAA / LC

RIVAS SACCONI, JOSÉ MANUEL, 1917- *El latín en Colombia* ... *V*. p. 339.

RIVAS SACCONI, JOSÉ MANUEL, 1917-

Il latino nella letteratura e nella scuola colombiana... Roma, Istituto di Studi Romani, 1941. 12 p. 26 cm.

Estratto da *Per lo studio e l'uso del latino,* Anno III, Nº 1.

ICC

* BOLÍVAR (Bogotá), XII, núms. 52-54, julio-diciembre de 1959.

Tomo dedicado enteramente a la conmemoración centenaria de la muerte de Alejandro de Humboldt. Incluye decretos, artículos en su honor, etc.

ICC, BN, BLAA / LC

CARREÑO, PEDRO MARÍA.

Colombia y Alemania en *Colegio Alemán* (Bogotá), núm. 2 (1932), p. 1-12.

NYPL

CURCIO ALTAMAR, ANTONIO, 1920-1953.

Literatura colombiana en Alemania, en *El Siglo* - Página Literaria (Bogotá), 8 de julio de 1951, p. 3.

BN

* VILLEGAS, SILVIO, 1900-

Los alemanes en Colombia, en *Bol. Cult. y Bibl.* (Bogotá), IX, núm. 7 (1966), p. 1287-99.

Consideraciones sobre el aporte alemán a la cultura colombiana.

ICC, BN, BLAA / LC, UCLA

* GIRALDO JARAMILLO, GABRIEL, 1916-

Viajeros colombianos en Alemania; selección y notas de Gabriel Giraldo Jaramillo. [Bogotá, Imp. Nacional, 1955]. 216 p. 19 cm. (Dirección de Información y Propaganda del Estado).

— Colombia y Suecia: relaciones culturales ... Gotemburgo, Suecia, Instituto Ibero-Americano, 1960. 170 p. láms. (rets.), 21 cm.

Impreso en Madrid por "Insula".

LC

— Colombianos en Suiza, suizos en Colombia. Breve antología de viajes. Bogotá, Edit. Santafé, 1955. 203 p., 2 h. 21 cm.

PU

— Vínculos culturales colombo-holandeses. Bogotá, ABC, 1956. 106 p., ilus. 20 cm.

"An unusual, well-written volume tracing mutual Dutch-Colombian cultural interests from colonial times to the present". *(Hdbk,* Nº 21).

LC

D) LATINOAMERICA:

GÓMEZ RESTREPO, ANTONIO, 1869-1947.

Elogio de México, en *Discursos académicos* (Varios autores), v. I. Bogotá, Edit. A B C, 1955, p. 361-67. (Biblioteca de la Presidencia de Colombia, 18).

Discurso pronunciado en la Academia Mexicana.

ICC, BN, BLAA

* MENDOZA VARELA, EDUARDO, 1919- *ed.*

Sor Juana Inés de la Cruz. Tricentenario de su nacimiento. Bogotá, Talleres Edit. de la Universidad Nal. de Colombia, 1951. 124 p., 1 h., ilus. 17 cm.

Contenido: Epoca y paisaje en Sor Juana Inés de la Cruz, por Eduardo Mendoza Varela; *Sor Juana Inés de la Cruz y sus amigos del Nuevo Reino de Granada,* por Germán Posada Mejía; *De lo profano a lo divino en la lírica amorosa de Sor Juana Inés de la Cruz,* por Carlos López Narváez; *Sus escritos espirituales,* por Alvaro Sánchez, *Pbro.*

ICC

QUIJANO, ARTURO.

Colombia y México, relaciones seculares, diplomáticas, literarias y artísticas entre las dos naciones. Bogotá, Imp. Nacional. 1922. 160 p. 25½ cm. (Ensayos Internacionalistas, IV).

PU

SALINAS, PEDRO.

Rubén Darío y Colombia, en *Hojas de Cultura Popular colombiana* (Bogotá), núm. 35 (1953).

BLAA

* GIRALDO JARAMILLO, GABRIEL, 1916-

Apuntes para una bibliografía colombo-cubana ... La Habana, Seoane, Fernández y Cía., 1953. p. 109-152. 23 cm.

Separata de la *Revista de la Biblioteca Nacional* (La Habana) enero-marzo, 1953.

En homenaje al apóstol José Martí.

"Bibliografía crítica de las obras y artículos referentes a las relaciones políticas, económicas e intelectuales de Colombia y Cuba". *(Bbcos).*

ICC / LC, PU

— Colombia y Cuba ... Bogotá, Edit. Minerva, 1953. 185 p., 2 h. ret. 16½ cm.

Antes del título: Centenario de José Martí, 1853-1953.

ICC, BN / LC, PU

CAPARROSO, CARLOS ARTURO, 1908-

Aproximación a Bello. Bogotá, [Edit. Kelly, 1966]. 254 p. (Ediciones de la Revista "Ximénez de Quesada").

ICC

GIRALDO JARAMILLO, GABRIEL, 1916-

Viajeros colombianos en Venezuela; selección, prólogo y notas de Gabriel Giraldo Jaramillo. Bogotá, Imp. Nacional, 1954. 162 p., 3 h. ilus. 19½ cm.

BN

GÓMEZ PICÓN, RAFAEL, 1900-

Arcilla nuestra y senderos venezolanos. [Bogotá, 1957]. 411 p. ilus. 22 cm.

LC

INSTITUTO CARO Y CUERVO, BIBLIOTECA NACIONAL, *Bogotá.*

Exposición bibliográfica. Homenaje a D. Andrés Bello en el centenario de su muerte. Catálogo. Biblioteca Nacional, noviembre de 1965. Bogotá, [Imp. Patriótica del Instituto Caro y Cuervo], 1965. 35 p. 25 cm.

ICC

RESTREPO CANAL, CARLOS.

A propósito de don Andrés Bello, en *Bol. Cult. y Bibl.* (Bogotá), VIII, núm. 9 (1965), p. 1310-18.

Consideraciones generales sobre la personalidad y la obra de Bello.

ICC, BN, BLAA / LC

* TORRES QUINTERO, RAFAEL, 1909-

Bello en Colombia. Estudio y selección de Rafael Torres Quintero. Homenaje a Venezuela. Bogotá, Instituto Caro y Cuervo, 1952. 383 p., 3 h. 25 cm.

ICC / LC, NYPL, UVa

* COLOMBIA. *Ministerio de Educación Nacional.*

Homenaje de Colombia a Gabriela Mistral. [Bogotá, Empresa Nacional de Publicaciones, 1957]. 50 p. ilus., láms. 20 x 16 cm.

Contenido: Homenaje, por R. Gómez Hoyos; *La oración de la maestra,* por Gabriela Mistral; *Despertar de Gabriela,* por Juana de Ibarbourou; *Gabriela Mistral, maestra de América,* por Josefina Valencia de Ubach; *Gabriela Mistral, poeta cristiano,* por Rafael Gómez Hoyos; *Interpretación lírica de Gabriela Mistral,* por Eduardo Carranza; *Chile y Gabriela Mistral,* por Celso Vargas; *Decálogo de la maestra,* por Gabriela Mistral. (*An*'57-58).

VIEIRA, CELSO.

Brasil e Colombia, en *Academia Brasilera de Letras* (Rio de Janeiro), LIX (1940), p. 198-212.

NYPL

GUITARTE, GUILLERMO L.

Cartas desconocidas de Miguel Antonio Caro, Juan María Gutiérrez y Ezequiel Uricoechea. Bogotá, Instituto Caro y Cuervo, 1962. 78 p. 22½ cm.

Separata de *Thesaurus* (Bogotá), XVII (1962).

ICC

E) ESTADOS UNIDOS:

ARANGO CANO, JESÚS.

Estados Unidos mito y realidad. Bogotá, [Edit. Librería Voluntad], 1959. 195 p. 22 cm.

ICC

CAMACHO ROLDÁN, SALVADOR, 1827-1900.

Notas de viaje. (Colombia y los Estados Unidos de América). 4ª ed. París, Garnier Hermanos, 1898. XXIII, 900 p. ret. 18 cm.

ICC

ENGLEKIRK, JOHN E.

El epistolario Pombo-Longfellow. Bogotá, Instituto Caro y Cuervo, 1954. 60 p. 23 cm.

Separata de *Thesavrvs* (Bogotá), X núms. 1, 2 y 3, 1954.

ICC / LC

ORJUELA, HÉCTOR H., 1930- *Rafael Pombo y la poesía antiyanqui de Hispanoamérica* ... *V.* p. 594.

2. LA LITERATURA HISPANOAMERICANA EN RELACION CON OTRAS LITERATURAS

A) ESPAÑA:

AGUILERA, MIGUEL, 1893-

América en los clásicos españoles. [Bogotá], Instituto Colombiano de Cultura Hispánica, [1952]. 168 p. 18 cm. (Biblioteca de Cultura Hispánica, 2).

LC

ALTAMIRA Y CREVEA, RAFAEL, 1886-

España en América. Valencia, F. Sempere y Cía. [¿1908?]. IX, 372 p. 28 cm.

LC

— La huella de España en América ... Madrid, Edit. Reus, 1924. 222 p. 20½ cm. (Biblioteca [de autores españoles y extranjeros], v. 1).

LC

ARROM, JOSÉ JUAN.

Imágenes de América en la poesía folclórica española. Bogotá, Instituto Caro y Cuervo, 1959. 13 p. 24 cm.

Separata de *Thesaurus* (Bogotá), XIII (1958).

ICC

BARAIBAR Y USANDIZAGA, GERMÁN.

Hispanoamérica y Cervantes, en *Revista Javeriana* (Bogotá), XLVIII, núm. 239-240 (noviembre-diciembre de 1957), p. 176-81.

BLAA

CORBATO, HERMENEGILDO.

Feijoo y los españoles americanos, en *Revista Iberoamericana* (México), V, núm. 9 (mayo de 1942), p. 59-70.

"In his *Teatro crítico,* the Spanish propagator of the eighteenth century Enlightenment attachs the prevalent belief that American Spaniards experienced an early decline of intellectual power, and cited numerous instances to refute this theory. High appreciation is expressed for many colonial writers and men of learning". (*Hdbk'* 42).

LC, PU, USC, UCLA

* CHAVES, JULIO CÉSAR.

Unamuno y América. Prólogo de Joaquín Ruiz Jiménez. Madrid, Ediciones Cultura Hispánica, 1964. XXI, 570 p. láms. (incl. rets., facsíms.) 21 cm.

"Edición Homenaje del Instituto de Cultura Hispánica a Don Miguel de Unamuno en el primer centenario de su nacimiento".

ICC

ENGLERKIRK, JOHN E.

El hispanoamericanismo y la generación del 98, en *Revista Iberoamericana* (México), II, núm. 4 (noviembre de 1940), p. 321-51.

"A very interesting and instructive account of the attitude of the 'generation of '98' to 'hispanoamericanismo'. Only Valle-Inclan-and this in his later writings-presents America in an unfavorable light". (*Hdbk'*40).

LC, PU, USC, UCLA

FEIJOO Y MONTENEGRO, BENITO JERÓNIMO.

Dos discursos de Feijoo sobre América. Introducción y notas de Agustín Millares Carlo. México, D. F., Sría. de Educación Pública, 1945. XXI, 75 p.

"The well known and enlightened views of the Spanish philosopher of the eighteenth century on the Creoles and colonial Spanish America". (*Hdbk'45*).

LC

FERNÁNDEZ M., BENJAMÍN.

La América española en la obra de Menéndez Pelayo, en *Boletín de la Biblioteca Menéndez y Pelayo,* X (1928), p. 101-15.

LC

FRAKER, CHARLES F., *Bécquer and The modernists* ... *V.* p. 484.

GAOS, JOSÉ, *El pensamiento hispanoamericano* ... *V.* p. 690.

HENRÍQUEZ UREÑA, MAX, 1885-

El intercambio de influencias literarias entre España y América durante los últimos cincuenta años (1875-1925), en *Cuba Contemporánea* (Habana), XLI (1926), p. 5-46.

LC

* OLGUÍN, MANUEL.

Menéndez y Pelayo y la literatura hispanoamericana, en *Revista Iberoamericana* (México), XXII (enero-junio de 1957), p. 27-39.

LC, PU, USC, UCLA

PAUCKER, ELEANOR.

Unamuno y la poesía latinoamericana, en Revista *Bolívar* (Bogotá), X, núm. 46 (agosto de 1957), p. 45-73.

Contenido: I. Unamuno e Hispanoamérica; II. La literatura gauchesca; III. Leopoldo Díaz; IV. José Santos Chocano; V. José Asunción Silva, p. 58-61; VI. José Martí; VII. Amado Nervo; VIII. Rubén Darío.

ICC, BN, BLAA / LC

PEDRO VALENTÍN DE, *América en las letras españolas del Siglo de Oro* ... *V.* p. 461.

* VALLE, RAFAEL HELIODORO, 1891-1959.

Bibliografía cervantina en la América Española. México, Imp. Universitaria, 1950. XXII, 313 p.

LC

B) FRANCIA:

HENRÍQUEZ UREÑA, MAX, 1885- *Les influences françaises sur la poésie hispanoaméricaine* ... *V.* p. 587; *El retorno de los galeones* ... *V.* p. 365.

MARTÍ, JORGE L.

French thought in Latin America, en *Americas* (Washington, D. C.), XVIII (Sept., 1966), p. 8-15.

LC, PU

* TORRES-RÍOSECO, ARTURO, 1897-

Influencia de la cultura francesa en la literatura hispanoamericana, en *Cuadernos del Congreso por la Libertad de la Cultura* (París), No. 78, p. 69-75.

LC

C) OTROS PAISES EUROPEOS:

BAGINSKY, PAUL BEN, 1896- *German works relating to America, 1493-1800...* *V.* p. 438.

BARBAZA, ENRIQUE.
La cultura alemana en Hispanoamérica, en *Metáfora* (México), marzo-abril de 1956, p. 3-8.
LC

PALMER, PHILIP MOTLEY, *German works on América, 1492-1800* ... *V.* p. 444.

BERTINI, GIOVANNI MARÍA.
Dante en la América latina. Bogotá, [Imp. Nacional, 1958], p. 159-172. 24 cm.
Separata de *Studium* (Bogotá), I, núm. 2-3 (1957).
BLAA

* DEL GRECO, ARNOLD A.
Leopardi in Hispanic literature. New York, Vanni, 1952.
UCLA

METFORD, J. C. J., *British contributions to Spanish and Spanish American Studies* ... *V.* p. 40.

CABALLERO CALDERÓN, EDUARDO, 1910-
Americanos y europeos. Madrid, Ediciones Guadarrama, [1957]. 376 p., 4 h. 18 cm. (Colección Guadarrama de crítica y ensayo, 2).
ICC / LC

* SANÍN CANO, BALDOMERO, 1861-1957.

Influencias de Europa sobre la cultura de la América española, en *Atenea* (Chile), XXXVII, núm. 141 (noviembre-diciembre de 1937), p. 328-48.

LC

D) RUSIA:

AKADEMIAI NAUK SSSR. Institut Latinskoi Ameriki, *Latinskaia Amerika v sovetskoi pechati, 1496-1962* ... *V.* p. 24.

CARLTON, ROBERT G., *ed., Latin America in Soviet writings: a bibliography* ... *V.* p. 27.

OKINSHEVICH, LEO, 1898- *Latin America in Soviet writings, 1945-1958, a bibliography* ... *V.* p. 42.

SCHANZER, GEORGE O.

Latin American literature in the Soviet Union, 1960, en *Hisp.*, XLIV (December, 1961), p. 693-94.

ICC / LC, PU, USC, UCLA

SHUR, LEONID AVEL EVICH, *comp., Khudozhestvennaia literatura latinskoi Ameriki v ruskoi pechati* ... *V.* p. 49.

E) JAPON:

LATIN AMERICA KYÔKAI (Sociedad Latino-Americana), *Nihon no Latin America chôsa kenkyûsho gaisetsu* [*Survey of Japanese books of Latin American research and study*] ... *V.* p. 38.

F) ESTADOS UNIDOS:

* ALEGRÍA, FERNANDO.

Walt Whitman en Hispanoamérica, en *Revista Iberoamericana* (México), VIII, núm. 16 (noviembre de 1944), p. 343-56.

—— México, Ediciones Studium, 1954. 419 p. (Colección Studium, 5).
KU, UVa, UCLA

BARREDA, FELIPE.

El idioma español y la literatura hispanoamericana factores de primer orden en el mejoramiento de las relaciones interamericanas, en *Hisp.*, XXII (December, 1929), p. 573-82.
LC, PU, USC, UCLA

CHAPIN, CLARA C.

Bryant and some of his Latin American friends, en *Bull.* (Washington), LXXVIII (1944), p. 609-13.
LC, PU, USC

* ENGLEKIRK, JOHN E.

Edgar Allan Poe in Hispanic literature. New York, Instituto de las Españas, 1934. xiv, 504 p.

Contenido: Introduction; A chapter on translations; Biographical and critical studies of Poe; A survey of the extent of Poe's influence and some observations on early resemblances to him; Poe's influences in Spain; Poe and the new esthetics; Conclusion; Bibliography.

V. r. de E. Herman Hespelt, en *Hisp.*, XVII (December, 1934), p. 422-24.
LC, KU, UCLA

— Notes on Longfellow in Spanish America, en *Hisp.*, XXV (October, 1942), p. 295-308.

"Valuable information of the extent to which the work of Longfellow was known and translated in Spanish America". (*Hdbk'*42).

ICC / LC, PU, USC, UCLA

— Notes on Whitman in Spanish America, en *Hispanic Review,* VI (1938), p. 133-38.

LC, USC

ENGLEKIRK, JOHN E., *Whitman y el antimodernismo ... V.* p. 483.

FERGUSON, JOHN LANCEY, 1888-

American literature in Spain. New York, Columbia University Press, 1966. XIII, 267 p.

Contenido: Introduction; Washington Irving; James Fenimore Cooper; Edgar Allan Poe; Nathaniel Hawthorne; Henry W. Longfellow; Prescott, Emerson, Whitman; Bibliographies: I. Bibliography of translations and criticism; II. Bibliography of periodicals.

"Many references to Spanish American literature". (Sturgis E. Leavitt).

LC

GONZÁLEZ, MANUEL PEDRO, 1893-

Intellectual relations between the United States and Spanish America, en *The civilization of the Americas.* Berkeley, Univ. of California Press, 1938, p. 109-37.

— Las relaciones intelectuales entre los Estados Unidos e Hispanoamérica, en Revista *Universidad de la Habana,* VIII, núm. 24-25, p. 84-110.

"An excellent survey of the intellectual contacts between the United States and Spanish American countries". (*Hdbk*'38).

LC, UCLA

HILTON, RONALD.

Los estudios hispánicos en los Estados Unidos. Madrid, Ediciones Cultura Hispánica, 1957. 493 p.

V. Hilton, Ronald, *Handbook of Hispanic source materials and research organizations in The United States* ... p. 176.

LC

LEAVITT, STURGIS E., 1888- *Hispano-American literature in the United States; a bibliography of translations and criticism* ... *V.* p. 38-39.

LEAVITT, STURGIS E., 1888--

Latin American literature in the United States: retrospect and prospect, en *Studies in Philology,* XLII, No. 3 (July, 1945), p. 716-22.

"A clear sighted, well-informed, hopeful survey". (*Hdbk*'45).

LC

* MEAD, ROBERT G. JR., 1913- *ed.*

Iberoamérica: Sus lenguas y literatura vistas desde los Estados Unidos. México: Eds. de Andrea, 1962. 222 p.

V. r. de Eugenio Chang-Rodríguez, en *Hisp.,* XLVI (December, 1962), p. 813-15.

LC, UCLA

* Onís, José de.

The United States as seen by Spanish American writers (1776-1890). New York, Hispanic Institute in the United Sates, 1952. 226 p.

Trad. española: *Los Estados Unidos vistos por escritores hispanoamericanos*. Madrid, Ediciones Cultura Hispánica, 1956. 376 p. "Excellent selection of authors based on ideological movements rather than by nation. Authors selected deal primarily with two questions: Should the Spanish nations of America look toward the United States as their model? Did the United States represent a menace to the existence of these nations?". (*Hdbk*'52).

LC, UVa, KU, USC

Orjuela Gómez, Héctor H., 1930-

Revaloración de una vieja polémica literaria: William Cullen Bryant y la oda "Niágara" de José María Heredia. Bogotá, Instituto Caro y Cuervo, 1964. 26 p., 1 h. 23 cm.

Separata de *Thesaurus,* Boletín del Instituto Caro y Cuervo, XIX, núm. 2, 1964.

ICC / LC

Panesso Robledo, Antonio, 1918- *tr.*

El gringo. La imagen yanqui en la América Latina, por D. H. Radler ... Bogotá, Ediciones Tercer Mundo, 1964. 206 p., 1 h. 23 cm. (Colección Problemas de América, 2).

Título original: *El Gringo. The image in Latin America.*

ICC / LC

Río, Angel del, 1901-

El mundo hispánico y el mundo anglosajón en América; choque y atracción de dos culturas ... Prólogo de Germán Arciniegas. [Buenos Aires], Asociación Argentina por la Libertad de la Cultura, [1960]. 162 p., 3 h. 18 cm. (Biblioteca de la Libertad, 5).

ICC / LC

RIPPY, J. E.

Literary yankeephobia in Hispanic America, en *Journal of International Relations,* (Worcester, Massachusetts), XII (1922).

USC

STIMSON, FREDERICK S.

The beginnings of American hispanism, 1770-1830, en *Hisp.,* XXXVII (Nov., 1954), p. 482-89.

ICC / LC, PU, USC, UCLA

— Orígenes del hispanismo norteamericano. México, Ediciones de Andrea, 1961. 134 p. (Colección Studium).

Contenido: I. Introducción general; II. Influencia hispánica en las primeras novelas; III. Influencia hispánica en las primeras obras teatrales; IV. Influencia hispánica en las primeras poesías; V. Fuentes literarias utilizadas por los novelistas, dramaturgos y poetas; VI. Atracción del mar caribe; VII. Conclusiones; VIII. Bibliografía crítica.

Breve estudio sobre el influjo de lo hispánico en las letras norteamericanas. El tema merece una obra mucho más extensa.

LC, UCLA

UMPHREY, GEORGE W.

Spanish American literature compared with that of the United States, en *Hisp.,* XXVI (February, 1943), p. 21-34.

ICC / LC, PU, USC, UCLA

* VALLE, RAFAEL HELIODORO.

Fichas para la bibliografía de Poe en Hispanoamérica, en *Revista Iberoamericana* (México), XVI (1950), p. 199 214.

LC, PU, USC, UCLA

WALLS, AILEEN STEPHENS.

Cultural image of the United States: North American novelists and Spanish American reviews, en *Dissertation Abstracts,* XXIII, 2919 (Ill.).

Tesis. - Univ of Illinois.

LC, USC

* WILLIAMS, STANLEY T.

The Spanish background of American literature. New Haven, Yale Univ. Press, 1955. 2 v.

WLU, Y, USC

— La huella española en la literatura norteamericana. [Versión castellana de Justo Fernández Buján y Emilia Moliner de Fernández Buján]. Madrid, Edit. Gredos, [1957]. 2 v. 19 cm. (Biblioteca Románica Hispánica, I: Tratados y Monografías, 8).

Contenido: t. 1: Orígenes de la cultura española en Norte América; La cultura española e hispanoamericana en los Estados Unidos durante los siglos XIX y XX. — t. 2: Principales intérpretes de la cultura española e hispanoamericana en la literatura norteamericana. Notas.

ICC / LC

ZEA, LEOPOLDO.

Norteamérica en la conciencia hispano-americana, en *Cuadernos Americanos* (México), año 7, XXXIX, núm. 3 (mayo-junio de 1948), p. 161-83.

"Se estudian las diferentes actitudes que los hispanoamericanos adoptaron, desde la Independencia, frente a los Estados Unidos y a su propia condición de hispanoamericanos". (*Hdbk*'50).

LC

EPOCAS Y MOVIMIENTOS LITERARIOS

I. EPOCA DE LA COLONIA Y LA INDEPENDENCIA

1. BIBLIOGRAFIAS Y OBRAS DE REFERENCIA

A) LITERATURA COLOMBIANA

ACOSTA, JOAQUÍN, 1799-1852.

Catálogo de los libros y manuscritos que entre otros tuvo presente el Coronel Joaquín Acosta para escribir su Compendio histórico del descubrimiento y colonización de la Nueva Granada ..., en *Bol. Cult. y Bibl.* (Bogotá), III, No. 9 (septiembre de 1960), p. 598-610.

Reproducción del catálogo que, como apéndice, trae la obra del Coronel Acosta.

ICC, BN, BLAA / LC, UCLA

GRASES, PEDRO and PÉREZ VILA, MANUEL.

Gran Colombia: referencias relativas a la bibliografía sobre el período emancipador en los países grancolombianos, desde 1949, en *Historiografía y Bibliografía Americanista,* Escuela de Estudios Hispanoamericanos de Sevilla, v. 10 (1964), p. 151-95.

Tirada aparte del *Anuario de Estudios Americanos.*

LC

HERNÁNDEZ DE ALBA, GUILLERMO, 1906-

Bibliografía para el estudio de la Real Expedición Botánica del Nuevo Reino de Granada y su época, en *Bol. Cult. y Bibl.* (Bogotá), II, núm. 5 (junio de 1959), p. 307-25.

ICC, BN, BLAA / LC, UCLA

MEDINA, JOSÉ TORIBIO, 1852-1931, *La imprenta en Bogotá (1739-1821). Notas bibliográficas...; La imprenta en Cartagena de Indias (1809-1820). Notas bibliográficas ... V.* p. 768.

MESANZA, ANDRÉS, *Fray,* 1878-1959, *Apuntes sobre publicaciones hechas en Cartagena en el siglo XVIII ... V.* p. 769.

MOLINA OSSA, CAMILO.

Tesoros bibliográficos de los siglos XVI a XVIII que poseyeron los hacendados de Guadalajara de Buga. Cali, Editora Feriva, 1965. 153 p., 4 h. ilus., facsíms. 24 cm.

BLAA

PÉREZ ARBELÁEZ, ENRIQUE, 1896-

Bibliografía de la Real Expedición Botánica del Nuevo Reino de Granada, en *La Real Expedición del Nuevo Reino de Granada,* t. I, Madrid, Ediciones de Cultura Hispánica, 1954, p. 137-38.

"Contiene una bibliografía selecta sobre la Expedición, su director D. José Celestino Mutis y sus discípulos. Faltan algunas referencias importantes". (*Bbcs*).

BLAA

POSADA, EDUARDO, 1862-1942, *Bibliografía bogotana* ... *V.* p. 21-22.

POSADA, EDUARDO, 1862-1942, *La imprenta en Santafé de Bogotá en el siglo XVIII* ... *V.* p. 769.

POSADA, EDUARDO, 1862-1942.

Bibliografía. He aquí el título de algunas obras escritas en nuestro país, antes de establecerse aquí la imprenta y que fueron publicadas en el exterior, en *Bol. Hist. Ant.* (Bogotá), XV (1926), p. 657-65, 733-36.

ICC, BN, BLAA / LC

RESTREPO EUSE, ALVARO.

Diccionario histórico de la colonia. (Inédito). MS.

Dato obtenido del artículo de Vicente Pérez Silva, *Diccionarios de autores colombianos,* en *Bol. Cult. y Bibl.* (Bogotá), IX, núm. 3 (1966), p. 515-16.

AcCol

* ROMERO, MARIO GERMÁN, *Pbro.,* 1910-

Papeletas bibliográficas para la historia del descubrimiento y conquista del Nuevo Reino de Granada: Siglo XVI, en *Bol. Cult. y Bibl.* (Bogotá), II, núm. 7 (agosto de 1959), p. 443-48; núm. 8 (septiembre de 1959), p. 503-509.

— Papeletas bibliográficas; Cronistas del siglo XVII, en *Bol. Cult. y Bibl.* (Bogotá), III, núm. 1 (enero de 1960), p. 45-50; núm. 4 (abril de 1960), p. 250-255.

— Papeletas bibliográficas; cronistas e historiadores del siglo XVIII, en *Bol. Cult. y Bibl.* (Bogotá), III, núm. 5 (mayo de 1960), p. 308-13; núm. 7 (julio de 1960), p. 458-61; núm. 8 (agosto de 1960), p. 523-26.

ICC, BN, BLAA / LC, UCLA

B) LITERATURA GENERAL

ANTONIO, NICOLÁS, 1617-1684.

Bibliotheca hispana [nova] sive hispanorum scriptorum qui ab anno MD. ad MDCLXXXIV. floruere notitia. Nunc primum prodit recognita emendata aucta ab ipso auctore. Romae, 1672. 2 v. 13 cm.

2º ed.: Madrid, 1783-88. 2 v.

"Nicolás Antonio, uno de los creadores de la bibliografía española, incluye en su famosa obra interesantes y variadas noticias sobre algunos de nuestros cronistas coloniales". (*Bbcs*).

LC (1ª y 2ª eds.)

BAGINSKY, PAUL BEN, 1896-

German works relating to America, 1493-1800 ... New York, The New York Public Library, 1942. xv, 217 p. 25 cm.

A list compiled from the collections of the New York Public Library.

LC, NYPL

BERISTAIN DE SOUZA, JOSÉ MARIANO, 1756-1817.

Biblioteca hispano-americana septentrional; ó Catálogo y noticia de literatos, que ó nacidos, ó educados, ó florecientes en la América septentrional española, han dado a luz algún escrito, ó lo han dejado preparado para la prensa. La escribía el doctor D. José Mariano Beristain de Souza ... México, [A. Valdés], 1816-21. 3 v. 29½-33 cm.

2º ed.: Amecameca, Tip. del Colegio Católico, 1883. 3 v.

3ª ed.: México, Edit. Fuente Cultural, [1947]. 5 v. en 2.

V. Agustín Millares Carlo, *Don José Mariano Beristain de Souza y su «Biblioteca hispanoamericana septentrional»,* en *Revista Interamericana de Bibliografía* (Washington), XVI, núm. 1 (enero-marzo de 1966), p. 20-57.

LC (1ª, 2ª y 3ª eds.)

BERMÚDEZ, JOSÉ ALEJANDRO.

Los cronistas de la conquista (Ensayo de una bibliografía), en *Senderos,* Bogotá (julio de 1934), p. 302-10. facsíms.

PU

BRUNET, JACQUES CHARLES, 1780-1867, *Manuel du libraire et de l'amateur de livres ... V.* p. 26-27.

CATALOGUE of books relating to America, includes a large number of rare works printed before 1700 amongst which a nearly complete collection of the Dutch publications on New Netherland from 1612 to 1820. Amsterdam, [1850]. 104 p.

"Es el catálogo de Müller; para Colombia especialmente p. 82. Contiene obras raras en traducciones holandesas y alemanas, etc.". (*Bbcs*).

FORERO, MANUEL JOSÉ, 1902-

Incunables bogotanos y americanos, en *Bol. Cult. y Bibl.* (Bogotá), V, núm. 4 (abril de 1962), p. 398-401.

ICC, BN, BLAA / LC, UCLA

FOULCHÉ-DELBOSC, RAYMOND, 1864-1929, *Manuel de l'hispanisant* ... *V*. p. 31-32.

* GALLARDO, BARTOLOMÉ, 1776-1852.

Ensayo de una biblioteca española de libros raros y curiosos formada con los apuntamientos de don Bartolomé Gallardo, coordinados y aumentados por D. M. R. Zarco del Valle y D. J. Sánchez Rayón ... Madrid, Imp. y Est. de M. Rivadeneira, 1863-66; M. Tello, 1888-89. 4 v. 28 cm.

Contenido: t. 1: A- Azpitarte. Anónimos. Apéndice; t. 2: B- Funes. Apéndice: Indice de manuscritos de la Biblioteca Nacional; t. 3: G-P; t. 4: Q-Z. Suplemento. Ultimas adiciones.

"Sobre Colombia, especialmente el tomo IV". (*Bbcs*).

LC

GARCÉS G., JORGE A.

Paleografía diplomática española y sus peculiaridades en América. Quito, Imp. Municipal, [1949]. VII, 364 p. ilus.

"Detailed study of Spanish paleography with particular attention to usages in the Spanish American colonies. There are nearly 100 facsimiles of documents of the thirteenth to the eighteenth centuries, with transcriptions in print, and other supplemental materials". (*Hdbk'49*).

LC

GARCÍA CARAFFA, ALBERTO, y GARCÍA CARAFFA, ARTURO, *eds.*, *Enciclopedia heráldica y genealógica hispanoamericana* ... *V*. p. 187.

GARDEL, LUIS DELGADO.

A brief description of some rare and interesting books from the XVIth and XVIIth centuries which can be found in the Columbus Memorial Library. Washington, Pan American Union, 1958. 70 p. ilus. 24 cm.

Bigliographical notes: p. 67-70.

LC

GRASSE, JOHANN GEORGE THEODORE, 1814-1872.

Trésor des livres rares et précieux; ou nouveau dictionnaire bibliographique. Berlín, J. Altmann, 1922. 8 v.

"La famosa obra del bibliógrafo alemán incluye numerosos títulos de interés para Colombia". (*Bbcs*).

* GRISMER, RAYMOND L.

Introduction to the classical influence of the literatures of Spain and Spanish America. A bibliographical study. Bogotá, Instituto Caro y Cuervo, 1949. 16 p. 24 cm.

Separata de *Boletín del Instituto Caro y Cuervo,* V, núms. 1, 2, y 3, 1949.

ICC / LC

HARRISSE, HENRY, 1830-1910.

Bibliotheca Americana Vetustissima; a description of works relating to America published between the years 1492 and 1551 ... New York, G. P. Philes, 1866. 519 p. 25 cm.

LC

— — Ed. preparada por Carlos Sanz López. Madrid, Librería General Victoriano Suárez, 1958. LIV, 519 p.

"Comprende 304 obras con abundantes noticias bibliográficas, biográficas y críticas. Obra fundamental". (*Bbcs*).

— Bibliotheca Americana Vetustissima. Additions. Paris, Tross [Leipzig, Imprimerie W. Drugulin], 1872. 199 p.

— — Ed. preparada por Carlos Sanz López. Madrid Librería General Victoriano Suárez, 1958. XL, 199 p.

"Comprende 186 obras". (*Bbcs*).

"*V.* Vignaud Henry: *Henry Harrisse; étude biographique et morale avec la bibliographie critique de ses écrits.* Paris, 1912. 83 p."

V. Sanz Carlos, en esta sección.

LC

HISPANIC SOCIETY OF AMERICA. *Library*.

List of books printed before 1601 in the Library of the Hispanic Society of America, compiled by Clara Louisa Penney ... New York, Printed by order of the Trustees, 1929. XIV p., 1 h., 274 p. 19 cm.

— List of books printed 1601-1700 in the library of the Hispanic Society of America by Clara Luisa Penney ... New York, 1938, XXVI, 972 p.

"A valuable ready reference to books, Hispanic and Hispanic-American, printed in these years. An appendix gives a list of fifteenth and sixteenth century books. Another is a check list of printing sites and printers 1468?-1700". (*Hdbk'38*).

LC

LEÓN PINELO, ANTONIO DE, -1660.

Epítome de la Biblioteca Oriental y Occidental, Náutica y Geográfica. Madrid, I. González, 1629. 186, XII p. 21 cm.

2ª ed. publ. por don Andrés González de Barcia. Madrid, 1737-38. 3 v.

[¿3ª ed?]: *El epítome de Pinelo, primera bibliografía del Nuevo Mundo.* Estudio preliminar de Agustín Millares Carlo. Washington, Union Panamericana, 1958. XLIII, 147 p. ilus. facsíms. 25 cm.

"... Para Colombia [en la 2ª ed.] especialmente, tomo 1, p. 691-895 y tomo II, p. 918". (Gabriel Giraldo Jaramillo).

LC, PU

* MEDINA, JOSÉ TORIBIO, 1852-1931.

Biblioteca hispanoamericana (1493-1810). Santiago de Chile, Impreso en casa del autor, 1898-1907. 7 v.

Ed. facsimilar: Santiago de Chile, Fondo Histórico y Bibliográfico José Toribio Medina, 1958-

"Esta monumental obra del insigne bibliógrafo chileno comprende 8481 títulos ilustrados con notas bibliográficas". (*Bbcs*).

LC

MEDINA, JOSÉ TORIBIO, 1852-1931, *Notas bibliográficas referentes a las primeras producciones de la imprenta en algunas ciudades de la América española* ... *V.* p. 768.

MILLARES CARLO, AGUSTÍN Y MANTECÓN, JOSÉ IGNACIO.

Album de paleografía hispanoamericana de los siglos XVI y XVII. México, Instituto de Geografía e Historia, 1955. 3 v.

"A paleographical guide and source book containing summary histories of Spanish and colonial calligraphy with bibliography and many examples of writing styles. v. 3 contains transcriptions of documents from the 12th to the 17th centuries, with a heavy concentration upon colonial Spanish America". (*Hdbk*, Nº 20).

LC

* PALMER, PHILIP MOTLEY.

German works on America, 1492-1800. Berkeley, Calif., University of California Press, 1952. 271-412 p. (University of California Publications in Modern Philology).

"About 1900 entries, which, with cross references, variants, etc., list 967 works on all parts of the *Americas*. There are no indexes of any kind. Based upon, but corrects and adds to and locates more copies than, Joseph Sabin's Dictionary of Books relating to America (26 v., 1868-1936)". (*Hdbk'*, Nº 19).

LC, UCLA

RICH, OBADIAH, 1777-1850.

A catalogue of books relating principally to America, arranged under the years in which they were printed. London, 1832. 129 p. 21½ cm.

Contenido: pt. 1. Books printed between 1500 and 1600; pt. 2. Books printed between 1600 and 1700.

LC

* — Bibliotheca Americana nova; or, a catalogue of books in various languages relating to America, printed since the year 1700. Compiled principally from the works themselves. London, O. Rich; New York, Harper and Brothers, 1835. 424 p. 23 cm.

"De esta excelente obra del erudito bibliógrafo norteamericano se publicaron varias ediciones con algunas modificaciones en 1844 y en 1846, y un suplemento a la primera edición en 1841.

Menciona numerosas obras de interés para Colombia, algunas con breves y pertinentes datos bibliográfico-críticos sobre sus autores". (*Bbcs*).

* SANZ, CARLOS.

Bibliotheca americana vetustissima. Madrid, Librería General Victoriano Suárez, 1960. v. 1, hasta 1507, 629 p.; v. 2 hasta 1551, 645-1407 p. facsíms., mapas.

"An important bibliographical achievement, bringing up to date the materials of the *Bibliotheca americana vetustissima* of Henry Harrisse, and completing the author's republication, revision and additions". (*Hdbk*, Nº 24).

V. Harrise, Henry, en esta sección.

LC

SIMÓN DÍAZ, JOSÉ.

Manual de bibliografía de la literatura española. Barcelona, G. Gili, 1963. VII, 603 p. 23 cm.

"Este 'Manual' comprende las obras literarias compuestas en lengua castellana desde los primeros monumentos hasta fines de 1961 por autores nacidos dentro del territorio nacional con la única tradicional excepción de Rubén Darío, por lo que incluye a los autores hispanoamericanos anteriores a la independencia de su país respectivo. La ordenación general es análoga y paralela a la de la Bibliografía de la Literatura Hispánica..." (*Introducción*).

LC

TERNAUX-COMPANS, HENRI, 1804-1864.

Bibliothèque Américaine ou Catalogue des ouvrages relatifs à l'Amérique qui ont paru depuis sa découverte jusqu'à l'an 1700. Paris, Arthus-Bertrand, 1837. VIII, 191 p. 29 cm.

"Una de las más valiosas bibliografías sobre América publicadas en Francia. Contiene 1153 títulos, muchos de ellos de interés para Colombia". (*Bbcs*).

LC

TORRE REVELLO, JOSÉ, 1893-

Un catálogo impreso de libros para vender en las Indias occidentales en el siglo XVII. Madrid, F. Beltrán [1930]. 30, [2] p. ilus. (facsíms). 18½ cm.

"Este trabajo apareció por primera vez en el Boletín del Instituto de Investigaciones históricas de Buenos Aires, en el número 40, de abril-junio de 1929, y posteriormente en los números 1 y 2 de enero-febrero de 1930 del Boletín de las Cámaras oficiales del libro de Madrid y Barcelona".

"Catálogo, o Memoria de libros, de todas facultades. Se venden en Casa del Capitán don Diego Ibáñez": p. 17-30.

LC

VINDEL, FRANCISCO, *Ensayo de un catálogo de ex-libris iberoamericanos de los siglos XV-XIX* ... *V.* p. 782.

2. ESTUDIOS

A) LITERATURA COLOMBIANA

ACOSTA DE SAMPER, SOLEDAD, 1833-1913, *Biografías de hombres ilustres ó notables, relativas a la época del descubrimiento. conquista y colonización de la parte de América denominada actualmente EE. UU. de Colombia* ... *V.* p. 189.

ARANGO FERRER, JAVIER, 1896-

El barroco en nuestra literatura, en *Bol. Cult. y Bibl.* (Bogotá), IV, núm. 8 (agosto de 1961), p. 689-96.

De la obra *Raíz y desarrollo de la literatura colombiana.*

ICC, BN, BLAA / LC, UCLA

ARBOLEDA LLORENTE, JOSÉ MARÍA, 1886-

El indio en la colonia. Estudio basado especialmente en documentos del Archivo Central del Cauca. Bogotá, Prensas del Ministerio de Educación Nacional, Departamento de Extensión Cultural y Bellas Artes. 210 p., 1 h. 17 cm.

"Attempt to rectify the Black Legend, with specific case histories to indicate that in numerous instances the natives were able to benefit from the laws protecting them and their interests. A useful investigation, which concludes that after schock of conquest abuses were not general and were gradually remedied". (*Hdbk*'48).

ICC / LC

CAMACHO GUIZADO, EDUARDO, 1937-

Estudios sobre literatura colombiana. Bogotá, [Ediciones Tercer Mundo], 1965. 107 p., 2 h. 21 cm. (Ediciones Universidad de Los Andes. Filosofía y Letras).

Contenido: Siglos XVI-XVII.

V. r. de Héctor H. Orjuela, en *Hisp.,* L (March, 1967), p. 193.

ICC / LC

CARO MOLINA, FERNANDO, 1929-

La difusión del libro y la cultura española en la América hispana, y el *Antijovio* de Gonzalo Jiménez de Quesada, en *Studium* (Bogotá), I (enero-abril de 1957), p. 95-104.

"The unhampered circulation of a Spanish translation of a work of the Bishop of Nocera, critical of Spanish activities and rebutted by the Conquistador of New Granada in this *Antijovio,* is hailed as proof of the well established fact of the fairly free diffusion of books in the Spanish Indies". (*Hdbk* Nº 22).

BLAA

* CORTÁZAR TOLEDO, ROBERTO, 1884-

Los cronistas del siglo XVI, en Academia Colombiana de Historia, *Curso superior de historia de Colombia,* V. Bogotá, Edit. A B C, 1951, p. 305-47.

ICC

* CURCIO ALTAMAR, ANTONIO, 1920-1953, *La novela en la época colonial* ... *V.* p. 617.

ECHEVERRI MEJÍA, OSCAR, 1918-

La cultura en Bogotá: Orígenes y período colonial, en *Bol. Cult. y Bibl.* (Bogotá), VIII, núm. 10 (1965), p. 1542-45.

ICC, BN, BLAA / LC, UCLA

— La cultura en Bogotá en el período de la Independencia, en *Bol. Cult. y Bibl.* (Bogotá), VIII, núm. 1 (1965), p. 89-92.

Considera también algunas figuras que se destacaron en el período posterior a la independencia.

ICC, BN, BLAA / LC, UCLA

* ESCALLÓN TORRES, MARÍA CLARA.

Tertulias literarias de Santafé (1790-1810). Bogotá, 1958. 116 p. 32 cm. Copia mecanografiada.

Tesis para optar el título de doctor en la Facultad de Filosofía y Letras en la Pontificia Universidad Javeriana de Bogotá.

ICC

FLÓREZ DE OCARIZ, JUAN, 1612-1692, *Las genealogías del Nuevo Reyno de Granada* ... *V.* p. 193.

FRIEDE, JUAN, 1901-

Documentos del Archivo de Indias, en *Bol. Hist. Ant.* (Bogotá), XXVIII, núm. 441-443 (julio sept. de 1951), p. 514-20.

"Documents relating to the Gobernación de Santa Marta in the first half of the 16th century are described but not published. The author indicates a number of errors in the *Noticias historiales* of Fray Pedro Simón". (*Hdbk*'51).

ICC, BN, BLAA / LC

FRIEDE, JUAN, 1901- *ed., Documentos inéditos para la historia de Colombia* ... *V.* p. 59.

GARCÍA BACCA, JUAN DAVID, 1901- *Antología del pensamiento filosófico en Colombia, de 1647 a 1761* ... *V.* p. 671.

* GARCÍA VALENCIA, JULIO CÉSAR, 1894-

Letras y artes en el siglo XVII, en Academia Colombiana de Historia, *Curso superior de historia de Colombia,* VI. Bogotá, Edit. A B C, 1951, p. 277-312.

ICC

HERNÁNDEZ DE ALBA, GUILLERMO, 1906- *Aspectos de la cultura en Colombia* ... *V.* p. 679.

HERNÁNDEZ DE ALBA, GUILLERMO, 1906-

Estampas santafereñas. Bogotá, Edit. A B C, 1938. XVI, 160 p. ilus. 20 cm.

Publicación de la Academia Colombiana de Historia en homenaje de la ciudad de Bogotá en el IV centenario de su fundación.

ICC

— Mujeres de la Colonia. Bogotá, "Ediciones del Concejo", [¿19-?]. 20 p. 23 cm.

PU

HERNÁNDEZ RODRÍGUEZ, GUILLERMO.

De los chibchas a la colonia y a la República (Del clan a la encomienda y al latifundio en Colombia). Bogotá, Univ. Nacional de Colombia, Sección de Extensión Cultural, 1949. xv, 326 p. 4 h. 23 cm.

ICC

* MAYA, RAFAEL, 1898-

Ensayos sobre los últimos años del siglo dieciocho, en *Revista Univ. del Cauca,* núm. 3 (marzo-abril de 1944), p. 5-20.

"An article interpreting the spirit of the last years of the eigteenth century in Colombia and showing how the arrival there of Mutis possibly advanced the date of independence by many years". (*Hdbk*'44).

LC

MENDOZA VÉLEZ, JORGE DE, 1910- *Gobernantes de la Nueva Granada (Síntesis biográficas)* ... *V.* p. 197-98.

NIETO LOZANO, DANILO, 1926-

... La educación en el Nuevo Reino de Granada ... Bogotá, Edit. Santafé, 1955. 180 p. 23½ cm.

Tesis. — Pontificia Universidad Católica Javeriana. Facultad de Filosofía y Letras.

ICC

ORIGEN *del teatro en Santafé de Bogotá, 1792-1796* ... *V.* p. 656.

* OTERO MUÑOZ, GUSTAVO, 1894-1957.

Historia de la historiografía colombiana, en *Bol. Hist. Ant.* (Bogotá), XXVIII, núms. 317-318 (1941), p. 185-216.

"Mención de nuestros primeros historiadores y cronistas y de sus obras, con comentarios críticos; figuran Fernández de Enciso, Pedro de Heredia, Antonio de Lebrija y Juan de San Martín, Jiménez de Quesada, Pascual de Andagoya, Cieza de León, Oviedo y Las Casas". (*Bbcs*).

ICC, BN, BLAA / LC

— La literatura colonial de Colombia seguida de un cancionerillo popular. La Paz, Bolivia, 1928. 324 p.

"Comprende tres partes: la primera consagrada al siglo XVI (los precedentes) y al Culteranismo y conceptismo (siglo XVII); la segunda a la iniciación científico-literaria (siglo XVIII) y la tercera, de divulgación folclórica, al cancionerillo popular". (*Bbcs*).

ICC, BN, BLAA / LC, Y, Dth

OTS CAPDEQUÍ, JOSÉ MARÍA.
Instituciones de gobierno del Nuevo Reino de Granada durante el siglo XVIII. [Bogotá], Universidad Nacional de Colombia, Sección de Extensión Cultural, 1950. 379 p. 23 cm.

Bibliography included in *Advertencia preliminar,* p. [7]-9.
LC

— Las instituciones del Nuevo Reino de Granada al tiempo de la independencia. Madrid, Consejo Superior de Investigaciones Científicas, 1958. 396 p. 24 cm.

Contenido: Las instituciones del Nuevo Reino de Granada en los primeros días del siglo XIX; La repercusión en la vida institucional del Nuevo Reino de la invasión napoleónica y de la restauración de los Borbones.

LC

PACHECO, JUAN MANUEL, S. J., *Los Jesuítas en Colombia* ... *V.* p. 736.

* PORRAS TROCONIS, GABRIEL, 1880-
Historia de la cultura en el Nuevo Reino de Granada. Sevilla, Consejo Superior de Investigaciones Científicas, 1952. x, 555 p. 22 cm.

"Visión global de la cultura colonial neogranadina; no aporta en realidad novedad ninguna ni en el aspecto crítico ni en el documental; es sin embargo un cuidadoso trabajo de divulgación". *(Bbcs).*

ICC, BLAA / LC, CU, NYPL, Dth

* POSADA MEJÍA, GERMÁN, 1927-
La historiografía en el Nuevo Reino de Granada, 1540-1810, en *Bol. Hist. Ant.* (Bogotá), XXXIX, núms. 452-54 (junio-agosto de 1952), p. 303-28.

"A competent survey of colonial historical writing in New Granada, for which the author proposes a tripartite periodization, as follows: 1. 'Epoca del Renacimiento (1540-1630), los cronistas de Indias'; 2. 'Epoca del Barroco (1630-1740), los cronistas del Nuevo Reino'; 3. 'Epoca de la Ilustración (1740-1810), los cronistas del Virreinato' ...". *(Hdbk'52)*.

ICC, BN, BLAA / LC

RESTREPO TIRADO, ERNESTO, 1862-

Documentos del Archivo de Indias, en *Bol. Hist. Ant.* (Bogotá), XXIII (1936), p. 380-85.

— Documentos del Archivo de Indias. Papeles de justicia. (Residencias que se tomaron a los primeros gobernadores de las provincias del Nuevo Reino de Granada), en *Bol. Hist. Ant.* (Bogotá), XXVI, núm. 293-94 (1939), p. 237-74; núm. 295-96, p. 293-335.

— Documentos del Archivo de Indias, en *Bol. Hist. Ant.* (Bogotá), XXVIII, núm. 322 (agosto de 1941), p. 730-53.

ICC, BN, BLAA / LC

— Gobernantes del Nuevo Reyno de Granada durante el siglo XVIII, por Ernesto Restrepo Tirado. Buenos Aires, Imp. de la Universidad, 1934. 124 p. 28 cm. ([Buenos Aires. Universidad Nacional]. Publicaciones del Instituto de Investigaciones Históricas, núm. LXV).

LC

RESTREPO SÁENZ, JOSÉ MARÍA, 1880-1949, *Bibliografías de los mandatarios y ministros de la Real Audiencia (1671-1819)* ... *V.* p. 202-203.

RIVAS SACCONI, JOSÉ MANUEL, 1917-

Exordios del humanismo en Colombia, en *Boletín del Instituto Caro y Cuervo* (Bogotá), año 2, núm. 1 (enero-abril de 1946), p. 55-84.

"Indications of the Latinity of Gonzalo Jimenez de Quesada (c. 1506-1579), the conquistador of Nueva Granada, and particularly of Juan de Castellanos (1522-1607), the conqueror-chronicler-poet, in the latter's *Elegias de varones ilustres de Indias* are given in Latin quotations recurring in his long poem and in funeral inscriptions". *(Hdbk'*46).

ICC / LC

RIVAS SACCONI, JOSÉ MANUEL, 1917- *El latín en Colombia* ... *V.* p. 339.

RIVAS SACCONI, JOSÉ MANUEL, 1917-

Tres autores redivivos, en *Bol. Acad. Col.* (Bogotá)), V, núm. 1 (abril de 1951), p. 76-81.

Comenta estudios de Emilio Carilla, Germán Posada y el P. José Abel Salazar sobre Hernando Domínguez Camargo, Manuel Antonio del Campo y Rivas y el P. Gilii respectivamente.

ICC, BN, BLAA / LC

RIVAS GROOT, JOSÉ MARÍA, 1863-1923.

... El Nuevo Reino de Granada en el siglo XVIII, por D. Jerónimo Becker ... y D. José María Rivas Groot ... pte. 1. Madrid, Imp. del Asilo de Huérfanos del S. C. de Jesús, 1921. XXVII, 312 p. 24½ cm. (Biblioteca de Historia Hispano-americana).

LC, CU, Y

RIVAS, RAIMUNDO, 1889-1946, *Los fundadores de Bogotá* ... *V.* p. 183.

RODRÍGUEZ PÁRAMO, JORGE.

El siglo XVIII en Colombia. San José, Imp. Lehmann, 1940. 93 p. 20½ cm.

"Under the above title, the Colombian Legation in Costa Rica, Nicaragua and El Salvador, presents three chapters from Rodriguez Paramo's unpublished work, *Vida y Pasion de la ciencia y de las ideas en Colombia*". (*Hdbk*'40).

LC, PU

TEATRO *nacional* ... *V*. p. 657.

VERGARA Y VERGARA, JOSÉ MARÍA, 1831-1872, *Historia de la literatura en Nueva Granada* ... *V*. p. 302-303.

ZAPATA, RAMÓN.

Lecciones de literatura colombiana. Bogotá, Edit. Centro, 1941. 76 p.

Contenido: Juan de Castellanos; Juan Rodríguez Freyle; Lucas Fernández de Piedrahita; La Madre Castillo.

LC

B) LITERATURA GENERAL

* CARILLA, EMILIO.

El gongorismo en América. Buenos Aires. Univ. de Buenos Aires, Facultad de Filosofía y Letras, 1946. 245 p.

"An admirably documented yet succinct study of the influence of the Spaniard, Luis de Gongora, on the verse of colonial poets". (*Hdbk*'46).

LC

— La literatura de la independencia hispanoamericana (Neoclasicismo y prerromanticismo). [Buenos Aires], Edit. Universitaria de Buenos Aires, 1964. 125 p.

Contenido: I. Escritores próceres: período y nombres; II. Dependencia e independencia cultural. Educación literaria, lecturas e influencias; III. Panorama literario. Géneros y temas; IV. Tres escritores; Lizardi, Bartolomé Hidalgo y Melgar; V. Los tres "Grandes": Bello, Olmedo, Heredia; VI. Heredia y el romanticismo. Albores del romanticismo; Bibliografía sumaria.

Estudio de la etapa literaria que abarca aproximadamente el primer cuarto del siglo XIX.

LC

COBOS, MARÍA TERESA.

Documentos sobre la censura de libros en el siglo XVII, en *Bol. Cult. y Bibl.* (Bogotá), VI, núm. 4 (1963), p. 475-81.

ICC, BN, BLAA / LC, UCLA

CORBATO, HERMENEGILDO, *Feijoo y los españoles americanos* ... *V.* p. 422.

DÍAZ-PLAJA, GUILLERMO, 1903- *ed., Historia general de las literaturas hispánicas* ... *V.* p. 311.

FEIJOO Y MONTENEGRO, BENITO JERÓNIMO, *Dos discursos de Feijoo sobre América* ... *V.* p. 423.

FLORES, ANGEL.

The literature of Spanish America: I. The colonial period. New York, Las Americas Publ. Co., 1966. 568 p.

Antología crítica. Primer tomo de una obra que abarcará todo el panorama de la literatura hispanoamericana.

LC

FURLONG CARDIFF, GUILLERMO.

La cultura femenina en la época colonial. Buenos Aires, Kapelusz, 1951. 264 p.

"Shows that there was a good educational opportunity for women in Spain and in America in the 16th to 18th centuries. Has special emphasis on southern South America but value for all the Spanish areas". *(Hdbk'52)*.

LC

GRASES, PEDRO.

La trascendencia de la actividad de los escritores españoles e hispanoamericanos en Londres, en *Bol. Inst. Cult. Ven-Brit.,* II, núm. 18 (agosto de 1943), p. 101-75.

"Discussion of the Hispanic writers who visited London during the independence movement in Spanish America with a view to determining the effect of English ideas on them. Among those treated are Miranda, Zea, Bolivar, Jose Fernandez Madrid, San Martin, Rivadavia, O'Higgins as well as certain Spanish authors". *(Hdbk'43)*.

Also published separately, Caracas, Edit. Elite, 1943.

LC

* HATZFELD, HELMUT, 1892-

A critical survey of the recent baroque theories. Bogotá, Instituto Caro y Cuervo, 1948. 33 p. 23 cm.

Separata de *Thesaurus,* Boletín del Instituto Caro y Cuervo, IV, núm. 3, 1948.

ICC / LC

— Estudios sobre el barroco. Madrid, Edit. Gredos, 1964. 487 p. (Biblioteca Románica Hispánica).

Versión castellana (del inglés), por Angela Figuera.

"Los estudios que siguen, referentes al Barroco Literario, representan en realidad el contenido de varios artículos anteriores sobre el tema del Barroco, refundidos y puestos al día". (*Prefacio*, p. [7]).

Contenido general: Cap. I. Examen crítico del desarrollo de las teorías del barroco; Cap. II. Los estilos generacionales de la época barroca: Manierismo, Barroco, Barroquismo; Cap. III. Desarrollo del barroco literario en Italia, España y Francia; Cap. IV. El barroco en su aspecto cultural, ideológico y formal; Cap. V. El estilo barroco literario en las obras maestras; Cap. VI. Aspectos del estilo literario barroco comparado con otros estilos literarios; Cap. VII. El barroco y el manierismo; Cap. VIII. Problemas estilísticos del barroquismo; Cap. IX. Barroco literario y barroco artístico comparados: Cervantes y Velásquez; Cap. X. El concepto del barroco como tema de controversia: Cervantes y el barroco; Cap. XI. Uso y abuso del término "barroco" en la historia literaria; Cap. XII. La misión europea de la España barroca; Epílogo.

Bibliografía en las notas de pie de página.

V. r. de Darnell Roaten, en *Hisp.*, XLVIII (March, 1965), p. 177-78.

ICC / LC

JOHNSON, HARVEY L., *Una compañía teatral en Bogotá en 1618 ...; Una contrata inédita, dos programas y noticias referentes al teatro en Bogotá entre 1838 y 1840* ... *V.* p. 655.

KELEMEN, PÁL.

Baroque and rococo in Latin America. New York, MacMillan, 1951, xii, 302 p.

V. r. de Donald D. Walsh, en *Hisp.*, XXXV (Feb., 1952), p. 126-27.

LC

KLINE, WALTER DUANE, 1923- *The use of novelistic elements in some Spanish American prose works of the seventeenth and eighteenth centuries* ... *V.* p. 632-33.

KOLB, GLEN L., 1914- *Some satirical poets of the Spanish American colonial period* ... *V.* p. 589.

LAZO, RAIMUNDO, *Literatura hispanoamericana,* v. I: 1492-1780 ... *V.* p. 315.

LEONARD, IRVING A.

Los libros del conquistador. México, Fondo de Cultura Económica, 1953. 399 p.

"A translation of Books of the brave (Harvard University Press, 1949) [...]. With slight revision of text and notes it also includes a ducumentary appendix of nine selected book lists of the late 16ht and early 17ht centuries ...". *(Hdbk,* Nº 19).

LC, USC

LEONARD, IRVING A., *Romances of chivalry in the Spanish Indies, with some registros of shipments of books to the Spanish colonies* ... *V.* p. 634.

* MACRÍ, ORESTE, 1913-

La historiografía del barroco literario español. Bogotá, Instituto Caro y Cuervo, 1961. 72 p. 23 cm.

Separata de *Thesaurus* (Bogotá), XV (1960).

ICC / LC

MEDINA, JOSÉ TORIBIO, 1852-1930.

Escritores hispanoamericanos celebrados por Lope de Vega en el Laurel de Apolo. Santiago de Chile, Imp. Universitaria, 1922. 134 p., 2 h. 22½ cm.

"Tirada de 100 ejemplares numerados".

Laurel de Apolo: p. [9]-21.

LC

MONSALVE, ENRIQUE.

Clásicos y románticos. Bogotá, Imp. de Antonio María Silvestre, 1895. 30 p.

Tesis que para optar el grado de Doctor en Filosofía y Letras presentó el señor D. Enrique Monsalve, colegial de número al Colegio Mayor de Ntra. Sra. del Rosario.

Breve ensayo sobre el neoclasicismo y el romanticismo en la literatura universal. No incluye la colombiana, ni la hispanoamericana. Compara y contrasta las dos tendencias.

BN

MONTOTO DE SEDAS, SANTIAGO, 1890-

Nobiliario hispano-americano del siglo XVI, por Santiago Montoto ... Madrid, Compañía Ibero-americana de Publicaciones, S. A. [¿1927?]. 403 p. 25 cm. (Colección de Documentos Inéditos para la Historia de Hispanoamérica, t. II).

LC

MOSES, BERNARD, 1846-

The intellectual background of the revolution in South America, 1816-1824. New York, Printed by order of the Trustees, 1926, x, 234 p. 17 cm. (Hispanic Notes and Monographs).

References, p. 220-23.

LC

* — Spanish colonial literature in South America. London, New York, Hispanic Society of America, 1922. xx, 661 p. 17 cm.

"La obra más importante sobre las letras coloniales hispanoamericanas publicada en el extranjero; para Colombia son especialmente valiosos los capítulos VII: Juan de Castellanos, y X: Writers of Peru and New Granada, 1600-1650". *(Bbcs).*

LC, WLU, KU, NTSU

OTS CAPDEQUÍ, JOSÉ MARÍA, 1893-

... España en América. Las instituciones coloniales. 2ª ed. Bogotá, Universidad Nacional de Colombia, 1952. 130 p., 1 h. 24½ cm.

BLAA

PASQUARIELLO, ANTHONY MICHAEL, 1914- *The entremés in sixteenth-century Spanish America* ... *V*. p. 666-67.

PEDRO, VALENTÍN DE.

América en las letras españolas del siglo de oro. Buenos Aires, Edit. Sudamericana, [1954]. 364 p.

"Además de su interesante aspecto documental, tiene este libro un singular encanto literario [...]. En él vemos de qué modo aparecen los indios por primera vez en las letras españolas, y las resonancias que tuvieron el descubrimiento, la conquista y la colonización de América en figuras de tanto relieve como Luis Vives, Cervantes, Lope de Vega, Calderón, [etc.]". *(Solapa).*

LC

* PICÓN SALAS, MARIANO, 1901-1965.

De la conquista a la independencia ... México, Fondo de Cultura Económica, 1944. 255 p. (Tierra Firme, 4).

2ª ed.: *id.,* 1950.

Trad. inglesa: *A Cultural History of Spanish America, from Conquest to Independence.* Transl. by Irving A. Leonard. Berkeley Univ. of California Press, 1962. 192 p.

"An excellent synthesis of the colonial period with treatment of the baroque particulary commended. Though author is objective and serene in judgements, occasionally, as in the case of the influence of the Inquisition and the circulation of books in the colonies, he repeats disproven assertations". *(Hdbk'44).*

V. r. de la 1ª ed., por Francisco Aguilera, en *Hisp.,* XXVIII (August, 1945), p. 444-47.

BLAA / LC, UCLA

PIROTTO, ARMANDO D.

La literatura en América: El coloniaje. Ediciones de da Sociedad Amigos del Libro Rioplatense, v. 43. Buenos Aires, Montevideo, [1937]. 233 p.

"A sketchy survey based largely on Menendez y Pelayo's well known *Antología de poetas hispanoamericanos.* While its classification of colonial writers is interesting, this work has no documentation or bibliography and betrays an unfamiliarity with recent research". *(Hdbk'37).*

V. comentario crítico de Jorge Luis Arango, en Revista *Universidad Católica Bolivariana* (Medellín), II (1938), p. 257-62.

LC

POSADA MEJÍA, GERMÁN, 1927-

Nuestra América. Notas de historia cultural. Bogotá, [Imp. Nacional], 1959. 369 p. 23 cm. (Publicaciones del Instituto Caro y Cuervo, 14).

"A collection of agreeably-written essays on the three colonial centuries in Mexico and Colombia and comprehensive sketches of Sor Juana Inés de la Cruz, Carlos de Sigüenza y Góngora, Jacobo de Villaurrutia, a Colombian *oidor,* and Manuel del Campo y Rivas (1750-1830), a Colombian chronicler, and bio-bibliographical articles on other figures, mainly historians". *(Hdbk,* Nº 23).

ICC / LC

* QUESADA, VICENTE G., 1830-1913.

Vida intelectual de la América española durante los siglos XVI, XVII y XVIII. Buenos Aires, "La Cultura Argentina", 1917. 326 p. 23 cm.

"El cap. IV de esta importante obra del ilustre escritor argentino está dedicado a 'La enseñanza y la producción intelectual en el Reino de Granada' ".*(Bbcs)*.

LC

RODRÍGUEZ FERNÁNDEZ, MARIO, *La contrarreforma y la poesía barroca americana* ... *V*. p. 594.

SÁNCHEZ, LUIS ALBERTO, 1900-

Góngora en América, y El Lunarejo y Góngora. Quito, Imp. Nacional, 1927. 1 h. p., 38 p. 21½ cm.

Bibliografía del Lunarejo: p. 33-37.
Bibliografía p. 37-38.
Góngora en América, p. [1]-19.
Apreciación sobre el gongorismo en Hispanoamérica. Menciona a Domínguez Camargo.

LC

SIBIRSKY, SAÚL BORIS.

Proceso y determinación de la cultura y las letras hispanoamericanas durante los siglos de la dominación española, en *Dissertation Abstracts,* XXVI, 1050 (Pittsburgh).

Tesis - Universidad de Pittsburgh.

LC, USC

SPELL, JEFFERSON REA.

Rousseau in the Spanish world before 1833. Austin, University of Texas Press, 1938. 325 p.

"Two chapters of this important study deal with the influence of Rousseau's writings in the Spanish American colonies just prior to and during the revolutionary period, particularly on such figures as Miranda, Rodríguez, Bolívar, and Nariño". *(Hdbk'38)*.

LC, TU

TORRE REVELLO, JOSÉ, *Orígenes del teatro en Hispanoamérica* ... *V*. p. 669.

TORRES-RÍOSECO, ARTURO, 1897- *El ensayo en la América colonial* ... *V*. p. 695.

TRENTI ROCAMORA, J. LUIS, *El repertorio de la dramática colonial hispanoamericana* ... *V*. p. 649-50.

VALBUENA-BRIONES, A.

El barroco, arte hispánico. Bogotá, Instituto Caro y Cuervo, 1961. 14 p. 24 cm.

Separata de *Thesaurus* (Bogotá), XV (1960), p. 235-46.
ICC / LC

WHITAKER, ARTHUR P.

La historia intelectual de Hispano-América en el siglo XVIII, en *Revista de Historia de América* (México), XL (diciembre de 1955), p. 553-73.

"Interpretative and bibliographical essay on the intellectual history of the 18th century and especially of the Enlightenment in America. Remarks on recent historiography dealing with this subject". *(Hdbk*, Nº 20).

LC

— Latin America and the enlightenment. New York, Appleton-Century Co., [1942]. XIII, 130 p.

2ª ed.: Ithaca, New York, Cornell Univ. Press, 1961. 156 p.
"Six stimulating, well documented essays by recognized authorities, on aspects of an important intellectual movement...". (*Hdbk*'42).
LC (1ª y 2ª eds.)

* WILGUS, A. CURTIS, *ed.*

Colonial Hispanic America. Washington, D. C. George Washington Univ. Press, 1936. IX, 690 p.

"... lectures delivered before the Center of Hispanic American studies of George Washington university. Necessarily uneven in character and quality". (*Hdbk*'36).
V. r. de Ralph J. Michels, en *Hisp.*, XX (October, 1937), p. 287.
LC

II. ROMANTICISMO

1. ROMANTICISMO COLOMBIANO

CURCIO ALTAMAR, ANTONIO, 1920-1953, *La novela histórico-romántica* ... *V.* p. 617.

GARCÍA VALENCIA, ABEL.

Aspectos de [*sic*] romanticismo colombiano y alemán. [Medellín], Universidad de Antioquia, [¿1948?] 29 p. 25 cm. (Publicaciones de la Revista Universidad de Antioquia, núm. 6).

Contenido: Vida, pasión y muerte del romanticismo en Colombia, por A. García Valencia, p. 3-13. *Romanticismo alemán; Hoelderlin: su pasión y creación,* por B. Mantilla Pineda, p. 15-29.
BN / LC

* MAYA, RAFAEL, 1898-

Aspectos del romanticismo en Colombia, en *Revista Iberoamericana* (México), VIII, núm. 16 (noviembre de 1944), p. 275-89.

"Victor Hugo, rather than the Spanish romantic poets, influenced the important romantic movement of Colombia". *(Hdbk'* 44).

LC, PU, USC, UCLA

— La musa romántica en Colombia (Antología poética). Selección, prólogo y notas de Rafael Maya. Bogotá, Ediciones de la Revista *Bolívar,* 1954. 538 p. 19 cm. (Biblioteca de Autores Colombianos, 79).

Esta antología, p. [9]-10.
Se incluyen notas crítico-biográficas sobre los poetas.
ICC, BLAA / LC, CU

MAYA, RAFAEL, 1898- *Los tres mundos de Don Quijote, y otros ensayos* ... *V.* p. 373.

* OSPINA, EDUARDO, S. J., 1891-

... El romanticismo. Estudio de sus caracteres esenciales en la poesía lírica europea y colombiana. [2ª ed.]. [Bogotá, Edit. A B C, 1952]. 447 p., 2 h. 19 cm. (Biblioteca de Autores Colombianos, 34).

1ª ed.: Madrid, Edit. Voluntad, 1927. 447 p.
"La segunda sección de la primera parte de esta obra fundamental de la cultura colombiana, está dedicada a la 'Caracterización de la lírica en la poesía colombiana por un método crítico-psicológico' ". *(Bbcs).*
Incluye bibliografía.
ICC, BN, BLAA / LC, VMI, Dth, UCLA

* OTERO MUÑOZ, GUSTAVO, 1894-1957.
Albores del romanticismo en Colombia, en Academia Colombiana de Historia, *Conferencias pronunciadas por sus autores en la sala de la Academia en los años de 1940, 1941 y 1942 con ocasión de las fiestas patrias.* Bogotá, Edit. Voluntad, S. A., 1942, p. 260-80.
ICC / CU, UVa

2. ROMANTICISMO GENERAL

ANTOLOGÍA *de poetas románticos* ... *V.* p. 536.

BASAVE FERNÁNDEZ DEL VALLE, AGUSTÍN, 1923-
El romanticismo alemán. Prólogo del Dr. Francisco Monterde. [1ª ed. México], Centro de Estudios Humanísticos de la Univ. de Nuevo León, 1964. XI, 262p. 20 cm.
USC

[BAUDIZZONE, LUIS M.], *Lira romántica suramericana* ... *V.* p. 538.

BRANDES, GEORGE MORRIS COHEN, 1842-1927.
Main currents in nineteenth century literature ... New York, Boni and Liverlight. London, W. Heinemann, 1923. 6 v. rets. 23 cm.

The Danish original was published 1872-1890.
v. I-II and V translated by Diana White and Mary Morison; v. III, IV and VI, by Mary Morison.
Contenido: I. The emigrant literature; II. The Romantic school in Germany; III. The reaction in France; IV. Naturalism in England; V. The Romantic school in France; VI. Young Germany.

LC

* CARILLA, EMILIO.

El romanticismo en la América hispánica. Madrid, Edit. Gredos, 1958. 512 p. (Biblioteca Románica Hispánica. Estudios y ensayos, 40).

"Systematic study of the background and development of Romanticism in Spanish America, with an 84-page section devoted to Brazil". *(Hdbk,* Nº 23).

V. comentario de Javier Arango Ferrer, en *Bol. Cult. y Bibl.* (Bogotá), II, núm. 4 (mayo de 1959), p. 203-208.

ICC / LC, USC, UCLA

CARILLA, EMILIO, *El teatro romántico en Hispanoamérica ...* *V.* p. 660.

CLEMENT, NEMOURS HONORÉ, 1887-

Romanticism in France ... New York, The Modern Language Association of America, 1939. xviii, 495 p. 23 cm.

USC

* DÍAZ-PLAJA, GUILLERMO.

Introducción al estudio del romanticismo español. Madrid, Espasa-Calpe, 1936. 311 p. 19 cm.

"Obra laureada con el premio nacional de literatura 1935". 2ª ed.: Madrid, 1942.

LC

ESPINA, JAIME.

El romanticismo. Buenos Aires, Edit. Atlántida, 1947. 243 p.

LC

GARCÍA MERCADAL, JOSÉ, 1883-

Historia del romanticismo en España. Barcelona, Edit. Labor, 1943. 388 p. 18½ cm.

LC

HUIME, T. E.

Romanticism and classicism, en *Modern literary criticism,* edited by Ray B. West Jr. New York, Rinehart and Co., 1952, p. 118-31.

LC

IGUAL UBEDA, ANTONIO.

El romanticismo. Barcelona, I. G. Seix y Barral Hnos., 1944. 85 p.

LC

JOUSSAIN, ANDRÉ, 1880-

Romantisme et réligion. Paris, F. Alcan, 1910. 178 p. 19 cm.

USC

MARTÍN, JOSÉ LUIS.

[Bibliografía general: Romanticismo en Colombia; Romanticismo en Hispanoamérica; Romanticismo general], en *La poesía de José E. Caro; contribución estilística al estudio del romanticismo hispanoamericano.* Bogotá, Instituto Caro y Cuervo, 1966. p. 474-91.

Parte de la bibliografía que el autor preparó para su libro sobre José E. Caro. Incluye obras básicas para el estudio del romanticismo.

ICC / LC

* McClelland, Ivy Lilian.

The origins of the romantic movement in Spain ... Liverpool, Institute of Hispanic Studies, 1937. xii, 402 p. 22 cm.

Selected bibliography. p. 371-87.

LC

Peckham, Morse, *ed.*

Romanticism: The culture of the nineteenth century. New York, G. Braziller, [1965]. 351 p. 24 cm.

USC

* Peers Allison, E.

A history of the Romantic movement in Spain. Cambridge, The University Press, 1940. 2 v.

Trad. española, por José María Gimeno: *Historia del movimiento romántico español.* Madrid, Edit. Gredos, [1954]. (Biblioteca Románica Hispánica: I, Tratados y monografías, 4).

V. r. de la 1ª ed. por Alfred Coester, en *Hisp.,* XXIII (October, 1940), p. 299-300.

ICC / LC

Piñeyro, Enrique.

El romanticismo en España. New York, G. E. Stechert and Co., 1936. xviii, 382 p.

VMI

Romero Vera, Angela.

Romanticismo y nacionalidad. Santa Fe, Universidad Nacional del Litoral, 1955. 27 p. 23 cm. (Instituto Social. Publicación de Extensión Universitaria, núm. 84).

ICC

SÁNCHEZ, LUIS ALBERTO, 1900-

Nuevas notas sobre el romanticismo americano, en Revista *Universidad de Antioquia* (Medellín), XXXI, núm. 122 (junio-julio-agosto de 1955), p. 444-52.

ICC / LC

SUÁREZ-MURIAS, MARGUERITE, *La novela romántica en Hispanoamérica ...; Variantes autóctonas de la novela romántica en Hispanoamérica ... V.* p. 643.

* TIEGHEM, PAUL VAN, 1871-

La era romántica. El romanticismo en la literatura europea ... Traducción al español y notas adicionales por José Almoina ... Con 42 láminas fuera de texto. México, Unión Tipográfica Editorial Hispano Americana, [1958]. XXIII, 429 p. rets. 22 cm.

ICC / LC

VAUGHAN, CHARLES EDWIN.

The romantic revolt ... New York, C. Scribner's sons, 1907. VII, 507 p. 20 cm.

Contenido: Britain; Germany; France and Italy; Other countries.

USC

VEGA, MIGUEL ANGEL.

El romanticismo en Europa y América, en *Atenea* (Chile), año 23, LXXXIV, núm. 252 (junio de 1946), p. 292-310.

"Keen analysis of the essential differences between European and American Romanticism". *(Hdbk'46)*.

LC

ZEA, LEOPOLDO, 1912- *Dos etapas del pensamiento en Hispanoamérica. Del romanticismo al positivismo* ... *V.* p. 697.

III. COSTUMBRISMO, REGIONALISMO, REALISMO Y NATURALISMO

1. LITERATURA COLOMBIANA

AGUILAR ZULUAGA, HERNANDO, *Rendón y la novela costumbrista* ... *V.* p. 614.

BORDA, JOSÉ JOAQUÍN, 1835-1878, *comp.*

Cuadros de costumbres; descripciones locales de Colombia; obra escrita por cincuenta literatos, escogida y publicada por José Joaquín Borda ... Bogotá, Imp. de Vargas García Riso, Cª, 1878. p. 17-32 27 cm.

Tiene ocho hojas más con diferentes paginaciones.
Texto incompleto.
BN

EL COSTUMBRISMO en la literatura colombiana, en JOSÉ CAICEDO ROJAS, *Recuerdos y apuntamientos.* [Bogotá, Ministerio de Educación Nacional, Depto. de Extensión Cultural y Bellas Artes], 1950, p. 7-15. (Biblioteca Popular de Cultura Colombiana, 115).

ICC, BN, BLAA / LC, UCLA

CUADROS *de costumbres de Rafael Eliseo Santander, Juan Francisco Ortiz, y José Caicedo Rojas* ... *V.* p. 603.

CUADROS *de costumbres por los mejores cronistas de la época* ... *V.* p. 603.

* DUFFEY, FRANK M., *The early "Cuadro de costumbres" in Colombia* ... *V.* p. 617.

EL LIBRO de Santa Fe; cuadros de costumbres, crónicas y leyendas de Santa Fe de Bogotá. [Bogotá], Ediciones Colombia, [1929]. IV, 262 p. rets. 21 cm.

Contenido: Introducción, por G[ermán] A[rciniegas]. *Fundación de Bogotá,* por J. M. Vergara y Vergara. *El teatro en Santa Fe, Lo que va de ayer a hoy,* por R. Carrasquilla. *Baile de sombras,* por C. Martínez Silva. *Las carreras de toros,* por D. Guarín. *El niño Agapito,* por R. Silva. *Las tres tazas,* por J. M. Vergara. *Bogotá en 1849,* por S. Camacho Roldán. *Recuerdo necrológico,* por E. Kastos. *Enfermedades sociales,* por E. Kastos. *El albañil,* por F. de P. Carrasquilla. *El cuarto de los trastos,* por J. M. Marroquín. *El chino de Bogotá,* por Januario Salgar. *La mula herrada,* por J. Caicedo Rojas. *La política I, II; I. Nos fuimos a Ubaque;* II. *Nos quedamos en Chipaque;* III. *Llegamos a Ubaque,* por J. M. Groot. *El teatro antiguo en Bogotá,* por J. Caicedo Rojas. *Carrera de caballos,* por R. Guerra Azuola. *La niña Salomé,* por R. Silva.

Dibujos de R. Torres Méndez.

LC

EL LIBRO *del veraneo* ... *V.* p. 604.

* LÓPEZ GÓMEZ, ADEL, 1900-

El costumbrismo; visión panorámica del cuento costumbrista en la raza antioqueña. Conferencia leída por Adel López Gómez con ocasión de su ingreso a la Academia Colombiana de la Lengua, el día del idioma, 23 de abril de 1959. [Manizales, Imp. Oficial, 1959]. 73 p.,

2 h. ilus. 17 cm. (Biblioteca de Escritores Caldenses, 2ª época, 3).

Se publicó también en *Bol. Acad. Col.* (Bogotá), IX, núm. 31 (abril-junio de 1959), p. 118-35.

ICC / PU

MAYA, RAFAEL, 1898- *De perfil y de frente* ... *V.* p. 372.

MUSEO *de cuadros de costumbres* ... *V.* p. 605.

SELECCIÓN *Samper Ortega de literatura colombiana.* Bogotá, Edit. Minerva [1936]. Sección III: *Cuadros de costumbres* ... *V.* p. 238-39.

* VALLEJO ANGEL, OLGA INÉS.

El costumbrismo ... Bogotá, Edit. S.I.P.A., 1960. 75 p. 24 cm.

Tesis. - Universidad Javeriana. Facultad de Filosofía, Letras y Pedagogía.

ICC

2. LITERATURA GENERAL

ANERSON, ENRIQUE, *Teoría de la novela realista* ... *V.* p. 624.

BEUCHAT, CHARLES.

Histoire du naturalisme français. [Paris], Corrêa, [1949]. 2 v. 20 cm.

USC

BORNECQUE, JACQUES HENRY, 1914-

Réalisme et naturalisme; l'histoire, la doctrine, les oeuvres, présenté par J. H. Bornecque et P. Cogny. Paris, [Hachette], 1963, [c1958]. 192 p. 18 cm.
USC

BRANDES, GEORGE MORRIS COHEN, 1842-1927.

Naturalism in nineteenth century English literature. [New York], Russell and Russell, 1957. VI, 366 p. 22 cm.
USC

CANEVA, RAFAEL, *El realismo crítico y la novela en América* ... *V*. p. 626.

FRANKLIN, ALBERT B., *Realidad americana en la novela hispanoamericana* ... *V*. p. 629.

MONTESINOS, JOSÉ FERNÁNDEZ.

Costumbrismo y novela; ensayo sobre el redescubrimiento de la realidad española. Berkeley, Univ. of California Press, 1960. 144 p. 25 cm.
USC

PARDO BAZÁN, EMILIA, *Condesa de,* 1852-1921.

... La cuestión palpitante. 4ª ed. Madrid, A. Pérez Dubrull, 1891. 299 p. 19 cm. (Obras Completas, 1).
USC

REID, JOHN T., *The development of literary americanismo in Spanish America* ... *V*. p. 379.

RUBIÓ Y LLUCH, ANTONIO, 1856-1937.

Consideraciones sobre los movimientos regionales literarios de España, en *Correo de la Aldeas* (Bogotá), 9 de mayo de 1889.

BN

SERRANO PLAJA, ARTURO.

El realismo español. Buenos Aires, Ediciones Phac., 1944. 95 p. (Cuadernos de Cultura Española).

LC

TORRES-RÍOSECO, ARTURO, 1897- *La novela en América: realismo y naturalismo* ... *V*. p. 644.

ZOLA, EMILE, 1840-1902.

The naturalist novel. Edited with an introduction by Maxwell Geismar. Montreal, Harvest House, [1964]. XXIII, 159 p. 21 cm.

USC

IV. MODERNISMO

1. MODERNISMO COLOMBIANO

ARANGO FERRER, JAVIER, 1896- *La novela modernista en Colombia* ... *V*. p. 615.

CARRASQUILLA, TOMÁS, 1858-1940.

Las "Homilías" de Carrasquilla, en Revista *Bolívar* (Bogotá), núm. 14 (1952), p. 759-95.

En este artículo, firmado por Rafael Maya, se incluyen las dos "Homilías en que Carrasquilla critica a algunos poetas modernistas colombianos.

ICC / LC

ESPINOSA GUZMÁN, RAFAEL, *ed.*

Las exequias del tirolés (año 1890). Bogotá, Ediciones Colombia, 1932.

"Este libro comprende los detalles completos y todas las composiciones preparadas e improvisadas de una sesión literaria que tuvo por pretexto el dejar Carlos Tamayo de usar cierto sombrero 'tiroles' ".

LC

FERNÁNDEZ, ENRIQUE WENCESLAO, 1858-1931.

Sobre decadentismo, en *El Repertorio Colombiano* (Bogotá), XIX, núm. 5 (marzo de 1899), p. 357-59.

"Lamentable estado de nuestras letras y perjuicios de esa escuela literaria, entonces en boga. Firma con el seudónimo BETIS". (J. J. Ortega Torres).

ICC, BN, BLAA / LC

GONZÁLEZ, JOSÉ IGNACIO.

Baldomero Sanín Cano y el modernismo literario en Colombia, en Revista *Universidad de Antioquia* (Medellín), XXXII, núm. 146 (julio-septiembre de 1961), p. 560-70.

ICC

* MAYA, RAFAEL, 1898-

Los orígenes del modernismo en Colombia. [Bogotá, Imp. Nacional, 1961]. 151 p. ret. 19 cm. (Biblioteca de Autores Contemporáneos, 2).

V. r. de Leon F. Lyday, en *Hisp.,* XLVIII (December, 1965), p. 947.

ICC / LC, PU

* POSADA MEJÍA, GERMÁN, 1927-

El modernismo, en Revista *Universidad de Antioquia* (Medellín), núm. 80 (1946), p. 469-73.

ICC

2. MODERNISMO GENERAL

A) ANTOLOGÍAS

* CASTILLO, HOMERO, *ed.*

Antología de poetas modernistas hispanoamericanos. Waltham, Mass., Blaisdell Publishing Co., 1966. 505 p. (A Blaisdell Book in the Modern Languages).

"Comprised of poems written by 18 of the most illustrious Spanish American *modernistas.* Includes a general introduction about the respective poets". *(Hdbk,* Nº 28).

LC, UCLA

COESTER, ALFRED LESTER.

An anthology of the modernista movement in Spanish America, compiled and edited by Alfred Coester ... Boston, New York, Ginn & Co., [c. 1924]. XXXVII, 314 p. 18 cm.

Texto de los poemas en español.
Preface, por Alfred Coester, p. V-VI.
Introduction, p. XIII-XXXVII.
Bibliography, p. XXIX-XXXVII.
LC, PU, UVa, WLU, KU, USC

* CRAIG, GEORGE DUNDAS.

The modernist trend in Spanish American poetry; a collection of representative poems of the modernist movement and the reaction, translated into English verse, with commentary, by G. Dundas Craig. Berkeley, University of California Press, 1934. XII, 347 p. 24 cm.

Se incluyen el original español y la traducción.
Preface, por G. D. C., p. XI-XII.
Introduction, p. 1-29.
LC, UVa, Y, KU, NTSU

* GARCÍA PRADA, CARLOS, 1898-

Poetas modernistas hispanoamericanos, antología. Introducción, selecciones y notas críticas y bibliográficas de Carlos García Prada. Madrid, Ediciones Cultura Hispánica, 1956. 355 p. 21 cm. (La Encina y el Mar, Poesía de España y América, 22).

Introducción, por C. G. P., p. 7-29: Se divide en las siguientes secciones: I. Nuestro intento; II. El modernismo hispanoamericano; III. Mañana los poetas ...
ICC / LC, PU, USC, LAPL

JOHNSON, MILDRED EDITH, 1893-

Swan, cygnets, and owl; an anthology of modernist poetry in Spanish America. With an introductory essay by J. S. Brushwood. Columbia, Mo., 1956. 199 p. 24 cm. (The University of Missouri Studies, v. 29).

Traducciones de Mildred E. Johnson. Aparecen también los poemas originales.
Preface, por M. E. J.
An Introductory Essay on Modernism, p. 1-33.
LC, USC

MARTÍNEZ, DAVID, 1921- *Antología de la poesía hispanoamericana: El modernismo ... V.* p. 553.

SANTOS GONZÁLEZ, C.

Antología de poetas modernistas americanos con un ensayo acerca del modernismo en América por R. Blanco Fombona. París, Garnier, [1913].

Sin consultar.

* SILVA CASTRO, RAÚL, 1903-

Antología crítica del modernismo hispanoamericano. [1ª ed. New York], Las Americas Publ. Co., 1963. 376 p. 22 cm.

Introducción, p. [7]-37.
Explicación preliminar, p. 39-46.
La antología se divide en las siguientes secciones: Los precursores, Rubén Darío; Otros modernistas.
Se incluyen noticias bio-bibliográficas sobre los poetas.

LC, PU, USC

* TORRES-RÍOSECO, ARTURO, 1897-

Antología de poetas precursores del modernismo. Washington, Unión Panamericana, 1954. 108 p. (Escritores de América).

1ª ed.: *id.,* 1949. 108 p.
Precursores del modernismo, por Arturo Torres Ríoseco, p. [11]-13.
Incluye noticias bio-bibliográficas y notas críticas sobre los poetas.

ICC (2ª ed.), BN (1ª ed.) / LC (1ª y 2ª eds.), UCLA (1ª y 2ª eds.)

B) ESTUDIOS

AITA, ANTONIO.

El significado del modernismo, en *Nosotros* (Buenos Aires), núm. 268 (abril de 1931), p. 361-75.

LC

ARGÜELLO, SANTIAGO, 1872-

Modernismo y modernistas ... Guatemala, [Tipografía Nacional], 1935. 2 v. 19 cm. [*Su* "Colección Guatemalteca", v. 6-7].

Based upon six lectures delivered by the author at Middlebury College, Vermont.

Contenido: t. 1. ¿Tiene la América española literatura propia? El modernismo. El modernismo en su origen. El modernismo llega a la América española. Modernistas: El anunciador José A. Silva [p. 139-183], El anunciador Manuel Gutiérrez Nájera. Rufino Blanco Fombona; *t. 2.* Rubén Darío, la encarnación del modernismo. Amado Nervo, el misticismo y el amor. El modernismo en Guatemala: Rafael Arévalo Martínez.

LC

ARRIETA, RAFAEL ALBERTO, 1889-

Introducción al modernismo literario. Buenos Aires, Edit. Columba, 1956. 63 p. ilus. 21 cm.

Estudio breve y general.

Contenido: Los dos movimientos innovadores [romanticismo y modernismo]; Fuentes europeas y precursores americanos; *Cosmópolis;* La *Revista de América;* Otras revistas; Libros y folletos; Decadentismo y simbolismo, modernismo; El modernismo finisecular; Modernismo y americanismo - Bibliografía.

LC

AYALA, JOSÉ RAMÓN.

Discursos leídos ante la Academia Venezolana, correspondiente de la Real Española, en la recepción pública del señor doctor d. José Ramón Ayala, el día 18 de febrero de 1923. Caracas, Litografía del Comercio, 1923. 64 p. 23½ cm.

"Nos proponemos demostrar ... que la literatura modernista, buena o mala como queráis calificarla, es la adecuada a nuestros días, porque es espejo de las ideas y de las costumbres de la época". (p. 13).

Contestación del señor doctor d. Lisandro Alvarado: p. [59]-64.

LC

BLANCO FOMBONA, RUFINO.

El modernismo y los poetas modernistas. Madrid, Edit. Mundo Latino, 1929.

KU, UVa

CARDEN, POE.

Parnassianism, symbolism, decadentism - and Spanish American modernism, en *Hisp.,* XLIII (December, 1960), p. 545-51.

ICC / LC, PU, USC, UCLA

* DAVISON, NED J.

The concept of modernism in Hispanic criticism. Boulder, Colo., Pruett Press, 1966. 118 p.

"Compilation of the major critics' opinions of Modernist poetry broken down under three headings: the consensus, Modernism as aestheticism, and the epochal view". *(Hdbk,* Nº 28).

LC

DÍAZ-PLAJA, GUILLERMO.

El modernismo, cuestión disputada, en *Hisp.*, XLVIII (September, 1965), p. 407-12.

ICC / LC, PU, USC, UCLA

ENGLEKIRK, JOHN E.

Whitman y el antimodernismo, en *Revista Iberoamericana* (México), XIII, núm. 25 (octubre de 1947), p. 39-52.

"Whitman's salutary effect on some of the poets who reacted against a *modernismo* which had become sterile". *(Hdbk'*47).

LC, USC, UCLA

* FAURIE, MARIE-JOSEPHE.

Le modernisme hispano-américain et ses sources françaises. Paris, Imprimerie Folloppe, [1966]. 292 p., 2 h. 25 cm. (Thèses, Mémoires et Travaux, 6).

ICC

— El modernismo hispanoamericano y sus fuentes francesas, en *Cuadernos del Congreso por la Libertad de la Cultura* (París), núm. 98, p. 66-70.

"Notes and comment on her thesis of the same title presented at the Sorbonne, 1963".

LC

FIGUEROA, ESPERANZA.

El cisne modernista, en *Cuadernos Americanos* (México), año 24, CXLII (1966), p. 253-68.

LC

FRAKER, CHARLES F.

Bécquer and the modernists, en *Hispanic Review,* III (January, 1935), p. 36-45.

LC, USC, UCLA

* GICOVATE, BERNARDO.

El modernismo y su historia, en *Hispanic Review,* XXXII, Nº 3 (July, 1964), p. 216-26.

"The author reviews the concept of *modernismo* as a literary movement, and demostrates that [J. Ramón] Jiménez as a literary historian lacks precision in his methodology". *(Hdbk,* Nº 28).

LC, USC, UCLA

GOLDBERG, ISAAC, 1887-

Studies in Spanish-American literature, by Isaac Goldberg, P. H. D. With an introduction by Prof. J. D. M. Ford ... New York, Brentano's, [1920]. x p., 1 h., 377 p. 21 cm.

Introduction, [by] J. D. M. Ford, p. VII-VIII.
Foreword, [by]Isaac Goldberg, p. IX-X.
La obra se concentra en escritores modernistas.

LC, KU, UVa, WLU

* GONZÁLEZ, MANUEL PEDRO, 1893-

En torno a la génesis del modernismo, en *Cuadernos del Congreso por la Libertad de la Cultura* (París), núm. 75, p. 41-50.

LC

— Notas en torno al modernismo. México, [Imp. Universitaria], 1958. 116 p.

Contenido: Defensa y razón del modernismo: En el centenario de *Cantos de vida y esperanza;* Apostillas a *Qué cosa fue* el modernismo; Acotaciones a *El poema en prosa en España;* Caracas, cuna de la prosa modernista.

LC, UCLA

* GULLÓN, RICARDO.

Direcciones del modernismo. [Madrid], Edit. Gredos, 1963. 242 p.

Contenido: Direcciones del modernismo; Juan Ramón y el modernismo; Indigenismo y modernismo; Exotismo y modernismo; Las «Soledades» de Antonio Machado; Magien Lagos de Antonio Machado; Relaciones entre Juan Ramón y Manuel Machado; Relaciones entre Juan Ramón y Martínez Sierra.

V. r. de Julian Palley, en *Hisp.,* XLVIII (May, 1965). p. 387-88.

LC

— Exotismo y modernismo, en *Cuadernos Hispanoamericanos* (Madrid), LIX, núm. 175-76 (julio-agosto 1964), p. 5-21.

LC

* HENRÍQUEZ UREÑA, MAX, 1885-

Breve historia del modernismo. México, Fondo de Cultura Económica, 1954. [544] p. ilus. 22 cm.

2nd. ed.: *id.,* 1962.

"Although called 'breve' this is a sprawling history of the modernista movement with very little that is new or stimulating. 'El modernismo en España', p. 501-522". *(Hdbk,* Nº 19).

V. r. de la 1ª ed. por Seymour Menton, en *Hisp.,* XXXVIII (August, 1955), p. 385-86.

LC, UCLA

IBÁÑEZ, ROBERTO.
Americanismo y modernismo, en *Cuadernos Americanos* (México), XXXVII (enero-febrero de 1948), p. 230-52.
LC

JIMÉNEZ, JUAN RAMÓN, 1881-1958.
El modernismo poético en España y en Hispanoamérica, en *Rev. América,* VI, núm. 16 (abril de 1946), p. 17-30.
"Provocative statement with autobiographical elements".
LC

KRESS, D.
Síntesis del modernismo, en *Atenea* (Chile), núm. 52 (1938), p. 84-91.
LC

LOZANO, CARLOS.
Parodia y sátira en el modernismo, en *Cuadernos Americanos* (México), año 24, CXLI (1966), p. 180-200.
LC

LLAMBÍAS DE AZEVEDO, ALFONSO.
El modernismo. Montevideo, Casa del Estudiante, 1950. 31 p. 25 cm.
LC

* MARINELLO, JUAN, 1899-
Sobre el modernismo; polémica y definición. [1ª ed.]. México, [Universidad Nacional Autónoma de México, Di-

rección General de Publicaciones], 1959. 95 p. 18 cm. (Ediciones Filosofía y Letras, 46).

LC

* MATLOWSKY, BERENICE.

The modernist trend in Spanish-American poetry; a selected bibliography. Washington, Pan American Union, 1952. 26 p. (Bibliographic Series, No. 38).

"Bibliografía del movimiento modernista en América Latina; se anotan 22 estudios sobre José Asunción Silva y 8 sobre Guillermo Valencia". *(Bbcs).*

LC, UVa, KU

* MONGUIÓ, LUIS.

Sobre la caracterización del modernismo, en *Revista Iberoamericana* (México), VII (noviembre de 1943), p. 69-80.

LC, PU, USC, UCLA

MOSTAJO, FRANCISCO.

El modernismo y el americanismo. Arequipa, Imp. de "La Revista del Sur", 1896. 72, [2] p. 18½ cm.

"Disertación presentada, en la Universidad de Arequipa, para optar el bachillerato en la Facultad de Filosofía y Letras".

LC

RAED, JOSÉ.

El modernismo como tergiversación historiográfica. Bogotá, Devenir, 1964.

LC

RUBIO, D.

Symbolism and classicism in modern literature; introduction to the study of symbolism in Spanish and Spanish-American literature ... [Philadelphia, 1923]. 56 p. 19 cm.

LC

SÁNCHEZ, LUIS ALBERTO, 1900-

Antesala y precursores del modernismo, en *Revista Nacional de Cultura* (Venezuela), núm. 2 (diciembre de 1938), p. 9-13.

LC

SCHMIDT, A. M.

La literatura simbolista (1870-1900). Buenos Aires, Edit. Universitaria de Buenos Aires, 1902. 63 p.

Trad. de Manuel Lamana.
Bibliografía sumaria, p. 63.

LC

* SCHULMAN, IVAN A.

Génesis del azul modernista, en *Revista Iberoamericana* (México), L (1960), p. 251-71.

LC, USC, UCLA

— Génesis del modernismo. St. Louis, Mo., [Washington University Press, 1966]. 224 p.

"... volume of essays dealing with early manifestations of the Modernist literature of Spanish America, especially in those authors who constitute Modernism first generation: Marti, Najera, Silva and Casal. History, literary historiography, aesthetics, and stylistics are interwoven in an effort to clarify inaccuracies of past value judgments with regard to the characteristics of this literary era ...".

LC

— Reflexiones en torno a la definición del modernismo, en *Cuadernos Americanos* (México), año 25, CXLVII (1966), p. 211-40.

LC

SILVA UZCÁTEGUI, R. D.

Historia crítica del modernismo en la literatura castellana; estudio de crítica científica ... Psicopatología de los actos, las teorías, las innovaciones i las poesías de ellos mismos; obra profusamente documentada. [Barcelona, Imp. Vda. de L. Tasso], 1925. 459 p., 1 h. 21 cm.

Contenido: Cap. I. Origen del modernismo; II. Los creadores del modernismo; III. Rubén Darío; IV. La libertad en el arte; V. La literatura genuinamente americana; VI. Innovaciones del modernismo en la gramática; VII. La muerte del modernismo.

Crítica negativa sobre el modernismo por un admirador de los escritores clásicos. Obra novedosa por el enfoque del problema. No comenta específicamente los modernistas colombianos.

LC, UVa, CU

SILVA CASTRO, RAÚL, 1903-

¿Es posible definir el modernismo?, en *Cuadernos Americanos* (México), año 24, CXLI (1966), p. 172-79.

LC

* TORRES-RÍOSECO, ARTURO, 1897-

El modernismo y la crítica, en *Nosotros* (Buenos Aires), núms. 243-44 (agosto-septiembre de 1929), p. 320-27; - *Hisp.,* XII (October, 1929), p. 357-64.

LC

— Precursores del modernismo. [Madrid, Talleres Calpe], 1925. 2 h. p., 124 p. 19 cm.

[2ª ed.:] Con el título: *Precursores del modernismo: estudios críticos y antología.* New York, Las Americas Publ. Co., 1963. 221 p.

Contiene un estudio sobre José A. Silva.

LC, KU, UCLA

UMPHREY, GEORGE W.

Fifty years of modernism in Spanish American poetry, en *Modern Language Quarterly* (March, 1940), p. 101-14.

LC

* URIBE FERRER, RENÉ, 1918-

Modernismo y poesía contemporánea. Prólogo de Rafael Maya. [Medellín, Imp. Deptal., 1962]. 177 p., 1 h. 19½ cm. (Colección La Tertulia, 5).

"Este libro es una recopilación de ensayos escritos en diversas épocas pero unidos por su tema, ya que todos se refieren a la poesía o a poetas de lengua española de este siglo" *(Preliminar,* p. 11).

Contenido: El modernismo: su significado y su ámbito; Rubén Darío; Guillermo Valencia; Juan Ramón Jiménez; Porfirio Barba Jacob; Gabriela Mistral; La poesía contemporánea en lengua española; León de Greiff; Rafael Maya; Mario Carvajal.

ICC, BLAA

VELA, ARQUELES.

Teoría literaria del modernismo. Su filosofía, su estética, su técnica. México, Ediciones Botas. 367 p. 22 cm.

"Aesthetic and technical aspects of Modernism; a fruitful analysis, deftly done". *(Hdbk'49)*.

LC, UVa, KU, NTSU

V. POST-MODERNISMO Y LITERATURA CONTEMPORANEA

1. LITERATURA COLOMBIANA

AIRÓ, CLEMENTE, 1918- *El presente de la novela y su desarrollo en Colombia...; Pro y contra en la novelística colombiana* ... *V.* p. 614.

ANDRADE, RAMIRO, *Apuntes sobre la nueva cuentística nacional...; Nueva cuentística nacional...* *V.* p. 614.

ANTOLOGÍA *de la nueva poesía colombiana* ... *V.* p. 512

ARANGO, GONZALO, *De la nada al nadaísmo* ... *V.* p. 244; *La poesía nadaísta en Colombia* ... *V.* p. 569; *Trece poetas nadaístas* ... *V.* p. 512.

ARBELÁEZ, FERNANDO, 1914- *Panorama de la nueva poesía colombiana* ... *V.* p. 513.

* BUITRAGO, FANNY.

La novísima generación colombiana, en *Bol. Cult. y Bibl.* (Bogotá), IV, núm. 8 (agosto de 1961), p. 727-30.

Comentarios y noticias biográficas sobre los miembros del grupo "nadaísta" y las nuevas promociones de escritores.

ICC, BN, BLAA / LC, UCLA

CAMACHO GUIZADO, EDUARDO, 1937- *Novela colombiana: panorama contemporáneo* ... *V*. p. 616.

CAPARROSO, CARLOS ARTURO, 1908- *Los nuevos y la poesía* ... *V*. p. 571.

CARRANZA, EDUARDO, 1913- *En defensa de "Piedra y Cielo"* ... *V*. p. 571.

14 POETAS *"nuevos" de Colombia* ... *V*. p. 517.

CHARRY LARA, FERNANDO, 1920- *La nueva poesía colombiana* ...; *A nova poesía colombiana* ... *V*. p. 572.

ECHEVERRI MEJÍA, OSCAR, 1918-
La cultura en Bogotá: El siglo XX, en *Bol. Cult. y Bibl.* (Bogotá), IX, núm. 9 (1966), p. 1794-97.
ICC, BN, BLAA / LC, UCLA

ECHEVERRI MEJÍA, OSCAR, 1918- *Tres poetas colombianos contemporáneos* ... *V*. p. 572.

ECHEVERRI MEJÍA, OSCAR y BONILLA-NAAR, ALFONSO, *21 años de poesía colombiana (1942-1963)* ... *V*. p. 518.

ESPINOSA, GERMÁN, *Poesía 65: Dos generaciones en la liza* ... *V*. p. 573.

* GONZÁLEZ RODAS, PEDRO.
El movimiento nadaísta en Colombia, en *Revista Iberoamericana* (México), XXXII (1966), p. 229-47.
LC, USC, UCLA

IBÁÑEZ, JAIME, 1919- *¿Hay novela en Colombia?* ... *V.* p. 618.

INDICE *de la poesía contemporánea en Colombia* ... *V.* p. 521.

JIMÉNEZ, CARLOS, *The new Colombian poetry* ... *V.* p. 575.

KIRSNER, ROBERT, *Four Colombian novels of La violencia* ... *V.* p. 618.

LATCHAM, RICARDO A., *Perspectivas de la novela colombiana actual* ... *V.* p. 618.

LOZANO Y LOZANO, JUAN, 1902- *Los poetas de 'Piedra y Cielo"* ... *V.* p. 575.

LLERAS DE LA FUENTE, CARLOS, *La literatura de la violencia (bibliografía)* ... *V.* p. 619.

MARTÍN, CARLOS, 1914- *Piedra y Cielo en la poesía hispanoamericana* ... *V.* p. 576.

MARULANDA, OCTAVIO, *Teatro 65: un año de premoniciones* ... *V.* p. 655.

* OSPINA LONDOÑO, URIEL, 1925-

Algunas tendencias en la literatura colombiana actual, en Revista *Universidad de Antioquia* (Medellín), XXVI, núm. 103 (junio-agosto de 1951), p. 529-38.
ICC, BN, BLAA / PU

OSPINA LONDOÑO, URIEL, 1925- *Medio siglo de actitud literaria* ... *V*. p. 337.

PIEDRAHITA, IVÁN, *Examen de la novela colombiana contemporánea* ... *V*. p. 622.

PINEDA, B., *Piedra y Cielo* ... *V*. p. 578.

POSADA, ENRIQUE.

Notas sobre el nadaísmo, en *Bol. Cult. y Bibl.* (Bogotá), VI, núm. 6 (1963), p. 849-51.

ICC, BN, BLAA / LC, UCLA

RICARDO T., OTTO, 1935- *Apuntes sobre la novelística colombiana actual* ... *V*. p. 622.

ROGGIANO, ALFREDO, *Eduardo Carranza y la nueva poesía colombiana* ... *V*. p. 579.

RUIZ R., HUGO.

Nuevos escritores colombianos, en *Bol. Cult. y Bibl.* (Bogotá), V, núm. 12 (1962), p. 1586-89.

Sobre los nadaístas.

ICC, BN, BLAA / LC, UCLA

SAMPER PIZANO, DANIEL, *La ciudad, terror de nuestros novelistas* ... V. p. 622.

SAMPER PIZANO, DANIEL.

Nadaísmo, saldo en rojo, en *Bol. Cult. y Bibl.* (Bogotá), IX, núm. 6 (1966), p. 1184-88.

Juicio desfavorable sobre el nadaísmo colombiano.

ICC, BN, BLAA / LC, UCLA

SANÍN CANO, BALDOMERO, 1861-1957, *Actualidades en la poesía colombiana* ... *V.* p. 580.

SUÁREZ RONDÓN, GERARDO, *La novela sobre la violencia en Colombia* ... *V.* p. 623.

TELLO, JAIME, 1918- *La novela actual en Colombia* ... *V.* p. 623.

2. LITERATURA GENERAL

ALBA, PEDRO DE.

Modern trends in Latin American literature, en *Bull.* (Washington), XXL, Nº 6 (June, 1946), p. 316-21.

Traducción. Ensayo muy general.

LC, PU, USC

ALEGRÍA, FERNANDO, *Ideas estéticas de la poesía moderna* ... *V.* p. 570.

ANDERSON IMBERT, ENRIQUE, y KIDDLE, LAWRENCE, *Veinte cuentos hispanoamericanos del siglo XX* ... *V.* p. 608.

ARROM, JOSÉ JUAN, *Perfil del teatro contemporáneo en Hispanoamérica* ... *V.* p. 658.

* BACIU, STEFAN.

Beatitude south of the border: Latin America's beat generation, en *Hisp.,* XLIX (1966), p. 733-39.

Sobre las últimas promociones de escritores hispanoamericanos. Se incluye a los nadaístas colombianos.

ICC / LC, USC, UCLA

BAJARLÍA, JUAN JACOBO, *Orígenes del vanguardismo en la poesía castellana* ...; *El vanguardismo poético en América y España* ... *V.* p. 583.

BLEZNICK, DONALD W., *El ensayo español del siglo XVI al XX* ... *V.* p. 688.

* CAMBOURS OCAMPO, ARTURO.

El problema de las últimas generaciones literarias. Buenos Aires, Peña Lillo, 1963.

LC

* CORVALÁN, OCTAVIO, 1923-

El postmodernismo [Ist. ed. New York], Las Americas, Publ. Co. [1961]. 159 p. 22 cm.

Includes bibliography.

V. r. de Donald F. Fogelquist, en *Hisp.,* XLV (September, 1962), p. 585-86.

LC

* COUFFON, CLAUDE.

Hispanoamérica en su nueva literatura. Santander, La Isla de los Ratones, 1962.

LC

CROW, JOHN A., *A critical appraisal of the contemporary Spanish American novel* ... *V.* p. 628.

CRUZ, SALVADOR DE LA, *La novela hispanoamericana actual* ... *V.* p. 628.

DAUSTER, FRANK, *New values in latin American theatre ...; Recent research in Spanish American theater* ... *V.* p. 661.

ESQUENAZI-MAYO, ROBERTO, *Marginal notes on the twentieth-century Spanish American novel* ... *V.* p. 629.

FLORES, ANGEL, *Magic realism in Spanish American literature* ... *V.* p. 629.

FLORIA, CARLOS ALBERTO, *El ensayo de las nuevas generaciones* ... *V.* p. 689.

FLORIT EUGENIO y JIMÉNEZ, JOSÉ OLIVIO, *La poesía hispanoamericana desde el modernismo: Antología* ... *V.* p. 545.

GONZÁLEZ CONTRERAS, GILBERTO, *Aclaraciones a la novela social americana* ... *V.* p. 630.

GRISMER, RAYMOND L., AND FLANAGAN, JOHN T., *The cult of violence in Latin American short fiction* ... *V.* p. 631.

GUARDIA, ALFREDO DE LA, *El teatro contemporáneo* ... *V.* p. 663.

INDICE *de la nueva poesía americana* ... *V.* p. 550.

* INSTITUTO INTERNACIONAL DE LITERATURA IBEROAMERICANA. Movimiento literario de vanguardia en Iberoamérica. Memoria del Undécimo Congreso ... México, 1965. 141 p.

ICC / UCLA

JIMÉNEZ, JOSÉ OLIVIO, *Contemporary Latin American poetry* ... *V.* p. 588.

KERCHVILLE, FRANCIS MONROE, *A study of tendencies in modern and contemporary Spanish poetry from the modernist movement to the present time* ... *V.* p. 588-89.

LATCHAM, RICARDO A. ed., *Antología del cuento hispanoamericano contemporáneo (1910-1956)* ... *V.* p. 610.

LAUREL, *antología de la poesía moderna en lengua española* ... *V.* p. 552.

LISCANO, JUAN, *La poesía hispanoamericana en los últimos 15 años* ... *V.* p. 589.

LORENZ, ERIKA, *Der metaphorische Kosmos der modernen spanischen Lyrick: 1936-1956* ... *V.* p. 590.

MCMAHON, DOROTHY.

Changing trends in Spanish American literature, en *Books Abroad,* XXXIX, p. 15-20.

Especialmente sobre novelas contemporáneas argentinas.

LC, USC

MONGUIÓ, LUIS, *A decade of Spanish American prose writing* ... *V.* p. 637.

MORI, ARTURO, *Treinta años de teatro hispanoamericano* ... *V.* p. 666.

MUÑOZ, MATILDE, *Antología de poetisas hispanoamericanas modernas* ... *V.* p. 556.

NAVAS RUIZ, RICARDO, *Literatura y compromiso: Ensayos sobre la novela política hispano-americana* ... *V.* p. 637.

NUEVA *poesía hispanoamericana;* primer tomo ... *V.* p. 556.

OSPINA LONDOÑO, URIEL, 1925- *Problemas y perspectivas de la novela hispanoamericana* ... *V.* p. 638.

PACHÓN PADILLA, EDUARDO, *El "realismo mágico" en la narrativa hispanoamericana* ... *V.* p. 638.

PEÑA, CARLOS HÉCTOR DE LA, *La novela moderna: su sentido y su mensaje* ... *V*. p. 638.

RELA, WALTER, *Literatura dramática suramericana contemporánea* ... *V*. p. 667.

RUSCONI, ALBERTO, *La poesía surrealista* ... *V*. p. 595.

SALINAS, PEDRO.

Literatura española siglo XX. México, Ediciones Séneca, [1941]. 352 p.

De especial interés: I. Cuatro estudios sobre temas generales de la literatura en el siglo XX: El problema del modernismo en España, o un conflicto entre dos espíritus; El concepto de generación literaria aplicada a la del 98; El signo de la literatura española del siglo XX; El cisne y el buho.

ICC / LC

* SÁNCHEZ TRINCADO, JOSÉ.

Literatura latinoamericana, siglo XX. Buenos Aires, A. Peña Lillo, 1964. (Colección Ensayos Literarios, 3).

USC

* SANSEGUNDO, LEÓN MARÍA, O. S. B.

Literatura de vanguardia en América, en Revista *Universidad de Antioquia* (Medellín), XXXVII, núm. 144 (enero-marzo de 1961), p. 102-23.

Incluye bibliografía.

ICC

SOLÓRZANO, CARLOS, *El teatro hispanoamericano contemporáneo* ...; *Teatro latinoamericano del siglo XX* ... *V*. p. 668-69.

SPELL, JEFFERSON REA, 1886- *Contemporary Spanish American fiction* ... *V*. p. 642.

SPITZER, LEO, *La enumeración caótica en la poesía moderna* ... *V*. p. 520.

STAUDINGER, MABEL KATHARINE, 1902- *The use of the supernatural in modern Spanish American fiction* ... *V*. p. 643.

TORRE, GUILLERMO DE, *El existencialismo en la literatura* ... *V*. p. 695.

* TORRE, GUILLERMO DE.

Literaturas europeas de vanguardia. Madrid, R. Caro Raggio, [1925]. 3 p., [9]-390 p., 2 h., 6 p., 1 h. 20 cm.

Bibliographical footnotes.
LC

* TORRENTE BALLESTER, GONZALO.

Literatura española contemporánea, 1898-1936. Madrid, A. Aguado, [1949]. 464 p. 20 cm.

— Panorama de la literatura española contemporánea. Madrid, Ediciones Guadarrama, [1956]. 815 p. 22 cm. (Colección "Panoramas", 2).
USC

TORRES-RÍOSECO, ARTURO, 1897- *Novelistas contemporáneos de América* ... *V*. p. 645.

UNDURRAGA, ANTONIO DE, *Crisis en la novela latinoamericana* *V*. p. 645.

VALTIERRA, ANGEL, S. I., *Literatura vitalista: La novela contemporánea y el sacerdote* ... *V*. p. 646.

VIDELA, GLORIA, *El ultraísmo: estudios sobre movimientos poéticos de vanguardia en España* ... *V*. p. 597.

ZAPATA OLIVELLA, MANUEL, 1920- *La nueva novela hispanoamericana ante Europa* ... *V*. p. 647.

GENEROS LITERARIOS

I. POESIA

1. BIBLIOGRAFIAS

A) POESÍA COLOMBIANA

ARANGO FERRER, JAVIER, 1896-

Bibliografía [De la poesía colombiana], en *Raíz y desarrollo de la literatura colombiana*: Poesía desde las culturas precolombinas hasta la "Gruta simbólica". Bogotá, Ediciones Lerner, 1965, p. [485]-92.

Incluye algunas obras originales de los poetas y unos pocos trabajos críticos.

ICC

CAPARROSO, CARLOS A., 1908-

Bibliografía general [De la poesía colombiana], en *Dos ciclos de lirismo colombiano*. Bogotá, Imp. Patriótica del Instituto Caro y Cuervo, 1961, p. [193]-201.

En la bibliografía general que complementa esta obra, y al final de cada uno de los capítulos, se incluyen listas bibliográficas *de* y *sobre* poesía colombiana.

ICC, BN, BLAA / LC, UCLA

ORJUELA GÓMEZ, HÉCTOR HUGO, 1930- *Las antologías poéticas de Colombia*: *Estudio y bibliografía* ... *V*. p. 577.

B) POESÍA GENERAL

AMERICAN LIBRARY ASSOCIATION.

Subject index to poetry for children and young people, compiled by Violet Sell [and others]. Chicago, 1957. 582 p. 28 cm.

LC

* CLARKE, DOROTHY CLOTELLE.

Bibliografía de la versificación española. Berkeley, 1937.

V. r. de John T. Reid, en *Hisp.,* XX (October, 1937), p. 296.

UC

GUTIÉRREZ, JUAN MARÍA, 1809-1878.

Ensayo de una biblioteca o catálogo bibliográfico-crítico ... de las obras en verso ... escritas en América, en *Revista del Río de la Plata* (Buenos Aires), I-VI (1871-74). (*Bbcs*)

2. VERSIFICACION

* BALAGUER, JOAQUÍN, 1906-

Apuntes para una historia prosódica de la métrica castellana. Madrid, Consejo Superior de Investigaciones Científicas, 1954. 266 p. 25 cm. (Anejos de la Revista de Literatura, 13).

LC

— En torno a un pretendido vicio prosódico de los poetas hispanoamericanos, en *Boletín del Instituto Caro y Cuervo*

(Bogotá), año 4, núm. 2 (mayo-agosto de 1948), p. 321-41.

"Combats Menendez Pelayo's statement that the excessive use of syneresis by some Spanish American poets is due to a characteristic 'vicio de pronunciación' on their part". (*Hdbk'*48).

ICC / LC

BARTINA, SEBASTIÁN.

Verso y versificación. Barcelona, Dalmau y Jover, 1955.

LC

BENOT Y RODRÍGUEZ, EDUARDO.

Prosodia castellana i versificación. Madrid, J. Muñoz Sánchez, [1892]. 3 v. ilus. 25 cm.

Sumario e índice de la prosodia castellana i versificación, por Eduardo Benot, XCI p. at end of v. 3.

—— Madrid, 1902. 3 v.

LC (1ª ed.)

* BLOISE CAMPOY, PASCUAL.

Diccionario de la rima. Madrid, Aguilar, 1946. CXXVI, 1389 p.

Contenido: [*1ª parte*]: Tratado de versificación: Introducción; I. Sistemas de versificación; II. Versificación silábica; III. Los versos castellanos según el número de sílabas; IV. Estrofas más usadas; V. Estrofas de interés histórico; VI. Serie poética; VII. Estrofas populares; VIII. Períodos prosódicos; Bibliografía. [*2ª parte*]: Diccionario de la rima.

LC

CARO, MIGUEL A., 1843-1909.
Del verso enneasílabo [*sic*]. Sus variedades. Sus orígenes, en *El Repertorio Colombiano* (Bogotá), IX, núm. 53 (noviembre de 1882), p. 367-77.

"El subtítulo dice: 'Capítulo de una métrica que no se ha escrito'. Comprende: I. *Enneasílabo libre*. - II. *Enneasílabo iriartino*. - III. *Enneasílabo esproncedaico*. - IV. *Enneasílabo de canción* (*anónimo*). - V. *Enneasílabo laverdaico*. No sobra advertir que este estudio ha servido de base para otros posteriores que lo copian sin citarlo". (J. J. Ortega Torres).
ICC / LC

CLARKE, DOROTHY CLOTELLE, *Bibliografía de la versificación española* ... *V*. p. 504.

CLARKE, DOROTHY CLOTELLE.
El verso esdrújulo antes del Siglo de Oro, en *Revista de Filología Hispánica,* III (1941), p. 372-74.
ICC

DICCIONARIO de sinónimos e ideas afines y de la rima. Barcelona, Sociedad Anónima Horta de Impresiones y Ediciones, [s. a.]. 3 h., 349 p. 19 cm.
ICC

* HENRÍQUEZ UREÑA, PEDRO, 1884-1946.
El endecasílabo castellano, en *Revista de Filología Española,* VI (1919), p. 132-57.
LC

— Horas de estudio. Paris, P. Ollendorff, [1910]. 303 p. 19½ cm.
De interés: El verso endecasílabo.
LC

— La versificación irregular en la poesía castellana. 2ª ed. Madrid, Centro de Estudios Históricos, 1933. VII-369 p.

UVa, KU

MADIEDO, MANUEL MARÍA, 1815-1888.

Poesías de Manuel María Madiedo, precedidas de un tratado de métrica. Introducción de José Joaquín Ortiz. Bogotá, Imp. de la Nación, 1859. VIII, 508 p.

ICC, BN

MARASSO ROCCA, ARTURO, *Estudios literarios* ... *V*. p. 370.

MARROQUÍN, JOSÉ MANUEL, 1827-1908.

Lecciones de métrica ... Bogotá, Imp. de Medardo Rivas, 1875. 89, II p. 15 cm.

[¿2ª ed?]: Bogotá, C. E. de M. Rivas, 1888. 70 p., 1 h. 20 cm.

Contenido [ed. de 1888]: *Parte 1ª*: De la medida de los versos; *Parte 2ª*: Del acento en el verso; *Parte 3ª*: de la rima; *Parte 4ª*: De las diferentes especies de versos; *Parte 5ª*: De la eufonía; *Parte 6ª*: Del modo de unir y combinar los versos; Conclusión.

Incluye fragmentos de poesías de escritores nacionales y extranjeros.

ICC

MARTÍNEZ OKRASSA, CARLOS.

Ritmo de la lírica castellana actual, en *Bol. Cult. y Bibl.* (Bogotá), VII, núm. 11 (1964), p. 1957-63.

ICC, BN, BLAA / LC, UCLA

MÉNDEZ BEJARANO, MARIO.

La ciencia del verso: teoría general de la versificación con aplicaciones á la métrica española, por Mario Méndez

Bejarano ... corr. y aum. por su autor con un prólogo del Sr. Antonio Atienza Medrano ... Madrid, V. Suárez, 1907. 454 p. 20 cm.

LC

MENÉNDEZ Y PELAYO, MARCELINO, 1856-1912.

Noticias para la historia de nuestra métrica, en *Estudios y discursos de crítica histórica y literaria,* VI. Madrid, 1942.

LC

* NAVARRO TOMÁS, T.

El acento castellano. Discurso leído por el autor en el acto de su recepción académica el día 19 de mayo de 1935. Contestación de Miguel Artigas Fernando. Madrid, Academia de la Lengua Española, 1935. 59 p.

LC

— El acento castellano, en *Hisp.,* XVIII (December, 1935), p. 375-380.

LC, PU, USC, UCLA

— Arte del verso. México, Cía General de Ediciones, 1959. 187 p.

"Se trata en este libro de ofrecer una guía práctica para conocer y distinguir las diversas clases de versos y estrofas usadas en la poesía en lengua española". (*Introducción*).

Contenido: Nociones de métrica; Repertorio de metros; versos regulares, versos asimétricos; Metros concordantes: combinaciones de dos metros, combinaciones de tres metros; Repertorio de estrofas: Estrofas fijas, estrofas sin rima, estrofas variables; Poemas no estróficos; Ejercicios.

LC, USC

— Métrica española. Reseña histórica descriptiva. Syracuse, Univ. Press, 1956. 556 p.

V. r. de D. Lincoln Canfield, en *Hisp.*, XXXIX (September, 1956), p. 378-79.

LC, USC

PEÑALVER, JUAN.

Diccionario de la rima de la lengua castellana. Madrid, 1842. [Numerosas eds.].

Nueva ed. corregida y alfabetizada. Buenos Aires, [1942]. 249 p.

ROBERTS, G. B.

The epithet in Spanish poetry of the romantic period, Iowa, 1936.

LC

ROSARIO, RUBÉN DEL.

El endecasílabo español. Río Piedras, Puerto Rico. Univ de Puerto Rico, 1944. 116 p.

"Excellent study of this verse form in Spanish literature, its historical evolution and types, experimental data and methods of analysis used by author in applying some principles of modern metrics, and study of duration, intonation and cadence in it". (*Hdbk*'45).

LC

* SAAVEDRA MOLINA, JULIO.

El octosílabo castellano. Santiago de Chile, 1945. 174 p.

LC

— Tres grandes metros: el eneasílabo, el tredecasílabo y el endecasílabo, en *Anales de la Universidad de Chile* (Santiago), cuarta serie, núm. 61-62, primero y segundo trimestre (1946), p. 5-122.

— El verso de arte mayor, en *Anales de la Universidad de Chile* (Santiago), cuarta serie, núm. 57-58, primero y segundo trimestre (1945), p. 5-127.
LC

* SANZ Y RUIZ DE LA PEÑA, N.
Iniciación a la poesía, manual de composición y de la rima, por N. Sanz y Ruiz de la Peña. Barcelona, Edit. Apolo, [1940]. 2 h. p., [7]-541 p. 19½ cm. (Manuales de Iniciación "Apolo", 9).
Enunciado, por N. Sanz y Ruiz de la Peña, p. [7]-8.
LC

SOBEJANO, GONZALO.
El epíteto en la lírica española. Madrid, Edit. Gredos, [1956]. 504 p. (Biblioteca Románica Hispánica, II, Estudios y Ensayos, 28).
ICC / LC

SPITZER, LEO.
La enumeración caótica en la poesía moderna. Traducción de Raimundo Lida. Buenos Aires, 1945. 91 p. 19 cm. (Colección de Estudios Estilísticos, Anejo 1).
LC

VICUÑA-CIFUENTES, J.
Estudios de métrica española. Santiago de Chile, Edit. Nascimento, 1929.
LC

3. ANTOLOGIAS Y COMPILACIONES

A) POESÍA COLOMBIANA

* ACADEMIA COLOMBIANA, *Bogotá.*

Poemas de Colombia; antología de la Academia Colombiana. Prólogo y epílogo de Félix Restrepo, S. J. Edición y notas de Carlos López Narváez. Medellín, Edit. Bedout, 1959. 623 p. 23 cm.

Preliminar, p. [5].
A guisa de prólogo, por Félix Restrepo, S. J., p. 7-13.
Notas biográficas, p. 602-18.
ICC, BLAA / LC

ACHURY VALENZUELA, DARÍO, 1906-

El libro de los poetas. [2ª ed.]. Bogotá, Tip. Colón. 1937. 128 p. 17 cm.

1ª ed. con el título: *12 poetas, 24 poemas.* Bogotá, Edit. Santafé, 1936. 110 p.
Aleluya de poetas nuevos, por Darío Achury Valenzuela, p. 3-7.
Prólogo a la segunda edición, p. 9-10.
Se incluyen breves noticias bio-bibliográficas sobre los poetas.
ICC, BN / LC, CU

* ALBAREDA, GINÉS DE, Y GARFIAS, FRANCISCO.

Antología de la poesía hispanoamericana: Colombia. Madrid, Biblioteca Nueva, 1957. 570 p. 24 cm.

[*Prólogo*], p. 7.
[*Estudio preliminar*], p. 9-68. Se divide en las siguientes secciones que corresponden a las divisiones de la antología: Poetas

de la conquista; El barroco; El neoclasicismo; El romanticismo; El modernismo; Tendencias actuales.

Bibliografía, p. 67-71.

ICC, AcCol / LC, UVa, USC

* ANTOLOGÍA de la nueva poesía colombiana. [Bogotá, Edit. Iqueima], 1949. 2 h. p., 218 p. 17 cm. (Ediciones Espiral).

"Los seleccionadores y editores del presente volumen, ocúpanse en esta aventura antológica con el mero y leal propósito de obtener un conjunto panorámico de la poesía nueva de Colombia, sus corrientes, modalidades, influencias, expresiones, sus victorias ya intangibles y sus más recientes alboradas [...] El criterio seguido responde a un deseo de imparcialidad ante las disidencias estéticas y poéticas". (p. 7).

Indice biográfico, poético y bibliográfico. p. 197-212.

ICC, BN, BLAA / LC

* AÑEZ, JULIO, 1850-1899.

Parnaso colombiano. Colección de poesías escogidas por Julio Añez. Estudio preliminar de don José Rivas Groot. Bogotá, Librería Colombiana, Camacho Roldán y Tamayo, 1886-87. 2 v. 19 cm.

1ª ed.: Bogotá, Imp. de Medardo Rivas, 1884.

Estudio preliminar, por J. Rivas Groot vol. I, p. [I]-LXIX. Se divide en las siguientes secciones: I. Propósitos; II. La colonia; III. La independencia; IV. El "Parnaso colombiano"; V. El poeta.

Se incluyen noticias bio-bibliográficas sobre los poetas.

ICC (2ª ed.), BN (1ª y 2ª eds.), BLAA (1ª y 2ª eds.) / LC (2ª ed.), Y (2ª ed.)

ARANGO, GONZALO.

13 poetas nadaístas. Medellín, Edit. Carpel Antorcha, 1963. 148 p. (Ediciones Triángulo).

La poesía nadaísta, por Gonzalo Arango, p. 16.

BLAA / LC

* ARBELÁEZ, FERNANDO, 1914-
Panorama de la nueva poesía colombiana. Bogotá, Imp. Nacional, 1964. 24-548 p. (Ediciones del Ministerio de Educación).

Panorama de la nueva poesía colombiana, por Fernando Arbeláez, p. [5]-24.
V. comentario de Helcías Martán Góngora, en *Bol. Cult. y Bibl.* (Bogotá), VIII, núm. 2 (1965), p. 271-76.
ICC / LC

ARRÁZOLA, ROBERTO.
Antología de poetas cartageneros. Cartagena, Imp. Marina, 1961. 174 p.

Prólogo, por Roberto Arrázola, p. 7-14.
USC

— Antología poética de Colombia. Selección, prólogo y notas de Roberto Arrázola. Buenos Aires, Edit. Colombia, [1943]. 263 p. 19 cm.

Prólogo, por Roberto Arrázola, p. 5-8.
ICC / LC

* BORDA, JOSÉ JOAQUÍN, 1835-1878 y VERGARA Y VERGARA, JOSÉ MARÍA, 1831-1872.
La lira granadina. Colección de poesías nacionales, escojidas y publicadas por ... Bogotá, Imp. de "El Mosaico", 1860. 196 p. 20 cm.

Prólogo de los editores, p. [3-6].
ICC / LC, Y, Dth

BUITRAGO, ALBERTO E. y VIECO, JULIO N.
Album poético suramericano. Barranquilla, Tip. Julio Celestino Angulo, 1881. 144 p.

V. Gustavo Otero Muñoz, *Nuestras antologías líricas,* en *Los poetas del amor y de la mujer.* Bogotá, Edit. Minerva, [1935], p. 19-20. (Selección Samper Ortega, 83).

* BUSTAMANTE, JOSÉ IGNACIO, 1900-

La poesía en Popayán (1536-1954), 2ª ed. considerablemente aumentada con nuevos nombres de los poetas caucanos en general, novísima antología epigramática y lírica, e historia del periodismo literario hasta 1954. Popayán, [Edit. Universidad del Cauca], 1954. 495 p., 8 h. 23½ cm.

1ª ed. con el título: *Historia de la poesía en Popayán 1536-1939.* Popayán, Talleres Editoriales del Departamento, 1939. 431 p.

[*Antología*], p. 83-495.

ICC, BN / LC

CABALLERO CALDERÓN, EDUARDO, 1910-

Los mejores poemas de los mejores poetas colombianos. [Selección y notas de Eduardo Caballero Calderón]. Caracas, 1952. 54 p. 23 cm.

Advertencia, por E. C. C., p. 7-8.

"El criterio que nos ha guiado al entregar estos nombres al público venezolano, para el cual ya son familiares muchos de ellos, ha sido el de difundir, no las mejores poesías de nuestros poetas, pero sí las más populares". (p. 8).

LC

[CAICEDO ROJAS, JOSÉ], 1816-1898.

El álbum de los pobres. Bogotá, [1866]. s. p.

Editado por José Caicedo Rojas. Incluye sólo figuras masculinas.

BLAA

CANCIONES en honor de la paz del heroísmo; para la fiesta cívica de Bogotá en los días 29, 30 y 31 de diciembre de 1842. Por varias musas bogotanas. Bogotá, Imp. de J. A. Cuéllar, [s. f.]. 8 p.

BN

CANEVA, RAFAEL, 1914-

Ecos de poesía (Líricos de la costa atlántica). [Ciénaga, Magdalena, Estudios Tipográficos de la Escuela Complementaria], 1943. 184 p. 16 cm.

Los motivos, p. 5-7.

ICC, BN

* CAPARROSO, CARLOS ARTURO, 1908-

Antología lírica; 100 poemas colombianos, 4ª ed. definitiva. Bogotá, Edit. A B C, 1951. 297 p. 20 cm. (Biblioteca Popular de Cultura Colombiana, 127).

3ª ed.: Bogotá, Edit. Centro, 1945. 299 p. 23 cm.
Comentario inicial, por C. A. C., p. 7-11. Fechado: Bogotá, 1945.
Posdata, por C. A. C., p. 11-12.
"Conservo en esta cuarta edición, definitiva ya, de la Antología Lírica, con algunas ligerísimas variantes, puesta al día en sus notas biográficas y bibliográficas, y con una mejor rectificación de las selecciones de los poemas insertados en ella, el cuadro general de la tercera edición publicada en 1945 . . ."
Notas biográficas y bibliográficas, p. 267-91.

ICC (3ª y 4ª eds.), BN (3ª y 4ª eds.), BLAA (3ª y 4ª eds.) / CU (3ª y 4ª eds.), NC (4ª ed.), UCLA (3ª ed.).

— Antología lírica (60 poemas colombianos). Bogotá, Imp. del Departamento, 1935. 158 p. 23½ cm. (Biblioteca del Maestro, III).

Comentario inicial, p. 3-5.
Notas biográficas y bibliográficas, p. 147-54.

BN, BLAA / LC

— Poesía colombiana, antología lírica, escogió y comentó Carlos Arturo Caparroso. Bogotá, La Gran Colombia, 1942. 212 p. 18 cm.

Comentario inicial, por Carlos Arturo Caparroso, p. 5-8.
Notas biográficas y bibliográficas, p. 191-207.

ICC / LC

* Caro Grau, Francisco.

Parnaso colombiano. Nueva antología esmeradamente seleccionada, por Francisco Caro Grau, 4ª ed. rev. y aumentada. Prólogo de Zoilo Cuéllar Chaves. Barcelona, Edit. Maucci, [1920]. 367 p. 18½ cm.

1ª ed.: Barcelona, Edit. Maucci, [1914]. 431 p.
2ª ed.: Revisada y aumentada: *ibid.*, [1920]. 367 p.
3ª ed.: *ibid.*, 1920. 367 p.

ICC (4ª ed.), BN (3ª ed.), BLAA (4ª ed.) / LC (4ª ed.), CU (4ª ed.), Y (3ª ed.), Dth (3ª ed.), UVa (3ª ed.), UCLA (4ª ed.)

Caro, Víctor E., 1878-1944.

Sonetos colombianos, escogidos por Víctor E. Caro. Bogotá, Imp. Instituto Gráfico, 1942. 160 p. 17 cm.

Motivos, p. 1-7.

ICC, BN

Carranza, Eduardo, 1913-

Un siglo de poesía colombiana, en *Rev. América* (Bogotá), XIV, núms. 40 y 41 (1948), p. 50-82, 194-230.

Se incluyen noticias biográficas y notas críticas sobre los poetas.

ICC, BN, BLAA / LC, UCLA

14 POETAS "nuevos" de Colombia. Buenos Aires, Edit. Colombia, [1946]. 214 p.

Introducción, por Roberto Arrázola, p. 7-30. Presenta una breve reseña de la poesía colombiana hasta Porfirio Barba Jacob, poeta que inicia la antología.

LC

CINCO grandes poetas colombianos. San José de Costa Rica, Publicaciones de la Legación de Colombia en Costa Rica, Nicaragua y El Salvador, 1939. 47 p. 29 cm. (Cuadernos del Noticiario Colombiano, núm. 5).

Se incluyen noticias bio-bibliográficas sobre los poetas.

ICC / LC, NYPL, Y, PU

CONCURSO de poesía en el centenario de Bolívar. Bogotá, Imp. de Medardo Rivas, 1883. 63 p. 25 cm.

Jurado literario de Cundinamarca; Sección de Poesía: Acta del día 14 de julio de 1883, p. 3-6.

Se incluyen las composiciones ganadoras de: Ruperto S. Gómez, Luis A. Restrepo y José M. Rivas Groot.

ICC, BN

* CORREA, RAMÓN C., 1859-1935.

Parnaso boyacense, por Ramón Correa. Tunja, Imp. Deptal., 1936. 392 p. 20 cm.

Prólogo, por Daniel Samper Ortega, p. 8-11.

Prólogo, por Ignacio A. Vargas Torres, p. 12-14.

"100 autores boyacenses y 6 coloniales que vivieron en aquellas tierras".

Se incluyen breves noticias biográficas sobre los poetas.

ICC, BN / LC

CUADERNILLOS de poesía colombiana. Ediciones de la Revista *Universidad Católica Bolivariana* (Medellín). núm. 1- v. III, agosto mayo, 1938-39-

ICC (serie incompleta), BN, BLAA / LC, NC, CU, UCLA

DELGADO, SAMUEL.

Portaliras nariñenses. Quito, Ecuador, Tipografía y Encuadernación Salesianas, 1928. 56 p. 21½ cm.

Impresiones, p. [7]-12.
ICC / LC

* ECHEVERRI MEJÍA, OSCAR, y BONILLA-NAAR, ALFONSO.

21 años de poesía colombiana (1942-1963). Bogotá, Edit. "Stella", 1964. 404 p., 1 h. 21 cm.

Nota preliminar, por Oscar Echeverri Mejía y Alfonso Bonilla Naar, p. [7]-8.

"... hemos realizado este trabajo lentamente y con toda atención y [...] para poderlo llevar a feliz término pedimos el concurso de los propios poetas: algunas de las fallas pueden imputárseles a ellos mismos, quienes no siempre respondieron a nuestro llamado en su propio servicio". (p. 7).

Se incluyen brevísimas noticias bio-bibliográficas sobre los poetas.

ICC, BLAA / LC

ENTREGAS *de poesía popular colombiana* ... *V*. p. 703.

ESCOBAR URIBE, ARTURO, 1911-

Nuevo parnaso colombiano, 2ª ed. Bogotá, Ediciones Mundial, [1954]. 498 p. 20 cm.

1ª ed.: *id.* 449 p.
Presentación, p. 5-6.
Bibliografía consultada, p. 472-86.
Notas biográficas, por Alvaro Escobar Uribe, p. 472-86.

ICC (2ª ed.), BN (1ª ed.)

FLOR de sonetos colombianos. Bogotá, Edit. Antena, [s. f.]. 95 p. 24 cm. (Colección Soledad).

ICC, BN / VMI

* GARCÍA PRADA, CARLOS, 1898-

Antología de líricos colombianos. Introducción, selección y notas de Carlos García Prada. Bogotá, Imp. Nacional, 1936-1937. 2 v. 19 cm. (Suplemento de la *Revista de las Indias,* núm. 5).

v. I:
Introducción, p. 5-8.
La poesía colombiana [Estudio], por Carlos García Prada, p. 9-74.
v. II:
Notas, p. 471-74.
Lista de colombianismos, p. 475-80.
Bibliografía, p. 481-91.
Se incluyen breves noticias biográficas sobre los poetas.

ICC, BN, BLAA / LC, Y, UVa, Dth, KU, USC

— Luz que flota en el olvido; poema colombiano en 120 sonetos originales de varios autores ... México, Imp. Universitaria, 1939. 140 p. 23 cm.

Prólogo: A la presencia de la poesía (soneto), por Germán Pardo García, p. IX.
V. r. de Alfred Coester, en *Hisp.,* XXII (October, 1939), p. 342.

ICC / LC, Dth, VMI

* GONZÁLEZ, ERNESTO y ZAFIR, LEÓN.

Antología de poetas de Antioquia, por Ernesto González [y] León Zafir. Medellín, Imp. Deptal. de Antioquia, [1953]. 463 p. 23 cm.

Prólogo, por Jorge Robledo Ortiz, p. 3-9.
Consideraciones previas, por Los editores, p. 10-14.
Papeletas bibliográficas, por José Solís Moncada, p. 451-63.

ICC, BLAA / LC

* HERNÁNDEZ M., OSCAR, 1925-

Antología de poesía antioqueña, selección de Oscar Hernández M. Lima, Editora Popular Panamericana, [1961]. 188 p. 17 cm. (Primer Festival de Escritores Antioqueños, 3).

Prólogo, por Oscar Hernández M., p. 7-9.

ICC, BLAA

* HOLGUÍN, ANDRÉS, 1918-

Las mejores poesías colombianas, t. I. Lima, Editora Latinoamericana, 1959. 163 p. 17 cm. (Por errata en la portada figura como compilador Daniel Arango); t. II, *id.,* 147 p. 17 cm. (t. I: Primer Festival del Libro Colombiano, Biblioteca Básica de Cultura Colombiana, 7; t. II: Segundo Festival del Libro Colombiano. Biblioteca Básica de Cultura Colombiana, 2ª Serie, núm. 17).

t. I: Se divide en las siguientes secciones: La época de la conquista; El clasicismo en la colonia; El seudoclasicismo; El romanticismo; Movimiento humanístico; Simbolismo y modernismo; El antimodernismo.
Prólogo, por Andrés Holguín, p. 7-26.
Nota de los editores, p. 26.
t. II: Se divide en las siguientes secciones: Poesía contemporánea; El surrealismo; Piedra y cielo; Dos voces femeninas; Los últimos poetas.
Prólogo, por Andrés Holguín, p. 7-31 *(id.* al del t. I).

BLAA / LC

INDICE de la poesía contemporánea en Colombia, desde Silva hasta nuestros días. Bogotá, Librería Suramericana, [1946]. 214 p. 17 cm. (Colección Navegante, 13).

Prólogo, p. 7-8.
ICC, BN / LC

* ISAZA, EMILIANO, 1850-1930.

Antología colombiana, colegida por Emiliano Isaza ... París, Librería de la viuda de Ch. Bouret, 1895, 1896. 2 v. 17 cm. (Biblioteca de Poetas Americanos).

2ª ed.: [1911].
tomo I:
Advertencia; p. [v]-VIII.
tomo II:
"Viéndose que faltaban en esta colección poesías notables, tanto de algunos de los autores que figuran en el tomo I como de otros, se resolvió a última hora publicar un segundo tomo ..." (*Advertencia,* p. [v]).
Se incluyen noticias biográficas sobre los poetas.

ICC (1ª ed.), BLAA (1ª ed.) / LC (1ª ed.), CU (2ª ed.), UMi (1ª ed.), UCLA (1ª ed.)

MARRIAGA, RAFAEL.

10 poetas del Atlántico. Selección y notas de Rafael Marriaga. Barranquilla, Ediciones Arte, 1950. 126 p. 24 cm.

Síntesis de la poesía en el Atlántico, p. 11-20
Se incluyen noticias sobre los poetas.
ICC, BN

MARTÍN, CARLOS, 1914-

Breve antología, en *Piedra y cielo en la poesía hispanoamericana.* 's-Gravenhage, Van Goor Zonen, [1962], p. [39]-71.

ICC / LC

* MARTÍNEZ MARTÍNEZ, GUILLERMO E.

La poesía en el Valle del Cauca. Cali, Imp. Deptal., 1954. 500 p. 24 cm.

Al lector, p. 9-11.
Prólogo, por Hernando Franco Ramírez, p. 13-15.
El Valle del Cauca: estampa en liricolor, por Lino Gil Jaramillo, p. 15-20.
Otros poetas del Valle del Cauca, p. 437-82. Se incluyen en esta sección de la obra otros poetas clasificados por municipios.
Noticias biográficas sobre casi todos los poetas.

ICC, BN / LC

MAYA BETANCOURT, JAIRO, y SIERRA MEJÍA, RUBÉN.

Salamina: ciudad poesía. [Manizales, Tip. Cervantes, ¿1955?]. 264 p., 2 h., ilus., rets. 22 cm.

La florida cabalgata, por Fernando Duque Macías, s. p.
Notas preliminares, por Los autores, s. p.
"Con esta obra pretendemos bosquejar la historia de la poesía Salamineña. No es una antología, aunque tiene mucho de ello, sino una simple compilación poética, ya que para su elaboración atendimos más a un sentido histórico que literario".
Se incluyen noticias bio-bibliográficas sobre los poetas.

ICC

MAYA, RAFAEL, 1898- *La musa romántica en Colombia* (*Antología poética*) ... *V.* p. 466.

MEDELLÍN (Colombia). *Secretaría de Educación del Sindicato del Sena.*
Poemario. Medellín, 1962. 78 h. ilus. 27 cm. Carece de paginación. Mimeografiado.

Presentación, s. p.: "En este Poemario se realiza un encuentro cordial de voces consagradas ya por el fervor público y de voces nuevas ..."

BLAA

LAS MEJORES poetisas colombianas. Bogotá, Edit. Minerva, [1936]. 141 p. 20 cm. (Selección Samper Ortega, 89).

Se incluyen noticias bio-bibliográficas sobre algunas poetisas.

ICC, BN, BLAA / LC, Y, USC, UCLA

* MENÉNDEZ Y PELAYO, MARCELINO, 1856-1912.
Antología de poetas hispanoamericanos, publicada por la Real Academia Española. Madrid, Est. Tip. "Sucesores de Rivadeneyra", 1894. Colombia: tomo III, I-LXXXII, 252 p. 23 cm.

Reimpresión: Madrid, Tip. de la Revista de Archivos, 1928. 23½ cm.

ICC (1ª ed.), BN (1ª y 2ª ed.), BLAA (1ª ed.) / LC (1ª ed.), Y (1ª ed.), UVa (2ª ed.), KU (2ª ed.), USC (2ª ed.)

LAS MIL mejores poesías colombianas. Novísimo parnaso colombiano. Bogotá, Ediciones Tequendama, [1964]. 480 p. 19½ cm.

Impreso en Madrid, por E. Sánchez Leal, S. A.
Prólogo, p. 7.

BLAA

MONTOYA TORO, JORGE, 1924-

Poetas de Colombia: Antioquia. [Bogotá, Imp. Nacional, 1961]. p. [119]-35. 23½ cm.

Separata de la Revista *Bolívar* (Bogotá), XVI, núm. 59-60 (enero-julio de 1961).

Antioquia, por Jorge Montoya Toro, p. [119]-20.

ICC, BN, BLAA / LC, UCLA

MONTOYA Y MONTOYA, RAFAEL.

Lo inmortal en la poesía colombiana. Medellín, Talleres Gráficos de la Edit. Montoya, [1965]. 304 p. (Ediciones Académicas, XI).

BLAA

* ORTEGA TORRES, JOSÉ JOAQUÍN, *Pbro.,* 1908-

Poesía colombiana, antología de 490 composiciones de 90 autores. Bogotá, Librería Colombiana, 1942. 609 p. 25 cm.

Advertencia, s. p.

Epílogo, por José J. Ortega Torres, p. 601-9.

"Soy el primero en reconocer que no todos los autores aquí incluídos son de idéntico mérito. Pero quise que esos noventa, y más no fueron porque tuve que atenerme a un número determinado de páginas, representaran las distintas tendencias, épocas y escuelas de nuestra literatura, escogiendo, claro está, los nombres más conocidos, los que a pesar de todos los cambios e innovaciones, seguirán viviendo, porque dejaron alguna obra siquiera que resista los embates del tiempo". *(Epílogo,* p. 601-2).

Se incluyen noticias bio-bibliográficas sobre los poetas.

LC, Y, NC

* ORTIZ, JOSÉ JOAQUÍN, 1814-1892.

El parnaso granadino, colección escogida de poesías nacionales ... Bogotá, Imp. de Ancízar, 1848. 1 v. 306 p. 14 cm.

Al lector, p. [3]-4.

"El presente volumen es la primera piedra de un hermoso edificio que alzamos a la gloria de la patria. Estimulada nuestra juventud sacará nuevos sones de la lira granadina; i esta publicación será un palenque abierto al injenio, en donde podrán competir a porfía todos nuestros poetas para alcanzar las palmas de la gloria ...". (*Al lector,* p. [3]).

ICC, BN, BLAA / Y

* ORY, EDUARDO DE.

Parnaso colombiano; selección de poesías de los líricos contemporáneos coleccionadas por Eduardo de Ory ... Prólogo del Dr. Antonio Gómez Restrepo. ... Cádiz, Empresa "España y América", [1914]. 286 p. 19 cm.

Prólogo, por Antonio Gómez Restrepo, p. [7]-26.

Epílogo, por Eduardo de Ory, p. 276-79.

ICC, BLAA / LC, CU, Y

* OTERO MUÑOZ, GUSTAVO, 1894-1957.

Antología de poetas colombianos, 1800-1930. Bogotá, Edit. de Cromos, 1930. XVI, 342 p. 20 cm.

Gesta lírica, por Gustavo Otero Muñoz, p. V-XVI.

"Se halla dividido este libro en cinco partes, conforme a las diversas épocas y a las escuelas literarias que prevalecieron en ellas, a saber: Los clasicistas. Los románticos. Individualistas estéticos. Los modernistas. Los nuevos".

Se incluyen noticias biográficas sobre los poetas.

ICC, BLAA / LC, Dth, UCLA

PALÁU, LISÍMACO, 1857-

Cincuenta poesías selectas de autores colombianos, precedidas del himno nacional, coleccionadas por Lisímaco Paláu, 2ª ed. Bogotá, Imp. Eléctrica, 1912. 120 p.

1ª ed.: Cali, Tip. Moderna, 1912. 117 p.
BN

PALMA Y NIETO, ALONSO DE.

Fiestas reales - certamen literario. Tunja, [1663], en OZÍAS S. RUBIO Y MANUEL BRICEÑO, *Tunja desde su fundación hasta la época presente* ... Bogotá, Imp. Eléctrica, 1909, p. [76]-102.

Parte de este certamen lo trascribe Antonio Gómez Restrepo en *Historia de la literatura colombiana,* I, Bogotá, Imp. Nacional, 1938, p. 79-94.
ICC

[PAREJA, CARLOS H.], 1899-

Los mejores versos de Caro, Fallon, Isaacs. [Buenos Aires, ¿1956?]. 40 p. ilus. 22 cm. (Cuadernillos de Poesía, 25).
LC

— Los mejores versos de Rivera, Castillo, Rash-Isla. Bogotá, La Gran Colombia, [¿1956?]. 40 p. 22 cm. (Cuadernillos de Poesía, 9).
ICC, BN / LC

PARNASO antioqueño. Medellín, Editor Lázaro Gómez, 1917. 166 p. 16 x 12 cm.

Sin consultar. R[aúl] J[iménez] A[rango] comenta esta obra en la sección "Escaparate del bibliófilo", *El Tiempo* - Lecturas Dominicales (Bogotá), junio 9 de 1968, p. 6.

PÉREZ SILVA, VICENTE, 1929-

Este (Encarnación de una curiosa y sonora antología) ... Bogotá, Ediciones Helios, 1964. 59 p. 22½ cm.

"La gestación de esta sencilla antología, — y a fuer de sencilla, curiosa y sonora como la hemos nombrado — [...] data de los últimos años de colegio, cuando en el despertar de nuestras inquietudes literarias, nos deleitábamos a hurtadillas con la prosa y poesía del maestro Rafael Maya". (*Palabras iniciales*, s. p.)

ICC

PIÑEROS CORPAS, JOAQUÍN, 1915-

Antología lírica del Tolima ... Ibagué, Imp. Deptal., [s. f.]. 63 p. 22 cm. (Cuadernillo poético del "Centro de Estudios del Colegio de San Simón").

"Esta «Antología Lírica» está destinada a señalar las cumbres de sensibilidad e inteligencia alcanzadas por los poetas del Tolima, dentro del panorama literario de Colombia". ([*Nota preliminar*], p. 5).

ICC, BN

POEMAS de José Umaña Bernal, Alberto Angel Montoya, Juan Lozano y Lozano ..., en *Cuadernos del Noticiario Colombiano*, núm. 9. Boletín de la Legación de Colombia en Costa Rica ... Costa Rica, [Lehmann], 1940.

LC

Los POETAS (de la naturaleza). Bogotá, Edit. Minerva, [1936]. 306 p. 20 cm. (Selección Samper Ortega de Literatura Colombiana, 84).

Prólogo de Antonio Gómez Restrepo al Parnaso Colombiano de don Eduardo de Ory, p. 5-24.

Se incluyen noticias bio-bibliográficas sobre algunos poetas.

ICC, BN, BLAA / LC, Y, USC

Los POETAS (de la patria). Bogotá, Edit. Minerva, [1936]. 200 p. 20 cm. (Selección Samper Ortega de Literatura Colombiana, 87).

La antología se divide en las siguientes secciones: I. Himno nacional; II. Patria; III. La bandera; IV. Colombia y España; V. La raza; VI. Los héroes; VII. Los próceres; VIII. El libertador; IX. Tierra colombiana; X. Ciudades colombianas.

ICC, BN, BLAA / LC, Y, USC

* Los POETAS (de otras tierras). Bogotá, Edit. Minerva, [1936]. 160 p. 20 cm. (Selección Samper Ortega de Literatura Colombiana, 90).

Antología de traducciones hechas por poetas colombianos. Se incluyen noticias bio-bibliográficas sobre algunos traductores.

ICC, BN, BLAA / LC, Y, USC

* Los POETAS del amor divino. Bogotá, Edit. Minerva, [1936]. 154 p. 20 cm. (Selección Samper Ortega de Literatura Colombiana, 86).

Se incluyen noticias bio-bibliográficas sobre algunos poetas.

ICC, BN, BLAA / LC, Y, USC

Los POETAS del amor y de la mujer. Bogotá, Edit. Minerva, [1936]. 284 p. 20 cm. (Selección Samper Ortega de Literatura Colombiana, 83).

Nuestras antologías, por Gustavo Otero Muñoz, p. 5-40. Se incluyen noticias bio-bibliográficas sobre algunos poetas.

ICC, BN, BLAA / LC, Y, USC

Los POETAS del dolor y de la muerte. Bogotá, Edit. Minerva, [1936]. 203 p. 20 cm. (Selección Samper Ortega de Literatura Colombiana, 82).

Nuestra poesía, por Carlos García Prada, p. 5-33.

ICC, BN, BLAA / LC, Y, USC

* Los POETAS (fábulas y cuentos). Bogotá, Edit. Minerva [1936]. 162 p. 20 cm. (Selección Samper Ortega de Literatura Colombiana, 88).

Se incluyen noticias bio-bibliográficas sobre algunos poetas.

ICC, BN, BLAA / LC, Y, USC

Los POETAS, flores de varia poesía. Bogotá, Edit. Minerva, [1936]. 317 p. 20 cm. (Selección Samper Ortega de Literatura Colombiana, 81).

Noticia general sobre los diez volúmenes de poesía, p. 5-8. "Bajo el título que antiguamente se usó para algunas antologías: *Flores de varia poesía,* se recogieron aquellas composiciones de un carácter general no clasificable dentro de los volúmenes siguientes ...". (*Noticia general* ..., p. 6).

ICC, BN, BLAA / LC, Y, USC

* Los POETAS (ingenios festivos). Bogotá, Edit. Minerva, [1936]. 266 p. 20 cm. (Selección Samper Ortega de Literatura Colombiana, 85).

Se incluyen noticias bio-bibliográficas sobre algunos poetas.

ICC, BN, BLAA / LC, Y, USC

* POMBO, RAFAEL, 1833-1912.

Poesías granadinas escogidas. 2 v. MS. [s. f.], s. p.

BAGR

* PRIMERA antología de poesía boyacense. Tunja, Imp. Deptal., [1960]. 186 p. 18 cm. (Ediciones Esmeralda y Espiga).

"Este libro ha recogido treinta nombres representativos de la lírica regional, la mayoría de los cuales tiene puesto permanente y altísimo en la historia de la literatura colombiana.

Las selecciones poéticas van precedidas de breves y sustanciosos juicios escritos por los más destacados críticos colombianos ..." (*Solapa*).

ICC, BN / LC, USC

* RIVAS GROOT, JOSÉ MARÍA, 1863-1923.

La lira nueva. Selección y prólogo de José María Rivas Groot. Bogotá, Imp. de Medardo Rivas y Cía., 1886. XXIV, 417 p. 20 cm.

Prólogo, por J. Rivas Groot, p. I-XXIV.

ICC, BN / PU

* RIVERA, DAVID.

Indice poético del Huila. Neiva, Imp. Deptal. del Huila, 1957. XXI, 272 p. 28 cm. (Biblioteca de Autores Huilenses, 3).

Indice poético del Huila [*Prólogo*], por Jenaro Díaz Jordán, *Pbro.*, p. VII-XI .

Nota liminar, por David Rivera, p. XIII-XVI.

Pasado, presente y proyecciones futuras de los centros culturales del Huila, por Marcos Puyo Riveros, p. XIX-XXI.

"Este libro, como es de elemental entendimiento y como su mismo titular lo pregona claramente no es una antología sino, sencillamente, un índice de las creaciones poéticas de no pocos de los cantores de esta comarca de la patria". (*Nota liminar,* p. XIII).

Se incluyen noticias biográficas sobre los poetas.

ICC / LC

SALAZAR, HERNANDO.

Parnaso colombiano. [Medellín, Talleres Carpel-Antorcha, s. f.]. 550 p. (Ediciones "Triángulo").

Nota, por El Editor, p. [5]: "... nos hemos preocupado de incluír el mayor número posible de poesías de los autores más populares tales como Flórez, Valencia, Barba Jacob, Rivera, Silva, etc., pues este trabajo tiene una mira eminentemente popular".

Datos biográficos, p. 519-36.

BLAA

* SELECCIÓN Samper Ortega de Literatura Colombiana. Bogotá, Edit. Minerva, [1936]. Sección IX: Poesía v. 81-90.

ICC, BN, BLAA / LC, Y, USC

SÍNTESIS de la poesía colombiana. Antología: 1654-1964. Bogotá, Tip. Estelar, 1964. xv, 299 p. (Colección Síntesis, 1).

Prólogo, por Jaime Mejía Duque, p. v-XIII.

Introducción, por Los Editores, p. XIV-XV.

"Esta antología ha sido reunida con un fin ciertamente necesario: acceder, fuera de Colombia al conocimiento panorámico de la poesía colombiana. Parte del material del volumen es obra de autores del pasado, y otra, la más copiosa, corresponde a poetas vivos cuyas edades se sitúan de los veinte a los sesenta años y cuyas tendencias, formas y calidades son también las más varias". (*Prólogo,* p. v).

Notas biográficas, p. 281-95.

USC

* SOFFIA, JOSÉ ANTONIO, 1843-1885.

Romancero colombiano; homenaje a la memoria del Libertador Simón Bolívar en su primer centenario, 1783-

1883. Bogotá, [Imp. Nacional], 1942. VIII, 295 p. 20 cm. (Biblioteca Popular de Cultura Colombiana, [núm. 18]. Poesía, v. 1).

1ª ed.: Bogotá, Imp. de "La Luz", 1883. 356 p.
2ª ed.: Bogotá, J. J. Pérez, 1889. 446 p.
La ed. de la Biblioteca Popular es reimpresión de la primera.
Introducción, por J. A. Soffia, p. [III]-VIII.

ICC (1ª, 2ª y 3ª eds.), BN (1ª, 2ª y 3ª eds.), BLAA (3ª ed.) / LC (1ª, 2ª y 3ª eds.), CU (3ª ed.), NYPL (2ª ed.)

TOLIMA (Departamento). *Secretaría de Educación.*

Semana cultural tolimense. Recital poético. Ibagué, Imp. Deptal., 1955. 24 p. 24 cm.

BLAA

* VALLE DEL CAUCA. *Dirección de Extensión Cultural.*

La poesía del Valle del Cauca. Prólogo de Alvaro Bonilla Aragón. Cali, Imp. Deptal., 1949. 179 p.

El Prólogo, por Alvaro Bonilla Aragón, p. 9-20.

BN

* VARGAS TAMAYO, JOSÉ, S. J., 1891-

Las cien mejores poesías (líricas) colombianas, escogidas por José Vargas Tamayo, S. J. 2ª ed. Madrid, Sáenz de Jubera, 1924. XIV, 415 p.

1ª ed.: Bogotá, Librería y Tipografía Salesianas, [1919]. 287 p.
Advertencia preliminar, p. VII-XIV.

BN (1ª y 2ª eds.) / LC (1ª ed.), CU (2ª ed.), Dth (2ª ed.), UCLA (1ª y 2ª eds.)

29 POEMAS de Martínez Mutis, Céspedes y Rash-Isla, en *Cuadernos del Noticiario Colombiano,* núm. 12. Boletín

de la Legación de Colombia en Costa Rica ... Costa Rica, [Lehmann], 1940.

Se incluyen noticias bio-bibliográficas sobre los poetas.
LC, PU

VERGARA Y VERGARA, JOSÉ MARÍA, 1831-1872.

Parnaso colombiano ... Bogotá, F. Mantilla, 1867-69. 3 t. en 1 v. rets. 14 cm.

Contenido: - v. I: Poesías del señor J. M. Marroquín, 134 p.; v. II: Poesías del señor Gregorio Gutiérrez González, 106 p.; v. III: Poesías del señor José Caicedo Rojas, 196 p.
ICC (t. III), BLAA, BN

VERSOS de Guillermo Valencia, Víctor M. Londoño, Cornelio Hispano, Max Grillo. Estudio preliminar de Rafael Maya. [Bogotá], Ediciones Colombia, 1925. xxxix, 116 p. 18 cm.

Nota preliminar, por Rafael Maya, p. [v]-xxxix.
BN / LC

* VILLA LÓPEZ, FRANCISCO, 1889-

Poemas de Antioquia. Antioquia y sus poetas. Prólogo de Horacio Franco. Medellín, Edit. y Tip. Bedout, 1962. 417 p. 23 cm.

Antioquia y sus poetas, por Horacio Franco, p. 23-25.
"Este volumen de versos de poetas de Antioquia que ahora se publica bajo la vigilancia estética de un noble y grande espíritu, constituye lo que se llama verdadera y esencialmente una Antología, es decir una escogencia, una selección de creaciones artísticas poéticas que resisten victoriosamente los ácidos de toda crítica, dentro de la perspectiva del tiempo ...". (*Antioquia y sus poetas,* p. 23).
Se incluyen breves noticias bio-bibliográficas sobre los poetas.
LC, PU, USC

VILLEGAS, ANGEL, CAMILO, *Pbro.*, 1891-

Antología poética de Cartagena. 4ª ed. aumentada y corregida. Cartagena, Imp. de "El Marinero", 1960. 4 h. p., 243 p. 23 cm.

1ª ed. con el título: *Cartagena poética de ayer.* Cartagena, Imp. Deptal., 1933. 182 p.

2ª ed. con el título: *Antología poética de Cartagena.* Cartagena, Edit. Atlántida, 1946. 250 p.

3ª ed.: *id.,* Barranquilla, Editora Nacional, 1948. 243 p.
Se incluyen noticias bio-bibliográficas sobre los poetas.

ICC (3ª ed.), BN (2ª y 3ª eds.), BLAA (3ª y 4ª eds.) / LC (1ª ed.)

* ZALAMEA, JORGE, 1905-

Hojas de poesía. Bogotá, [Edit. Antena], 1942-43.

De esta serie se publicaron cerca de trece números.
Se incluyen noticias bio-bibliográficas sobre los poetas.

BN (colección incompleta)

* ZAPATA A., JOSÉ J.

Historia biográfica de la poesía en Antioquia, en *Repertorio Histórico* (Medellín). Organo de la Academia Antioqueña de la Historia, vol. XII, núm. 6 (mayo de 1934), p. 395-779.

Esta antología apareció también en *separata.*
Retazos, por José J. Zapata: I. *Proemio,* p. 397-98; II. *Plan general,* p. 398-400; III. *Raza antioqueña,* p. 400-402.
Los poetas se clasifican en orden cronológico.
Se incluyen noticias bio-bibliográficas sobre los poetas.

LC

B) POESÍA GENERAL

AGRAMONTE, ALBERTO DE.

Las más bellas poesías para recitar; antología universal. Selección de Alberto de Agramonte, 5ª ed. revisada. [Santiago de Chile], Zig-Zag, [1957, c1943]. 475 p. 21 cm. (Colección Poesías).

Prólogo, por Los Editores, p. 9.
BN / LC, PU (6ª ed.)

ALVAREZ GARCÍA, JOHN.

Antología poética. Medellín, Carpel-Antorcha, 1964. 48 p. (Ediciones Carpel Antorcha).

ANTOLOGÍA americana; colección de composiciones escogidas de los más renombrados poetas americanos; ilustraciones de N. Vásquez. Barcelona, Montaner y Simón, 1897. VI, 7, 400 p. ilus. (rets.). 24½ cm. [Biblioteca Universal].

Prólogo, por Los Editores, p. [V]-VI.
"En cuanto al orden de inserción [de los poetas], nos ha parecido que el más lógico y natural era el orden alfabético y a él nos hemos atenido". (*Prólogo,* p. VI).
BLAA / LC, UVa, Y, PU

ANTOLOGÍA caballo de fuego: la poesía del siglo veinte en América y España; incluye modernistas, anti-modernistas, escuelas intermedias vanguardistas, surrealistas, y últimas tendencias; 119 poetas, 220 poemas, notas y estudios críticos. Buenos Aires, Ediciones de la Revista "Caballo de Fuego", 1952. 326 p. 20 cm.

Normas generales observadas en esta antología, p. 5-7.
La clasificación adoptada, p. 13-14: [A. Modernistas; B.

Idealistas y metafísicos; C. Renacentistas hispanos del siglo XX; D. Voces intermedias; E. Vernaculistas y poetas del diario vivir; F, Las tendencias oníricas; G. Americanistas y civilistas].

Algunas de las antologías consultadas, p. 315-19.

LC, UCLA

ANTOLOGÍA de poetas americanos. Barcelona, R. Sopena, [¿1920?]. 2 h. p., [7]-282 p. 18 cm. (Biblioteca Sopena, 78).

Prólogo, por El Editor, p. [7]-13.

Los poetas aparecen agrupados por países.

LC, HU

ANTOLOGÍA de poetas hispanoamericanos. Bogotá, Librería Nueva, [s. f.]. Varias paginaciones. 18 cm. (Selecciones de la "Biblioteca Popular").

Miscelánea de folletos.

Se incluyen noticias biográficas sobre algunos poetas.

BN

ANTOLOGÍA de poetas románticos; prólogo de Manuel de Montoliú. Barcelona, Montaner y Simón, S. A., 1942. xiv p., 1 h., 426 p., 2 h. ilus. 12½ cm.

HU, TU

ANTOLOGÍA del II Congreso de Poesía. [Salamanca, 1953]. 77 p. 25 cm. (Publicaciones de la Diputación Provincial, 10).

Sólo se imprimieron trescientos ejemplares.

LC

ARÍZAGA, REGINALDO MARÍA, 1893-

Valores poéticos de América. Quito, Impreso en la Editora Moderna, 1945-61. 2 v. 22 cm.

vol. I:

Palabras iniciales, por Augusto Arias, p. v-ix.

vol. II:

Dos palabras, por El autor, p. 3-4.

Se incluyen notas críticas sobre los poetas.

LC, PU, USC (v. II)

ARROCHE, CUTBERTO L.

Fauna lírica. México, Lit. y Tip. A. Portilla, 1919. 1 h. p., 72, [2] p. 22½ cm.

Poemas sobre animales.

LC

ARTEAGA, IGNACIO.

Antología bolivariana, poetas de América; selección y prólogo de Ignacio Arteaga ... Valencia, Edit. Actualidad, [¿1943?]. 302 p.

Prólogo: Bolívar en la poesía, por Ignacio Arteaga, p. [xi]-xvii.

"Desfila por estas páginas la figura del Libertador en los momentos más culminantes de su carrera". (*Prólogo,* p. xvii).

BN

BAEZA FLÓREZ, ALBERTO.

Antología de la poesía hispanoamericana. Buenos Aires, Tirso, [1959]. 303 p.

Introducción a la poesía hispanoamericana, por Alberto Baeza Flórez, p. 9-32.

Bibliografía, p. 295.

Antologías por países, p. 297-300.

Se incluyen breves noticias biográficas sobre los poetas.

UCLA

BALBÍN LUCAS, RAFAEL DE.

Poetas modernos (siglos XVIII y XIX). Selección hecha por Rafael de Balbín y Luis Guarner. Madrid, Consejo Superior de Investigaciones Científicas, [1952]. 291 p. 20 cm. (Biblioteca Literaria del Estudiante, t. 8).

LC

BALLAGAS, EMILIO.

Mapa de la poesía negra americana. Buenos Aires, Edit. Pleamar, [1946]. 324 p., ilus., rets. (Colección Mirto).

Poda y espiga de lo negro, p. [7]-13.
Vocabulario, p. 302-13.
La antología consta de las siguientes secciones: Estados Unidos de América, México y Centroamérica; Antillas; Guayana Francesa; Sudamérica; Poesía de motivo negro escrita por españoles.
Se incluyen breves noticias biográficas sobre los poetas.

LC, UCLA

[BAUDIZZONE, LUIS M.].

Lira romántica suramericana ... Buenos Aires, Emecé, 1942. III, [7] p., rets. 18 cm. (Colección Buen Aire, Nº 8).

Los románticos, por [L. M. B.], p. 5-7.
Breve nota sobre los poetas incluídos en esta lira, p. 9-12.

LC, PU

BAYARDO, GLORIA.

Cien poemas escogidos, recitaciones de Gloria Bayardo. [Barcelona], Casa Edit. Maucci, [¿19- ?]. 285 p.

LC

BERDIALES, GERMÁN.

Canciones del arquero; florilegio erótico. [Buenos Aires], Librería Hachette, [1952]. 191 p. 17 cm.

LC

— Cantan los pueblos americanos. [Buenos Aires, Peuser, 1957]. 411 p.

UCLA

— Las cien mejores poesías humorísticas de la lengua castellana. Buenos Aires, Librería Hachette, [1945]. 242 p. 17 cm. (Biblioteca de Bolsillo, 105).

Cuatro breves advertencias, por G. B., s. p.

LC

— Risa y sonrisa de la poesía niña; cien composiciones recitables, flor de lírico humorismo, 3ª ed. Buenos Aires, Edit. Kapelusz y Cía., [¿19-?]. 4 h. p., 11-202 p., ilus. 19½ cm.

LC

BERGUA, JOSÉ.

Las mil mejores poesías de la lengua castellana (1144-1944, ocho siglos de poesía española e hispanoamericana), 9ª ed. Madrid, Ediciones Ibéricas, [1944]. 750 p. 16 cm. [Biblioteca de Bolsillo].

Hay numerosas ediciones de esta antología.

Advertencia, p. 5-8.

Breves indicaciones sobre el arte poético y la versificación, p. [9]-27.

BN (2ª ed.: 1935) / LC (5ª ed.: [1941], 11ª ed.: [1945], 19ª ed.: [1958]), USC (9ª ed.: [1944])

BIBLIOTECA Apolo [s. p. i.], [s. a.].

Información suministrada al autor por el P. José J. Ortega Torres.

ICC (colección incompleta)

BONI DE LA VEGA, ALFREDO.

Hojas de cerezo. Primera antología del haikái hispano. México, [Talleres de la Edit. Jus, S. A.]. 1951.

Presentación, por Alfonso Méndez Plancarte, p. 5-10.

UCLA

BRASCÓ, MIGUEL.

Antología universal de la poesía. Selección y notas de Miguel Brascó. Santa Fe, Argentina, Castelví, [1953]. 349 p. 23 cm.

Prólogo, p. 7-8.

La antología consta de las siguientes secciones: Poetas españoles; Poetas europeos; Poetas norteamericanos; Poetas americanos; Poetas argentinos; Poetas del litoral.

LC

BRUM, BLANCA LUZ, 1913-

21 poetas, 21 pueblos. Buenos Aires, [Edit. "Polo"], 1945. 109 p., ret. 24 cm.

Poemas de 21 poetas americanos.

Prólogo, por B. L. B., p. 7-8.

Se incluyen breves noticias biográficas sobre los poetas.

LC

CABRALES, SIMÓN C.

Ecos de la lira universal; colección de poesías de varios autores, escogidas por Simón Cabrales y Nicolás Pontón ... Bogotá, Imp. de J. M. Lleras, 1877. 20 p. 20 cm.

Apéndice a *Cánticos del Nuevo Mundo,* [4ª ed.], por Fernando Velarde ... Bogotá, Imp. de J. M. Lleras, [1877]. 228 p. 20 cm.

BLAA

* Caillet Bois, Julio.

Antología de la poesía hipanoamericana. Madrid, Aguilar, 1958. 1987 p. ilus. 18 cm.

Advertencia, p. [9]-12.
Prólogo, p. 15-32.
Secciones de la antología: Poesía indígena; Poesía colonial (siglos XVI-XVIII); Poesía de la Independencia (1810-1830); Romanticismo, primer período (1830-1850); Romanticismo, segundo período (1850-1880); Modernismo (1888-1928); Post-modernismo; Poesía contemporánea.
Se incluyen noticias bio-bibliográficas sobre los poetas.

BLAA / LC, PU, USC

Carranza, Eduardo, 1913-

Los grandes poetas americanos. Bogotá, Litografía Colombia, 1944. 94 p. (Colección "Antologías de Sábado").

BN, BLAA

Castillo, Homero, *Antología de poetas modernistas hispanoamericanos* ... *V.* p. 478.

Las cien mejores poesías modernas (líricas) [hispanoamericanas]. Madrid, Edit. Mundo latino, [s. f.]. 2 h. p., 7-200 p. 15 cm.

Advertencia preliminar, p. 5-7.

UCLA

CIEN poesías escogidas. [Seleccionadas por Heráclides D'Acosta], 3ª ed. México, El Libro Español, [1955]. 247 p. (Biblioteca Poética).

UCLA

COESTER, ALFRED LESTER, *An anthology of the modernista movement in Spanish America* ... V. p. 478.

CORTÉS PUENTE, JOSÉ.

Joyas de la poesía castellana; escogidas de entre las producciones de los mejores poetas españoles y americanos por José Cortés Puente ... Contiene esta colección 250 poesías de 140 autores. Buenos Aires, Madrid, J. Roldán y Cía., [¿19-?]. 382 p. 20½ cm.

Advertencia, s. p.

LC

* CORTÉS, JOSÉ DOMINGO, 1839-1884.

América poética. Poesías selectas americanas, con noticias biográficas de los autores, coleccionadas por José Domingo Cortés ... París, Méjico, A. Bouret e hijo [Sceaux-M y P. E. Chabaire], 1875. 5 h. p., [3]-1032 p. 28 cm.

A los lectores americanos, por Los Editores, s. p.

"Continuar y completar [la] historia de las letras americanas, dando a la circulación sus nuevas y más notables composiciones, es el objeto de esta nueva obra que hoy ofrecemos al público".

La antología incluye poetas de y posteriores a la independencia, agrupados por países.

BLAA / LC, Y, UC

— Inspiraciones patrióticas de la América republicana, coleccionadas por José Domingo Cortés. Valparaíso, Imp. de la Patria, 1864. VII, 176 p. 19½ cm.

Y

— Poetisas americanas. Ramillete poético del bello sexo hispanoamericano, recopiladas por José Domingo Cortés. París, Librería de A. Bouret e Hijo, 1875. VIII, 316 p. 16 cm.

LC, Y, UCLA, UC

CORTÉS, MARÍA VICTORIA.

Poesía hispanoamericana. Madrid, Taurus, 1959.

Ficha suministrada por Oscar Echeverri Mejía.

CRAIG, GEORGE DUNDAS, *The modernist trend in Spanish American poetry; a collection of representative poems ...* V. p. 479.

CRISTÓBAL, JUAN.

Los mejores poemas; selección de Juan Cristóbal. Versos para la declamación. [Santiago de Chile], ZigZag, [1940]. 2 h. p., [9]-543 p. 20½ cm. (Colección Poesías).

Cuatro palabras al lector, por J. C., p. [9]-11.

LC

* CUADERNILLOS de poesía de la Revista *Universidad de Antioquia* (Medellín), [Director: Jorge Montoya Toro]. Núm. 1- [1941]-

ICC, BLAA / LC

CHAVARRÍA FLORES, MANUEL.

Canción de cuna; antología. Guatemala, Ministerio de Educación Pública, 1952. 206 p. 21 cm. (Publicaciones de la *Revista del Maestro*).

"Tirada especial correspondiente al Nº 23 de la Revista del Maestro, mayo-junio, 1952".

Esta canción de cuna, por Manuel Chavarría Flórez, p. 9-11.

BN / LC

DENTE, RAFAEL.

Antología poética latinoamericana; selección de Rafael Dente (h). Buenos Aires, Editorial Molino, [1943]. 254, 2 p. 20½ cm. (Clásicos Americanos, [2]).

"Primera edición: febrero de 1943".

Se incluyen breves noticias biográficas sobre los poetas.

LC

* EVIA, JACINTO DE.

Ramillete de varias flores recogidas y cultivadas en los primeros abriles de sus años por el Maestro Xacinto de Evia, natural de Guayaquil, etc. ... Madrid, Imp. de Nicolás de Xamares, 1676. 16 p. sin fol. y 408 p.

Contiene prosa y verso.

"Las poesías de Camargo se leen en el *Ramillete* de Evia, p. 235 a 248, con el título de *Otras flores, aunque pocas, del culto ingenio y floridísimo Poeta el Doctor D. Hernando Domínguez Camargo ...*".

BN de Ch., LC (Microfilme)

FENOCHIO FURLONG, AMAPOLA.

Poetisas de América. [México, 1956]. 120 p. 24 cm.

Introducción, por A. Fenochio Furlong, p. 7-13.

Se incluyen noticias bio-bibliográficas sobre las poetisas.

LC

FERRO, HELLÉN.

Antología comentada de la poesía hispanoamericana. New York, Las Americas Publ. Co., 1965. 455 p.

LC

* FITZMAURICE-KELLY, JAMES.

The Oxford book of Spanish verse. 2nd ed. [reprinted with corrections]. London, Oxford U. Press. 1942. XXXIII, 522 p. 17 cm.

1ª ed.: Oxford, Clarendon Press, 1913.

2ª ed.: by J. B. Trend. Oxford, The Clarendon Press, 1940. 522 p.

Introduction, por J. Fitzmaurice-Kelly, p. V-XXXIII.

Editor's note to second editon, por J. B. Trend, p. XXXIV-XXXIX.

ICC (2ª ed.) / LC (2ª ed.)

* FLORIT, EUGENIO y JIMÉNEZ, JOSÉ OLIVIO.

La poesía hispanoamericana desde el modernismo: Antología, estudio preliminar y notas críticas. New York, Appleton, Century-Crofts, [¿1967?].

LC

FOMBONA PALACIO, MANUEL.

Poetas españoles y americanos. Con composiciones de los señores Hartzenbush, Campoamor, Velarde, Quintana, Martínez de la Rosa, Avellaneda, Arolas, Selgas, Plácido, Zorrilla, Bécquer, Pérez Bonalde, D. R. Hernández, Maitín, Arvelo, Calcaño, Baralt, Camacho, Fombona, Lozano, Pompa, etc. Coleccionada por Manuel Fombona Palacio, 2ª ed. Caracas, L. Puig Ros, 1881. 514 p. 22½ cm.

Y

GALANO, FRANCISCO.

Los grandes poetas. Antología poética universal. Los mejores versos para la declamación. 5ª ed. corr. y muy aumentada. [Santiago de Chile], Zig-Zag, [1947]. 660 p. 22 cm. (Colección Poesías).

La antología se divide en las siguientes secciones: El amor; El hombre; El dolor; Humorísticas; La patria; La naturaleza; El mar; El hogar y la infancia; Populares.

LC

GARCÍA PRADA, CARLOS, 1898-

Escala de sueño. Poema de amor y de esperanza en 132 composiciones de poetas de ayer y de hoy. 2ª ed. Madrid, Ediciones Iberoamericanas "Eisa", 1962. 183 p., 1 h. 19 cm.

1ª ed.: Buenos Aires, Edit. Nuestra América, 1959. 112 p.

Al lector, por C. G. P., p. 5-6.

V. r. de la 2ª ed. por Héctor H. Orjuela, en *Hisp.,* XLVII (December, 1964), p. 877-78.

ICC (1ª y 2ª eds.)

— Leve espuma. Selección de miniaturas líricas españolas e hispanoamericanas. México, Ediciones de Andrea, 1957. 123 p. 21 cm. (Colección Studium, 17).

Leve espuma, por C. G. Prada, p. 7-27.

ICC / LC

* — Poesía de España y América. Madrid, Ediciones Cultura Hispánica, 1958. 2 v. 20 cm. (Colección Poesía de España y América, Nº 25).

Introducción, por Carlos García Prada, v. I, p. 9-80: Se divide en tres secciones: I. Poesía de España y América; II. Historia de nuestra poesía; III. La estética de nuestra poesía.

La antología está organizada en cinco libros de los cuales los dos primeros corresponden a la España anterior al descubrimiento de América y los otros al mundo hispánico.

ICC, AcCol / LC, PU

GARCÍA PRADA, CARLOS, 1898- *Poetas modernistas hispanoamericanos, antología* ... *V.* p. 479.

GARCÍA VELLOSO, ENRIQUE, 1880-

Piedras preciosas, antología poética y arte de la declamación, por Enrique García Velloso ... Buenos Aires, "La Novela Semanal", [etc.], 1923. 191 p. 18 cm.

Al lector, por El Autor, p. 11-16.

LC

GARCÍA MERCADAL, JOSÉ, 1883-

Mil poetas de la lengua española. Adaptación y selección de J. García Mercadal. Madrid, Compañía Bibliográfica Española, [1962]. 1033 p. 18 cm.

Presentación explicativa, s. p.

LC

GARCÍA NIETO, JOSÉ.

Poesía hispanoamericana; de Terrazas a Rubén Darío, [por] José García Nieto y Francisco Tomás Comes. Madrid, Ediciones Cultura Hispánica, 1964. 159 p. 17 cm. (Colección Nuevo Mundo).

Prólogo, p. 7-11.

PU

GIL JARAMILLO, LINO.

Canción de los pobres del mundo; poemas revolucionarios de Rafael Alberti, Nicolás Guillén, Luis Vidales, Antonio García, Otero Silva, etc. Selección, notas y explicaciones de Lino Gil Jaramillo. Bogotá, Colombia, [Ediciones "Pasionaria"], 1937. 110 p. 24 cm.

" ... no es una antología. Es apenas un muestrario de poemas que expresan las inquietudes, las angustias y los anhelos de los trabajadores". (*Aquí se explica el contenido de este cuaderno,* p. 8).

LC

GÓMEZ BRAVO, P. V.

Tesoro poético del siglo XIX. Madrid, Jubera Hnos., 1902. 6 v.

La obra está organizada conforme a las escuelas literarias. No se incluye el modernismo.

LC

GUILLÉN, A[LBERTO].

Poetas jóvenes de América. Madrid, M. Aguilar, 1930. 289 p. 19 cm.

Los poetas se agrupan por países.
Prólogo, por Alberto Guillén, p. [7]-14.

PU, UCLA

GUTIÉRREZ, FERNANDO.

Poesía hispanoamericana. Panoramas. Barcelona, Sayma, 1964. 2 v.

Introducción, por Fernando Gutiérrez, p. 7-13.

LC

* [GUTIÉRREZ, JUAN MARÍA], 1809-1878.

América poética. Colección escojida de composiciones en verso escritas por americanos en el presente siglo. Parte lírica ... Valparaíso, Imp. del Mercurio, 1846. [¿1847]. IX, II-823 p. 26 cm.

Los Editores, p. [V]-IX.
"La América poética se ha publicado en 43 entregas. Apareció en el mes de febrero de 1846 y la última a fines de junio de 1847. Comprende 53 autores; 455 composiciones escojidas de estos — y más de 54.500 versos". (p. 823).

LC

— Poesía americana; composiciones selectas escritas por poetas sud-americanos de fama, tanto modernos como antiguos; publicadas por la Imprenta del Siglo bajo la dirección de D. Juan María Gutiérrez ... Buenos Aires, Imp. del Siglo, 1866-1867. 2 t. en 1 v. 17½ cm.

Poesía americana, por Juan María Gutiérrez, t. I, p. [1]-15.

BLAA

* HENRÍQUEZ UREÑA, PEDRO, 1884-1946.

Antología de la versificación rítmica. [México], Cultura, tomo X, núm. 2, 1919. 91 p.

1ª ed.: San José, Costa Rica, Imp. Alsina, 1918. XVI. 51 p.

Introducción, por Pedro Henríquez Ureña, p. 7-11.

ICC (1ª ed.) / Y (1ª ed.), KU (2ª ed.), UCLA (2ª ed.)

HERRERA DÁVILA, IGNACIO.

Rimas americanas. Habana, 1833.

V. MARCELINO MENÉNDEZ Y PELAYO, *Historia de la poesía hispanoamericana,* I. Madrid, Aldus S. A. de Artes Gráficas, 1948, p. 247.

HERRERA, LUCILO PEDRO.

Antología hispano-americana; poesías. Segunda ed. con los juicios críticos. Buenos Aires, Librería y casa editora de Jesús Menéndez, 1935. 3 h. p., VIII p., [7]-414 p. 20½ cm.

1ª ed. con el título: *Poesías* (antología hispanoamericana). Buenos Aires, Talleres Gráficos Argentinos L. J. Rosso, 1932. 414 p. 20½ cm.

El por qué de esta obra, por L. P. H., p. 2-14.

LC, Y, UVa

* HILLS, ELIJAH CLARENCE, 1867-1932.

Las mejores poesías líricas de la lengua castellana, escogidas por don Elías C. Hills y don Silvano G. Morley. Nueva York, H. Holt y compañía, 1910. IX, 224 p. 19 cm.

Los poetas se agrupan por países.

Prólogo, por E. C. H. y S. G. M., p. III: "Comprende esta selección setenta y seis poesías de las mejores de la lengua castellana".

LC

— Modern Spanish lyrics, ed. with introductions, notes and vocabulary by Clarence Hills ... and S. Griswold Morley ... New York, H. Holt and Co., 1913. LXXXIII, 435 p. 17 cm.

LC, UVa, KU

* INDICE de la nueva poesía americana. Prólogo de Alberto Hidalgo, Vicente Huidobro y Jorge Luis Borges. Buenos Aires, Sociedad de Publicaciones "El Inca", 1926. 280 p. 18 cm.

Prólogo, p. 5-18.

LC, Y, UVa, USC

INFANTE DÍAZ, INOCENCIO.

Sangre rebelde. Antología. Poemas de guerrillas y libertad. [Bogotá, Edit. Excelsior, s. f.]. 101 p. 2 h. ilus. 24 cm.

Prólogo: *Al abrir la puerta,* por Juan Lozano y Lozano, s. p.

LC, USC

JANER Y SOLER, FELIPE.

Selecciones poéticas compiladas y colocadas por Felipe Janer ... New York, [etc.], Silver, Burdett and Co., [c1926]. XXIII, 510, VIII p. 19 cm.

Introduction, por Henry Grattan Doyle, p. III-VIII.

Prefacio, por Felipe Janer, p. XI-XIII.

La antología consta de las siguientes secciones: Poesías patrióticas; Poesías históricas; Poesías humorísticas; Poesías amorosas; Poesías descriptivas; Balada y cantares del hogar; Poesías filosóficas y morales.

LC

JIJENA SÁNCHEZ, LIDIA ROSALÍA, *Poesía popular y tradicional americana* ... *V.* p. 707-708.

JIMÉNEZ-LANDI, ANTONIO.

Selección de poetas hispano-americanos. Madrid, Ediciones Atlas, 1944. 280 p. 19½ cm. [Colección Cisneros, dirigida por d. Ciriaco Pérez Bustamante, 99].

Prólogo, por Antonio Jiménez Landi, p. [5]-7.

Los poetas se agrupan por países.

LC, PU

JIMÉNEZ, JOSÉ OLIVIO.

Cien de las mejores poesías hispanoamericanas. New York, Las Americas Publ. Co., 1965. 207 p.

LC

LAREDO, ALFONSO, 1926-

5 poetas hispanoamericanos en España. Colección de Alfonso Laredo, presentada por Eduardo Carranza. Madrid, Ediciones Cultura Hispánica, 1953. 185 p. 20 cm. (La Encina y el Mar, 14).

PU

LASSUS BLANCO, MABEL C.

Valores de América. Antología de poetas americanos. Montevideo, Editorial Artística Americana, 1949.

— Valores de América. Antología de poetas americanos. Montevideo, Editorial Artística Americana, 1950.

Fichas suministradas por Oscar Echeverri Mejía.

* LATINO, SIMÓN, *seud.* de CARLOS H. PAREJA.

Antología de poesía latinoamericana y española. Selección y notas de Simón Latino. México, Edit. Nuestra América, 1964. 4 v.

Edición en libro de la colección *Cuadernillos de poesía,* publicados desde el año 1943. No se incluyen en esta edición todos los poetas colombianos que aparecen en los *Cuadernillos.*

PU

LAUREL, antología de la poesía moderna en lengua española. México, Editorial Séneca, 1941. 3 h. p., 9-1134 p. 17 cm. (Laberinto).

"La Editorial Séneca confió ... la selección de las poesías ... a los poetas Emilio Prados, Xavier Villaurrutia, Juan Gil-Albert y Octavio Paz".

[*Prólogo*], por Xavier Villaurrutia, p. 9-26.

Notas [bio-bibliográficas], p. 1125-34.

LC, USC

MALLORQUÍ FIGUEROLA, JOSÉ.

Antología poética hispanoamericana; prólogo y selección de José Mallorquí Figuerola. Barcelona, Buenos Aires, Edit. Molino, [¿194-?]. 257, [7] p. 19½ cm. (Colección Literatura Clásica, [17]).

Poesía española: p. 7-156.
Poesía hispanoamericana: p. 157-258.
Antología poética hispanoamericana, por J. Mallorquí Figuerola, p. 5-6.
LC

MARROQUÍN, J[OSÉ] MANUEL y CARRASQUILLA, RICARDO.

Ofrendas del ingenio. Al bazar de los pobres en 1884. Colección de poesías escogidas por J. Manuel Marroquín y Ricardo Carrasquilla. Bogotá, Imp. de Pizano, 1884. VII, 216 p. 18½ cm.

Prólogo, p. V-VII.
ICC, BN

MARTÍNEZ, DAVID, 1921-

Antología de la poesía hispanoamericana: El modernismo. Selección e introducción [por] David Martínez. Notas y vocabulario: Juan Carlos Pellegrini. Buenos Aires, Edit. Huemul, [1964]. 139 p. 18 cm. (Colección Clásicos Huemul, 40).

Introducción, por David Martínez, p. 5-23.
USC

MATUS, EUGENIO.

Poesía hispanoamericana de los siglos XIX y XX; antología de Eugenio Matus. La Habana, Editora del Ministerio de Educación, Edit. Nacional de Cuba, 1963. 2 v. 22 cm.
USC

LAS MEJORES poesías para la declamación; selección de las mejores poesías mundiales para declamar, a base de los programas de Berta Singerman, aumentada con otros numerosos y escogidos poemas. 5ª ed. aumentada. Santiago, Concepción, Chile, Nascimento, 1941. 1 h. p., [5]-343 p. 19½ cm.

Dos palabras, p. [5]-6.

"Tomando por base la mayor parte del feliz repertorio de la artista argentina [...] la Editorial Nascimento ha querido presentar en este volumen, por vez primera en lengua española, una colección de las mejores poesías para la declamación..." (*Dos palabras,* p. 6).

LC

MÉNDEZ PLANCARTE, ALFONSO.

Primor y primavera del "Hai-Kai". México, Abside, 1950. 43 p.

A manera de prólogo, por José J. Tablada, p. 5.

UCLA

MENÉNDEZ BARRIOLA, EMILIO.

Fiesta de trovadores que cantan a la mujer y sus gracias, convocados por Emilio Menéndez Barriola. Buenos Aires, [Imp. Mercatali], 1920. 327 p. 21½ cm.

Acotaciones, por E. M. B., p. [5-6].

LC

MÉXICO (*Distrito Federal*). *Dirección de Acción Cívica, de Reforma Cultural.*

Antología cívica y social. [México], Imp. de la Penitenciaría del Distrito Federal, 1933. 3 h. p., 3-361 p. 32 cm. (Publicación núm. 157).

Al lector, s. p.

LC

MONTES DE OCA, FRANCISCO.

Ocho siglos de poesía en lengua española [Antología]. México, Edit. Porrúa, 1961. 554 p. 22 cm. (Colección "Sepancuantos", 8).

Nota preliminar, p. [VII]-IX.
Indice [biográfico] de poetas incluídos, p. 507-41.
LC

MONTOYA TORO, JORGE, 1924-

Antología del amor apasionado. [Medellín], Horizonte, 1961. 40 p. 21 cm. (Poesía de Siempre. El Arco y la Lira, 25).

— Antología del soneto enamorado ... Medellín, Edit. Horizonte, [¿1957?]. 40 p. 21 cm. (Colección El Arco y La Lira, núm. 9).

— Antología universal de la poesía amorosa. Medellín, Edit. Bedout, [s. a.]. 560 p. 22 cm.

Ficha suministrada por Oscar Echeverri Mejía.
LC

— Poemas de amor impetuoso. Medellín, Horizonte, [1961]. 40 p. 21 cm. (Poesía de Siempre. El Arco y la Lira, 31).

— Poesía de mar y puerto. [Medellín], Horizonte, [1961]. 40 p. 21 cm. (Poesía de Siempre. El Arco y la Lira, 29).

— Ritmos negros y mulatos. [Medellín], Horizonte [1961]. 40 p. 21 cm. (Poesía de Siempre. El Arco y la Lira, 27).

* MORALES, ERNESTO, 1890-

Antología de poetas americanos, congregados por Ernesto Morales. Buenos Aires, Santiago Rueda, [1941]. 838 p. 23½ cm.

Proemio, p. 13-27.
La antología se divide en poetas clásicos, nativistas, románticos y modernos.

ICC, BLAA / LC, USC

MUÑOZ, MATILDE.

Antología de poetisas hispanoamericanas modernas. [Madrid, M. Aguilar, 1946]. 521 p. ret. 13 cm. (Calección Crisol, 169).

Prólogo, por Matilde Muñoz, p. 13-31.
Las poetisas se agrupan por países.

BN / LC

NUEVA poesía hispanoamericana; primer tomo. México, [1956]. [89] p. (Colección Tehuitli, 11).

Introducción, por A. Q., p. [1-2].

LC, UCLA

OLAIZOLA BO, DELIA J.

Antología de poemas para los escolares de Indo-América. Montevideo, [Imp. Atenas], 1941. 3 h. p., 9-445 p. 19 cm.

Explicación, p. [7]: "Esta colección de poemas es una parte del poemario para recitación en las escuelas experimentales de Uruguay y de Venezuela".

"La antología se divide en las siguientes secciones: I. Del hogar; II. De la patria; III. El hombre; IV. Del cielo y de la tierra; V. Flora; VI. Arca de Noé; VII. Adolescencia.

LC

* ONÍS, FEDERICO DE.

Antología de la poesía española e hispanoamericana, 1882-1932. New York, Las Americas Publ. Co., [1961]. xxxv, 1207 p. 22 cm.

1ª ed.: Madrid, [Imp. de la Libr. y Casa Edit. Hernando], 1934. 1212 p.

Introducción, p. [XIII]-XXXV.

La antología se divide en las siguientes secciones: I. Transición del romanticismo al modernismo (1882-1896); II. Rubén Darío; III. Triunfo del modernismo (1896-1905); IV. Juan Ramón Jiménez; V. Postmodernismo (1905-1914); VI. Ultramodernismo (1914-1932).

Se incluyen noticias bio-bibliográficas sobre los poetas.

V. r. de la 1ª ed. por Alfred Coester, en *Hisp.,* XVIII (May, 1935), p. 236-37.

LC (1ª y 2ª eds.), Y (1ª ed.), USC (2ª ed.)

ORTIZ, JOSÉ JOAQUÍN, 1814-1892.

Lecciones de literatura castellana; colección de poesías españolas y americanas por José Joaquín Ortiz ... 2ª ed. Bogotá, Imp. de Echeverría Hnos., 1879. VIII, 414 p. 16 cm.

1ª ed.: Bogotá, Imp. de F. Mantilla, 1866. 358 p.

Advertencia, p. [V]-VIII.

" ... la presente [edición] sale enriquecida con mayor copia de poesías que la anterior, todas de reconocido mérito, por complacer a los lectores que tan favorablemente recibieron la primera". (*Advertencia,* p. VIII).

BLAA (1ª y 2ª eds.), BN (1ª ed.)

* OYUELA, CALIXTO, 1857-

Antología poética hispanoamericana, con notas biográficas y críticas. Buenos Aires, A. Estrada y Cía., 1919-1920. 3 t. en 5 v.

Explicación preliminar, por Calixto Oyuela, t. I, p. XI-XXI.
Se incluyen noticias bio-bibliográficas y notas críticas sobre los poetas.
LC, PU, UVa, WLU, KU, USC, (v. 1, v. 3, pte. 2)

PANERO, LEOPOLDO.

Antología de la poesía hispanoamericana. [Madrid], Editora Nacional, 1944-45. 2 v. 22 cm.

Contenido. - t. 1. Desde sus comienzos hasta Rubén Darío. - t. 2. Desde Rubén Darío hasta nuestros días.
tomo I:
Nota preliminar, por L. P., p. 7-17.
tomo II:
Nota preliminar, por L. P., p. VII-XXIII.
PU, USC

[PAREJA, CARLOS H.], 1900-

Antología de la poesía sexual, de Rubén Darío a hoy. [1ª ed. Buenos Aires, Editorial Nuestra América, 1959]. 204 p. ilus. 22 x 10 cm. (Cuadernillos de Poesía, 40).

Sexo y poesía, por Simón Latino, p. [5]-8.
" ... poemas inspirados, sugeridos o motivados por ese inexpresable instinto que atrae al hombre y a la mujer en un inevitable deseo de fusión, con o sin amor, frecuentemente sin éste". (*Sexo y poesía,* p. [5]).
Se incluyen breves noticias biográficas sobre los poetas.
LC

— Los mejores versos de amor, antología [por Simón Latino, *seud.* Buenos Aires, ¿1956?]. 100 p. ilus. 22 x 10 cm. (Cuadernillos de poesía, 33).

Los poetas del amor, por Simón Latino, p. 1-2.
LC

— Los mejores versos de la poesía negra. [Buenos Aires, 1956]. 40 p., ilus. 22 x 10 cm. (Cuadernillos de poesía, 23).

La poesía negra, por Javier Auqué L., p. 1-2.
Muestrario de poesía negra, por Simón Latino, p. [39]-40.
LC

PEREDA VALDÉS, ILDEFONSO, 1899-
Antología de la poesía negra americana. [Montevideo], B. U. D. A., [1953]. 214 p. 19 cm. (Biblioteca Uruguaya de Autores, Nº 7).

1ª ed.: Santiago de Chile, Edit. Ercilla, 1936.
La poesía negra en América, por Ildefonso Pereda Valdés, p. [5]-11.
La primera ed. no contiene ningún poeta colombiano.
BN (1ª ed.) / LC (2ª ed.)

LA PERLA poética. Colección de las mejores composiciones de los más distinguidos poetas españoles y americanos. Arequipa, J. M. Farfán, Librería General, 1873. 48 p. 30 cm.

Dos palabras, p. 3.
La antología se divide en las siguientes secciones: I. Ecos del alma; II. Himnos patrióticos; III. Ternezas y flores; IV. Canciones y poesías eróticas; V. Epigramas y cantares.
LC

POEMAS de la batalla de Guatemala; antología [mundial a diez años de la intervención norteamericana]. Buenos Aires, Edit. Ancándara, [1964]. 199 p. 18 cm.

Prólogo, por Gregorio Selser, s. p.
"Este libro es en cierto modo una reedición. La mayor parte de los poemas que lo integran fueron publicados en 'GUATEMALA - Tu nombre inmortal' (Ediciones revista de Gua-

temala, auspiciada por la asociación Escuela de Derecho de la Universidad Central de Quito, Ecuador, Editorial Rumiñahui, 1956), pero lo reducido de su tirada hizo que pasara casi desapercibido. Sobre la base de esa edición hemos compuesto ésta, que contiene nuevos aportes, especialmente de poetas argentinos". (*Prólogo*).

USC

POEMS. Miscellany. [Bogotá, 1822-1888]. 19 v. en 1.

Compilación de folletos.

PU

POESÍA hispanoamericana contemporánea (breve antología). Prólogo de Antonio Acevedo Escobedo. México, Secretaría de Educación Pública, 1944. VIII, [9], 94, [2] p. 20 cm. (Biblioteca Enciclopédica Popular, 24).

Los poetas se agrupan por países.

Prólogo, por Antonio Acevedo Escobedo, p. [v]- VIII.

LC, PU, UVa

POESÍAS escogidas. [¿Bogotá, 1885?]. 333 p. 32 x 23 cm. MS.

MS en el Museo Literario de Yerbabuena.

ICC

POESÍAS selectas. Bogotá, Edit. Sucre, 1957. 461 p. 15 cm.

POETAS americanos. Madrid, [Imp. de la Biblioteca Universal], 1880. 190 p. 14½ cm. (Biblioteca Universal. Colección de los mejores autores antiguos y modernos, nacionales y extranjeros, t. LX).

Introducción, p. 5-6.
Se incluyen breves noticias biográficas sobre algunos poetas.
LC, USC

POETAS americanos ... Panamá, A. Aguirre, 1889-1890. 2 t. en 1 v. 16½ cm. (Poesía castellana, v. 1-2).

Al lector, por El Editor, p. [III]-IV.
BLAA

POETAS de América. Museo de Arte Colonial. Bogotá, Prensas de la Biblioteca Nacional, 1946. 36 p. 17 cm. (Universidad Nacional de Colombia. Sección de Extensión Cultural).

[*Prólogo,* p. 5].
ICC, BN

POETAS de la América meridional, colección escogida de poesías de Bello, Berro, Chacón, Echeverría, Figueroa, Lillo, Madrid, Maitín, Mármol, Navarrete y Valdés. Formada por el Dr. Laso de los Vélez ... v. 1. Habana, A. Chao, [etc., etc.], 1875. VIII, 152 p. 16 cm. (Biblioteca Hispano-americana, v. 2).
Y

PORTUGAL, HOMERO DE.

El declamador sin maestro; más de 100 poesías para declamar, 10ª ed. México, Ediciones Lux, [¿1941?]. 1 h. p., [5]-270 p. 17½ cm.

Prólogo, por El autor, p. [5]-6.
LC

— Las mejores poesías de los mejores poetas hispanoamericanos, 1872-1936. México, D. F., Edit. Lux, [¿1937?]. 1 h. p., 5-217 p. 17½ cm.

LC

PUERTO RICO UNIVERSITY. *Superior Educational Council.*

Niños y alas; antología de poemas para niños. Ilus. de Juan M. Sánchez. Tomo I, parte I. Río Piedras, 1958. 288 p. 24 cm. (Trabajos de investigación auspiciados por el Consejo Superior de Enseñanza).

Introducción, por David Cruz López, p. IX-XI.

LC

QUINTANA, LAURENTINO.

Canción de la madre. Antología de Laurentino Quintana. Cali, Edit. América, 1940. 63 p. 20½ cm.

Introducción, por Laurentino Quintana, s. p.

BN

RAMÍREZ, LUIS EDGARDO.

Noche lírica; repertorio poético. Caracas, 1958. 334 p. ilus. 17 cm.

Pórtico, por Enrique Jarnés, s. p.

LC

— Repertorio poético, [3ª ed. corr. y aumentada. Caracas, 1955]. 316 p. ilus. 16 cm.

Luis Edgardo Ramírez, por Francisco Guédez Martínez, p. 7-9.

LC

REINA REGUERA, ALFREDO.

Antología filial, los más bellos poemas a la madre por muy selectos autores. [México, Edit. Reina, 1943]. 1 h. p., [5]-102 p. 20 cm.

LC

RÍOS, ALBERTO DE LOS.

El jardín de los poetas (poesías para recitar) ... Barcelona, B. Bauza, [1924]. 213, VIII p. 18 cm. (Colección Apolo).

Prólogo, por El Editor, p. [5]-6.

LC

RIVAS R. A., JORGE.

Antología de mujeres intelectuales de América. Santiago de los Caballeros, Dominicana, Edit. de Información, 1951. 143 p. ilus. 21 cm.

Introducción, p. [5].

LC

* ROMAGOSA, CARLOS.

Joyas poéticas americanas, colección de poesías escogidas originales de autores nacidos en América, selección hecha por Carlos Romagosa. Córdoba, A. Aveta, 1897. XIX, 695, [1] p. 23 cm.

Y

ROMERO, MARÍA.

Poesía universal (grandes poemas). Selección y ordenación de María Romero. [Santiago de Chile], Zig-Zag, [1950]. 582 p. 21 cm. (Colección Poesías).

Nota preliminar, por Los Editores, p. 7-9.
Notas sobre los poetas: p. 545-57.
PU

RUGELES, MANUEL F., 1904-
Poetas de América cantan a Bolívar. Buenos Aires, Talleres de Pellegrini, 1951. 124 p., 2 h. 20 cm. (Publicaciones de la Embajada de Venezuela).

Apuntes para un estudio sobre la lírica bolivariana, por M. F. R., p. 5-14.
Los poeta se agrupan por países.
LC

RUIZ MEDRANO, JOSÉ.
Lira; antología de la poesía lírica española, hispanoamericana y mexicana. [1ª ed.]. México, Edit. Jus, 1963. 542 p. 19 cm.

Advertencia: p. 7: "Esta antología está destinada al servicio de los jóvenes que inician los estudios literarios ...".
Los poetas se agrupan por países.
LC

RUIZ PEÑA, JUAN.
Antología española. Burgos, Hijos de Santiago Rodríguez, 1952-53. 4 v. 19 cm.

Contiene prosa y verso.
Vol. I:
Pórtico, por Juan Ruiz Peña, p. 7-8.
LC

SALAZAR, HERNANDO.
Poesía popular. Medellín, Colombia, Carpel-Antorcha, 1964. 48 p. (Ediciones Triángulo).

— Poesía popular. Medellín, Colombia, Carpel-Antorcha, 1964. 48 p. (Ediciones Triángulo).

— Poesía popular. Medellín, Colombia, Carpel-Antorcha, 1964. 48 p. (Ediciones Triángulo).
UCLA

SANTOS GONZÁLEZ, C., *Antología de poetas modernistas americanos con un ensayo acerca del modernismo en América* ... V. p. 480.

SAZ SÁNCHEZ, AGUSTÍN DEL.

Antología poética de la lengua española; selección e introducción por Agustín del Saz ... Cádiz, Imp. de M. Alvarez, 1935. 407 p. 21½ cm.

Introducción, por Agustín del Saz, p. [17]-22.
LC

— Antología poética moderna. Poetas españoles e hispanoamericanos de los siglos XIX y XX. Barcelona, Barna, [1948]. 226 p. 19 cm.

Nota preliminar, s. p.
LC

SILVA CASTRO, RAÚL, 1913- *Antología crítica del modernismo hispanoamericano* ... V. p. 480.

SOLAR CORREA, E.

Poetas de Hispanoamérica (1810-1926). Santiago de Chile, Imp. Cervantes, 1926. 300 p. 19½ cm.

Al que lea, por E. S. C., p. [7-9].
"No es obra para escolares ni para eruditos. Sólo anhela este libro vulgarizar — en cierta forma metódica — lo que hay de mejor en la poesía hispanoamericana". (*Al que lea,* p. [7]).
LC, KU, NTSU, UCLA

* TESORO del parnaso americano. Colección de poesías escogidas de los más ilustres poetas de Hispanoamérica. Barcelona, 1903. 2 v.

vol. I: Argentina y Colombia.

Y

LOS TITANES de la poesía universal; los versos que gustan siempre. México, D. F., Edit. Diana, [1951]. 320 p. 20 cm.

1ª ed.: Buenos Aires, Ediciones Anaconda, [1940].

LC (1ª ed), PU

TORRES-RÍOSECO, ARTURO, 1897- *Antología de poetas precursores del modernismo ...* V. p. 480.

* TORUÑO, JUAN FELIPE.

Poesía y poetas de América. Trayecto en ámbitos, fisonomías y posiciones. San Salvador, Imp. Funes, [1944]. XVII, [19]-434 p. 24 cm.

Frases preliminares, por Juan Felipe Toruño, p. [V]-XVII.
Los poetas se agrupan por países.
Se incluyen notas críticas sobre los poetas.

LC, PU

VALLE, RAFAEL HELIODORO, 1891-

La nueva poesía de América. Selecciones de Rafael Heliodoro Valle. [¿México, 1923?]. 32 p. 15½ cm. (La novela semanal de "El Universal Ilustrado").

La poesía de América, por Rafael Heliodoro Valle, p. 1-2.

LC

VALVERDE, JOSÉ MARÍA, 1926-

Antología de la poesía española e hispanoamericana. Ilus. de Will Faber. [1ª ed.]. México, Edit. Renacimiento, [¿1962?]. 2 v. ilus. 25 cm.

Vol. I:

Prefacio editorial, p. V-VI.

Prólogo, por José María Valverde, p. VII-XIII.

LC

VILLA, ALEMANY.

Cofre de armonías. 4ª ed. (perfeccionada). Buenos Aires, A. y G. Casellas, [192-]. 348 p. 19 cm.

Versos para declamar.

Alemany Villa: La declamación y su influencia en el desarrollo de la cultura intelectual, por Arturo Martini, p. [5]-9.

LC

— Chispazos de sol (versos de luz, de arte y de vida), 5ª ed. (perfeccionada). Buenos Aires, A. y G. Casellas, [¿1926?]. 286 p. 19 cm.

Versos para declamar.

Nota de los editores de la 5ª edición, p. 3-4.

LC

VILLANUEVA Y SAAVEDRA, ETELVINA.

Ronda femenina de América; poemas. La Paz, Bolivia, 1953. 413, XIV p. ret. 27 cm.

Presentación, por Vicente Donoso Torres, s. p.

Los poetas se agrupan por países.

PU

* VITIS, MICHAEL ANGELO DE, 1890-

Florilegio del parnaso americano; selectas composiciones, coleccionadas por Michael A. de Vitis ... con un prólogo del Dr. Juan Vicente Ramírez ... Barcelona, Maucci, [¿1927?]. 589 p. 21 cm.

Al lector, por M. A. De Vitis, p. [11]-14.
Se incluyen noticias bio-bibliográficas sobre los poetas.
LC, PU, UCLA

WITTSTEIN, ANITA J. DE.

Poesías de la América meridional. Con noticias biográficas de los autores. Leipzig, F. A. Brockhaus, 1874. x, 339 p. (Colección de Autores Españoles, XXII).

La antología se divide en las siguientes secciones: I. Religión; II. Naturaleza; III. Juventud, amor y amistad; IV. Dolor, desventura y muerte; V. Romances; VI. Poesía jocosa; VII. Homenajes y cantos pariόticos.
Los autores, p. 336-39.
ICC / LC, Y, KU, UCLA

4. ESTUDIOS

A) POESÍA COLOMBIANA

ALBAREDA, GINÉS DE y GARFIAS, FRANCISCO.

[Introducción] a la *Antología de la poesía hispanoamericana: Colombia.* Madrid, Biblioteca Nueva, 1957, p. 9-68.

Reseña general de la evolución de la poesía colombiana. Se divide en las siguientes secciones: Poetas de la conquista; El barroco; El neoclasicismo; El romanticismo; El modernismo; Tendencias actuales.
ICC, AcCol / LC, UVa, USC

ANGEL MONTOYA, ALBERTO, 1903-

Aquellos poetas ..., en *Bol. Cult. y Bibl.* (Bogotá), IX, núm. 7 (1966), p. 1373-84.

Contenido: I. José Asunción Silva; II. Guillermo Valencia; III. Porfirio Barba Jacob; IV. Eduardo Castillo; V. José Eustasio Rivera.

ICC, BN, BLAA / LC, UCLA

ARANGO, GONZALO, 1930-

La poesía nadaísta en Colombia, en *Américas,* XV (December), p. 28-31.

LC / PU

ARANGO FERRER, JAVIER, 1896-

Raíz y desarrollo de la literatura colombiana: Poesía desde las culturas precolombinas hasta la "Gruta Simbólica". Bogotá, Ediciones Lerner, 1965. 503 p. (Academia Colombiana de Historia. Historia Extensa de Colombia, XIX).

"Valga advertir que esta es una obra de vulgarización destinada al colombiano de cultura media. El erudito y el sabio que lleguen a sus páginas, en busca de la propia medida, se habrán equivocado de puerta" (*Al lector,* s. p.).

Bibliografía, p. [485-92].

ICC, BLAA / LC

BLANCO, JULIO ENRIQUE.

La actualidad literaria en Colombia, en *Revista del Museo del Atlántico* (Barranquilla), marzo de 1945, p. 33-37.

Contenido: I. Valencia, traductor de Goethe. - II. Sitio del amor en Meira Delmar. - III. Barba-Jacob, de Jaramillo Meza.

PU

BONILLA, MANUEL ANTONIO, 1872-1947.

De los poetas mayores de Colombia, en *Hemisferio* (México), Junio de 1943, p. 30-31.

PU

BORDA, JOSÉ J. y VERGARA Y VERGARA, JOSÉ MARÍA.

[Prólogo] a *La lira granadina,* colección de poesías nacionales, escojidas i publicadas por José J. Borda y J. M. Vergara y Vergara. Bogotá, Imp. de "El Mosaico", 1860, p. [3-6].

ICC / LC, Y, Dth

BUSTAMANTE, JOSÉ IGNACIO, 1906- *La poesía en Popayán (1536-1954)* ... *V.* p. 514.

CAMACHO ROLDÁN, SALVADOR, 1827-1900.

Introducción a *Poesías de Gregorio Gutiérrez González.* Bogotá, Imp. de M. Rivas, [1881], p. III-LXXV.

LC

* CAPARROSO, CARLOS ARTURO, 1908-

Dos ciclos de lirismo colombiano. Bogotá, Imp. Patriótica del Instituto Caro y Cuervo, 1961. 213 p. 20 cm. (Publicaciones del Instituto Caro y Cuervo. Series Minor, VI).

Presentación, por Rafael Torres Quintero, p. 7-9.

"Trazo en este ensayo de información histórico-crítica, un cuadro a grandes rasgos, de dos ciclos sucesivos de la lírica colombiana: el romántico y el modernista". *(Itinerario,* p. [11]).

Contenido: I. Preludios románticos; II. Los primeros románticos; III. La segunda generación romántica; IV. Líricos independientes; V. La lira nueva; VI. Dos maestros del modernismo; VII. La Gruta Simbólica; VIII. Los líricos del centenario; Bibliografía general.

ICC, BN, BLAA / LC, UCLA

— Los nuevos y la poesía. Bogotá, Edit. Pax, 1960. 20 p. 24 cm.

Discurso pronunciado ante la Academia Colombiana el 2 de mayo de 1960.

Separata del *Boletín de la Academia Colombiana de la Lengua* (Bogotá), X, núm. 35 (1960).

ICC / LC

CARRANZA, EDUARDO, 1913-

En defensa de "Piedra y Cielo", en *El Tiempo* (Bogotá), marzo 17 de 1940.

"A spirited defense of the new poetry as practiced in Colombia". *(Hdbk'*40).

BN

CARRIÓN, ALEJANDRO, 1915-

Un poeta ecuatoriano da examen sobre la nueva poesía de Colombia, en *Continente* (Quito), abril 1 de 1944, p. 3-24.

PU

CARVAJAL, MARIO, 1896-

Emoción del paisaje en los poetas del Valle del Cauca. Bogotá, Imp. "La Luz", 1919.

BN

* CONGRESO DE ACADEMIAS DE LA LENGUA ESPAÑOLA. 3º Bogotá, 1960.

Homenaje a la poesía colombiana. Bogotá, Academia Colombiana de la Lengua, 1960. 51 p. 24 cm.

Contenido: - Presentación, por Carlos López Narváez; *Rafael Pombo,* por Fermín Estrella Gutiérrez (argentino); *José Asunción Silva,* por Julio César Chaves (paraguayo); *Julio Flórez,* por Augusto Arias (ecuatoriano); *Porfirio Barba Jacob,* por Juan B. Jaramillo Meza; *Guillermo Valencia,* por Julio Barrenechea (chileno); *La poesía colombiana,* por Gerardo Diego (español).

ICC

CHARRY LARA, FERNANDO, 1920-

La crisis del verso en Colombia, en *Revista de la Univ. de los Andes* (Bogotá), I, núm. 3 (septiembre de 1959), p. 85-93.

PU

— La nueva poesía colombiana, en *Noticia de Colombia* (México), septiembre de 1941; — *Planalto,* 15 de janeiro, 1942, p. 10 (en portugués).

PU

ECHEVERRI MEJÍA, OSCAR, 1918-

Tres poetas colombianos contemporáneos, en Revista *Bolívar* (Bogotá), X, núm. 48 (octubre de 1957), p. 479-94.

Sobre Jorge Rojas, Helcías Martán Góngora y Eduardo Cote Lamus.

ICC, BN, BLAA / LC

ESPINOSA, GERMÁN.

Poesía 65: Dos generaciones en la liza, en *Letras Colombianas* (Bogotá), núm. 6 (enero-febrero de 1966), p. 39-49.

BLAA

FUENMAYOR, ALFONSO.

Literatura en América. La poesía en Colombia, en *Hemisferio* (México), enero de 1945, p. 45.

PU

GÁLVEZ, J. A.

La poesía en Colombia, en *Revista del Ateneo Hispanoamericano* (Buenos Aires), I (1918), p. 168-78.

LC

* GARCÍA PRADA, CARLOS, 1898-

Introducción a *Antología de líricos colombianos,* I. Bogotá, Imp. Nacional, 1937. (Suplemento de la "Revista de las Indias", Nº 5), p. 9-74.

Parte de este ensayo puede leerse también en: *Nuestra poesía,* Introducción a *Los poetas del dolor y de la muerte,* [1936], p. 5-33. (Selección Samper Ortega, 82) y en *Estudios hispanoamericanos.* México, D. F., El Colegio de México, 1945, con el título *La poesía colombiana.*

ICC / LC

— El paisaje en la poesía de José Eustasio Rivera y José Asunción Silva, en *Hisp.,* XXIII (Feb., 1940), p. 37-48.

LC, PU, USC, UCLA

* GÓMEZ RESTREPO, ANTONIO, 1869-1947.

Prólogo al *Parnaso colombiano* de Ory. Cádiz, Empresa "España y América", [1914], p. [7]-26.

Puede leerse también en: *Los poetas (de la naturaleza)*. Bogotá, Edit. Minerva, [1936], p. 5-24. (Selección Samper Ortega, 84).

ICC, BLAA / LC, CU, Y

HALLIBURTON, CHARLES LLOYD.

La importancia de Colombia en el desarrollo de la poesía hispanoamericana: 1825-1963, en *Bol. Cult. y Bibl.* (Bogotá), VI, núm. 9 (1963), p. 1329-32; núm. 10, p. 1483-1487; núm. 11, p. 1689-91; núm. 12, p. 1863-69; vol. VII, núm. 1 (1964), p. 22-25.

Contiene algunas trads. del mismo autor.

ICC, BN, BLAA / LC, UCLA

HERMIDA PIEDRA, CÉSAR.

Nuestros líricos colombianos, en *Anales de la Universidad del Cauca,* XI, núm. 1 (enero- marzo de 1955), p. 51-74.

PU

HERNÁNDEZ DE ALBA, GUILLERMO, 1906-

Poesía popular y poesía culta ante la emancipación colombiana (1781-1829). Bogotá, Instituto Caro y Cuervo, 1961. 27 p. 24 cm.

Separata de *Thesaurus* (Bogotá), XV (1960).

ICC / LC

JARAMILLO MEZA, J. B., 1892- *El poeta y su comarca* ... *V*. p. 196.

JIMÉNEZ, CARLOS.

The new Colombian poetry, en *Odyssey Review* (New York), II, núm. 3 (September, 1962), p. 69-86.

PU

LÓPEZ DE MESA, LUIS, 1884-

La poesía colombiana, en *Intermedio* (Bogotá), 9 de diciembre de 1956.

BN

LOZANO Y LOZANO, JUAN, 1902-

Los poetas de "Piedra y Cielo", en *El Tiempo* (Bogotá), marzo 3 de 1940.

"... uncompromising attack on the young unorthodox poets of the Bogota group Piedra y Cielo". (*Hdbk*'40).

BN

MADRID-MALO, NÉSTOR, 1918-

Itinerario de la poesía colombiana, en *Revista Interamericana de Bibliografía,* XII (1962), p. 241-52; - *Bol. Cult. y Bibl.* (Bogotá), VIII, núm. 11 (1965), p. 1651-59.

"*Advertencia:* El presente es el texto de una conferencia dictada en la Casa della America Latina de Roma, y redactada teniendo ante todo en mientes que iba dirigido a un público extranjero" (p. 1651).

Panorama de la evolución de la poesía colombiana.

ICC, BN, BLAA / LC, UCLA

* MARGARITA DE BELÉN, *Hermana.*

La poesía religiosa granadino colombiana. [Usaquén Bogotá, D. E., Edit. San Juan Eudes], 1960. 311 p. 24 cm.

Tesis. - Universidad Javeriana. Facultad de Filosofía, Letras y Pedagogía.

ICC / USC

MARTÁN GÓNGORA, HELCÍAS, 1920-

Piedra y Cielo, en *Bol. Cult. y Bibl.* (Bogotá), VI, núm. 7 (1963), p. 1038-1042.

Breve comentario sobre el grupo de Piedra y Cielo.

ICC, BN, BLAA / LC, UCLA

* MARTÍN, CARLOS, 1914-

Piedra y Cielo en la poesía hispanoamericana. 'S-Gravenhage, Van Goor Zonen, [1962]. 77 p. 21½ cm.

Parte de este estudio se publicó en *Espiral* (Bogotá), núm. 85 (diciembre de 1962), p. 7-38.

ICC / LC

MEJÍA ROBLEDO, ALFONSO, 1897-

Improvisadores colombianos en poesía, en Revista *Universidad de Antioquia* (Medellín), febrero-marzo de 1941, p. 589-603.

ICC / PU

MEJÍA DUQUE, JAIME.

Evolución del lenguaje poético en Colombia (1896-1966); aproximaciones a un esquema, en *El Tiempo* - Lecturas Dominicales (Bogotá), octubre 2 de 1966, p. 4; cont. *Ibid.*, octubre 7 de 1966, p. 16.

BN

* MENÉNDEZ Y PELAYO, MARCELINO, 1856-1912.

Introducción a la *Antología de poetas hispanoamericanos,* publicada por la Real Academia Española. Madrid, Est. Tip. "Sucesores de Rivadeneyra", 1894. Colombia: t. III, p. I-LXXXII.

Este estudio se ha reproducido muchas veces. *V.,* por ej.: *Historia de la poesía lírica en Colombia...* 3ª ed. Precedida de una noticia biográfica y literaria. Bogotá, Librería Nueva, 1929. 97 p. (Biblioteca Popular, 182, 183); *La literatura colombiana* [por] Antonio Gómez Restrepo, Juan Valera, Marcelino Menéndez y Pelayo [y] Antonio Rubió y Lluch. Bogotá, Ministerio de Educación Nacional, Ediciones de la Revista *Bolívar,* 1952, p. 251-344.

ICC, BN, BLAA / LC, USC, UCLA

*ORJUELA GÓMEZ, HÉCTOR HUGO, 1930-

Las antologías poéticas de Colombia: Estudio y bibliografía. Bogotá, [Imp. Patriótica del Instituto Caro y Cuervo], 1966. XII, 514 p., 1 h. 23 cm. (Publicaciones del Instituto Caro y Cuervo. Serie Bibliográfica, VI).

ICC, BLAA / LC, PU, USC, UCLA

— Los presidentes poetas de Colombia, en *Hisp.,* XLII, Nº 3 (Sept., 1959), p. 330-35.

ICC / LC, USC, UCLA

* OTERO MUÑOZ, GUSTAVO, 1894-1957.

Nuestras antologías líricas, en *Los poetas del amor y de la mujer.* Bogotá, Edit. Minerva, [1935], p. 5-40. (Selección Samper Ortega, 83).

ICC, BN, BLAA / LC, PU, Y, USC, UCLA

— La poesía en el Valle del Cauca, en *Colombia,* año 1, núm. 10 (octubre de 1944), p. 215-22.

"Jorge Isaacs and other Colombian poets born in the Cauca Valley". *(Hdbk'*44).

BLAA / LC

PACHÓN PADILLA, EDUARDO.

Primera generación de poetas románticos colombianos, en *Bol. Cult. y Bibl.* (Bogotá), IX, núm. 7 (1966), p. 1331-37.

Del libro en preparación *La literatura en Colombia.*

ICC, BN, BLAA / LC, UCLA

PINEDA, R.

Piedra y Cielo, en *El Tiempo* (Bogotá), junio 15 de 1947.

BN, BLAA

QUIÑONES PARDO, OCTAVIO, 1900-1958.

Interpretación de la poesía popular. [Bogotá, Edit. Centro, 1947]. 197 p. 19 cm. (Biblioteca de Folklore Colombiano, I).

ICC

REID, JOHN T.

Una curiosidad métrica en la literatura Colombiana, en Revista *Universidad de Antioquia* (Medellín), enero de 1939, p. 5-16.

ICC / PU

RESTREPO, FÉLIX, S. J., 1887-

La encuesta de la Academia colombiana, en *Bol. Acad. Col.* (Bogotá) VII, núm. 24 (julio-septiembre de 1957), p. 264-69.

ICC / PU

— La poesía en Colombia. Discurso, en *Bol. Acad. Col.* (Bogotá), VII, núm. 24 (junio-septiembre de 1957), p. 245-51.

V. Lozano y Lozano, Juan, 1902- *La imagen poética* ... p. 590.

ICC / PU

— Poesía en Colombia. Estrellas de primera magnitud. Presentación del homenaje que la Academia Colombiana y varios institutos de alta cultura rindieron al Dr. Nicolás Bayona Posada el 17 de junio de 1957, en *Bol. Acad. Col.* (Bogotá) VII, núm. 24 (julio-septiembre de 1957), p. 253-63.

ICC / PU

* RIVAS GROOT, JOSÉ MARÍA, 1863-1923.

Estudio Preliminar, en *Parnaso colombiano,* colección de poesías escogidas por Julio Añez. Bogotá, Librería Colombiana, 1886, tomo I, p. I-LXIX.

"El célebre *Parnaso colombiano* de Añez está precedido de un acertado resumen de la historia literaria nacional, debido al historiador, crítico y novelista don José María Rivas Groot". *(Bbcs).*

ICC, BN, BLAA / LC, Y

ROGGIANO, ALFREDO.

Eduardo Carranza y la nueva poesía colombiana, en Revista *Universidad de Antioquia* (Medellín), XXII, núm. 124 (enero-marzo de 1956), p. 34-55.

ICC / LC, PU

SAMPER PIZANO, DANIEL.

El tema femenino en la poesía colombiana, en *Bol. Cult. y Bibl.* (Bogotá), IX, núm. 3 (1966), p. 497-502.

ICC, BN, BLAA / LC, UCLA

SANÍN CANO, BALDOMERO, 1861-1957.

Actualidades en la poesía colombiana, en *Symposium* (Syracuse), III, Nº 1 (1949), p. 52-65.

LC

VEGA, FERNANDO DE LA, 1892-1952.

Evolución de la lírica en Colombia en el siglo XIX, en *Estudio* (Bucaramanga), XXI, núms. 226-30 (diciembre de 1952) p. 115-23.

Primer capítulo de un libro que quedó inédito.

PU

ZAPATA A., JOSÉ J., *Historia biográfica de la poesía en Antioquia* ... *V.* p. 534.

B) POESÍA GENERAL

ALEGRÍA, FERNANDO.

Ideas estéticas de la poesía moderna. [Santiago], Ediciones Multitud, 1939. 26½ cm.

Bibliografía, p. 16.

LC

ALGUNOS poetas americanos, en *El Eco de Ambos Mundos* (México), II (1873), p. 158-67.

Comentarios sobre poetas hispanoamericanos. Entre ellos: José E. Caro, Rafael Pombo y José María Samper.

LC

ALONSO, AMADO, 1896-1952.

El ideal clásico de la forma poética, en *Sur* (Buenos Aires), núm. 192-94 (oct. - dic. de 1950), p. 42-58.

LC

* — Materia y forma en poesía. Madrid, Edit. Gredos, [1955]. 469 p. 19 cm. (Biblioteca Románica Hispánica, II: Estudios y Ensayos, 17).

2ª ed.: *id.,* 1960. 366 p.

ICC / LC

* ALONSO, DÁMASO, 1898-

Estudios y ensayos gongorinos. Madrid, Edit. Gredos, [1955]. 617 p. 20 cm. (Biblioteca Románica Hispánica, II: Estudios y Ensayos, 18).

ICC / LC

— La lengua poética de Góngora (parte primera corregida) ... Madrid, Instituto Miguel de Cervantes, 1950. 228 p. 24 cm. (Anejos de la Revista de Filología Española, 20).

ICC / LC

— Poesía española. Ensayo de métodos y límites estilísticos ... Madrid, Edit. Gredos, [1957]. 672 p. (Biblioteca Románica Hispánica, II: Estudios y Ensayos, 1).

ICC / LC

ALVAREZ EVEROIX, VIDAL.

Poesía americana, clasicismo - romanticismo; simbolismo - futurismo. Verdaderas escuelas que duraron siglos y caracterizaron épocas. 3ª ed. aumentada. México, Edit. Juventud Americana, 1941. 117 p. 17½ cm.

LC

AMUNÁTEGUI, MIGUEL LUIS, 1828-1888.

Juicio crítico de algunos poetas hispano-americanos, por Miguel Luis i Gregorio Víctor Amunátegui ... Santiago, Imp. del Ferrocarril, 1861. XIV, 388 p., 1 h. 25 cm.

"Obra premiada en el certamen abierto por la Facultad de Filosofía i humanidades de la Universidad de Chile en el año de 1859".

Contiene estudios sobre José Fernández Madrid y José E. Caro.

LC

ARCINIEGAS, GERMÁN, 1900-

La poesía, parte de la historia de América, en *Cuadernos del Congreso por la Libertad de la Cultura* (París), LXXIX (diciembre de 1963), p. 15-18.

"Mentions Sor Juana, Domínguez Camargo and others with comments on the importance of poetry in New World literature". *(Hdbk,* Nº 28).

LC

AUB, MAX, 1903-

La poesía española contemporánea. México, Imp. Universitaria, 1954. 233 p.

USC

AZULA BARRERA, RAFAEL, 1912-

... Poesía de la acción. Bogotá, [Edit. A B C], 1952. 382 p. 20 cm. (Biblioteca de Autores Colombianos, 27).

ICC

* BAJARLÍA, JUAN JACOBO.

Orígenes del vanguardismo en la poesía castellana, en *Atenea* (Chile), año 29, CV, núms. 319-320 (enero-feb. de 1952), p. 96-112.

"Emphasis on Vicente Huidobro's role. Valuable bibliographical references on related isms". *(Hdbk*'52).

LC

— El vanguardismo poético en América y España. Buenos Aires, Perrot, 1957. 48 p. 19 cm. (Colección Nuevo Mundo, 13).

LC, CU, TU

BOUSOÑO, CARLOS.

Teoría de la expresión poética ... Madrid, Edit. Gredos, [1952]. 310 p. 19 cm. (Biblioteca Románica Hispánica, II: Estudios y Ensayos, 7).

ICC / LC

BROOKS, CLEANTH, and WARREN, ROBERT PENN.

Understanding poetry. 3rd. ed. New York, Holt., 1960. 584 p.

"Classic in the field".

LC

CABRALES, LUIS ALBERTO.

Política de Estados Unidos y poesía de Hispano-América. [1ª ed.] Managua, Ministerio de Educación Pública, [1958]. 98 p. 23 cm.

LC

CAICEDO ROJAS, JOSÉ, 1816-1898.

Algo sobre poesía épica nacional, en *El Repertorio Colombiano* (Bogotá), III, núm. 16 (octubre de 1879), p. 258-76.

"No se limita a la reseña de nuestros poetas épicos, sino a los de toda América". (J. J. Ortega Torres).

— Literatura americana - poesía épica, en *Nueva Revista de Buenos Aires,* III (febrero de 1882), p. 350-77.

LC

CARILLA, EMILIO, *El gongorismo en América* ... *V*. p. 455.

COLIN, EDUARDO, 1880-

Verbo selecto; crítica hispano-americana. México, Ediciones México Moderno, 1922. 3 h. p., [11]-109 p., 4 h. 20 cm. (Biblioteca de Autores Mexicanos Modernos).

Contiene ensayo sobre Guillermo Valencia.

LC

* COMETTA MANZONI, AÍDA.

El indio en la poesía de América española. Buenos Aires, J. Torres, 1939. 290 p. 20 cm.

"A significant study. The first 147 pages treat the Indian as seen by colonial poets, both Spanish and Hispanic American; also as portrayed in works of Spanish playwrights such as Tirso de Molina, Lope de Vega and Calderón de la Barca". *(Hdbk' 39)*.

LC, UVa, KU

CORTÉS, JOSÉ DOMINGO, 1839-1884, *Biografía americana, o galería de poetas célebres de Chile, Bolivia, Perú, Ecuador, Nueva Granada,* [etc.] ... *V.* p. 209.

COULTHARD, C. R.

El sentimiento de la naturaleza en la poesía hispanoamericana, en *Atenea* (Chile), XCIX, núms. 305-306 (noviembre-diciembre de 1950), p. 266-98.

"Rapid survey from the inadequacy of Pedro de Oña to the cosmic breadth, deeply rooted in the American soil, of Neruda".

LC

DARMANGEAT, PIERRE.

Introduction à la poésie Ibéro-américaine; présentation et traduction par Pierre Darmangeat et A. D. Tavares Bastos. Paris, Livre du Jour, [1947]. 461 p.

LC

DENIS, S.

El carácter de la poesía latinoamericana, en *Cultura Venezolana* (Caracas), VIII (1921), p. 162-66.

LC

DÍAZ-PLAJA, GUILLERMO, 1903-

Historia de la poesía lírica española. Barcelona, Edit. Labor, 1948. 456 p.

LC

DONOSO GONZÁLEZ, FRANCISCO.

Al margen de la poesía; ensayos sobre poesía moderna e hispano-americana, París, Agencia mundial de librería [c 1927]. 192, [4] p. 18½ cm.

A compilation of essays given by the author at the Universidad Católica, Santiago de Chile, in 1926. (p. [7]).

Contenido: - I. Del concepto de la poesía. - II. Dominios de la poesía. - III. Anotaciones. - IV. De la evolución poética. - V. Del misticismo poético. - VI. Del misticismo poético [en la poesía chilena]. - VII. Influencias europeas en la poesía americana. - IX. Sinopsis de las escuelas de vanguardia. - Apéndice.

LC

FERRO, HELLÉN.

Historia de la poesía hispanoamericana. New York, Las Americas Publishing Co., 1964. 428 p.

LC

FRANCO, ROSA.

Origen de lo erótico en la poesía femenina americana. Buenos Aires, Edit. Stilcograf, 1960. 164 p. 21 cm.

LC

GAYLEY, CHARLES M. and KURTZ, BENJAMIN P.

Methods and materials of literary criticism; lyric, epic and allied forms of poetry ... Boston, New York [etc.], Ginn & Co., [1920]. xi, 911 p. 19½ cm.

LC

GONZÁLEZ-RUANO, CÉSAR.

Literatura americana; ensayos de madrigal y de crítica ... (I. Poetisas modernas). Madrid, [Librería "F. Fe," Imp. de Sáenz Hermanos, 1924]. 139 p. 19 cm.

UC

GUILLÉN, A[LBERTO], *Poetas jóvenes de América ... V.* p. 548.

HAMILTON, CARLOS D.

Nuevo lenguaje poético. De Silva a Neruda. Bogotá, Imp. Patriótica del Instituto Caro y Cuervo, 1965. VIII, 261 p. (Publicaciones del Instituto Caro y Cuervo. Series Minor, X).

"El estudio no se dedica a historiar los movimientos literarios de este período de más de medio siglo, ni al detalle del estudio de la poesía de cada uno de los autores. Presenta, a través de las corrientes y de dieciocho poetas representativos, la evolución del lenguaje de la poesía en la lengua española de las dos orillas del mundo hispánico".

Dedica ensayos a los colombianos José A. Silva, Guillermo Valencia, Porfirio Barba Jacob y Luis C. López.

Bibliografía, p. 247-50.

ICC, BN, BLAA / LC, UCLA

HENRÍQUEZ UREÑA, MAX, 1885-

Les influences françaises sur la poésie hispanoaméricaine. Paris, Institut des Etudes Américaines, [1938]. 12 p. 24 cm.

Se publicó en español en *Revista Iberoamericana* (México), II, núm. 4 (1940), p. 401-17.

LC

[HERNÁNDEZ REDONDO, PEDRO TOMÁS].

Evolución de la poesía lírica hispanoamericana. Santa Cruz de Tenerife (Canarias), Librería y Tipografía Católica, [¿1922?]. 17 p. 15 x 11½ cm.

"Discurso leído por el catedrático de lengua y literatura en la Universidad de San Fernando, D. Tomás Hernández Redondo, en la velada del día 12 de octubre de 1922, en honor de la Fiesta de la raza, en el Instituto general y técnico de La Laguna (Tenerife)".

Menciona varios colombianos: José J. Ortiz, Miguel A. Caro, R. Pombo, Julio Arboleda, G. Gutiérrez González.

LC

HOLGUÍN, ANDRÉS, 1918-

La poesía inconclusa y otros ensayos. Bogotá, Editorial Centro, 1947. 178 p. 25 cm.

"Four of these essays deal with Colombian poetry: Silva, Valencia, Barba-Jacob, Pardo García". *(Hdbk' 47)*.

ICC, BN, BLAA / LC, VMI, CU, Dth

* JARAMILLO MEZA, JUAN BAUTISTA, 1892-

Rubén Darío y otros poetas. [Impresiones personales]. Manizales, Colombia, Imp. Departamental de Caldas, 1947. 294 p. 18 cm.

"Articles on poets, mostly Colombians, personally known to the author". *(Hdbk'47)*.

BN, LC

JIMÉNEZ, JOSÉ OLIVIO.

Contemporary Latin American poetry, en *Chicago Review,* XVII (1965), p. 64-83.

LC

JIMÉNEZ, JUAN RAMÓN, 1881-1958, *El modernismo poético en España y en Hispanoamérica* ... *V*. p. 486.

KERCHVILLE, FRANCIS MONROE.

A study of tendencies in modern and contemporary Spanish poetry from the modernist movement to the present time, by F. M. Kerchville ... Albuquerque, N. M. The U. of New Mexico, 1933. 64 p. 23 cm.

LC

KOLB, GLEN L., 1914-

Some satirical poets of the Spanish American colonial period. Ann Arbor, University Microfilms, 1953.

([University Microfilms, Ann Arbor, Mich.] Publication Nº 5691).

Microfilm copy of typescript. Positive.

Collation of the original: VI, 299 l.

Thesis - University of Michigan.

Abstracted in *Dissertation Abstracts,* v. 13 (1953) Nº 5, p. 811.

Includes bibliographies.

LC

LAMOTHE, LOUIS.

Los mayores poetas latinoamericanos de 1850 a 1950. [México], Libro Mex., 1959. 305 p. 21 cm.

"Since this book begins with a discussion of *modernismo,* the title is either incorrect or it implies a preceding volume, but there is no indication that this one is a second part. Lack of historical perspective and critical discipline go hand in hand with poverty in writing". *(Hdbk,* Nº 23).

LC

LEVIN, SAMUEL R., *Linguistic structures in poetry ... V.* p. 401.

LISCANO, JUAN.

La poesía hispanoamericana en los últimos 15 años. Caracas, Ministerio de Educación, Dirección de Cultura y Bellas Artes, 1959. 30 p. 19 cm.

ICC / LC

LORENZ, ERIKA, 1923-

Der metaphorische Kosmos der modernen spanischen Lyrick (1936-1956) ... Hamburgo, Cramde Gryter, 1961. 4 h. p., 189 p. 25 cm.

V. r. de Kurt Levy, en *Hisp.,* XLVI (March, 1963), p. 182-83.
ICC / LC

LOUGHRAN, ELIZABETH WARD.

Inter-Americanism and Spanish American poetry, en *Hisp.,* XXX (August, 1947), p. 351-57.
ICC / LC, PU, USC, UCLA

LOZANO Y LOZANO, JUAN, 1902-

La imagen poética, en *Bol. Acad. Col.* (Bogotá), VII (1957), p. 227-44.

"Discurso de recepción pronunciado el 6 de agosto de 1957, al tomar posesión de la silla O" [en la Academia Colombiana].
V. La poesía en Colombia, Discurso del R. P. Félix Restrepo en contestación al discurso de Juan Lozano y Lozano, *Ibid.,* p. 245-51.
ICC, BN, BLAA / LC

MARÍN, DIEGO.

Poesía española; estudios y textos, siglos XV al XX. Edited with notes and vocabulary by Diego Marin. México, Ediciones de Andrea, 1958. 500 p. 21 cm. (Antologías Studium, 4).
USC

MARITAIN, JACQUES, 1882-

Situation de la poésie. Paris, Desclée, de Brouwer et Cie., [1938]. 159 p. 20½ cm.

Contenido: Maritain, Raïsa. Sens et non-sens en poésie. Magie, poésie et mystique; Maritain, Jacques. De la connaissance poètique. Le'experience du poète.

LC

MCLENNAN, LUIS JENARO.

Sobre la palabra poética; "explication de texte" y lingüística general. Bogotá, [Imp. Nacional, 1958]. p. 211-22. 24 cm.

Separata de *Studium* (Bogotá), 1, núm. 2-3 (1957).

ICC

MEDELLÍN, CARLOS.

Breves indicios de la poesía indígena precolombina, en Revista *Bolívar* (Bogotá), núm. 42 (agosto de 1955), p. 233-37.

ICC, BN, BLAA / LC

MENÉNDEZ Y PELAYO, MARCELINO, 1856-1912.

Historia de la poesía castellana en la edad media. Madrid, V. Suárez, 1911-16. 3 v. 26 cm. (Obras completas, IV-VI).

USC

* — Historia de la poesía hispanoamericana ... Madrid, Victoriano Suárez, 1911-1913. 2 v.

"Esta historia es la misma *Introducción* a la *Antología de poetas hispanoamericanos* ... En la *Edición Nacional de la obra de Menéndez Pelayo* (Consejo Superior de Investigaciones Científicas), Santander, 1958, ocupa los tomos XXVII y XXVIII".

La *Historia de la poesía hispanoamericana* de M. Menéndez y Pelayo ha tenido varias ediciones.

V. Menéndez y Pelayo, Marcelino, *Antología de poetas hispanoamericanos,* p. 523.

ICC, BLAA / LC, UVa, KU, USC

MENÉNDEZ PIDAL, RAMÓN, 1869-

La epopeya castellana a través de la literatura española. 1ª ed. Madrid, Espasa-Calpe, 1959. 245 p. 22 cm.

— Romancero hispánico (hispano-portugués, americano y sefardí). Teoría e historia. Madrid, Espasa-Calpe, 1953. 2 v. facsíms. 23 cm. (Obras completas, 9-10).

— Los romances de América, y otros estudios. 2ª ed. Buenos Aires, Espasa Calpe Argentina, [1941]. 203 p. 18 cm.

USC

MEZA FUENTES, ROBERTO, 1899-

De Díaz Mirón a Rubén Darío; un curso en la Universidad de Chile sobre la evolución de la poesía hispanoamericana: Salvador Díaz Mirón. - Manuel Gutiérrez Nájera. - José Martí. - José Asunción Silva. - Julián del Casal. - Rubén Darío. Santiago de Chile, Edit. Nascimento, 1940. 2 h. p., [7]-354 p., 1 h. 19½ cm.

LC

* MONGUIÓ, LUIS.

El concepto de poesía en algunos poetas hispanoamericanos representativos, en *Revista Hispánica Moderna,* XXIII, núm. 2 (abril de 1957), p. 109-32.

"Originally and address delivered at the University of Cincinnati. Sampling Hispanic-American poetry in Olmedo, Bello, Heredia, Echeverría, Andrade, Hernández, Prieto, Darío, Valencia, Lugones, Jaimes Freyre, Nervo, Ortiz de Montellano, Neruda, Paz, and Torres Bodet". *(Hdbk,* Nº 21).

LC

— El negro en algunos poetas españoles y americanos anteriores a 1800, en *Revista Iberoamericana* (México), XXII, núm. 44 (julio-diciembre de 1957), p. 245-59.

"A somewhat superficial discussion of the Negro in Hispanic letters, especially in satirical writings. New World works of Ercilla, Castellanos, and notably Sor Juana Inés de la Cruz include references to Negroes and the peculiarities of their speech. Baroque writers indicate more absorption of the Negro in society, while 18th century writers view him sentimentally". *(Hdbk,* Nº 22).

LC, USC, UCLA

MONTERDE, ALBERTO.

La poesía pura en la lírica española. México, Imp. Universitaria, 1953. 160 p. 21 cm.

USC

MORALES, ERNESTO, 1890-

Los niños y la poesía en América. Santiago de Chile, Ediciones Ercilla, 1936. 152 p., 1 h. 22 cm. (Biblioteca América).

Contenido: Los niños; Poesía en América; Literatura folklórica.

LC

NAVARRO, GUSTAVO A.

Poetas - idealistas e idealismo de la América hispana. Prólogo de Gabriela Mistral. La Paz, Bolivia, González y Medina, [1919]. 3 h. p., VI p., 1 h., 193, II p. 21 cm.

Carta prólogo, [por] Gabriela Mistral, p. [I]-VI.
De interés: Comentario sobre José Asunción Silva.
LC

ORJUELA GÓMEZ, HÉCTOR H., 1930-
Rafael Pombo y la poesía antiyanqui de Hispanoamérica, en *Hisp.,* XLV (March, 1962), p. 27-31.
ICC / LC, USC, UCLA

OYUELA, CALIXTO.
Poetas hispanoamericanos. Buenos Aires, Academia Argentina de letras, 1949. 1 v. 274 p.
Reúne las notas recopiladas para su *Antología.*
BN

PAUKER, ELEANOR, *Unamuno y la poesía latinoamericana* ... *V.* p. 424.

PIERCE, FRANCIS W.
La poesía épica del siglo de oro. Madrid, Edit. Gredos, [1961]. 390 p. 20 cm. (Biblioteca Románica Hispánica. Estudios y Ensayos, 51).
Versión castellana de J. C. Cayol de Bethencourt.
ICC / LC

RODRÍGUEZ FERNÁNDEZ, MARIO.
La contrarreforma y la poesía barroca americana, en *Boletín del Instituto de Filología de la Universidad de Chile,* XIV (1962), p. 5-20.
LC

RUSCONI, ALBERTO.

La poesía surrealista, en *Revista Nacional* (Montevideo), LII, núm. 161 (mayo de 1952), p. 230-42.

LC

SAAVEDRA MOLINA, JULIO.

¿Qué es poesía?, en *Atenea* (Chile), LXXII, núm. 232 (octubre de 1944), p. 56-89.

LC

SAINZ DE ROBLES, FEDERICO CARLOS.

Historia y antología de la poesía castellana (del siglo XII al XX). Edición ilustrada con prólogos, notas, vocabularios e índices, por Federico Carlos Sainz de Robles ... Madrid, M. Aguilar, 1946. 1718 p. 18 cm.

Estudio Preliminar, por Federico Carlos Sainz de Robles. 216 p.

En la parte preliminar se menciona a Juan de Castellanos.

ICC

SANÍN ECHEVERRI, JAIME.

La incorporación de América al lenguaje poético, en *Bol. Acad. Col.* (Bogotá), XVII, núm. 57 (abril-mayo de 1967), p. 47 y sgts.

Discurso de posesión de una silla como miembro correspondiente de la Academia Colombiana.

ICC, BN, BLAA / LC

SCHONS, DOROTHY.

Negro poetry in the Americas, en *Hisp.,* XXV (October, 1942). p. 309-19.

ICC / LC, PU, USC, UCLA

SERRA, EDELWEIS.

Poesía hispanoamericana ... Santa Fé, Argentina, Univ. Católica de Santa Fe, Facultad de Letras, 1964. 303 p. (Instituto de Literaturas Hispánicas).

"Contiene ensayo sobre José A. Silva". (*Hdbk*, Nº 28).

V. r. de Francisco L. Lacosta, en *Hisp.*, XLVIII (Sept., 1965), p. 624.

LC

SOBEJANO, GONZALO.

El epíteto en la lírica española. Madrid, Edit. Gredos, [1956]. 502 p. 21 cm. (Biblioteca Románica Hispánica, 2: Estudios y Ensayos, 28).

USC

STAGEBERG, NORMAN C., and ANDERSON, WALLACE L.

Poetry as experience. New York, American Book Co,. 1952. 518 p.

"Excellent for discussions of poetry in general, for an anthology with glossary, and for examples of critical evaluation based on specific poems". (Gardiner H. London).

LC

TANNENBERG, BORIS DE, 1864-1913.

La poésie castillane contemporaine (Espagne et Amérique) par Boris de Tannenberg. Paris, Perrin et Cie., 1889. 330 p., 1 h. 18½ cm.

Contenido. - Premiére Partie - Espagne (p. [11]-221). Deuxiéme partie - Amérique (p. [225]-321). - Appendice (p. [323]-324).

LC

TELLO, JAIME, 1918-

Hacia un nuevo concepto de la poesía, en Revista *Bolívar* (Bogotá), núm. 37 (marzo de 1955), p. 334-51.

Notas críticas al margen de la primera parte de la obra *English Poetry: A critical Introduction.*

Contenido: I. Primacía del significado; II. El poeta y su público; III. Poesía y sociedad; IV. Escuelas de poesía.

ICC, BN, BLAA / LC

UMPHREY, GEORGE W.

El americanismo en los nuevos poetas anglo e hispanoamericanos, en *Hisp.,* V (February, 1922), p. 67-75.

LC, PU, USC, UCLA

UMPHREY, GEORGE W., *Fifty years of modernism in Spanish American poetry* ... *V.* p. 490.

URIBE FERRER, RENÉ, 1918- *Modernismo y poesía contemporánea* ... *V.* p. 490.

* VIDELA, GLORIA.

El ultraísmo: estudios sobre movimientos poéticos de vanguardia en España. Madrid, Edit. Gredos, 1963. 246 p.

V. r. de Howard T. Young, en *Hisp.,* XLVIII (May, 1965), p. 386.

VOSSLER, KARL, 1872-1949.

Poesía simbólica y neo-simbolista, en *Revista Cubana* (Habana), XV (enero-junio de 1941), p. 5-45.

LC

WARDROPPER, BRUCE W., 1919-
Historia de la poesía lírica a lo divino en la cristiandad Occidental. Madrid, Revista de Occidente, [1958], VIII, 344 p. 18 cm.
USC

XIRAU, RAMÓN.
Poesía hispanoamericana y española; ensayos. [1ª ed.] México, Imp. Universitaria, 1961. 169 p. 19 cm.
LC

ZARDOYA, CONCHA.
Poesía española contemporánea; estudios temáticos y estilísticos. Madrid, Ediciones Guadarrama, [1961]. 724 p. 19 cm.
USC

II. NOVELA, CUENTO Y CUADRO DE COSTUMBRES

1. BIBLIOGRAFIAS

A) LITERATURA COLOMBIANA

CATÁLOGO de las novelas neogranadinas, en *El Mosaico* (Bogotá), I, (1859), p. 140.

"Lista de 17 novelas publicadas en Bogotá entre 1843 y 1859. El autor de este artículo anónimo es don José María Vergara y Vergara". *(Bbcs).*

ICC

CORTÁZAR, ROBERTO, 1884-
La novela en Colombia. Apéndice (Lista de novelas colombianas). Bogotá, Imp. Eléctrica, 1908.

"Como complemento al estudio de la novela colombiana, el autor de esta tesis de grado presenta una lista de novelas colombianas publicadas en el siglo pasado y en los primeros años del presente". *(Bbcs).*

NC

* CURCIO ALTAMAR, ANTONIO, 1920-1953, y PÉREZ ORTIZ, RUBÉN, 1914-1964.
Bibliografía de la novela colombiana, en *Evolución de la novela en Colombia,* por Antonio Curcio Altamar. Bogotá, 1957, p. 263-323.

No se incluyen obras de crítica.

ICC, BN, BLAA / LC, UCLA

* ENGLEKIRK, JOHN E., y WADE, GERALD E.
Bibliografía de la novela colombiana. México, 1950. 131 p. 23 cm.

"Excelente trabajo sobre la novela colombiana, debido a dos eruditos investigadores norteamericanos. La bibliografía, prácticamente exhaustiva, incluye una introducción sobre el tema y las informaciones bibliográficas se acompañan por lo general de síntesis de las obras, comentarios y referencias. Publicada también en *Revista Iberoamericana* (México), vol. 15, No. 30 (enero de 1950), p. 309-411". *(Bbcs).*

ICC / LC, BN

LAVERDE AMAYA, ISIDORO, 1852-1903.
Novelas de autores colombianos, en *Apuntes sobre bibliografía colombiana,* Bogotá, Imp. de Zalamea Hnos., 1882, p. 223-29.

"Señala 49 autores y 2 novelas". *(Bbcs).*

ICC, BLAA / LC

* McGrady, Donald.

Adiciones a la bibliografía de la novela colombiana, 1856-1962. Bogotá, Instituto Caro y Cuervo 1965. 18 p. 23 cm.

Separata de *Thesavrvs,* Boletín del Instituto Caro y Cuervo, XX, núm. 1 (1965).

ICC / LC, UCLA

* Pachón Padilla, Eduardo, 1922-

Bibliografía [del cuento colombiano], en SU: *Antología del cuento colombiano,* Bogotá, 1959 (Biblioteca de Autores Colombianos, 112), p. 481-91.

"La Antología comprende 39 autores. La bibliografía contiene autores no seleccionados".

ICC, BN, BLAA / LC, UCLA

b) LITERATURA GENERAL

Antologías del cuento hispanoamericano, en *Letras Nacionales* (Bogotá), núm. 7 (marzo-abril de 1966), p. 24-28.

Registra las principales antologías del cuento hispanoamericano.

ICC, BN / LC

* Matlowsky, Berenice D.

Antologías del cuento hispanoamericano. Guía bibliográfica. Washington, D. C., Unión Panamericana, 1950.

LC, PU

MCGARRY, DANIEL D. and SARAH HARRIMAN WHITE.
Historical fiction guide: Annotated chronological, geographical, and topical list of five thousand selected historical novels. New York, Scarecrow Press, [c1946].
LC

REID, DORCAS WORSLEY, *Latin American novels in English translation* ... *V.* p. 749.

STURGIS, CONY, 1876-
The Spanish world in English fiction. A bibliography ... Boston, The F. W. Faxon Co., 1927. 80 p. 23½ cm. (Useful Reference Series, Nº 34).

"Bibliografía de obras imaginativas, escritas en inglés, de asunto o inspiración hispanoamericana".
LC

WILGUS, ALVA CURTIS, 1897-
Latin America in fiction. A bibliography of books in English for adults. Washington, D. C., Pan American Union, 1941. 35 p. (Bibliographic Series, No. 26).

"Para Colombia, p. 4: se anotan obras sobre Colombia y traducciones de obras colombianas". *(Bbcs).*
LC

2. ANTOLOGIAS Y COMPILACIONES

A) LITERATURA COLOMBIANA

LA AURORA granadina, periódico literario o colección de novelas. Bogotá, Imp. de José A. Cualla, 1848. 63 p.

Colección de cuentos y novelas cortas.
BN

* BORDA, JOSÉ JOAQUÍN, 1835-1878, *comp.*

Cuadros de costumbres; descripciones locales de Colombia; obra escrita por cincuenta literatos, escogida y publicada por José Joaquín Borda ... Bogotá, Imp. de Vargas García Riso Cía., 1878. 378 p. 27 cm.

BN (texto incompleto) / UCLA

BRONX, HUMBERTO, seud., *20 años de novela colombiana ...* *V.* p. 615.

CATORCE prosistas amenos. [Bogotá, Imp. del Depto., 1935]. 260 p., 1 h. 25 cm.

Prólogo: Cuentos para niños, por Tomás O. Eastman, p. [3]-11.

"Contains 47 selections from the following writers: Santiago Pérez Triana, Ricardo Silva, Fermín de Pimentel y Vargas, Tomás Carrasquilla, Jesús del Corral, Efe Gómez, José Ignacio Villegas, Rafael Arango Villegas, Enrique Otero D'Costa, Tomás Calderón, Agustín Nieto Caballero, Luis López de Mesa, Joaquín Uribe, and Ricardo Lleras Codazzi".

BN / LC, PU, CU

COLECCIÓN narradores colombianos de hoy. Bogotá, Imp. Edit. Iqueima, 1961-

[1ª serie]:

Clemente Airó, *9 estampas de alucinado* (Cuentos). 121 p.

Carlos Delgado Nieto, *La frontera* (Novela). 136 p.

Fernando Ponce de León, *La libertad es la mujer* (Tragicomedia en cinco actos). 116 p.

Fernando Soto Aparicio, *Solamente la vida* (Cuentos). 125 p.

Manuel Zapata Olivella, *Cuentos de muerte y libertad.* 175 p.

BLAA

CUADROS de costumbres de Rafael Eliseo Santander, Juan Francisco Ortiz y José Caicedo Rojas. Bogotá, Edit. Minerva, [1936]. 1 h. p., [5]-166 p., 1 h. 20 cm. (Selección Samper Ortega, 22).

Véase Santander, Rafael Eliseo, Ortiz, Juan Francisco y Caicedo Rojas, José, *Cuadros de costumbres,* p. 607.

ICC, BN, BLAA / LC, PU, Y, USC, UCLA

CUADROS de costumbres por los mejores cronistas de la época. [Bogotá, Edit. Minerva], 1925. 158 p., 1 h. 17½ cm. (Ediciones Colombia, 6).

Y

CUENTOS bogotanos. Concurso abierto por Guillermo Torres. Bogotá, [s. editor], 1903. 6 h. 32 x 21½ cm. Copia mecanografiada.

Contenido: Tarde piacce, por Juancho Lento, *seud.* de Rafael Escobar Roa; *Un caso vivido,* por Serapio, *seud.; Manos muertas,* por Federico Rivas Frade.

ICC

CUENTOS infantiles colombianos. [s.p.i.]. 183 p. 17 cm. (Primer festival del Libro Infantil-Ley). *(An'59-60)*

CUENTOS *y versos, segundo concurso literario femenino* ... *V*. p. 249.

GARCÍA MÁRQUEZ, GABRIEL, 1928- *et al.*

Tres cuentos colombianos. Bogotá, Edit. Minerva, 1954. 72 p. 21 cm. (Publicaciones del Departamento de Extensión Cultural del Ministerio de Educación Nacional).

Cuentos de: Gabriel García Márquez, Guillermo Ruiz Rivas y Carlos Arturo Truque.

ICC

HISTORIA natural de los fantasmas. Bogotá, Talleres de Ediciones Colombia, 1926. 155 p., 10 h. 18 cm. (Ediciones Colombia, 18).

Contenido: Crónicas y supersticiones de Santa Fe de Bogotá; Cuentos misteriosos; Leyendas; Crónicas de aparecidos.

ICC

JARAMILLO LONDOÑO, AGUSTÍN, 1923- *Cosecha de cuentos (Del folklore de Antioquia)* ... *V.* p. 704.

EL LIBRO *de Santa Fe; cuadros de costumbres, crónicas y leyendas de Santa Fe de Bogotá* ... *V.* p. 473.

EL LIBRO del veraneo. Bogotá, Talleres de Ediciones Colombia, [1925]. 150 p. 17 cm. (Ediciones Colombia, 12).

Contenido. - Cuadros de costumbres, cuentos, crónicas. - *Yerbabuena,* por José Bermúdez., p. 41.

ICC

LIZCANO ARIAS, CARLOS, *et al.*

Cuentos santandereanos. Bucaramanga, Imp. del Departamento, 1958. 75 p. ilus. 19 cm.

"*Contenido.* - Una aventura anfibia, por Carlos Lizcano. - El milagro, por Guillermo Reyes-Jurado. - Bautismo de fuego, por Pablo Zogobi. - Divino fracaso, por Ernesto Camargo Martínez.

Ganadores del concurso del cuento santandereano, organizado por la Secretaría de Educacción Pública de Santander". (*An*'57-58).

* MEJÍA VALLEJO, MANUEL, 1923- *comp.*
Antología del cuento antioqueño, selecciones de Manuel Mejía Vallejo. [Lima], Editora Popular Panamericana, [1961]. 250 p., 3 h. 17 cm. (Primer Festival de Escritores Antioqueños, 10).
ICC

* LOS MEJORES cuentos colombianos. t. I: Selección de Andrés Holguín. t. II: Selección de Daniel Arango. Lima, Editora Latinoamericana, 1959. 108, 136 p. 17 cm. [Festivales del Libro Colombiano. Biblioteca Básica de Cultura Colombiana].

1er. Festival: t. I:
Cuentos de: Jesús del Corral, Francisco Gómez Escobar, José Restrepo Jaramillo, Enrique Uribe White, Octavio Amórtegui, Jorge Zalamea, Tulio González Vélez, José Francisco Socarrás, Hernando Téllez, Tomás Vargas Osorio, Alejandro Alvarez, Eduardo Caballero Calderón.
2º Festival: t. II:
Cuentos de: Antonio García, Antonio Cardona Jaramillo, Carlos Martín, Jesús Zárate Moreno, Elisa Mujica, Manuel Mejía Vallejo, Pedro Gómez Valderrama, Carlos Arturo Truque, Gabriel García Márquez, Antonio Montaña, Ramiro Montoya.
BLAA

* MUSEO de cuadros de costumbres. Bogotá, Impreso por Foción Mantilla, 1866. 1 h. p., IV, (3)-410, (2) p. 24 cm. (Biblioteca de "El Mosaico").

Prólogo, por los editores, p. [I]-V.
BN / PU, Y

LA NOVELA semanal. Serie ... núm. ... [Barranquilla, Edit. de "La novela semanal", [¿19..?] v. 20½ cm.

Director: Luis Enrique Osorio.
PU

OTROS cuentistas. Bogotá, Edit. Minerva, [1936], 1 h. p., [5]-160 p., 1 h. 20 cm. (Selección Samper Ortega, 20).

"G. Castañeda Aragón, E. Gómez, J. Isaacs, A. López Gómez, L. Tablanca, and J. Vives Guerra".

ICC, BN, BLAA / LC, PU, Y, USC, UCLA

* PACHÓN PADILLA, EDUARDO, 1922-

Antología del cuento colombiano. De Tomás Carrasquilla a Eduardo Arango Piñeres. 39 autores. [Bogotá, Edit. A B C, 1959]. 491 p. 20 cm. (Biblioteca de Autores Colombianos, 112).

"Contiene notas bio-bibliográficas de cada uno de los 39 autores y una bibliografía de autores no incluídos". (*An*'59-60). Importante fuente para el estudio del cuento colombiano.

ICC, BN, BLAA / LC, UCLA

QUIJANO OTERO, JOSÉ MARÍA, LUIS CAPELLA TOLEDO, CAMILO S. DELGADO, Y MANUEL JOSÉ FORERO.

Leyendas. Bogotá. Edit. Minerva, [1936]. 20 cm. 173 p. (Selección Samper Ortega, 38).

ICC, BN, BLAA / LC, PU, Y, USC, UCLA

RIVAS GROOT, JOSÉ MARÍA, y RIVAS GROOT, EVARISTO.

... Cuentos por José María y Evaristo Rivas Groot. [Bogotá, Edit. Minerva, 1936], 1 h. p., [5]-192 p., 1 h. 20 cm. (Selección Samper Ortega, 15).

ICC, BN, BLAA / LC, PU, Y, USC, UCLA

SANTANDER, RAFAEL ELISEO, ORTIZ, JUAN FRANCISCO y CAICEDO ROJAS, JOSÉ.

Cuadros de costumbres. Bogotá, Edit. Minerva, [1936]. 166 p. 20 cm. (Selección Samper Ortega, 22).

Véanse *Cuadros de Costumbres* de Rafael Eliseo Santander *et al.*, p. 603.

ICC, BN, BLAA / LC, PU, Y, USC, UCLA

* SELECCIÓN Samper Ortega de literatura colombiana. Bogotá, Edit. Minerva, [1936]. Sección II: Cuento y novela, vol. 11-20; Sección III: Cuadros de costumbres, vol. 21-30.

ICC, BN, BLAA / LC, PU, Y, USC, UCLA

TRES cuentistas jóvenes: Manuel García Herreros, J. A. Osorio Lizarazo y E. Arias Suárez. Bogotá, Edit. Minerva, [1936]. 169 p. 20 cm. (Selección Samper Ortega, 17).

ICC, BN, BLAA / LC, PU, Y, USC, UCLA

VARIAS cuentistas colombianas. Bogotá, Edit. Minerva,[1936]. 242 p. 20 cm. (Selección Samper Ortega, 11).

"Cuentistas colombianas (p. 5-21), followed by two selections from Josefa Acevedo de Gómez, and one each from Mercedes Párraga de Quijano, Waldina Dávila de Ponce, Soledad Acosta de Samper, Eufemia Cabrera de Borda, Priscila Herrera de Núñez, Herminia Gómez Jaime de Abadía, Concepción Jiménez de Arango, Ester Flórez Alvarez de Sánchez Ramírez, Julia Jimeno de Pertuz, Sofía Ospina de Navarro, Blanca Isaza de Jaramillo Meza, two from María Cárdenas Roa (Luz Stella), María Castello, and Cleonice Nannetti (Ecco Nelly)". *(Hdbk'36)*.

ICC, BN, BLAA / LC, PU, Y, USC, UCLA

* VARIOS cuentistas antioqueños. Bogotá, Edit. Minerva, [1936]. 158 p. 20 cm. (Selección Samper Ortega, 19).

Cuentos de: Samuel Velasco; Jesús del Corral; Pedro Uribe Gómez; Alfonso Castro.

ICC, BN, BLAA / LC, PU, Y, USC, UCLA

* VEINTE y seis cuentos colombianos. Publicados por *El Tiempo*. Bogotá, Editorial Kelly, 1959. 215 p. 22½ cm.

"The best 26 of 515 entries in a short story contest sponsored by *El Tiempo* in 1959. All entries had to treat of a *tema nacional*. The first three stories are winners. They are competently written, but not remarkable. The remainder are inferior". *(Hdbk'*24).

LC

B) LITERATURA GENERAL

ALPERN H. and GUZMÁN D. DE.

Cuatro novelas modernas de la América hispana. Philadelphia, Chilton Books, 1965. 395 p.

Texto escolar. Contiene trozos selectos de *La vorágine* de José E. Rivera.

LC

* ANDERSON IMBERT, ENRIQUE and KIDDLE, LAWRENCE.

Veinte cuentos hispanoamericanos del siglo XX ... New York, Appleton-Century Crofts, 1956. 242 p.

Texto escolar.

The Short Story in Spanish America [reseña sobre el desarrollo del cuento en Hispanoamérica], p. 1-11.

Selecciones de Adel López Gómez y Hernando Téllez.

V. r. de Madaline W. Nichols, en *Hisp.,* XXXIX (September, 1956), p. 375-76.

LC, USC, UCLA

ANTOLOGÍAS *del cuento hispanoamericano* ... *V*. p. 600.

ARRATIA, ALEJANDRO and HAMILTON, CARLOS D.

Diez cuentos hispanoamericanos. New York, Oxford University Press, 1958. xii, 187 p.

No contiene escritores colombianos.

V. r. de Frank Dauster, en *Hisp.*, XLII (March, 1959), p. 140-41.

LC

CAMARGO M., DOMINGO, 1914-

... Cien novelas en una. Epígrafe antológico y argumento sintético de las cien mejores novelas de la literatura universal, junto con la noticia biográfica y respectiva ilustración de cada uno de los autores seleccionados. Bogotá, Edit. "Nuevo Mundo", [1952]. 3 h. p., 210 p., 2 h. rets. 22½ cm. (*An*'51-56)

* FLORES, ANGEL, 1900- *ed.*

Historia y antología del cuento y la novela en Hispanoamérica. New York, Las Americas Publ. Co., [1959]. 696 p. 24 cm.

V. r. de Robert G. Mead, en *Hisp.*, XLII (September, 1959), p. 457-58.

LC

FLORES, ANGEL and DUDLEY POOR, *Fiesta in november* ... *V*. p. 754.

GHIRALDO, ALBERTO, 1874-

Autores americanos (sus mejores cuentos) ... Madrid, V. H. Sanz Calleja, [1917]. v. 19 cm.

LC

* LATCHAM, RICARDO A. *ed.*

Antología del cuento hispanoamericano contemporáneo (1910-1956). Santiago, Zig-Zag, 1958. 450 p.

2nd ed.: *id.,* 1962. 450 p.

"Excelente volumen. Tiene un prólogo breve y notas bio-bibliográficas (p. 17-59). Incluye 66 selecciones, entre las cuales hay algunas de escritores jóvenes de la última generación. Sin duda, un libro utilísimo". (*Hdbk,* Nº 22).

Prólogo [1ª ed.], p. 11-16 [Es un comentario muy general sobre las tendencias y características del cuento en Hispanoamérica].

Colombia, p. 221-45. Selecciones de Efe Gómez, José Restrepo Jaramillo, Adel López Gómez, Hernando Téllez, Pedro Gómez Valderrama y Gabriel García Márquez.

LC, USC, UCLA

* MANZOR, ANTONIO R.

Antología del cuento hispanoamericano. [Santiago de Chile], Zig-Zag, S. A., [1940]. 413 p. 20½ cm.

La antología está organizada por países. *Colombia: El judío errante,* por Clímaco Soto Borda; *El tesoro de Buzagá,* por Enrique Otero D'Costa; *Porvenir,* por Antonio García.

LC

LOS MEJORES cuentos americanos ... coleccionados por V. García Calderón. Barcelona, Maucci [¿1920?]. 285 p., 1 h. 20½ cm. (Colección de escritores americanos, 5).

Colombia: Selecciones de A. Gómez Jaime y J. de Dios Restrepo.

Y

LOS MEJORES cuentos infantiles del mundo. [s. p. i.]. 183 p. 17 cm. (Primer Festival del Libro Infantil-Ley). (*An*'59-60)

* MENTON, SEYMOUR, *comp.*

El cuento hispanoamericano: antología crítico-histórica. México, Fondo de Cultura Económica, 1964. 2 v. (Colección Popular).

"La estructura de esta antología se basa en los distintos movimientos literarios que han marcado la evolución de la literatura hispanoamericana desde la tercera década del siglo XIX ... [La obra] tiene dos propósitos 1) presentar de una manera adecuada lo mejor de la producción cuentística de Hispanoamérica; 2) Propagar un método analítico que tal vez sirva de base para la interpretación y el mayor aprecio de los cuentos que se han escrito y de los que quedan por escribir.

Tales propósitos excluyen naturalmente cualquier intento de dar igual representación a todos los países hispanoamericanos". (*Prólogo,* I, p. 7-8).

Bibliografía, II, p. 321-27.

Para Colombia: Tomás Carrasquilla, I, p. 92-109.

LC, PU, UCLA

MONTERDE GARCÍA ICAZBALCETA, FRANCISCO, 1894- *ed.*

Novelistas hispanoamericanos (del prerromanticismo a la iniciación del realismo), prólogo y selección de Francisco Monterde. México, [Ediciones Mensaje], 1943. 219 p., 1 h. 17½ cm. (Selecciones Hispanoamericanas).

Contiene selecciones de *María,* de Isaacs.

LC, KU, VMI

NAZOA, AQUILES, 1920- *ed.*

Cuentos contemporáneos hispanoamericanos. La Paz, Ediciones Buriball, [1957]. VII, 303 p. ilus. 22 cm. (Colección Popular Boliviana, 1).

LC

PILLEMENT, GEORGES, *Les conteurs hispano-américains* ...
V. p. 759.

QUIJANO, ANÍBAL.

Los mejores cuentos americanos. Lima, Mejía Baca, 1957. 52 p.

LC

* REYES NEVÁREZ, SALVADOR, *ed.*

Novelas selectas de Hispano América, siglo XIX. Dibujos de Elvira Gascón. México, Labor Mexicana, 1959. t. 1, 746 p. ilus. t. 2, 731 p. ilus.

t. I incluye *María,* de Isaacs.

LC

* ROJAS GONZÁLEZ, FRANCISCO, *ed.*

Antología del cuento americano contemporáneo. México, Secretaría de Educación Pública, 1952. 280 p.

"21 cuentos, uno por cada país de América". (*Hdbk*'52).

LC

* SANZ Y DÍAZ, JOSÉ, 1907- *ed.*

Antología de cuentistas hispanoamericanos. Madrid, Aguilar, 1946. 772 p. (Colección Crisol, 152).

2ª ed.: *id.,* 1956. 946 p.

Selecciones de: Soledad Acosta de Samper, J. del Corral, E. Arias Suárez y N. Ramírez.

LC

— Narradores hispanoamericanos, estudio crítico-bibliográfico y selección de José Sanz y Díaz. Barcelona, Ediciones Hynisa, 1942. 493 p. 21 cm.

Prólogo, [por] José Sanz Díaz, p. 5-47.
Colombia, p. 237-55: Tomás Carrasquilla, Jorge Isaacs, José Manuel Marroquín, Juan de Dios Restrepo, José E. Rivera.
LC, KU

TORRES-RÍOSECO, ARTURO, 1897-

Short stories of Latin America. New York, Las Americas Publ. Co., 1963. 203 p.

Trads. de Zoila Nelken. No contiene cuentos de colombianos.
V. r. de Víctor M. Valenzuela, en *Hisp.,* XLVI (September, 1963), p. 671.
LC

TURK, LAUREL HERBERT, 1903- *ed.*

Cuentos y comedias de América, edited by Laurel Herbert Turk [and] Agnes Marie Brady. Boston, Houghton Mifflin, [1950]. xxvii, 318 p. ilus. 21 cm.

Texto escolar.
Contiene selecciones de Germán Arciniegas.
LC

VÁZQUEZ, ALBERTO.

Cuentos de la América española. New York, Longmans, Green Co., 1952. viii, 279 p.

20 cuentistas.
V. r. de Remigio V. Pane, en *Hisp.,* XXXVI (Feb., 1953). p. 122-23.

— Cuentos del sur. New York, Longmans, Green & Co., 1944. vii, 248 p.

Gálvez, Lynch, Hugo Wast, Quiroga, Maluenda, Manuel Rojas.
V. r. de Donald D. Walsh, en *Hisp.,* XXVIII (February, 1954), p. 149-50.
LC

VELÁSQUEZ, R., *Cuentos de la raza negra* ... *V.* p. 717.

3. ESTUDIOS

A) LITERATURA COLOMBIANA

AGUILAR ZULUAGA, HERNANDO.

Rendón y la novela costumbrista, en Revista *Universidad de Antioquia* (Medellín), XXXI, núm. 122 (junio-agosto de 1955), p. 453-62.

ICC / LC

AIRÓ, CLEMENTE.

El presente de la novela y su desarrollo en Colombia, en Revista *Espiral* (Bogotá), núm. 96 (septiembre de 1965).

BLAA

— Pro y contra en la novelística colombiana, en *El Tiempo* - Lecturas Dominicales (Bogotá), 24 de febrero de 1963.

ICC, BN, BLAA

ANDRADE, RAMIRO.

Apuntes sobre la nueva cuentística nacional, en Revista *Bolívar* (Bogotá), XIII, núms. 55-58 (enero-diciembre de 1960), p. 175-80.

"Tres tendencias del género. La obra de Gabriel García Márquez, Antonio Cardona Jaramillo y Carlos Arturo Truque".

ICC, BN, BLAA / LC

— Nueva cuentística nacional; conferencia dictada en el salón de la Biblioteca Pública del Valle. Cali, Imp. La Voz Católica, [1954]. 20 p. 24 cm. (Biblioteca de Escritores Vallecaucanos, 111). (*An*'51-56)

*ARANGO FERRER, JAVIER, 1896-

La novela modernista en Colombia, en *Bol. Cult. y Bibl.* (Bogotá), IV, núm. 9 (septiembre de 1961), p. 801-806.

ICC, BN, BLAA / LC, UCLA

ARAÚJO DE ALBRICHT, HELENA.

El individualismo en la novela colombiana, en *El Tiempo* - Lecturas Dominicales (Bogotá), 20 de junio de 1965.

ICC, BN, BLAA

* BEJARANO DÍAZ, HORACIO.

La novela en Antioquia, en Revista *Universidad Pontificia Bolivariana* (Medellín), XXVI (1964), p. 267-85.

ICC, BLAA

BRONX, HUMBERTO, *seud.* de JAIME SERNA GÓMEZ.

20 años de novela colombiana. [Medellín, Edit. Granamérica, s. f.]. 113 p. (Colección "Academia Antioqueña de Historia").

Parte de la obra es antología.

ICC, BLAA

CAMACHO GUIZADO, EDUARDO, 1937-

Novela colombiana: panorama contemporáneo, en *Letras Nacionales* (Bogotá), núm. 9 (julio-agosto de 1966), p. 19-37.

ICC, BLAA

CASA, ENRIQUE C. DE LA.

La novela antioqueña. México, [Instituto Hispánico de los Estados Unidos], 1942. 99 p. 22½ cm.

Bibliografía, p. 85-99.

"This study, which gives especial consideration to Tomas Carrasquilla, is not exhaustive by any means, but it is a significant contribution to the understanding of prose fiction in Colombia". (*Hdbk*'42).

LC, CU

CORTÁZAR, ROBERTO, 1884-

La novela en Colombia. Bogotá, Imp. Eléctrica, 1908. 112 p.

"El autor estudia en esta tesis de grado la evolución de la novela colombiana en el curso del siglo XIX". (*Bbcs*).

NC

* CURCIO ALTAMAR, ANTONIO, 1920-1953.

Evolución de la novela en Colombia. Bogotá, Instituto Caro y Cuervo, 1957. xxv, 339 p., 3 h. 22 cm. (Publicaciones del Instituto Caro y Cuervo, XL).

Noticia bio-bibliográfica de Antonio Curcio Altamar, por Efraim Rojas Bobadilla, p. VII-XXV.

Contenido: 1ª parte: I. La ausencia de la novela en el Nuevo Reino; II. El elemento novelesco en el poema de Juan de Castellanos; III. El elemento novelesco en la obra de Rodríguez Freile; IV. Literatura de entretenimiento; V. Traducción de una obra novelesca. 2ª *parte*: VI. La novela histórico-romántica; VII. La novela del post-romanticismo; VIII. La novela poemática; IX. La novela costumbrista; X. La novela realista; XI. La novela modernista; XII. La novela terrígena; XIII. La novela contemporánea; Bibliografía de la novela colombiana [en colaboración con Rubén Pérez Ortiz], p. 263-323.

El mejor estudio que existe hasta el presente sobre la novela colombiana.

ICC, BN, BLAA / LC, PU, UCLA

— La novela en la época colonial, en Revista *Bolívar* (Bogotá), marzo de 1952, p. 313-24.

— La novela histórico romántica, en Revista *Bolívar* (Bogotá), noviembre-diciembre de 1952, p. 861-89.

Estudio correspondiente al Capítulo VI de su libro *Evolución de la novela en Colombia.*

ICC, BN, BLAA / PU

* DUFFEY, FRANK M.

The early cuadro de costumbres in Colombia. Chapel Hill, University of North Carolina Press, 1956. XIII, 116 p. 13 cm.

Bibliography, p. [114]-16.

"Estudio dividido en cinco partes, de las cuales las más importantes son la segunda (antecesores del Mosaico) y la cuarta (miembros del Mosaico). Por no ser muchos de los cuadros piezas literarias que resistan un análisis riguroso o por no interesarse el autor en el estudio de valores literarios, este trabajo es principalmente una recopilación de datos para la reconstrucción histórica de un género". (*Hdbk*, Nº 21).

V. r. de Kurt Levy, en *Hisp.*, XL (December, 1957), p. 482.

ICC / LC, PU

IBÁÑEZ, JAIME, 1919- *Al pie de las letras ... V*. p. 331.

IBÁÑEZ, JAIME, 1919-

¿Hay novela en Colombia? No, en *Cromos* (Bogotá), núm. 2294 (26 de junio de 1961).

BLAA

KIRSNER, ROBERT.

Four Colombian novels of *La violencia,* en *Hisp.*, XLIX (1966), p. 70-74.

ICC / LC, PU, USC, UCLA

* LATCHAM, RICARDO A.

Perspectivas de la novela colombiana actual, en *Atenea* (Chile), año 23, LXXXIII, núm. 248 (febrero de 1946), p. 200-35.

"Survey of the outstanding novelists, themes and protagonists of the contemporary Colombian novel: Uribe Piedrahita, Zalamea Borda, Buitrago, Caballero Calderón, Restrepo Jaramillo, Vallejo, Osorio Lizarazo. Also in *Rev. Univ. Cauca,* nº. 9, junio, 1946, p. 131". (*Hdbk*'46).

"Sagaz estudio de la novelística colombiana a partir de *La Vorágine*". (*Bbcs*).

LC, PU

LAVERDE AMAYA, ISIDORO, 1852-1903.

De las novelas colombianas, en *Revista Literaria* (Bogotá), IV, entrega 37 (1893), p. 78-92; entregas 43-44, p. 381-86.

"Anotaciones bibliográficas y críticas sobre la novela colombiana en el siglo XIX". (*Bbcs*).

Primer trabajo publicado sobre la novela colombiana.

BN

LÓPEZ GÓMEZ, ADEL, *El costumbrismo; visión panorámica del cuento costumbrista en la raza antioqueña* ... V. p. 473-74.

LÓPEZ GÓMEZ, ADEL.

Letras de Caldas: El panorama de la cuentística, en *Bol. Cult y Bibl.* (Bogotá), IX, núm. 8 (1966), p. 1578-84.

Comentarios sobre los cuentistas caldenses representativos.

ICC, BN, BLAA / LC, UCLA

* LUQUE VALDERRAMA, LUCÍA.

La novela femenina en Colombia. Bogotá, Pontificia Universidad Católica Javeriana, 1954. 248 p.

Tesis, Facultad de Filosofía, Letras y Pedagogía.

"Extenso estudio de la producción novelística femenina en Colombia durante los siglos XIX y XX. Tras los pequeños ensayos bio-bibliográficos de las primeras 70 páginas, se abre la parte verdaderamente significativa de este libro. En ésta se estudian las obras de un considerable número de escritoras colombianas clasificándolas por géneros y corrientes literarias". (*Hdbk*, Nº 19).

ICC / LC

LLERAS DE LA FUENTE, CARLOS.

La literatura de la violencia (bibliografía), en *Bol. Cult. y Bibl.* (Bogotá), IV, núm. 7 (julio de 1961), p. 659-62.

ICC, BN, BLAA / LC, UCLA

MADRID-MALO, NÉSTOR.

Estado actual de la novela en Colombia, en *Bol. Cult. y Bibl.* (Bogotá), IX, núm. 5 (1966), p. 887-95; núm. 6, p. 1128-33.

Panorama de la novela colombiana desde principios del presente siglo.

ICC, BN, BLAA / LC, UCLA

MARTÍNEZ M., GUILLERMO E., 1916-

Algunos prosistas del Valle del Cauca. [Cali, Imp. del Departamento, 1958]. 188 p. rets. 21 cm. (Biblioteca de Autores Vallecaucanos).

ICC

* MCGRADY, DONALD.

La novela histórica en Colombia 1844-1959. Published for the Institute of Latin American Studies, The University of Texas, Austin. Bogotá, Edit. Kelly, [1962]. 189 p. 22½ cm.

V. r. de John E. Englekirk, en *Hisp.*, XLVII (September, 1964), p. 654-55 y de Héctor H. Orjuela, en *Revista Iberoamericana* (México), XXX, núm. 57 (1964), p. 210-11.

ICC / LC, UCLA

— La novela histórica colombiana de asunto no americano, en *Revista Interamericana de Bibliografía,* vol. XI, núm. 3 (julio-sept., 1961), p. 209-29.

PU

MEJÍA DUQUE, JAIME.

Una pregunta sobre nuestro arte de novelas, en *Bol. Cult. y Bibl.* (Bogotá), VII, núm. 12 (1964), p. 2235-38.

"Quienes están publicando novelas hoy en Colombia, realmente habrán afrontado el esfuerzo de asimilar las lecciones literarias contenidas en las grandes obras del género anterior a nuestra época?". (p. 2235).

El novelista colombiano tiene aún mucho que aprender de los grandes novelistas del pasado.

ICC, BN, BLAA / LC, UCLA

MORENO, DELMIRO.

La novela colombiana, en Revista *Universidad de Antioquia* (Medellín), XXX, núm. 17 (mayo-junio de 1954), p. 298-300.

ICC / LC, PU

MORENO, MAGDA, *Dos novelistas y un pueblo* ... *V.* p. 199.

* PACHÓN PADILLA, EDUARDO, 1922-

Colombia en la cuentística hispanoamericana, en *Letras Nacionales* (Bogotá), núm. 7 (mayo-abril de 1966), p. 17-23.

ICC, BLAA

— El cuento en Colombia, en *Bol. Cult. y Bibl.* (Bogotá), VIII, núm. 2 (1965), p. 181-86.

Contenido: I. Siglo XIX; II. Siglo XX.

Del libro en preparación *La literatura en Colombia.*

ICC, BN, BLAA / LC, UCLA

PARDO TOVAR, ANDRÉS.

El americanismo literario en dos novelas colombianas. (*María. - El Alférez Real*), en *Brújula* (San Juan, Pto. Rico), enero-julio de 1937, p. 94-100.

PU

PIEDRAHITA, IVÁN.

Examen de la novela colombiana contemporánea, en Revista *Universidad Pontificia Bolivariana* (Medellín), XX, núm. 72 (agosto-noviembre de 1954), p. 122-27.

BLAA / PU

POSADA, ENRIQUE.

Notas sobre la novelística colombiana, en *Letras del Ecuador* (Quito), XVI, núms. 122-23 (mayo-agosto de 1961), p. 2-19.

PU

RICARDO T., OTTO, 1935-

Apuntes sobre la novelística colombiana actual, en *Letras Nacionales* (Bogotá), núm. 9 (julio-agosto de 1966), p. 49-56.

ICC, BLAA

RODRÍGUEZ GARAVITO, AGUSTÍN.

Pasión de la novela en Colombia en Revista *Bolívar* (Bogotá), núm. 13 (1952), p. 557-61.

ICC, BN, BLAA / LC

SAMPER PIZANO, DANIEL.

La ciudad, terror de nuestros novelistas, en *El Tiempo* - Lecturas Dominicales (Bogotá), 7 de noviembre de 1965.

ICC, BLAA

SANTOS MOLANO, ENRIQUE.

La novela en Colombia, en *El Tiempo* - Lecturas Dominicales (Bogotá), 3 de septiembre de 1961.

ICC, BLAA

SUÁREZ RONDÓN, GERARDO.

La novela sobre la violencia en Colombia. [Bogotá, Editor Dr. Luis F. Serrano A.], 1966. 153 p.

Contenido: 1ª parte: Diversidad del compromiso; 2ª parte: Evaluación; Bibliografía: A. Novelas con temática de violencia; B. Obras de consulta.

Un estudio revelador de un tema que merece un estudio más extenso y meditado.

BLAA

TELLO, JAIME, 1918-

La novela actual en Colombia, en *Humanismo* (México), III, núm. 25 (noviembre de 1954), p. 85-87.

PU

* WADE, GERALD E.

An introduction to the Colombian novel, en *Hisp.*, XXX (November, 1947), p. 467-83.

ICC / LC, PU, USC, UCLA

— Una introducción a la novela colombiana, en *Rev. de América* (Bogotá), julio-agosto de 1948, p. 67-81.

Versión española del artículo anterior.

ICC, BLAA

* WADE, GERALD E. y ENGLEKIRK, JOHN E.

Introducción a la novela colombiana, en *Revista Iberoamericana* (México), XV, núm. 30 (enero de 1950), p. 231-51.

"Spanish version, revised, of Gerald E. Wade's article *An Introduction to the Colombian Novel*".

LC, PU, USC, UCLA

B) LITERATURA GENERAL

* ALEGRÍA, FERNANDO.

Breve historia de la novela hispanoamericana. México, Ediciones de Andrea, 1959. (Manuales Studium, 10).

2ª ed.: *id.,* 1965.

3ª ed.: con el título *Historia de la novela hispanoamericana, id.,* 1966 (Historia Literaria de Hispanoamérica, I).

"Mi objetivo en este libro ha sido historiar con brevedad los ciento y pico de años de existencia con que cuenta la novela hispanoamericana. La mía es, acaso, la primera tentativa de resumir en forma metódica y en proporciones manuables toda la literatura del género desde sus comienzos en el siglo XIX hasta el presente". (*Prefacio,* p. 5).

Contenido [1ª ed.]: *1ª parte*: Origen y siglo XIX: 1. Orígenes; 2. José J. Fernández de Lizardi; 3. La novela romántica; 4. La novela política argentina; 5. La novela sentimental; 6. El realismo romántico; 7. La novela histórica; 8. La novela de la idealización del indio; 9. El realismo naturalista; *2ª parte:* Siglo XX: Introducción; 1. La novela modernista; 2. La novela de la revolución mexicana; 3. El regionalismo; 4. El neorrealismo, trascendentalismo y otras tendencias (1930 hasta el presente); Bibliografía mínima sobre la novela hispanoamericana.

V. r. de la 1ª ed., por Roberto G. Mead, en *Hisp.,* XLIII (May, 1960), p. 295-96, y de la 3ª ed., por John E. Englekirk, en *Revista Iberoamericana* (México), XXXIII, núm. 63 (enero-junio de 1967), p. 148-55.

LC, PU, USC, UCLA

* ANDERSON, ENRIQUE.

Teoría de la novela realista, en Revista *Universidad de Antioquia* (Medellín), XXXI, núm. 122 (junio-gosto de 1955), p. 396-99.

ICC / LC

ANDRADE COELLO, ALEJANDRO, 1886-

Algo sobre la novela en América del Sur. (A propósito de Jorge Isaacs en el centenario de su nacimiento). Quito, Ecuador, Talleres Gráficos de Educación, 1937. 21 p. 21½ cm.

"A cursory survey. Useful principally for orientation". (*Hdbk'* 37).

LC

— La novela en América (Sus raíces). Quito, Ministerio de Educación, 1941. 49 p. 21 cm.

LC, KU

ARCINIEGAS, GERMÁN, 1900-

La novela y la historia, en *Bol. Hist. Ant.* (Bogotá), XXXIII, núms. 380-82 (1946), p. 428-49.

ICC, BN, BLAA / LC

ASTURIAS, MIGUEL ANGEL.

Originalita e caratteristiche del romanzo latino-americano, en *Terzo Programma* (Roma), Nº 4 (1964), p. 51-74.

LC

BARBAGELATA, HUGO D.

La novela y el cuento en Hispanoamérica. Montevideo, Enrique Miguez y Cía., 1947. 316 p. 24 cm.

"Novelists and short-story writers are grouped by countries and discussed in chronological order up to the year 1940 when the book was written". (*Hdbk'*48).

LC

BEJARANO DÍAZ, HORACIO.

El cuento en español: su origen y su desarrollo, en *Bol. Acad. Col.* (Bogotá), XIII, núm. 46 (febrero-marzo de 1963), p. 5-21.

Discurso de posesión en la Academia Colombiana.

V. Rafael Torres Quintero, *Horacio Bejarano Díaz, el amigo y el académico, Ibid.,* p. 22-27. Discurso para recibir como miembro de número de la Academia Colombiana al Dr. Horacio Bejarano Díaz.

ICC, BN, BLAA / LC

BELLINI, GIUSEPPE, 1923-

La protesta del romanzo ispano-americano del Novecento. [Varese], Cisalpino, [1957]. 80 p. 22 cm.

LC

CABALLERO CALDERÓN, EDUARDO, 1910-

La novela y el mundo de la creación literaria, en *El Tiempo* - Lecturas Dominicales (Bogotá), 21 de abril de 1963.

— Reflexiones y prospectos sobre la novela, en *El Tiempo* - Lecturas Dominicales (Bogotá), 14 de abril de 1963.

ICC, BN, BLAA

CANEVA, RAFAEL.

El realismo crítico y la novela en América, en Revista *Universidad de Antioquia* (Medellín), XXXVI (enero-marzo de 1960), p. 31-32.

ICC / LC

CAPDEVILA, ARTURO.

La gran familia de los Efraínes-Marías, en *Revista Iberoamericana* (México), I (mayo de 1939), p. 137-43.

"Plot of *Maria,* the influence of the novel on youth in Latin America, and hope for another kind of Efrains and Marias who will marry and have children". (*Hdbk*'39).

LC, PU, USC, UCLA

CARSUZÁN, MARÍA EMMA.

La creación en la prosa en España e Hispanoamérica. Buenos Aires, Raigal, 1955. 200 p.

"After surveying the development of prose from Quevedo to Bécquer, the author centers her analysis on the precursors of modern Latin American prose (Martí, Lugones, etc.) and on the cultivators of Argentine fiction (Payró, Cambaceres, etc)". (*Hdbk,* Nº 20).

LC

CENTO MANSO, ISABEL, 1906-

La novela hispanoamericana ... por I. Cento M. ... Santiago de Chile, Nascimento, 1934. 60 p., 1 h. 18 cm. (Cuadernos de Cultura y Enseñanza. Sección Filosofía y Letras, Nº 2).

Menciona a los costumbristas colombianos y a *La Vorágine,* de Rivera.

LC, UVa, KU

* COMETTA MANZONI, AÍDA.

El indio en la novela de América. Buenos Aires, Editorial Futuro, [1960]. 101 p. 20 cm. (Colección Eurindia, 14).

Contenido: Cap. I: El escritor de América frente al drama del indio; Cap. II: el indigenismo en la novela peruana; Cap. III: El problema del indio en la novela boliviana; Cap. IV: La novela del indio ecuatoriano; Cap. V: El indio en la novela mexicana; Cap. VI: El indio en la novela centroamericana; Cap. VII: La novela del indio norteamericano; Cap. VII: Otros escritores que se inspiran en el indio; Conclusión.

De interés: Cap. XIII. *Otros escritores que se inspiran en el indio: Colombia* (p. 94-96) en que se estudia brevemente el papel del indio en *La Vorágine, Toá* y *Tipacoque.*

LC

* CROW, JOHN A.

A critical appraisal of the contemporary Spanish American novel, en *Hisp.,* XXXIV (May, 1951), p. 155-64.

ICC / LC, PU, USC, UCLA

CRUZ, SALVADOR DE LA.

La novela iberoamericana actual. México, Departamento de Divulgación de la Secretaría de Educación Pública, 1956. 98 p., ilus. 24 cm.

"Brevísimos datos y comentarios impresionistas —a veces superficiales o equivocados— sobre novelistas, en la mayoría hispanoamericanos. Se incluyen cinco novelistas españoles". (*Hdbk,* Nº 20).

Incluye comentario sobre Alfonso López Michelsen, p. 72-73.

LC

DÍAZ-PLAJA, GUILLERMO, 1903- *Historia general de las literaturas hispánicas* ... V. p. 311.

DUPLESSIS, GUSTAVO.

Cuatro novelas de la naturaleza en Sud América, en *Revista de la Habana,* año 2, III, núm. 16 (diciembre de 1943), p. 363-71.

"Consideration of Alcides Arguedas' *Raza de Bronce;* Jaime Mendoza's *Paginas Barbaras;* J. E. Rivera's *La Voragine;* and Diomedes de Pereyra's *El Valle del Sol*". (*Hdbk*'43).

LC

ESQUENAZI-MAYO, ROBERTO.

Marginal notes on the twentieth-century Spanish American novel, en *Prairie Schooner* (Lincoln, Nebraska), XXXIX, p. 126-31.

LC

FLORES, ANGEL, *Historia y antología de la novela y el cuento en Hispanoamérica* ... *V.* p. 609.

* FLORES, ANGEL.

La novela y el cuento en Hispanoamérica, en *Et Caetera* (Guadalajara, México), IV, núm. 5 (julio-septiembre de 1953), p. 137-92.

"Critical history of the development of the novel and the short story in Spanish America, followed by an exhaustive year by year chronology". (*Hdbk*'21).

LC

— Magic realism in Spanish American literature, en *Hisp.,* XXXVIII (May, 1955), p. 187-92.

ICC / LC, U, USC, UCLA

FRANKLIN, ALBERT B.

Realidad americana en la novela hispanoamericana, en *Hisp.,* XXII (December, 1939), p. 373-80.

LC, PU, USC, UCLA

Gallegos, Gerardo.

¿Dónde están los personajes de la novela indo-americana? en Revista *Universidad de Antioquia* (Medellín), VIII (1939), p. 85-88.

"The author states that the novelist's mission is to discover the spiritual, moral and physical values of the man of America, representative of a vigorous race in process of growth". (*Hdbk*' 39).

ICC, BLAA / LC

García, Antonio.

La novela del indio y su valor social, en *Rev. de las Indias* (Bogotá), XII, núm. 36 (diciembre de 1941), p. 26-39.

ICC, BLAA

González y Contreras, Gilberto.

Aclaraciones a la novela social americana, en *Revista Iberoamericana* (México), VI, núm. 12 (mayo de 1943), p. 403-18.

"A brilliant analysis of the tendencies of the Latin American novel, with abundant examples of the different classifications". (*Hdbk*'43).

LC, PU, USC, UCLA

Grases, Pedro, 1909-

Dos estudios: Proyección continental de la cultura venezolana en el siglo XIX. De la novela en América. Caracas, [Talleres de la C. A. Artes Gráficas], 1943. 31, [2] p. ilus., (facsím.) 22 cm.

"Dos artículos publicados en la revista *Bitácora*". - p. [5]. "El segundo de los ensayos del presente folleto que ofrezco a mis lectores, es la reflexión suscitada por el conocimiento de la novelística americana".

De interés: II. *De la novela en América,* p. 21-31. [Interpretación de la novela en Hispanoamérica. Menciona a José E. Rivera].

LC

GRISMER, RAYMOND L. and JOHN T. FLANAGAN.

The cult of violence in Latin American short fiction, en *Hisp.,* XXVI (May, 1943), p. 161-70.

LC, PU, USC, UCLA

GUZMÁN, DIEGO RAFAEL DE, 1848-1920.

De la novela, sus orígenes y desenvolvimiento, en *El Repertorio Colombiano* (Bogotá), X, núm. 1 (septiembre de 1883), p. 3-63; — *Selección literaria* ... ed. oficial. Bogotá, Imp. Nacional, 1922, p. 157-210.

"Discurso leído ante la Academia Colombiana el 6 de agosto de 1883. Consideraciones y juicios que muestran la solidez de conocimientos del autor". (J. J. Ortega Torres).

ICC / Y

— De la novela, sus orígenes y desenvolvimiento. Bogotá, Edit. Minerva, [1936]. 170 p. 17 cm.

"Two speeches made before the Academia colombiana over 50 years ago. The first gives the volume its title; the second is 'Importancia del espiritu español en las letras colombianas'". (*Hdbk'*35).

ICC, BN, BLAA / LC, PU, USC, UCLA

HENRÍQUEZ UREÑA, PEDRO, 1884-1946, *Obra crítica* ... *V.* p. 366.

HOGAN, MARGARITA BLONDET, 1920-

Picaresque literature in Spanish America. Ann Arbor, University Microfilms, [1954]. ([University Microfilms, Ann Arbor, Mich.], Publication 6635).

Microfilm copy of typescript. Positive.
Collation of the original 333 l.
Thesis — Columbia University.
Bibliography: leaves [307a]-333.
LC

HOGART, BASIL, 1908-

The technique of novel writing ... Boston, The Writer Inc., 1938. IX p, 194 p. 19 cm.

"First published in 1933; reprinted 1937".
LC

HURLEY, CLINTON F.

A method of structural analysis of the novel, en *Dissertation Abstracts,* XXIII, 2904 (N. M.).

Tesis, Univ. of New Mexico.
LC, USC, UCLA

KLINE, WALTER DUANE, 1923-

The use of novelistic elements in some Spanish American prose works of the seventeenth and eigteenth centuries. Ann Arbor, Mich., University Microfilm, [1958].

Microfilm copy (positive) of typescript. Made by University of Michigan Library Photoduplication Service.
Collation of the orginal: V, 338 l.
Thesis — University of Michigan.

Abstracted in *Dissertation Abstracts,* v. 18 (1958) nº 4, p. 1431-1432.

Bibliography: leaves 332-338.

LC

LADRÓN DE GUEVARA, PABLO.

Novelistas malos y buenos juzgados por el P. Pablo Ladrón de Guevara. 2ª ed. aumentada. Bilbao, Sr. Administrador de El Mensajero del Corazón de Jesús, [1911]. 528 p. 21 cm.

1ª ed. Bogotá, 1910.

"Júzganse más de 2115 novelistas: 313 españoles, 100 hispanoamericanos, 25 portugueses, 66 italianos, 1220 franceses, 150 ingleses, 90 alemanes, 170 rusos, belgas, escandinavos, etc. Las novelas juzgados [*sic*] son sin número".

LC

LASTRA, PEDRO.

Notas sobre el cuento hispanoamericano del siglo XIX, en *Revista Nacional de Cultura* (Caracas), XXV (1963), p. 118-52.

LC

LATCHAM, RICARDO A.

El criollismo, [por] Ricardo Latcham, Ernesto Montenegro y Manuel Vega. 1ª ed. Santiago de Chile, Edit. Universitaria, 1956. 125 p. 15 cm. (Colección Saber, 7).

Includes bibliography.

Contenido: *La historia del criollismo,* por R. Latcham. *Aspectos de criollismo en América,* por E. Montenegro; *En torno al criollismo,* por M. Vega.

LC

LATORRE, MARIANO.

Primera glosa sobre la novela americana, en *Atenea* (Chile), XIII (1936), p. 154-67.

"General considerations on the novel in Spanish America, especially in Colombia; and discussion of Osorio Lizarazo's *La cosecha*". (*Hdbk*'36).

LC

* LEAL, LUIS.

Historia del cuento hispanoamericano. México, Ediciones de Andrea, 1966. 175 p. (Historia literaria de Hispanoamérica, II).

LC, UCLA

LEONARD, IRVING A.

Romances of chivalry in the Spanish Indies, with some registros of shipments of books to the Spanish colonies. Berkeley, Univ. of Calif. Press, 1933. 155 p. 24 cm. (Univ. of Calif. Publications in Modern Philology, XVI, Nº 3).

Published also as University of California Publications in Modern Philology, v. 16, Nº 3.

Bibliography, p. 145-146.

LC

LEVY, KURT.

Some pattern in Latin American prose, en *The Latin Americas* (29th Couchiching Conference). Toronto, edit. by D. L. B. Hamlin, 1960, p. 82-88.

LC

LIDA, MARÍA ROSA.
El cuento popular hispanoamericano y la literatura. Buenos Aires, Edit. Coni. 86 p.

"Rich in comparative references of folktale motives in classic Greek, Roman and Spanish literature, and of Spanish American motives with antecedents in European literature. (*Hdbk'*41).

LC

* LOVELUCK M., JUAN, *ed.*
La novela hispanoamericana. Santiago, Editorial Universitaria, 1963. 437 p.

"Reprints several papers on the Spanish American novel read at the 1951 meeting of the Instituto Internacional de Literatura Iberoamericana". (*Hdbk,* Nº 28).

"Presenta trabajos de Fernando Alegría, Ricardo Latcham, Ciro Alegría, Pedro Grases y otros. El análisis de la novela en la América Latina comprende sus orígenes, clasificación, características generales y personajes y obras ejemplares".

LC, UCLA

— Notas sobre la novela hispanoamericana actual, en *Hisp.,* XLVIII (May, 1965), p. 220-25.

ICC / LC, PU, USC. UCLA

LLERENA, MARIO.
Función del paisaje en la novela hispanoamericana, en *Hisp.,* XXXII (Nov., 1949), p. 499-504.

ICC / LC, PU, USC, UCLA

MATA, RAMIRO W., 1918-
Ricardo Güiraldes, José Eustasio Rivera, Rómulo Gallegos, estudios biocríticos. Montevideo, 1961. 222 p. ilus. 20 cm.

Includes bibliography.

LC

* McGRADY, DONALD.

Legitimidad, historia y teoría de la novela histórica, en Revista *Universidad de Antioquia* (Medellín), XXXVII, núm. 145 (abril-junio de 1961), p. 295-310.

ICC

* MELÉNDEZ, CONCHA.

La novela indianista en Hispanoamérica (1832-1889). Madrid, Imp. de la Librería y Casa Edit. Hernando, 1934. 199 p. 24½ cm. (Monografías de la Universidad de Puerto Rico. Ser. A. Estudios Hispánicos, 2).

Cronología de la novela indianista (1832-1889), p. [189]-190.

Bibliografía, p. [191]-195.

V. r. de Alfred Coester, en *Hisp.*, XVIII (December, 1935), p. 498.

LC, UVa, KU

MELÉNDEZ CONCHA, *Signos de Iberoamérica* ... *V.* p. 373-74.

MENDIETA ALATORRE, MARÍA DE LOS ANGELES.

El paisaje en la novela de América. Prólogo de Alberto Delgado Pastor. [México, Secretaría de Educación Pública], 1949. 123 p. 18 cm. (Biblioteca Enciclopédica Popular, 3ª eépoca, 203).

Prólogo, [por] Alberto Delgado Pastor, p. [7]-9.

"La autora de este estudio [...] consagra su esfuerzo a fijar el alcance, la necesidad, la personificación del paisaje americano en la novela de nuestros días ...

María de los Angeles aborda además el tema del paisaje extendiéndolo como una proyección emocional ..." (p. 8).

LC

* MENÉNDEZ Y PELAYO, MARCELINO, 1856-1912.

Orígenes de la novela ... por d. M. Menéndez y Pelayo ... Madrid, Bailly-Ballière e hijos, 1905-15. 4 v. 26½ cm. (Nueva Biblioteca de Autores Españoles).

Hay varias ediciones.

LC, USC, UCLA

* MENTON, SEYMOUR.

In search of a nation: The twentieth century Spanish American novel, en *Hisp.*, XXXVIII (Nov., 1955), p. 432-42.

ICC / LC, PU, USC, UCLA

* MONGUIÓ, LUIS.

A decade of Spanish American prose writing, en *Hisp.*, XL (August, 1957), p. 287-89.

"Se presentan aquí dos grupos de novelas, las que se ocupan de problemas colectivos y las que versan sobre los problemas del hombre en general. Al final se añaden informes sobre el ensayo, especialmente el ensayo mexicano".

ICC / LC, PU, USC, UCLA

MONTERDE GARCÍA ICAZBALCETA, FRANCISCO, 1894- *Novelistas hispanoamericanos (del prerromanticismo a la iniciación del realismo)* ... *V.* p. 611.

NAVAS RUIZ, RICARDO.

Literatura y compromiso. Ensayos sobre la novela política hispanoamericana. São Paulo, Univ. de São Paulo, 1963. 118 p.

V. r. de Homero Castillo, en *Hisp.*, XLVII (September, 1964), p. 652.

LC

OSPINA LONDOÑO, URIEL, 1925-

Problemas y perspectivas de la novela hispanoamericana. Bogotá, 1964. 232 p.

Ensayo concebido primitivamente como una tesis para el doctorado en letras.

Contenido: La novela, género de aparición tardía; La obsesión de la naturaleza; La tiranía del adjetivo; Un hecho nuevo: El vocabulario; El costumbrismo, fuerza auténtica; La pobreza sicológica; ¿Sobran temas o faltan autores?; Rastignac y Rosendo Maqui; La novela social, exaltación y futuro de la novela americana; La novela, cenicienta del arte hispanoamericano.

ICC / LC, USC, UCLA

PACHÓN PADILLA, EDUARDO, 1922-

El "realismo mágico" en la narrativa hispanoamericana, en *Bol. Cult. y Bibl.* (Bogotá), VI, núm. 8 (1963), p. 1170-71.

Breve comentario sobre algunos cultivadores del "realismo mágico". Entre ellos José E. Rivera.

ICC, BN, BLAA / LC, UCLA

PEÑA, CARLOS HÉCTOR DE LA.

La novela moderna: su sentido y su mensaje (Ensayo de interpretación literario-filosófico). México, Edit. Jus., 1944. 191 p.

Contenido: Perspectiva general; Cap. I. Medio ambiente; Cap. II. El sentido de la modernidad; Cap. III. Influencias mutuas; Cap. IV. Seis grandes temas; Cap. V. Espacio y tiempo, preocupación central de la novela moderna; Cap. VI. Tristia rerum; Cap. VII. El mensaje de la novela; Bibliografía: Principales novelas estudiadas en este trabajo.

Entre las novelas figura *La vorágine* de Rivera.

LC

PEREDA VALDÉS, ILDEFONSO, 1899-

La novela picaresca y el pícaro en España y América. Montevideo, Organización Medina, [1950]. 141 p. 20 cm.

LC, KU

PETRICONI, HELLMUTH.

Spanisch-Americanische Romane der Gegenwart. Hamburg, [Ibero Amerikanisches Forschungs-institut], 1950. 63 p. 23 cm.

1ª ed.: Hamburg, C. Behre, 1938. 61 p.
"Introducción al estudio de la novelística contemporánea hispanoamericana escrita especialmente para lectores alemanes. Contiene una lista de las novelas traducidas al alemán". (*Hdbk'* 52).

LC, UVa, KU

PHELAN, MARLON, *A bibliography of Latin American fiction in English* ... *V.* p. 748.

* QUINTO CONGRESO DEL INSTITUTO INTERNACIONAL DE LITERATURA IBEROAMERICANA.

La novela iberoamericana. Albuquerque, New Mexico, The Univ. of New Mexico Press, 1952. 212 p. 23 cm.

LC, UCLA

REID, DORCAS WORSLEY, *Latin American novels in English translation* ... *V.* p. 749.

Ross, Waldo.

La mística de la selva en la literatura latinoamericana, en *Revista Nacional de Cultura* (Caracas), XXV (1963), p. 65-76.

LC

Sale, Roger, *ed.*

Disscusions of the novel. New York, D. C. Heath, 1960. 101 p.

"Essays on interpretation of the novel by critics".

LC

* Sánchez, Luis Alberto, 1900-

El cuento hispanoamericano, en *Revista Iberoamericana* (México), XVI, núm. 31 (febrero-julio de 1950), p. 101-22.

"Util ensayo informativo más que crítico, sobre la historia del cuento hispanoamericano". (*Hdbk*'50).

LC, PU, USC, UCLA

* Sanchez, Luis Alberto, 1900-

América: novela sin novelistas. 2ª ed. corregida. Santiago, Ediciones Ercilla, 1940. 238 p. 17½ cm. (Colección Contemporáneos).

"First edition, Lima, 1933. This one (1940) has an additional chapter on *La novela biografica,* additional notes and an introduction". (*Hdbk*'40).

LC, KU

— La novela en la costa del Pacífico. Santiago, Prensas de la Universidad de Chile, 1937. 12 p. 26 cm.

"A brief survey of the novel in Panama, Colombia, Ecuador and Peru". (*Hdbk*'38).

LC

— Proceso y contenido de la novela hispanoamericana. Madrid, Edit. Gredos, 1953. 664 p. (Biblioteca Románica Hispánica, Estudios y Ensayos, 2).

"Minuciosa exposición del campo novelístico hispanoamericano en que se amplía considerablemente el tema (tratado ya por el autor en América, novela sin novelistas, Lima, 1933). Libro aluviónico, arsenal de datos, impresiones y juicios personales". (*Hdbk*, Nº 19).

V. r. de Seymour Menton, en *Hisp.,* XXXVIII (February, 1955), p. 126-28.

ICC / LC, KU, USC, UCLA

SANTA, EDUARDO.

Presencia y realidad de la novela, en Revista *Bolívar* (Bogotá), núm. 36 (enero-febrero de 1955), p. 149-64.

Contenido: 1. Concepto de la novela; 2. Clasificación de la novela; 3. Elaboración de la novela; 4. El tema; 5. La novela de tesis; 6. La novela latinoamericana; 7. Perspectivas de la actual novelística colombiana.

ICC, BN, BLAA / LC

SAZ SÁNCHEZ, AGUSTÍN DEL.

Resumen de historia de la novela hispanoamericana. Prólogo de José María Castro y Calvo. Barcelona, Atlántida, 1949. 238 p. 23 cm.

"Although elementary, repertorial, and unoriginal, these essays cover fairly well the main trends and highlights of Latin American fiction". (*Hdbk*'56).

LC, UVa, KU

SCHANZER, GEORGE O.

Parallels between Spanish American and Russian novelistic themes, en *Hisp.,* XXXV (February, 1952), p. 42-48.

ICC / LC, PU, USC, UCLA

SCHEVILL, RODOLFO.

La novela histórica, las crónicas de Indias y los libros de caballería, en *Rev. de las Indias* (Bogotá), XIX, núm. 59-60 (1944), p. 173-96.

ICC, BLAA

SMITH, KERMIT H.

Changing attitudes toward the tropical forest in Spanish American prose fiction, en *Dissertation Abstracts,* XXIV, 749-750 (U.C.L.A.).

Tesis, University of California at Los Angeles.

LC, USC, UCLA

* SMITH, THOMAS FRANCIS.

Contemporary criticism of the novel: The four basic approaches, en *Dissertation Abstracts,* XXIII (1962), 2140 (Pittsburgh).

Tesis, University of Pittsburgh.

LC, USC, UCLA

* SOUTHARD, GORDON DOUGLASS, 1917-

La novela indigenista en Hispanoamérica. Chicago, [Dept. of Photoduplication, University of Chicago Library], 1959.

Microfilm copy (positive) of typescript.
Collation of the original. 392 l.
Thesis - University of Chicago.
Includes bibliography.
LC

* SPELL, JEFFERSON REA, 1886-

Contemporary Spanish-American fiction. Chapel Hill, Univ. of North Carolina Press, 1944. VIII, 323 p. 22 cm.

"After a brief survey of Spanish American fiction before 1914, the author reviews the work of Manuel Galvez, Mariano Azuela, Carlos Loveira, Eduardo Barrios, Jose Eustasio Rivera, Ricardo Güiraldes, Rómulo Gallegos, Jorge Icaza, and Ciro Alegría. The volume closes with a chapter on trends in Spanish American fiction". (*Hdbk*'44).

V. r. de Martin E. Erikson, en *Hisp.*, XXVIII (May, 1945), p. 311-12.

LC, UVa, VMI, KU, TU, USC

STAUDINGER, MABEL KATHARINE, 1902-

The use of the supernatural in modern Spanish American fiction. Chicago, 1946. IV, 327 l. 31 cm.

Typescript.
Thesis - University of Chicago.
Bibliography: leaves 306-27.

LC, UVa

* SUÁREZ-MURIAS, MARGUERITE C., 1921-

La novela romántica en Hispanoamérica. New York, Hispanic Institute in the United States, 1963. 247 p. 21 cm.

Issued also as thesis, Columbia University, 1957.
Bibliography: p. [231]-47.

V. r. de Donald McGrady, en *Hisp.*, XLVIII (March, 1965), p. 184.

— Variantes autóctonas de la novela romántica en Hispanoamérica, en *Hisp.*, XLIII (September, 1960), p. 372-75.

ICC / LC, PU, USC, UCLA

TÉLLEZ, HERNANDO, 1908-

Límites de la novela, en *El Tiempo* - Suplemento Literario (Bogotá), septiembre 27 de 1953.

ICC, BN, BLAA

* TORRES-RÍOSECO, ARTURO, 1897-

Grandes novelistas de la América hispana ... por Arturo Torres-Ríoseco. Berkeley and Los Angeles, University of California Press, 1941-43. 2 v. 22½ cm.

Bibliografía at end of each chapter.

Contenido: I. Los novelistas de la tierra; II. Los novelistas de la ciudad.

El v. I incluye un estudio sobre J. E. Rivera.

V. r. de Robert Avrett, en *Hisp.,* XXXIII (February, 1950), p. 93.

LC, UVa, VMI, KU, LAPL

— La novela en América: Isaacs, Blest Gana, Ricardo Palma, en *Atenea* (Chile), XXXVII (1937), p. 319-27.

"Brief and succint characterization of the work of these three men".

LC

— La novela en América: Realismo y naturalismo, en *Atenea* (Chile), XXXVIII (1937), p. 202-18.

"Rather summary treatment of the influence of Galdos, Juan Valera, and French naturalism. Mention of representative novels". (*Hdbk*'37).

LC

— La novela en la América hispana, por Arturo Torres-Ríoseco ... Berkeley, Calif., University of California Press, 1939. VII, 159-255 p. 24 cm. (University of California Publications in Modern Philology, v. 21, Nº 2).

Advertencia al lector, p. V-VI.
Bibliographical foot-notes.
LC, UVa, KU

— Novelistas contemporáneos de América. Santiago, Edit. Nascimento, 1939. 422 p. 22½ cm.

Contenido: Introducción; Mariano Azuela; José Eustasio Rivera; Rómulo Gallegos; Ricardo Güiraldes, Benito Lynch; Eduardo Barrios; Manuel Gálvez; Joaquín Edwards Bello; Carlos Reyles; Manuel Díaz Rodríguez; Pedro Prado; Rafael Arévalo Martínez.

LC, VMI, KU, UCLA

UNDURRAGA, ANTONIO DE.

Crisis de la novela latinoamericana, en *Cuadernos del Congreso por la Libertad de la Cultura* (París), núm. 80 (enero de 1964), p. 62-65.

LC

USLAR-PIETRI, ARTURO.

Breve historia de la novela hispanoamericana. Caracas, Edime, [¿1954?]. 183 p. 21 cm. (Autores Venezolanos).

Contenido: El antecedente de la poesía épica y narrativa; Otros antecedentes; La primera novela; El siglo XIX; La novela romántica; Novelas indianistas; Novelas históricas y folletinescas; La novela realista; El modernismo; La tendencia artística; La influencia naturalista; El modernismo criollista; La época contemporánea; Segunda etapa; Tercera etapa (1928-1937); La novela de la revolución mexicana; La novela indigenista. Apéndice: Lo criollo en la literatura.

LC, UCLA

VALTIERRA, ANGEL, S. J.

Literatura vitalista: la novela contemporánea y el sacerdote, en *Revista Javeriana* (Bogotá), XXXVII, núm. 184 (mayo de 1952), p. 213-22.

"Sobre el tema de sacerdote en la novelística europea".
ICC, BLAA

* WADE, GERALD E., and ARCHER, WILLIAM H.

The indianista novel since 1889, en *Hisp.*, XXXIII (August, 1950), p. 211-20.

"Excellent survey complementing Concha Meléndez' *La novela indianista en la América hispánica* 1832-1889 (Madrid, 1934)" (*Hdbk*'50).
ICC / LC, PU, USC, UCLA

WALSH, WILLIAM SHEPARD.

Heroes and heroines of fiction ... famous characters and famous names in novels, romances, poems and dramas, classified, analyzed and criticized. Philadelphia and London, Lippincott, 1914-1915. 2 vols.

LC

* WINN, CONCHITA HASSELL, 1923-

The historical tale in Hispanic literature. Ann Arbor, University Microfilms, [1954]. ([University Microfilms, Ann Arbor, Mich.]. Publication Nº 10, 277)

Microfilm copy of typescript. Positive.
Collation of the original: IV, 241 l.
Thesis. - Columbia University.

Abstracted in *Dissertation Abstracts,* v. 14 (1954), Nº 12, p. 2354-2355.

Bibliography: leaves 204-241.

LC

YÉPEZ MIRANDA, ALFREDO.

La novela indigenista; tesis presentada en la Universidad del Cuzco para optar el grado de doctor en letras. Cuzco, Libr. imp. H. G. Rozas sucs., 1935. 104 p. 20½ cm.

Contenido: La novela indigenista; Crítica; Cuentos; *El mandato. - Campiña.*

LC

ZAPATA OLIVELLA, MANUEL.

La nueva novela hispanoamericana ante Europa, en *Bol. Cult. y Bibl.* (Bogotá), VII, núm. 1 (Bogotá), p. 31-36.

ICC, BN, BLAA / LC, UCLA

* ZUM FELDE, ALBERTO.

Indice crítico de la literatura hispanoamericana. t. 2: La narrativa. México, Edit. Guaranía, 1959.

"Excelente volumen en que se estudia el panorama total de la narrativa hispanoamericana, desde el romanticismo a la novela suprarrealista". (*Hdbk,* Nº 23).

V. r. de Robert G. Mead, en *Hisp.,* XLII (December, 1959), p. 640.

LC

— La narrativa hispanoamericana. Madrid, Aguilar, 1964. 379 p.

Nueva ed. del tomo publicado por la Edit. Guaranía en México (1959).

Contenido: I. Introducción general; II. La narrativa romántica; III. La novela realista; IV. La narrativa indigenista; V. La narrativa de la revolución mexicana; VI. La narrativa política; VII. El modernismo en la narrativa; VIII. Formas actuales de la narrativa.

Carece de bibliografía.

LC

III. DRAMA

1. BIBLIOGRAFIAS

A) DRAMA COLOMBIANO

LAVERDE AMAYA, ISIDORO, 1852-1903.

Teatro colombiano, en *Apuntes sobre bibliografía colombiana,* Bogotá, Imp. de Zalamea Hnos., 1882, p. 214-222.

"Primer ensayo bibliográfico del teatro colombiano". *(Bbcs).*

ICC, BLAA / LC

* ORTEGA RICAURTE, JOSÉ VICENTE, 1900-1959.

Lista detallada de las obras nacionales estrenadas en Bogotá, por orden alfabético de sus autores (1620-1927), en *Historia crítica del teatro en Bogotá,* Bogotá, Ediciones Colombia, 1927, p. 183-95.

"Se anotan obras de 102 autores teatrales desde la época colonial. Se refiere a obras representadas, no sólo a las publicadas. Carece de datos bibliográficos". *(Bbcs).*

BN / PU, UVa, UCLA

B) DRAMA GENERAL

CEJADOR Y FRAUCA, JULIO, 1864-1927, *Historia de la lengua y la literatura castellana* ... *V.* p. 309.

* JONES, WILLIS KNAPP.

Latin American drama. A reading list, en *Books Abroad,* XVII, Nº 1, p. 27-31; Nº 2, p. 112-25.

"A useful list of critical material and original works". *(Hdbk'* 43).

LC, PU, USC, UCLA

— Latin America through drama in English: a bibliography, en *Hisp.,* XXVIII (May, 1945), p. 220-27.

"A useful, praiseworthy compilation. It consists partly of English language plays dealing with Spanish American subjects and partly of English translations from Spanish. The number of the latter type is evidence of the growing interest in this field". *(Hdbk'*45).

ICC / LC, PU, USC, UCLA

* TRENTI ROCAMORA, J. LUIS.

El repertorio de la dramática colonial hispanoamericana, en *Boletín de Estudios de Teatro,* año 7, t. VII, núm. 26 (julio-septiembre de 1949), p. 104-25.

"The first effort to bring together titles of long and short dramatic works written in colonial Hispanic America, the text of which is available in printed or manuscript form. Beginning with dramatic pieces in native languages, similar writings in Spanish are listed country by country. The notes contain full bibliographical references". *(Hdbk'*49).

— El repertorio de la dramática colonial hispanoamericacana. Buenos Aires, Alea. 110 p.

"A reprint in booklet form of bibliographical article published in Bol. estud. teatro, año 7, t. 7, no. 26, julio-sept., p. 104-125". (*Hdbk'50*).

2. ANTOLOGIAS Y COMPILACIONES

A) DRAMA COLOMBIANO

ANZOLA GÓMEZ, GABRIEL.

El teatro en la escuela primaria. Bogotá, 1946. 122 p. 23 cm. (Biblioteca del Maestro. Serie Pedagógica, Nº 7).

Contenido: Selecciones de teatro infantil; Selecciones de poesía infantil; Bibliografía (p. 119-20).

LC

PIEZAS de teatro de Carlos Sáenz Echeverría y José Manuel Lleras. Bogotá, Edit. Minerva, [1936]. 159 p. 17 cm. (Selección Samper Ortega, 93).

ICC, BN, BLAA / LC, PU, Y, USC, UCLA

* SELECCIÓN Samper Ortega de literatura colombiana. Bogotá, Edit. Minerva, [1936]. Sección X: Teatro, vols. 91-100.

ICC, BN, BLAA / LC, PU, Y, USC, UCLA

TEATRO colombiano. Bogotá, Ediciones de la Idea, 19-

ICC (colección incompleta)

TRADUCCIONES teatrales por Roberto McDouall y Víctor E. Caro. Bogotá, Edit. Minerva, [1936]. 164 p. 17 cm. (Selección Samper Ortega, 96).

ICC, BN, BLAA / LC, PU, Y, USC, UCLA

B) DRAMA GENERAL

ALPERN, HYMEN, and JOSÉ MARTEL *eds.*

Teatro hispanoamericano. New York, Odyssey Press, 1956. 412 p. 21 cm.

Breve reseña del teatro hispanoamericano, p. IX-XV.

La obra no contiene piezas colombianas.

LC

ESPINA GARCÍA, ANTONIO, 1893-

Las mejores escenas del teatro español e hispanoamericano desde sus orígenes hasta la época actual. Madrid, Aguilar, 1959. 1172 p. 25 cm.

Includes bibliography.

LC

JONES, WILLIS KNAPP.

Antología del teatro hispanoamericano, with introduction, notes and vocabulary. [1ª ed.]. México, [Librería Studium], 1958. 253 p. 21 cm. (Antologías Studium, 5).

"2ª parte complementaria de la Breve historia del teatro latinoamericano".

No contiene autores colombianos.

USC

* SOLÓRZANO, CARLOS, *comp.*

El teatro hispanoamericano contemporáneo. México, Fondo de Cultura Económica, 1964. 2 v. (419, 359 p.) (Colección Popular, 61).

"Carlos Solórzano [...] reúne en esta antología las obras más sobresalientes del teatro hispanoamericano de los últimos veinte años".

t. I incluye un drama de Enrique Buenaventura.

LC, PU, USC, UCLA

STANFORD UNIVERSITY. *Dramatists' Alliance.*

Plays of the southern Americas. Stanford University. Dramatists' Alliance, 1942. 46 p., 19 p., 9 p.

Incluye *Las convulsiones,* de Vargas Tejada, en trad. inglesa.

LC

— Short plays of the southern Americas; brief plays by writers of Chile, Cuba, Argentina, Ecuador, Mexico, Uruguay, Colombia and Peru; translated by William Knapp Jones ... in collaboration with his students, Frances Heitsman, Jean James and Marian Ferguson. Issued in limited edition by the Dramatists' Alliance of Stanford University, California. [Stanford University], c1944. 107 h. 28 cm.

Se incluye una pieza teatral de Jorge Zalamea.

LC

WEISINGER, NINA LEE, 1895- *ed.*

Selections from South American plays, selected and ed., with notes and vocabulary, by Nina Lee Weisinger. Dallas, B. Upshaw, [1948]. VIII, 184 p. 20 cm.

Preface, [by] N. L. W, p. V-VII.

Se incluye un drama de Carlos Sáenz Echeverría.

LC

3. ESTUDIOS

A) DRAMA COLOMBIANO

ALGO más sobre el teatro nacional, año de 1794, en *Revista del Archivo Nacional* (Bogotá), VI, núms. 66-67 (octubre-noviembre de 1944), p. 316-20.

"Documents of 1797 relating to a bond issue for voluntary subscription to support the local *Coliseo* at Bogotá". *(Hdbk'*45).

BN

* ALVAREZ LLERAS, ANTONIO.

El teatro visto por un comediógrafo. Discurso de recepción ... pronunciado en la sesión solemne del 23 de abril de 1945 [en la Academia Colombiana de la Lengua], en *An. Acad. Col.* (Bogotá), XI (1944-1949), p. 34-53.

Visión panorámica de la historia de nuestro teatro.

V. Eduardo Guzmán Esponda, *Vida y pasión de la escena colombiana, Ibid.,* p. 54-60. Respuesta al discurso de posesión de Antonio Alvarez Lleras.

ICC, BN, BLAA / LC

CAICEDO ROJAS JOSÉ, 1816-1897.

Recuerdos y apuntamientos. [Bogotá, Ministerio de Educación Nacional, Depto de Extensión Cultural y Bellas Artes, 1950]. 208 p. 18 cm. (Biblioteca Popular de Cultura Colombiana, 115).

Incluye noticias sobre el teatro en Santa Fe y sobre algunos escritores colombianos.

ICC, BN, BLAA / LC, UCLA

CUERVO MÁRQUEZ, EMILIO.

La Sociedad de Autores y el arte dramático nacional, en *Ensayos y conferencias.* Bogotá, Edit. Cromos, 1937, p. 46-53.

Discursos pronunciados en el Teatro de Colón en veladas organizadas por la Sociedad de Autores de Colombia.

ICC

FORERO NOGUÉS, MARION.

The cultural theatre of Colombia, en *Bull.* (July, 1937), p. 527-34.

"What Colombia is doing to develop a nation wide program of recreation and enlightenment, based on the coordination of dramatics, visual education and physical culture". *(Hdbk*'37).

LC, PU, USC, UCLA

* GÓNIMA CH., ELADIO, (JUAN).

Apuntes para la historia del teatro de Medellín y vejeces. Editada por su hijo Elías Gónima M., como homenaje de amor a su memoria. 1ª ed. Medellín, Colombia, Tipografía de San Antonio, 1909. VI, 292 p. ret. 18 cm.

ICC

GUERRA AZUOLA, RAMÓN.

El teatro antiguo en Bogotá, en *El libro de Santa Fé,* [Bogotá], Ediciones Colombia, 1929, p. 211-39.

BN

GUZMÁN ESPONDA, EDUARDO.

Vida y pasión de la escena colombiana, en *El Siglo,* año 10, núm. 3303 (abril 28 de 1945), p. 1, 3 [literarias].

"Ascribes a significant role to Alvarez Lleras in the history of Colombian drama and reviews his plays". *(Hdbk'*45).

BN

JOHNSON, HARVEY L.

Una compañía teatral en Bogotá en 1618, en *Bol. Hist. Ant.* (Bogotá), núm. 417-19 (julio-septiembre de 1949), p. 563-68.

Publicado inicialmente en *Nueva Revista de Filología Hispánica,* II, núm. 4 (octubre- diciembre de 1948), p. 377-80.

"A contract between 8 actors and actresses agreeing to form a theater company for 3 years to put on plays in Bogota. This contract sheds considerable light on the state of the theater in Bogota in the early seventeenth century". *(Hdbk'*49).

ICC, BN, BLAA

— Una contrata inédita, dos programas y noticias referentes al teatro en Bogotá entre 1838 y 1840, en *Revista Iberoamericana* (México), VII, núm. 13 (noviembre de 1943), p. 49-67.

"Interesting information regarding the state of the theater in the Colombian capital in the early nineteenth century". *(Hdbk'*43).

LC, PU, USC, UCLA

MARULANDA, OCTAVIO.

Teatro 65: un año de premoniciones, en *Letras Nacionales* (Bogotá), núm. 6 (enero-febrero de 1966), p. 50-58.

ICC, BLAA

MOGOLLÓN AROQUE, LUIS FRANCISCO.

El teatro en Colombia. Bogotá, Imp. La Patria, 1914. XXVII p. Tesis.

Sin consultar.

ORIGEN del teatro en Santafé de Bogotá, 1792-1796, en *Revista del Archivo Nacional* (Bogotá), VI, núm. 63-65 (julio septiembre de 1944), p. 199-275.

V. Teatro Nacional, en esta sección.

BN

*ORTEGA RICAURTE, JOSÉ VICENTE, 1900-1959.

Historia crítica del teatro en Bogotá, Bogotá, Talleres Ediciones Colombia, 1927. 318 p. 17 cm.

"La única obra en su género publicada en Colombia; comprende la historia del teatro nacional desde la época colonial hasta la fecha de publicación". *(Bbcs).*

"... 37 capítulos. Se tratan también las comedias musicales [...]. El capítulo XXII es el más valioso: en él se registran por orden alfabético 102 autores cuyas obras fueron representadas entre 1620 y 1927. El capítulo XXXIII registra por años, a partir de 1792 hasta 1926, las compañías que representaron en Bogotá". (W. K. Jones, *Breve historia del teatro latinoamericano,* México, 1956, p. 13).

ICC, BN / PU, UVa

PEÑALOSA RUEDA, JUAN.

El teatro Colón. Bogotá, [Empresa Nacional de Publicaciones], 1956. 40 p., 12 láms. 21 cm.

LC, VMI

— El teatro de Colón, de Bogotá ... [Lima, Universidad Nacional Mayor de San Marcos, 1959]. 6 p. 30 cm. (Estudios de Teatro Latinoamericano, Serie V, 3).

Separata de *Revista de las Indias,* Bogotá, Colombia, núm. 115, septiembre-octubre de 1950.

ICC

El Teatro en Santafé, en *El libro de Santa Fe* [Bogotá], Ediciones Colombia, 1929, p. [9]-20.

BN

Teatro Nacional, en *Revista del Archivo Nacional* (Bogotá), VI, núm. 63 65 (julio-septiembre de 1944), p. 199-275.

"The entire number is composed of documents relating to the *Coliseo* at Bogota from 1792 to 1796. These give data on the construction of the building, the accounts and managing of the theater during the theatrical seasons from 1793 to 1795, etc". *(Hdbk'*45).

V. Origen del teatro en Santafé de Bogotá, 1792-1796 . . ., en esta sección.

BN

Triana y Antorveza, Humberto.

La temporada teatral de 1833 en Santa Fe de Bogotá, en *Bol Cult. y Bibl.* (Bogotá), VII, núm. 9 (1964), p. 1629-31.

ICC, BN, BLAA / LC, UCLA

Valencia, Gerardo.

Reflexiones en torno al teatro colombiano, en Revista *Universidad Nacional de Colombia* (Bogotá), núm. 2 (marzo-mayo de 1945), p. 63-70.

"Cada época de nuestra historia ha tenido, por lo menos, un dramaturgo . . . [En Colombia debemos hoy crear] el teatro auténticamente popular ... [de] clima legendario y poético ... [volviendo] los ojos a la tradición clásica española y no a las reglas impuestas por Francia". *(Hdbk'45)*.

BN

B) DRAMA GENERAL

ADAMS, MILDRED.

The drama of Spanish America, en *A History of Modern Drama,* Barret H. Clark and George Freedly, eds. New York, Appleton-Century, 1947, p. 576-92.

LC

* ARROM, JOSÉ JUAN.

Perfil del teatro contemporáneo en Hispanoamérica, en *Hisp.,* XXXVI (February, 1953), p. 26-31; - *Bolívar* (Bogotá), XXI (julio de 1953), p. 69-78.

"A brief but lucid and informative sketch of the developments during the last few years. Includes an extremely valuable list of outstanding authors".

ICC / LC, PU, USC, UCLA

— Raíces indígenas del teatro americano, en *Proceedings of the 29th International Congress of Americanistas* (Univ. of Chicago, 1953), p. 299-305.

Apareció inicialmente en *Revista Bimestral Cubana* (La Habana), LXIII, núm. 1-3 (enero-junio, 1949), p. 26-42.

LC

— El teatro de Hispanoamérica en la época colonial. Habana, Anuario Bibliográfico Cubano, 1956. 233 p., 12 ilus. 20 cm.

2ª ed.: México, Ediciones de Andrea, 1967. (Historia literaria de Hispanoamérica, III).

A welcome synthesis in five chapters, from pre-Hispanic beginnings to the end of the 18th century, with extensive bibliography and index. The theater as literature is described, with half volume devoted to the Baroque period which is divided into two parts: *la alborada,* 1600-1681, and the *apogeo y ocaso,* 1681-1750". *(Hdbk,* Nº 20).

V. r. de Frank Dauster, en *Hisp.,* LX (February, 1957), p. 120-21.

ICC / LC

BARALT, LUIS A.

The theatre in Latin America. Coral Gables, Florida, University of Miami, 1948, p. 11-26. (Hispanic American Studies, Nº 5).

"Vista panorámica del teatro colonial seguida de una rápida síntesis del contemporáneo en el Río de la Plata, México y Cuba. Por su estilo, claro y concreto, y lo certero de los juicios, resulta esta conferencia una excelente introducción al tema". *(Hdbk'*48).

LC

BATY, G. y CHAVANCE, R.

El arte teatral. 2ª ed. México, Fondo de Cultura Económica, 1951. 306 p. (Breviario del Fondo de Cultura Económica).

1ª ed. en francés (1932); 1ª ed. en español (1951).

Contenido: I. Orígenes; II. El milagro griego; III. Las resonancias del teatro griego; IV. El teatro cristiano; V. El humanismo y la reforma; VI. El milagro isabelino; VII. El clasicismo a la francesa; VIII. La tradición cómica; IX. Los tablados; X. Del romanticismo al realismo; XI. El despertar de la imaginación; XII. Encrucijada; Bibliografía.

No contiene referencias al teatro hispanoamericano.

LC

BAYLE, CONSTANTINO.

Notas acerca del teatro religioso en la América colonial, en *Razón y Fe* (Madrid), núm. 590 (marzo de 1947), p. 220-34; núm. 591 (abril de 1947), p. 335-48.

LC

* CARILLA, EMILIO, 1914-

El teatro romántico en Hispanoamérica. Bogotá, Instituto Caro y Cuervo, 1959. 24 p. 24 cm.

Separata de *Thesaurus* (Bogotá), XIII (1958).

ICC / LC

— Géneros y temas: el teatro, en SU: *El romanticismo en la América Hispánica*. Madrid, Edit. Gredos, 1958, p. 282-307.

"A general survey of authors, works and characteristics of the romantic theater, very pessimistic in its appreciation of the period. Also appeared as *El teatro romántico en Hispanoamérica* in *Thesaurus*, Bogotá, 13, 1958, p. 35-56". *(Hdbk*, Nº 23).

ICC / LC, USC, UCLA

CASTILLO, HOMERO.

Benavente e Hispanoamérica, en *Atenea* (Chile), CXXV, núm. 371 (julio-agosto de 1956), p. 75-91.

LC

CISNEROS, LUIS JAIME.

Lenguaje teatral y sicología, en *Nueva Revista de Filología Hispánica*, XV (1961), p. 61-69.

ICC / LC

COOK, JOHN A.

Neo-classic drama in Spain. Theory and practice. Dallas, Southern Methodist Univ. Press, 1959. XVII, 570 p.

V. r. de Russell Sebald, en *Hisp.,* XLIII (September, 1960), p. 485-86.

LC

CRAWFORD, JAMES P., 1882-1939.

Spanish drama before Lope de Vega ... Philadelphia, 1922. 198 p. 25 cm.

USC

* DAUSTER, FRANK.

Cinco años de teatro hispanoamericano, en *Asomante* (Puerto Rico), XV, núm. 1 (enero-marzo de 1959), p. 54-63.

"Review of developments from 1953-1958". *(Hdbk,* Nº 23).

LC

— New values in Latin American theatre, en *Theatre Arts* (New York), XLIII, Nº 2 (February, 1949), p. 56-59.

"Comments on trends and younger playwrights. *(Hdbk,* Nº 23).

LC

— Recent research in Spanish American theater, en *Latin American Research Review.* Latin American Research Review Board. Univ. of Texas Press. Austin, Tex., v. I, núm. 2 (Spring, 1966), p. 65-76.

TU

— Teatro hispanoamericano, en *Hisp.,* XLVI (May, 1963), p. 343-44.

ICC / LC, PU, USC, UCLA

DELEITO Y PIÑUELA, JOSÉ, 1879-

Origen y apogeo del "género chico". Madrid, Revista de Occidente, [1949]. XIII, 576 p. rets. 24 cm.

USC

DÍAZ-PLAJA, GUILLERMO, 1903- *Historia general de las literaturas hispánicas ... V*. p. 311.

DÍEZ-CANEDO, ENRIQUE, 1879-

El teatro y sus enemigos. [México, La Casa de España en México], 1939. 163 p. 19 cm.

Contenido: El cinematógrafo; El actor; El autor; Enemigos menores y aliados.

ICC / LC

ENGLEKIRK, JOHN E.

El teatro folklórico hispanoamericano, en *Folklore Americano* (Lima, Perú), XVII, núm. 1 (junio de 1957), 36 p.

"A survey of the folk theater and a program of needed investigations. Scholarly and reasoned comments on a field wich has lent itself to flights of fancy". *(Hdbk,* Nº 21).

LC

FREEDLEY, GEORGE and REEVES, JOHN A.

A history of the theatre ... New York, Grown, 1949. 688 p.

USC

GONZÁLEZ RUIZ, NICOLÁS.

La cultura española en los últimos veinte años; el teatro. Madrid, [Instituto de Cultura Hispánica], 1949. 56 p. 22 cm. (Colección Hombres e Ideas).

ICC

* GUARDIA, ALFREDO DE LA.

El teatro contemporáneo. Buenos Aires, Schapire, [c1947]. 433 p.

"Although devoted to the theatre in general, considerable attention is given to the Spanish American stage and particularly to that of Argentina as it fits into the frame of European trends". (*Hdbk'47*).

LC

* HARTNOLL, PHYLLIS, *ed.*

The Oxford companion of the theatre. London, Oxford Univ. Press, 1957. 888 p. ilus.

"... a book which deals with the theatre in all ages and in all countries ..." (*Preface*).

South America, p. 747-50. Se mencionan los principales dramaturgos colombianos del siglo XX.

LC

HENRÍQUEZ UREÑA, PEDRO, 1884-1946, *Obra crítica ... V.* p. 366.

HENRÍQUEZ UREÑA, PEDRO, 1884-1946.

El teatro de la América española en la época colonial, en *Cuadernos de Cultura Teatral* (Buenos Aires), III [1936], p. 6-50; — *Boletín de Estudios de Teatro* (Buenos Aires), núm. 27 (oct. de 1949), p. 161-83.

LC

HOFFMAN, E. LEWIS.

Growing pains in the Spanish American theater, en *Hisp.,* XL (May, 1957), p. 192-95.

ICC / LC, PU, USC, UCLA

HORNBLOW, ARTHUR, 1865-

A history of the theatre in America, from its beginnings to the present time, by Arthur Hornblow ... Philadelphia and London, J. B. Lippincott Co., 1919. 2 v. 23 cm.

Historia del teatro estadounidense.

LC

ICAZA, F. A.

Origen del teatro en la América española, en *Revista de Filología Española* (Madrid), VIII (1921), p. 121-30.

ICC / LC

* JONES, WILLIS KNAPP.

Behind Spanish American footlights. Austin Tex., Univ. of Texas Press, 1966. 609 p.

"The first history of Latin American drama in English, containing an enormous amount of information, but with serious weaknesses. Concludes with an extensive bibliography". *(Hdbk,* Nº 28).

LC

— Breve historia del teatro latinoamericano. México, Ediciones de Andrea, 1956. 239 p. (Manuales Studium, 5).

Contenido: Prefacio; Libros de consulta; Cap. I. Primer período colonial; Cap. II. Período colonial posterior; Cap. III. Epoca independiente; Cap. IV. Período moderno - Argentina; Cap. V. Otros países [Colombia, p. 125-32]; Cap. VI. América Central y las Antillas; Cap. VII. México; Cap. VIII. Brasil; Cap. IX. Teatro experimental y de aficionados; Cap. X. Conclusión; Bibliografía general.

"An uncritical compilation whose value is mitigated by frequently faulty bibliographical data". *(Hdbk,* Nº 20).

V. r. de Howard T. Young, en *Hisp.,* XL (August, 1957), p. 391.

LC, PU, USC, UCLA

— El drama en las Américas. Algunas diferencias. Guayaquil. Publ. de la Univ. de Guayaquil, 1946. 23 p.

"Spanish and English versions of a lecture delivered at the University of Guayaquil. The differences emphasized are that in Spanish America there is less tendency to intermingle comic and tragic elements, greater skill in introducing local color, and marked eagerness to make their theatre national in scope". *(Hdbk'*46).

LC

— Vocabulary of theatrical terms, en *Hisp.,* XXX (1947), p. 203-208.

ICC / LC, PU, USC, UCLA

KRUTCH, JOSEPH WOOD, 1893-

The American drama since 1918. An informal history. New York, Randon House, [c1939]. x, 325 p. 21 cm.

Sobre teatro estadounidense.

LC

LACOSTA, FRANCISCO C.

El teatro misionero en la América hispana, en *Cuadernos Americanos* (México), CXLII (1965), p. 171-78.

LC

LOHMAN VILLENA, GUILLERMO.

El teatro en Sudamérica española hasta 1800, en GUILLERMO DÍAZ PLAJA, *Historia general de las literaturas hispánicas.* Barcelona, 1956, IV, 1ª parte, p. 373-89.

ICC / LC

MORATÍN, LEANDRO FERNÁNDEZ DE, 1760-1828.

Orígenes del teatro español con una reseña histórica sobre el teatro español en el siglo XVIII y principios del XIX. Buenos Aires, Edit. Shapire, [1946]. 415 p. 24 cm.

USC

* MORI, ARTURO, 1886-

Treinta años de teatro hispanoamericano ... México, D. F., Edit. Moderna, 1941. 243 p. 23 cm.

V. r. de Nina Lee Weisinger, en *Hisp.,* XXV (February, 1942), p. 122.

LC

PARKER, JACK HORACE.

Breve historia del teatro español, [1ª ed.]. México, Ediciones de Andrea, 1957. 213 p. 18 cm. (Manuales Studium, 9).

LC

PASQUARIELLO, ANTHONY MICHAEL, 1914-

The entremés in sixteenth-century Spanish America, en *Hisp. Am. Hist. Rev.,* XXXII, núm. 1 (February, [¿1952?]), p. 44-58.

"Brief account of extant 16th-century theatrical interludes, with historical settings".

LC, PU, USC

RELA, WALTER.

Literatura dramática suramericana contemporánea, en *Universidad* (Universidad del Litoral, Santa Fe, Argentina), XXXVI (diciembre de 1957), p. 147-70.

"The discussion for individual nations (Uruguay is excluded) from 1930-1956 is simply a compilation of names. The accompanying essay is interesting although many of its statements could be questioned". *(Hdbk,* Nº 22).

LC

* SÁNCHEZ ESCRIBANO, FEDERICO y PORQUERAS MAYO, ALBERTO.

Preceptiva dramática española del Renacimiento y el Barroco, [por] Federico Sánchez Escribano y Alberto Porqueras Mayo. Madrid, Edit. Gredos, [1965]. 258 p. 19½ cm. (Biblioteca Románica Hispánica, IV; Textos, 3).

"An extremely useful and interesting compilation of texts dealing with dramatic theory in Spain".

ICC / LC, UCLA

SAINZ DE ROBLES, FEDERICO CARLOS, 1899- *ed.*

El teatro español, historia y antología (desde sus orígenes hasta el siglo XIX) ... Madrid, Aguilar, 1942-43. 7 v. ilus. facsíms. 14 cm.

USC

* SAZ SÁNCHEZ, AGUSTÍN DEL.

Teatro hispanoamericano. Barcelona, Edit. Vergara, 1963. 2 v. (317, 389 p.).

"A comprehensive and extremely useful general history of Spanish American theater which is a must for every student of the field ... Bibliography far from complete". *(Hdbk,* Nº 28).

LC

SHACK, ADOLF FRIEDRICH, GRAF VON, 1815-1894.

Historia de la literatura y del arte dramático en España; traducido directamente del alemán al castellano, por Eduardo de Mier. Madrid, M. Hello, 1885-87. 5 v.

USC

* SOLÓRZANO, CARLOS.

El teatro hispanoamericano contemporáneo, en *Cuadernos del Congreso por la Libertad de la Cultura* (París), Nº 100 (1965), p. 44-48.

LC

— Teatro latinoamericano del siglo XX. Buenos Aires, Edit. Nueva Visión, [1961]. 104 p. 20 cm. (Colección Ensayos, 3).

"Rather than a chronological catalog, the author [...] has prepared a selective discussion of leading authors, grouped into the four categories he considers representative: *costumbrista, universalista, nacionalista, teatro de post-guerra.* The criticism is lucid and informative, and the organization avoids the usual lumping together of authors who have in common only chronology. Omissions are more than compensated for by the inclusion of many younger playwrights. Argentina and Brazil are excluded". *(Hdbk,* Nº 24).

[ed. revisada y aumentada] con el título: *Teatro latinoamericano en el siglo XX.* México, Edit. Pormaca, 1964. 200 p. (Colección Pormaca 10).

"Without question the most complete and up-to-date study in the field". (*Hdbk,* Nº 28).

LC, PU, USC, UCLA

TORRE REVELLO, JOSÉ.

Orígenes del teatro en Hispanoamérica. Buenos Aires, 1937. Instituto Nacional de Estudios de Teatro. Cuadernos de Cultura Teatral, núm. 8, p. 37-64.

"A panorama of the theatre in Spanish America during colonial times; very well documented and entertaining at the same time. An able historian, the author has gone for his information into the most authentic sources". *(Hdbk'*38).

LC

—El teatro en la colonia, en *Humanidades* (La Plata), XXIII (1933), p. 145-64.

TORRENTE BALLESTEROS, G.

Teatro español contemporáneo. Madrid, Ediciones Guadarrama, [c1957]. 338 p. 20 cm.

USC

* TRENTI ROCAMORA, J. LUIS.

El repertorio de la dramática colonial hispanoamericana, en *Boletín de Estudios de Teatro* (Buenos Aires), VII, núm. 26 (julio-septiembre de 1949), p. 104-25; — Buenos Aires, Talleres Gráficos Alea, 1950. 110 p. [Tirada aparte].

LC

— El teatro en la América colonial. Buenos Aires, Huarpes, 1947. 534 p., ilus.

"Valuable contribution in two related but independent parts. The first deals with the theater of the viceroyalty of Rio de la Plata [...] The second is a still premature attempt to chronicle the development of the theater as an institution throughout the New World, including the United States". *(Hdbk'47)*.

V. r. de Harvey L. Johnson, en *Hisp.*, XXXII (November, 1949), p. 563-64.

LC

VALBUENA PRAT, ANGEL, 1900-

Teatro moderno español. Zaragoza, Ediciones Partenón, 1944. 184 p.

USC

IV. ENSAYO

1. BIBLIOGRAFIAS

A) ENSAYO COLOMBIANO

* ENSAYO, en *Anuario bibliográfico colombiano, 1951-1962*. Compilado por Rubén Pérez Ortiz, y en su continuación: *Anuario bibliográfico colombiano «Rubén Pérez Ortiz», 1963-* Compilado por Francisco José Romero Rojas. Bogotá, Instituto Caro y Cuervo. Departamento de Bibliografía, 1951-

Sección corespondiente a la división: *Literatura.*

ICC, BN, BLAA / LC, UCLA

B) ENSAYO GENERAL

ESSAY and general literature index, 1900-1933; an index to about 40,000 essays and articles in 2144 volumes of collections of essays and miscellaneous works. Edited by Minnie Earl Sears and Marian Shaw. New York, H. W. Wilson Co., 1934. XVIII, 1952 p. 26 cm.

Supplements, 1934-
En curso de publicación.
LC, USC

2. ANTOLOGIAS Y COMPILACIONES

A) ENSAYO COLOMBIANO

ERUDITOS antioqueños: Thomas O. Eastman, Laureano García Ortiz y B. Sanín Cano. Bogotá, Edit. Minerva, 177 p. 20 cm. (Selección Samper Ortega, 54).
ICC, BN, BLAA / LC, PU, Y, USC, UCLA

* GARCÍA BACCA, JUAN DAVID, *ed.*

Antología del pensamiento filosófico en Colombia, de 1647 a 1761. Selección de manuscritos, textos, traducción, introducciones. Bogotá, Imp. Nacional, 1955. 362 p., facsíms. (Biblioteca de la Presidencia de Colombia, 21).

"Selection from the unpublished manuscripts of seven philosophers, with instructive introduction into the philosophical thought of colonial Colombia. Scholarly contribution to the study of the historical development of philosophical speculation in Hispanic America". (*Hdbk*, Nº 20).

ICC, BN, BLAA / LC

* HERNÁNDEZ DE ALBA, GUILLERMO, 1906- *comp.*

Ensayistas colombianos. Selección y reseña de la historia cultural de Colombia, por Guillermo Hernández de Alba. 2ª ed. Buenos Aires, W. M. Jackson, [1946]. xxxvii, 458 p. 18 cm. (Colección Panamericana, 7).

Contenido: El Quijote, Don Andrés Bello y Oración de estudios, por Miguel A. Caro; *El castellano en América y Una nueva traducción de Virgilio,* por Rufino José Cuervo; *Jesucristo, Francisco Antonio Zea, Elogio de don Miguel A. Caro, La armonía boliviana y otros,* por Marco Fidel Suárez; *El Congreso internacional de Panamá, El 20 de julio, El pueblo colombiano, La sociología, El gran general Mosquera y otros,* por Rafael Núñez; *En la cuna de Shakespeare* y *Hacia el futuro,* por Carlos A. Torres.

ICC

* SELECCIÓN Samper Ortega de literatura colombiana. Bogotá, Edit. Minerva, [1936]. Sección VI: Ensayos, vols. 51-60.

ICC, BN, BLAA / LC, PU, Y, USC, UCLA

B) ENSAYO GENERAL

BIBLIOTECA del pensamiento vivo. Buenos Aires, Edit. Losada, [193-]-

"Excelente colección de antologías de los grandes pensadores mundiales. Incluye asimismo varios de los más destacados ensayistas hispanoamericanos. Cada volumen lleva un prólogo sustancioso, redactado por un crítico conocido". (Robert G. Mead).

LC

* COLECCIÓN "Pensamiento de América". México, Ediciones de la Secretaría de Educación Pública, 1942-1944. 14 v.

"... antologías de los más destacados pensadores hispanoamericanos, con sustanciosos y bien documentados estudios preliminares por autoridades notables". (Robert G. Mead).

LC

* [GAOS, JOSÉ], 1900- *comp.*

Antología del pensamiento de lengua española en la edad contemporánea ... México, Edit. Séneca, [1945]. 3 h. p., [IX]-LVI, 1412 p., 1 h. 17½ cm. (Laberinto, [5]).

"Compiled by José Gaos who wrote the introduction and selected the texts from twelve Spanish an twenty two Spanish American authors".

Bibliographical foot-notes.

"La mejor obra de esta índole publicada hasta ahora. Las caracterizaciones de los pensadores hispanoamericanos son excelentes". (Robert G. Mead).

LC

RIPOLL, CARLOS.

Conciencia intelectual de América. Antología del ensayo hispanoamericano (1836-1959). New York, Las Americas Publishing Co., 1966.

No incluye ensayistas colombianos en la parte antológica. En la introducción el autor presenta una visión general del desarrollo del ensayo en Hispanoamérica, de sus temas principales, etc.

V. r. de Juan Adolfo Vásquez, en *Revista Iberoamericana* (México), XXXIII, núm. 63 (enero-junio de 1967), p. 174-76.

LC

SANJUÁN, PILAR A.

Ensayo hispánico: Estudio y antología. Madrid, Edit. Gredos, 1954. 412 p.

23 autores españoles y 10 latinoamericanos.

"Obra que no sobresale por su profundidad crítica en el estudio de los ensayistas hispanoamericanos". (Robert G. Mead).

V. r. de Agapito Rey, en *Hisp.,* XXXVIII (May, 1955), p. 256-58.

LC, UCLA

3. ESTUDIOS

A) ENSAYO COLOMBIANO

ALZATE AVENDAÑO, GILBERTO, 1910-1960.

Sus mejores páginas. Manizales, [Edit. Renacimiento, 1961]. 283 p. ilus. 16 cm.

Artículos de miscelánea.

ICC

ANGEL MONTOYA, ALBERTO, 1903-

Angulo. Prosas, 1932-1940. 2ª ed. Bogotá, Edit. Minerva, 1952. 248 p. ret. 22 cm.

ICC

ARBELÁEZ, FERNANDO, 1924-

Testigos de nuestro tiempo. Seguido de poesía y experiencia. [Bogotá, Imp. Nacional, 1955]. 119 p., 2 h. 16 cm.

Contenido: Testigos de nuestro tiempo; I; Todas las cosas en la poesía (St. John Perse); La búsqueda del demonio (R. M. Rilke); El poeta en Nueva York (F. García Lorca); La experiencia religiosa, la metafísica y las cosas corrientes (T. S. Eliot); Un idioma fosforescente (Pablo Neruda); Testigos de nuestro tiempo, II; Poesía y experiencia (Notas sobre la cultura y la poesía en América).

ICC / LC, UMi, CU

ARBOLEDA, SERGIO, 1822-1888.

Las letras, las ciencias y las bellas artes en Colombia, por Sergio Arboleda. Bogotá, Edit. Minerva, [1936]. 164 p. 20 cm. (Selección Samper Ortega, 51).

ICC, BN, BLAA / LC, PU, Y, USC, UCLA

ARCINIEGAS, GERMÁN, 1900-

El continente de los siete colores; historia de la cultura en América latina. Buenos Aires, Edit. Sudamericana, [1965]. 723 p. 26 cm.

Trad. al inglés, con el título: *Latin America: A cultural history* ... tr. from the Spanish by Joan McLean. New York, Alfred A. Knopf, 1967. 594 p. 21 cm.

USC

— Diario de un peatón. Bogotá, Imp. Nacional, 1936. 275 p. 19 cm.

Contenido general: Minucias; Notas sobre Antioquia; Salve los indios; De la política; El nuevo Gargantúa.

ICC

BETANCUR, BELISARIO.

El viajero sobre la tierra. Bogotá, Ediciones Tercer Mundo, 1963. 137 p., 2 h. láms. 34 cm. (Colección Caballito del Mar).

ICC

* CABALLERO CALDERÓN, EDUARDO, 1910-

Breviario del "Quijote". Madrid, Afrodisio Aguado, 1947. 317 p. 21 cm.

ICC

— Discurso leído en el acto de su recepción por el señor don Eduardo Caballero Calderón y contestación del señor don Eduardo Guzmán Esponda. Bogotá, Imp. Nal., 1944. 55 p. 22½ cm.

Sobre periodismo y literatura.
ICC / PU

— Latinoamérica: un mundo por hacer. Bogotá, Edit. Minerva, 1944. 111 p. 20 cm.
ICC

— Obras. Prólogo de Juan Lozano y Lozano. Medellín, Edit. Bedout, [1963-1964]. 3 v. 21 cm.

Contenido: v. I: Ensayos generales; v. II: Ensayos colombianos; v. III: Novelas y relatos.
ICC, BLAA / LC

— Suramérica tierra del hombre. 2ª ed. Madrid, Ediciones Guadarrama, 1956. 312 p. láms. 23 cm. (Colección "Del Pirineo a los Andes", núm. 2).
ICC

CADAVID URIBE, GONZALO.

Colombia: Hacia una cultura propia, en Revista *Universidad de Antioquia* (Medellín), XXXV, núm. 137 (abril-junio de 1959), p. 54-65.
ICC

CARRANZA, EDUARDO, 1913-

Anhelo y profecía del nuevo humanismo. Bogotá, Prensas del Ministerio de Educación Nacional, 1950. 34 p. 24 cm.

"Discurso del Director de la Biblioteca Nacional en la inauguración de la Sala del Humanismo Colombiano, el 4 de agosto de 1950, y respuesta del señor Presidente de la República, doctor Mariano Ospina Pérez".

ICC

CASTRO SILVA, JOSÉ VICENTE, *Monseñor,* 1885-

Epílogo de don Quijote. Bogotá, Edit. Centro, 1939. 116 p. 20 cm.

ICC

DOLLERO, ADOLFO.

Cultura colombiana. Anotaciones sobre el movimiento intelectual de Colombia, desde la conquista hasta la época actual. Bogotá, Edit. Cromos, 1930. 868 p.

De interés: Parte 1ª: Cap. I. Resumen histórico desde la conquista; Cap. II. Factores principales de la independencia; Cap. VIII. Notas sobre la evolución de las letras; Cap. X. Evolución de las artes; Cap. XI. Notas sobre la evolución de la imprenta y de la prensa; Cap. XII. Extranjeros útiles en las guerras por la independencia o para la cultura de Colombia.

"Obra abigarrada, sin método ni criterio definido, pero que encierra multitud de documentos y noticias para la historia literaria colombiana". *(Bbcs).*

ICC, BN / LC, CU, NC

FRANKL, VÍCTOR.

... Espíritu y camino de Hispanoamérica ... Bogotá, [Edit. A B C], 1953. 1 v. 20 cm. (Biblioteca de Autores Colombianos, 42).

t. 1: La cultura hispanoamericana y la filosofía europea.

"Serie de artículos, ensayos y conferencias publicados ya con anterioridad en revistas y periódicos. El autor se propone la ambiciosa tarea de descubrir, no sólo las profundas raíces de la espiritualidad hispanoamericana, para lo cual empieza por remontarse a la filosofía de San Agustín, sino también la dirección y destino futuros de la vida y la cultura de la América Hispánica ..." (*Hdbk*, Nº 19).

ICC, BN, BLAA / LC, UCLA

* GARCÍA, ANTONIO.

Las generaciones en la historia de Colombia, en *Casa Cultural Ecuatoriana,* año I, núm. 1 (enero-marzo de 1945), p. 122-61.

"The problems and ideals of Colombian writers during the nineteenth and twentieth centuries are discussed in a series of brilliant chapters. Instead of biographies and aesthetic programs, conflicting ideologies derived from the political and economic struggles are stressed". (*Hdbk*'45).

LC

* GARCÍA DEL RÍO, JUAN, 1794-1856.

Meditaciones colombianas. 2ª ed. Bogotá, [Ministerio de Educación de Colombia, 1945]. xxiv, 432 p. 18 cm. (Biblioteca Popular de Cultura Colombiana, 79).

Artículos políticos y de miscelánea.

ICC

GÓMEZ, LAUREANO, y RIVAS SACCONI, JOSÉ MANUEL.

Por la cultura; discurso del presidente de la república Laureano Gómez y del Director del Instituto Caro y Cuervo, José Manuel Rivas Sacconi, Bogotá, 1952. 42 p. ilus. 23 cm.

Contenido: Una obra de restauración cultural, por L. Gómez; *La cultura, tradición y mandato,* por J. M. Rivas Sacconi.

ICC / LC, UVa

GUILLÉN MARTÍNEZ, FERNANDO, 1925-

La torre y la plaza: un ensayo de interpretación de América. Madrid, Ediciones Cultura Hispánica, 1958. 415 p. 21 cm.

Contenido: *1ª parte*: La estirpe; *2ª parte*: La historia; *3ª parte*: El destino.

ICC

GUTIÉRREZ VILLEGAS, ERNESTO.

Las ideas de los otros. [Manizales, Edit. Cervantes], 1958. 222 p. 17 cm. (*An*'57-58)

HERNÁNDEZ DE ALBA, GUILLERMO, 1906-

Aspectos de la cultura en Colombia. [Bogotá, Ministerio de Educación de Colombia, 1947]. XIII, 250 p. 21 cm. (Biblioteca Popular de Cultura Colombiana, 109).

Contenido: Evolución-expresiones de la cultura; Breve historia de la universidad; Los jesuítas en la cultura del Nuevo Reino de Granada; La condición del criollo en la colonia; La primera cátedra de medicina en el Nuevo Reino de Granada; Copérnico y el origen de nuestra independencia; Contribución al estudio de las humanidades en Colombia; Fray Miguel de Isla, insigne médico neogranadino; Ideas bolivarianas sobre educación pública; Santander, apóstol magno de la cultura aldeana; El Colegio de la Merced, primer instituto oficial de cultura femenina en América.

ICC, BN, BLAA / LC, PU

IBÁÑEZ, JAIME, 1919-

... Los trabajos y los días. Bogotá, Edit. "Los Andes", 1954. 173 p., 1 h. 25 cm. (*An*'51-56)

* JARAMILLO URIBE, JAIME.

El pensamiento colombiano en el siglo XIX. Bogotá, Edit. Temis, 1964. 464 p.

"En el presente volumen no me he propuesto hacer una historia erudita de lo que se escribió en Colombia durante el siglo pasado sobre la orientación de la cultura, sobre el Estado o sobre la filosofía, sino intentar un ensayo de comprensión del pensamiento de algunas figuras que, por la magnitud y calidad de su obra, tuvieron en su tiempo considerable influjo sobre la opinión de sus conciudadanos y que en alguna medida han continuado teniéndolo". (*Prefacio,* p. [IX]).

V. comentario de Silvio Villegas, en *Bol. Cult. y Bibl.* (Bogotá), VIII, núm. 10 (1965), p. 1471-83.

ICC, BLAA / LC, UCLA

— En torno a las ideas en Colombia. Del positivismo a la neoescolástica, en *Revista de Historia de las Indias* (Quito), II (1960), p. 87-106.

"Capítulo de un libro [...] sobre el pensamiento filosófico en Colombia. Trata principalmente de la influencia de Comte y Spencer (José Eusebio Caro y Salvador Camacho Roldán); de la reacción antipositivista (José María Samper y Rafael Núñez); y del neoescolasticismo colombiano (Rafael María Carrasquilla y otros)". (*Hdbk,* Nº 24).

LC

LOBO SERNA, CIRO ALFONSO.

Muchas gracias, Don Quijote! Ocaña, Edit. Oropoma, 1963. 82 p. 16½ cm.

ICC

* LÓPEZ DE MESA, LUIS, 1884-1967.

Introducción a la historia de la cultura en Colombia. Sinopsis del desarrollo cultural de este país e interpretación de sus causas y dificultades. Bogotá, 1930. 203 p. 21½ cm.

"Ensayo de interpretación de la historia y la cultura colombianas; una de las más logradas obras del Profesor López de Mesa". (*Bbcs*).

BN / LC, VMI, Dth

— Páginas escogidas ... [Selección hecha por Gonzalo Cadavid Uribe]. [Medellín], Ediciones Universidad de Antioquia, [1963]. 151 p., 1 h. 20 cm. (El Pensamiento Colombiano, 1).

BLAA

— Perspectivas culturales. Bogotá, Universidad Nacional de Colombia, 1949. 167 p. 23 cm.

"Philosophical ruminations anent the present world situation, especially as it concerns man's cultural development". (*Hdbk'*49).

Buena parte del libro se dedica a temas pedagógicos.

ICC / LC, PU, NYPL, CU

— La sociedad contemporánea y otros escritos. Bogotá, Edit. Minerva, [1936]. 195 p. 17 cm. (Selección Samper Ortega, 49).

De especial interés: De cómo se expresa en el arte el pueblo colombiano.

ICC, BN, BLAA / LC, PU, Y, USC, UCLA

MARTÍN CARLOS, 1914-

... La sombra de los días. [Bogotá], Ediciones Espiral Colombia, 1952. 208 p., 3 h. 20 cm.

Contenido: I. Introducción a la vida poética; II. Las formas particulares del arte; III. El hombre y su camino.

ICC

* NIETO ARTETA, LUIS EDUARDO, 1913-1956.

Economía y cultura en la historia de Colombia. [2ª ed.]. [Bogotá], Ediciones Tercer Mundo, 1962. 436 p. 20 cm.

Bibliografía, p. 455-57.
BLAA / LC, PU, CU

OSORIO, LUIS ENRIQUE, 1896-1967.

Visión de América; curso de sociología americana dictada en la Universidad de Stanford, California, y en la Fundación Universidad de América, Bogotá. [Bogotá], Ediciones de "La Idea", 1961. 258 p. 20 cm.
USC

PABÓN NÚÑEZ, LUCIO, 1914-

Del Quijote y de La Mancha. [Bogotá, D. E.], Ediciones de la Revista Ximénez de Quesada, 1966. 266 p., 1 h. 22 cm. (Biblioteca del Instituto Colombiano de Cultura Hispánica, 5).
ICC

— Por La Mancha de Cervantes y Quevedo. Madrid, Ediciones Hispanoamericanas, 1962. 11 p. 16 cm.
ICC

RESTREPO MILLÁN, JOSÉ MARÍA.

Breve historia de la cultura colombiana, en *Rev. de las Indias* (Bogotá), IX (1941), p. 340-60.

Menciona algunos importantes escritores nacionales.
ICC, BLAA

RINCÓN ROZAS, SAÚL.

Historia del arte literario en Boyacá, su evolución sociológica. Tunja, Imp. Dptal., 1939. 117 p. 22 cm.

"Evolución sociológica del arte literario en Boyacá, 1700-1940".

BLAA / LC

* RIVAS SACCONI, JOSÉ MANUEL, 1917-

Academia, lengua, cultura, nación; discurso pronunciado por el doctor José Manuel Rivas Sacconi, el 24 de abril de 1961, en la conmemoración del Día del Idioma, con el cual tomó posesión de la silla C de la Academia Colombiana. Bogotá, Edit. Pax, 1962. 23 p. 23½ cm.

Separata del *Bol. Acad. Col.* (Bogotá), XII, núm. 42 (Febrero y marzo de 1962), p. 1-25.

ICC, BN, BLAA / LC

— El Seminario Andrés Bello: La educación lingüística y la unidad cultural de Hispanoamérica, en *Bol. Acad. Col.* (Bogotá), IX (1959), p. 19-25.

"Discurso pronunciado por el Director del Instituto Caro y Cuervo, doctor José Manuel Rivas Sacconi, en la sesión inaugural del Seminario Andrés Bello...".

ICC, BN, BLAA / LC

* SAMPER ORTEGA, DANIEL, 1895-1943.

Colombia, breve reseña de su movimiento científico e intelectual ... Madrid, La Unión Ibero-Americana, 1929. 85 p. ilus. 31 cm.

"Resumen de las conferencias pronunciadas en los Ateneos de Bilbao y de San Sebastián, el 16 y el 18 de noviembre; en el Círculo Mercantil, de Santander, el 24 del propio mes, y en la Universidad de Salamanca y la Unión Iberoamericana, de Madrid, el 6 y el 21 de diciembre de 1927, respectivamente".

ICC / LC, NYPL, CU, Dth

* SANÍN CANO, BALDOMERO, 1861-1957.

La civilización manual y otros ensayos. Buenos Aires, Edit. Babel, 1925. 213 p.

BN

— El humanismo y el progreso del hombre. Buenos Aires, Edit. Losada, 1955. 259 p.

Ensayos sobre temas y escritores de diversas literaturas.

ICC / VMI

— Indagaciones e imágenes. Bogotá, Talleres de Ediciones Colombia, 1926. 182 p., 9 h. 17 cm.

Contenido: Sociales e históricas; Críticas.

ICC, BN

— Tipos, obras, ideas. Buenos Aires, Ediciones Peuser, [1949]. 284 p., 2 h. 19 cm. (Biblioteca de Cultura Americana, 1).

Contenido: I. Históricas; II. Crítica; III. Sociales; IV. Cultura; V. Literatura; VI. Apólogos.

ICC

SANTA, EDUARDO.

Reflexiones sobre la literatura y el arte colombianos, en Revista *Bolívar* (Bogotá), XIV, núms. 59-60 (enero-junio de 1961), p. 111-16.

ICC, BN, BLAA / LC, PU

* Téllez, Hernando, 1908-1967.

Diario. Bogotá, Librería Suramérica, [1946]. 253 p., 1 h. 19 cm.

ICC

— Inquietud del mundo, por Hernando Téllez. [Bogotá], Club Editorial de los Veinte, [1943]. 221, 1 p., 1 h. 17½ cm. (Ediciones Librería siglo XX).

PU

— Literatura y sociedad. Glosas precedidas de notas sobre la conciencia burguesa. Bogotá, [Edit. Antares, 1956]. 109 p., 1 h. ilus. 17 cm. (Ediciones Mito).

Contenido: Notas sobre la conciencia burguesa; El reino de lo absoluto; Trópico; El gran miedo; Regalos; Literatura y sociedad; Nadar contra la corriente; Naturaleza viva; Escolio.

ICC

— Sus mejores prosas. Lima, Editora Latinoamericana, 1959. 115 p. 17 cm. (Biblioteca Básica de Cultura Colombiana, 5).

Contenido: Bagatela sobre la infancia; Bagatela sobre la juventud; Bagatela sobre la vejez; Bagatela sobre el amor; Bagatela sobre el olvido; Bagatela sobre la soledad; Bagatela sobre la muerte; Grandeza y ejercicio de la literatura; La influencia perdida; La servidumbre del estilo; La novela en Latinoamérica; Alegato sobre la poesía; El triunfo de la vida; Escolio.

BLAA / LC

* Torres, Carlos. A., 1867-1912.

Idola fori. Ensayo sobre las supersticiones políticas. Valencia, F. Sempere y Cía., Edit., [s. f.]. 217 p.

Contenido: Cap. I. Los ídolos del foro; Cap. II. Evolución y unidad mental; Cap. III. Rotación de las ideas. - El concepto científico; Cap. IV. Rotación de las ideas. - El concepto histórico; Cap. V. Rotación de las ideas. - El concepto político; Cap. VI. Las supersticiones democráticas; Cap. VII. Las supersticiones aristocráticas; Cap. VIII. Corrientes políticas de la América española; Cap. IX. Hacia el futuro.

ICC

— Literatura de ideas. Discursos y conferencias. Caracas, El Cojo, 1911. 160 p.

Contenido: La poesía y la historia; Literatura de ideas; Nariño; La literatura histórica en Venezuela; Hostos; Apéndice: Discursos del señor A. Gómez Restrepo en la Academia Colombiana de la lengua.

PU

VARGAS VALDÉS, JOSÉ JOAQUÍN.

Artículos y ensayos. Ed. Aníbal Vargas Barón. Eugene, Univ. of Oregon Books, 1963. xxxiii, 197 p.

V. r. de Héctor H. Orjuela, en *Hisp.*, XLVII (December, 1964), p. 876-77.

ICC / LC

VARGAS VILA, JOSÉ MARÍA, 1860-1933.

... En las cimas. 1916. 2ª ed. Barcelona, Maucci, [etc., ¿1916?]. 219 p., 1 h. 19 cm.

Ensayos sobre literatura.

Y

VEGA, FERNANDO DE LA, 1892-1952.

Espigando. Prólogo de Pedro Sondeguer. Buenos Aires, Edit. Colombia, 1942. 173 p. 18 cm.

Ensayos sobre literatura y escritores extranjeros.

ICC, BN

VILLEGAS, SILVIO, 1902-

La canción del caminante. [Lima, Editora Latinoamericana, 1959]. 163 p. 17 cm. (2º Festival del Libro Colombiano. Biblioteca Básica de Cultura Colombiana, 2ª serie, Nº 18. Biblioteca Básica de Cultura Latinoamericana).

De esta obra hay varias ediciones.

Contenido: Palabras primitivas; Los sentimientos negativos; Una estación de psicoterapia; Soledad; una nostalgia productiva; El sentimiento creador; Sufrimiento; La canción del caminante; sacrificio; Felicidad; Languidez, Ultima página.

BN, BLAA

* ZALAMEA, JORGE, 1905-

Minerva en la rueca y otros ensayos. Bogotá, Edit. Iqueima, 1943. 235 p., 1 h. 19 cm. (Colección "Los Textos Amigos". Selección de la Revista *Crítica*).

Contenido: *Semblanza*, por Juan Lozano y Lozano; Minerva en la rueca; Orígenes de la literatura inglesa; Diario de Italia; Orillas de México.

ICC, BN

— Los problemas de la cultura latinoamericana, en Revista *Bolívar* (Bogotá), XIII, núms. 55-58 (enero-diciembre de 1960), p. 23-32.

ICC, BN, BLAA / LC

B) ENSAYO GENERAL

* ANDERSON IMBERT, ENRIQUE, 1910-

Misión de los intelectuales en Hispanoamérica, en *Cuadernos Americanos* (México), año 23, CXXVIII (1963), p. 33-48.

LC

BERENGUER CARISOMO, ARTURO y BOGLIANO, JORGE.

El ensayo, en *Medio siglo de literatura americana.* Madrid, Instituto de Cultura Hispánica, 1952, p. 263-72.

LC

* BLEZNICK, DONALD W.

El ensayo español. Del siglo XVI al XX. México, Colección Studium, 1964. 140 p.

Contiene útiles bibliografías.

V. r. de Martin Nozick, en *Hisp.,* XLVIII (December, 1965), p. 398.

LC

CARILLA, EMILIO, 1914-

Hacia un humanismo hispanoamericano. Bogotá, Instituto Caro y Cuervo, 1965. 15 p. 23 cm.

Separata de *Thesaurus,* Boletín del Instituto Caro y Cuervo, XX, núm. 3, 1965.

ICC / LC

CLISSOLD, STEPHEN.

Latin America: a cultural outline. London, Hutchinson of London, 1965. 160 p.

"An attempt to provide some insights into the 'Latin American Mind', relying primarily on the basic works and authors of Latin American literature". (*Hdbk,* Nº 28).

LC

* CRAWFORD, WILLIAM REX, 1898-

A century of Latin American thought. Cambridge, Mass., Harvard Univ. Press, 1961. 322 p. 22 cm.

1ª ed.: *id.,* 1944. 320 p.

"The book deals with a group largely neglected by North American comentators and anthologies: the 'pensadores'. Some forty philosophers, essayists, sociologists and other leaders of thought from several countries are presented, with generous excerpts from their writings, to exemplify and interpret intellectual trends in the past century". *(Hdbk'44).*

La 2ª ed. no ofrece cambios notables con excepción de la bibliografía que ha sido aumentada y puesta al día. No figuran "pensadores" colombianos.

V. r. de Manuel López-Rey, en *Hisp.,* XXIX (May, 1946), p. 305-307.

LC (1ª y 2ª eds.), UVa (1ª ed.), KU (1ª ed.), UCLA (1ª ed.)

CROW, JOHN A.

The epic of Latin America. Garden City, N. Y., Doubleday and Co., 1946. 756 p.

"A popular survey of the entire span of Latin American time and space. Accurate, lively, and useful, for the general public". *(Hdbk'46).*

V. r. de F. C. Hayes, en *Hisp.,* XXX (February, 1947), p. 143-44.

LC, UVa, KU, USC, UCLA

FINLAYSON, C.

El ensayo en Hispanoamérica, en *Repertorio Americano* (Costa Rica), 10 de marzo de 1945.

LC

FLORIA, CARLOS ALBERTO y CRUZ, SALVADOR.

El ensayo de las nuevas generaciones, en *Cuadernos del Congreso por la Libertad de la Cultura* (París), núm. 71 (1963), p. 43-45.

LC

GAOS, JOSÉ.

Aportaciones a la historia del pensamiento iberoamericano, en *Cuadernos Americanos* (México), nov.-dic. de 1947, p. 146-53.

LC

— Pensamiento de lengua española. México, Edit. Stylo, 1945. 409 p. 24 cm.

LC

—El pensamiento hispanoamericano. México. (Ed. Colegio de México, Jornadas, 12). 50 p.

"Más que una exposición del pensamiento hispanoamericano, el trabajo del Dr. Gaos es un estudio del substrato europeo de este pensamiento. Se insiste excesivamente en los orígenes y las conexiones de dicho pensamiento con el español. Acaso convenga recordar que en los últimos cien años el resto de los países europeos influyó más que España en el pensamiento hispanoamericano". *(Hdbk'44)*.

LC

GARCÍA CALDERÓN, FRANCISCO.

Latin America: its rise and progress ... with a preface by Raymond Poincaré ... tr. by Bernard Miall ... London [etc.], T. F. Unwin, [1913]. 406 p. 25 cm.

Ed. francesa: París, 1912: *Les democraties latines de l'Amériquc. Colombia*: p. 201-12: Conservatives and radicals- General Mosquera: his influence. A statesman: Rafael Núñez.

LC, KU, UC

GONZÁLEZ Y CONTRERAS, GILBERTO.

Ensayo y crítica, en *México en el mundo de hoy*. México, Edit. Guaranía, 1952, p. 521-41.

"Uno de los pocos estudios sobre este tema, publicados hasta ahora". (Robert G. Mead).

LC

* HENRÍQUEZ UREÑA, PEDRO, 1884-1946.

Historia de la cultura en la América hispánica. [5ª ed.]. México, Fondo de Cultura Económica, 1961. 173 p. (Colección Popular).

1ª ed., *id.,* 1947.

2ª ed., *id.,* 1949.

3ª ed., *id.,* 1955.

4ª ed., *id.,* 1959.

Ed. inglesa con el título: *A Concise History of Hispanic American Culture* (Trans. with supplementary chap. to 1962, by Gilbert Chase). Baton Rouge, La. State Univ., 1964. 224 p.

Contenido: [5ª ed.]: Introducción; I. Las culturas indígenas; II. El descubrimiento y la colonización de América; III. La cultura colonial; IV. La independencia, 1800-1825; [Después de la independencia], 1825-1860; VI. Organización y estabilidad; 1860-1890; VII. Prosperidad y renovación, 1890-1920; VIII. El momento presente, 1920-1945.

"Overview of Latin America's cultural history. Because of the vastness of the subject and the limitations of space, the book often degenerates into a mere catalogue of names. However, the generalizations are excellent and flashes of genius abound". *(Hdbk'*47).

LC, KU, USC, UCLA

— Plenitud de América. Ensayos escogidos. Selección y nota preliminar de Javier Fernández. Buenos Aires, Peña, Del Giudice, 1952. 166 p.

"Some 20 essays on diverse aspects of American culture: the impact of Erasmus, the baroque, the Mexican Revolution, some American cultural leaders - Sarmiento, Martí, Rodó, Sanín Cano". *(Hdbk'*52).

LC

* MEAD, ROBERT G., JR., 1913-

Breve historia del ensayo hispanoamericano [1ª ed.]. México, Ediciones de Andrea, 1956. 142 p. 18 cm. (Manuales Studium, 3).

Prefacio, [por] R. G. M., por [5]-6.

Contenido. - Cap. I. El ensayo como género literario; Cap. II. La prosa de la colonia y de la emancipación; Cap III. Los grandes precursores; Cap. IV. Los primeros ensayistas; Cap. V. La generación de 1880; Cap. VI. El ensayo durante el modernismo; Cap. VII. El ensayo durante el post-modernismo; Cap. VIII. El ensayo de hoy; Bibliografía.

"El presente estudio, como lo indica claramente el título, no aspira a ser más que un esfuerzo pionero, un rápido viaje de orientación a través del territorio, relativamente ignoto, incluído dentro de los límites imprecisos de lo que denominamos el ensayo hispanoamericano. No se dirige nuestro modesto esfuerzo a los eruditos en la materia tratada. En cambio creemos que puede ser útil a los profesores y estudiantes, al lector, en general ..." (p. [5]).

Bibliografía general, p. [129]-38.

V. r. de James W. Robb, en *Revista Interamericana de Bibliografía* (Washington, D. C.), VII (julio-septiembre de 1957), p. 306-307, y de Fernando Alegría, en *Hisp.,* XL (February, 1957), p. 121-22.

LC, PU, Y, KU, USC, UCLA

MILIANI, DOMINGO.

El socialismo utópico: Hilo transicional del romanticismo al positivismo en Hispanoamérica, en *Revista Nacional de Cultura* (Caracas), XXV (1962), p. 23-42.

LC

PICÓN-SALAS, MARIANO, 1901-1965, *De la conquista a la independencia: tres siglos de historia cultural hispanoamericana ...* *V.* p. 461-62.

* Picón-Salas, Mariano, 1901-1965.

En torno al ensayo, en *Cuadernos* (París), sept.-oct. de 1954, p. 31-33.

LC

* Reyes, Alfonso, 1889-1959.

El deslinde; prolegómenos de la teoría literaria. México, El Colegio de México, [1944]. 376 p. 24½ cm.

"Cuatro lecciones sobre la ciencia de la literatura, en el Colegio de San Nicolás, Morelia, entre mayo y junio de 1940, han sido la ocasión de este libro". *(Prólogo).*

ICC / LC

— Los dos caminos, 4ª serie de simpatías y diferencias. Madrid, [Tip. Artística], 1923. 218 p. 18 cm.

De *interés*: Cartas de Jorge Isaacs.

USC

— La experiencia literaria. Buenos Aires, Edit. Losada, [1952]. 196 p. (Biblioteca Contemporánea, 229).

LC

— Obras completas. [México, D. F.], Fondo de Cultura Económica, 1955-1963. 15 v. 21 cm. (Letras Mexicanas, 1-15).

ICC / LC

* Riccio, Guy John.

Hispanidad and the growth of national identity in contemporary Spanish-American thought, en *Dissertation Abstracts,* XXIV, 5146-47 (Md.).

Tesis, University of Maryland.

LC, USC

RODÓ, JOSÉ ENRIQUE, 1872-1917.

Ariel. Con un estudio crítico por Leopoldo Alas (Clarín). Madrid, 1919. 144 p. ret. 19 cm.

USC

ROJAS GARCIDUEÑAS, JOSÉ.

El ensayo y la novela, en *México, realización y esperanza.* México, Edit. Superación, 1952, p. 135-42.

LC

* SÁNCHEZ, LUIS ALBERTO, 1900-

El ensayo y la crónica; dos "géneros" latinoamericanos. Habana, 1959. 17 p. 23 cm.

"Publicación separada de la revista Universidad de la Habana, años XXII-XXIII, nos. 134 al 141".

LC

— Vida y pasión de la cultura en América. Santiago de Chile, [Ediciones Ercilla], 1935. 135 p. 1 h., 22½ cm. (Biblioteca América, XVI).

Conferencias dictadas en la Habana en 1932.

LC, UVa

SÁNCHEZ REULET, ANÍBAL.

Panorama de las ideas filosóficas en Hispanoamérica, en *Tierra firme* (Madrid), II, núm. 2 (1936), p. 181-209.

"An interesting study of the intellectual history of Spanish America about one half of which is devoted to the colonial period. The author traces the transplantation of ideas from Europe to America and studies their repercussions in various parts of the Indies. During the colonial epoch philosophical ideas were defi-

nitely subordinated to theology with the consequent retardation of experimental philosophy. Reprinted in *Letras* (Lima), 2º cuatrimestre (1936), p. 314-331". *(Hdbk'36)*.
LC

SANJUÁN, PILAR A., *El ensayo hispánico* ... *V*. p. 673-74.

* TORRE, GUILLERMO DE, 1900-
El existencialismo en la literatura, en *Cuadernos Americanos* (México), XXXVII (enero-febrero de 1948), p. 253-72; XXXVIII (marzo-abril de 1948), p. 223-34.
LC

— La originalidad de la literatura hispanoamericana, en *Revista de Occidente* (Madrid), XIII (1966), p. 191-205.
LC

— Problemática de la literatura. Buenos Aires, Edit. Losada, 1951. 366 p. 21 cm.
LC

TORRES-RÍOSECO, ARTURO, 1897-
El ensayo en la América colonial, en *Cuadernos del Congreso por la Libertad de la Cultura* (París), No. 71 (1963), p. 36-42.
LC

UGARTE, MANUEL, 1878-1951.
El destino de un continente. Madrid, Edit. Mundo Latino, 1923. 429 p. 19½ cm.

[¿2ª ed.?]: Buenos Aires, Ediciones de la Patria Grande, 1962. 365 p. 20 cm.
LC

VASCONCELOS, JOSÉ, 1881-1959.

Indología: una interpretación de la cultura ibero-americana. París, Agencia Mundial de Librería, [s. a.]. LXIII, 231 p. 19 cm.

ICC

— La raza cósmica, misión de la raza iberoamericana; notas de viajes a la América del Sur. [París], Agencia Mundial de Librería, s. f. 294 p. 19 cm.

USC

VÁSQUEZ, RAMÓN F.

Alma de América. Buenos Aires, Edit. Losada, 1941.

"Un estudio del proceso histórico-sociológico de los pueblos hispanoamericanos". (Robert G. Mead).

LC

* VITIER, MEDARDO.

Del ensayo americano. México, Fondo de Cultura Económica, 1945. 293 p. (Colección Tierra Firme, 9).

"Although Vitier's original aim was to study the essays as a literary genre, he has ended really with a survey of the thought of a dozen Latin american ideologists (Sarmiento, Montalvo, Hostos, Rodo, F. Garcia Calderon, C. A. Torres, Mariategui, P. Henriquez Ureña, Vasconcelos, Lopez de Mesa, Arciniegas and Alfonso Reyes). As stimulating an introduction to Latin American philosophy as Rex Crawford's *A Century of Latin-American Thought*". (*Hdbk*'45).

LC

YÁÑEZ, AGUSTÍN, 1904- *El contenido social de la literatura iberoamericana* ... *V.* p. 395.

LC

* ZEA, LEOPOLDO, 1912-

América en la conciencia de Europa. México, Los Presentes, 1955. 177 p. (Los Presentes, núm. 39).

LC

— Dos etapas del pensamiento en Hispanoamérica. Del romanticismo al positivismo. México, El Colegio de México, 1949. 396 p.

Ed. en inglés con el título: *The Latin American Mind* (Trans. by James Albot and Lowell Duham). Norman, Univ. of Oklahoma, 1963.

"Si bien se advierten algunas lagunas importantes y caracterizaciones apresuradas sobre la significación del positivismo en Argentina y Chile, por ejemplo, la obra es de suma utilidad como primer estudio general del romanticismo y del positivismo hispanoamericanos". (*Hdbk*'49).

"El mejor libro publicado hasta ahora sobre las corrientes ideológicas del siglo XIX. Obra indispensable para el estudio del ensayo hispanoamericano". (Robert G. Mead).

V. r. de Robert G. Mead, en *Revista Hispánica Moderna,* XVI (1950), p. 130-33.

LC, KU, UCLA

— Las ideas en Iberoamérica en el siglo XIX. La Plata, Argentina, Universidad Nacional de La Plata, Instituto de Historia de la Filosofía y del Pensamiento Argentino, 1957. 52 p. (Cuadernos de la extensión universitaria, 2).

"Conferencia pronunciada en el Instituto de Historia de la Filosofía y el Pensamiento Argentino de la Universidad de la Plata en 1956. Traza un rápido panorama de las ideas filosóficas, políticas y sociales en Hispanoamérica y el Brasil durante el siglo XIX". (*Hdbk*' Nª 22).

LC

— El pensamiento latinoamericano. [1ª ed.]. México, Edit. Pormaca, [1956]. 2 v. 21 cm. (Colección Pormaca, 12, 17).
USC

* ZUM FELDE, ALBERTO, 1888-
Indice crítico de la literatura hispanoamericana; los ensayistas. México, Edit. Guaranía, 1954. 606 p. 24 cm. (Biblioteca de Pensadores y Ensayistas Americanos).

"El mejor -y casi único- trabajo que se ha publicado sobre la crítica y el ensayo en Hispanoamérica. Obra amplia y seria, indispensable para el investigador erudito, pero por su misma índole no se presta fácilmente para uso escolar como libro de texto". (Robert G. Mead).

V. r. de Robert G. Mead, en *Hisp.,* XXXVIII (August, 1955), p. 382.

LC, USC, UCLA

— El problema de la cultura americana. Buenos Aires, Edit. Losada, 1943. 233 p. 21 cm.
LC

LITERATURA FOLCLORICA Y POPULAR

I. BIBLIOGRAFIAS Y OBRAS DE REFERENCIA

1. LITERATURA COLOMBIANA

CARO MOLINA, FERNANDO, 1929-

Indice bibliográfico de la *Revista de Folklore Colombiano,* en *Cuadernos de Cultura* (Cali), I, núm. 1, junio de 1953, p. 25-28.

"Indice de los siete primeros números de la *Revista de Folklore,* correspondientes a la primera serie (1947-1951) y del primer número de la segunda época (1952)". *(Bbcs).*

V. Revista colombiana de folclor, p. 716.

* SIMMONS, MERLE EDWIN, 1918-

Colombia, en MERLE E. SIMMONS, *A bibliography of the romance and related forms in Spanish America.* Bloomington, Indiana University Press, 1963, p. 129-56.

Bibliografía del folclor colombiano.

ICC / LC, PU, UCLA

2. LITERATURA GENERAL

* BOGGS, RALPH STEELE.

Bibliography of Latin American folklore. New York, The H. W. Wilson Co., 1940. 109 p. (Inter-American Bibliographical and Library Association, Publications, ser. 1, vol. 5).

"A classified list of 643 entries by author. Frequent notes include useful bibliographical data. Items are classified under the following categories: bibliography; periodicals, serials; publications and organizations; general and miscellaneous works; mythology; legends and traditions; folklore; poetry; music; dance, and games; festivals and customs; drama; arts and crafts; food and drink; belief, witchcraft, medicine and magic; folk speech, proverbs, and riddles". *(Hdbk'*40).

LC, PU

— Problems in Latin-American folklore bibliography. [s. p. i.], p. 309-16. 27 cm.

"Reprinted from Humaniora. Essays in literature-folklore-bibliography. Printed in Germany".

ICC

BONNERJEA, BIREN.

A dictionary of superstitions and mythology. London, Folk Press, [1927]. 320 p. 23 cm.

Bibliography, p. 300-14.

USC

* COLUCCIO, FÉLIX.

Diccionario del folklore americano (contribución), 1. Buenos Aires, 1954.

Con extensa bibliografía.

LC

— Guía de folkloristas. Preparada ... de acuerdo con la resolución del Congreso Internacional de Folklore (5 al 10 de diciembre de 1960). Buenos Aires, Dirección General de Cultura, [1962]. 31 p. 22 cm. (Comisión Internacional Permanente de Folklore, 2).

Nombres y direcciones de folcloristas destacados.

ICC

FUNK and Wagnalls standard dictionary of folklore and legend. Maria Leach. ed., Jerome Fried, associate ed. New York, Funk and Wagnalls Co., 1949- 2 v. 26 cm.

USC

JOBES, GERTRUDE.

Dictionary of mythology, folklore and symbols. New York, Scarecrow Press, 1961. 2 v. 22 cm.

USC

REYES ARCHILA, CARLOS.

Diccionario de mitologías. Tunja, Imp. Oficial, 1941. 399 p.

"Obra premiada en el concurso abierto por la Gobernación de Boyacá, con motivo del IV centenario de la fundación de Tunja (1939). Contiene más de diez mil voces (deidades, semidioses y héroes) de las mitologías griegas, latina, egipcia, india, escandinava, china, japonesa, germana, etc., y de las mitologías americanas: groenlandesa, maya, centroamericana, inca, chibcha, etc". (Vicente Pérez Silva).

SAINZ DE ROBLES, FEDERICO CARLOS.

Ensayo de un diccionario mitológico universal. Madrid, Aguilar, 1944. LXXV, 912 p. ilus.

LC

* SIMMONS, MERLE EDWIN, 1918-

A bibliography of the romance and related forms in Spanish America. Bloomington, Indiana University Press, 1963. xv, 396 p. 26 cm. (Indiana University. Folklore Series, Nº 18).

Preface, [by] Merle E. Simmons, p. VII-XIII.
V. r. de Frank Dauster, en *Hisp.,* XLVIII (March, 1964), p. 202-203.

LC

VERGARA MARTÍN, G. M.

Diccionario de refranes, adagios, proverbios, etc., que se emplean en la América española. Madrid, 1929.

LC

II. ANTOLOGIAS Y COMPILACIONES

1. LITERATURA COLOMBIANA

ACUÑA, LUIS ALBERTO, 1904-

... Refranero colombiano. [2ª ed.]. Bogotá, Ediciones Espiral Colombia, 1951. 165 p., 1 h. 20 cm.

1ª ed.: Bogotá, Edit. Argra, 1947. 128 p.
Contiene colección de 1.000 refranes; glosario; vocabulario.

ICC / LC

ARANGO CANO, JESÚS.

Mitos, leyendas y dioses chibchas, [Manizales, Imp. Deptal., s. f.]. 153 p. 19 cm.

USC

[ARCINIEGAS, JOSÉ IGNACIO], *comp.*

Cantares del Tolima Grande. [Bogotá, Talleres de Italgraf, 1958]. 31 h., ilus., música. 26½ cm.

Contenido: El Tolima Grande; El folclore; La música.
(*An*'57-58)

BIBLIOTECA del folklore colombiano. Bogotá, 1947-

v. 1 Quiñones Pardo, Octavio, *Interpretación de la poesía popular.* 1947.
v. 2 Acuña, Luis Alberto, *Refranero colombiano.* 1947.
v. 3-5 Medina, Joaquín R., *Pbro., comp., Cantos del Valle de Tenza.* 2ª ed. 1949.
ICC

ELOY, U. MIGUEL, *Hno., comp.*

Poesía Popular del Norte de Santander, coplas y ensaladillas coleccionadas por los Hermanos U. Miguel y Rodulfo Eloy ... Cúcuta, Imp. del Departamento, [1940]. XVIII, 290 p. 23 cm.
ICC

ENTREGAS de poesía popular colombiana. Ser. 1. Bogotá, [195-]- v. 24 cm.

Suplemento de la Revista *Universidad.*
CU

GALINDO, JULIO ROBERTO, *Boyacá en la leyenda indígena* ... *V.* p. 712.

GARCÍA, JULIO CÉSAR, *Contribución al refranero colombiano* ... *V.* p. 712.

* GUTIÉRREZ, BENIGNO A., 1899-1957.

Antioquia típica; bloque terrígeno de paisas rodaos, con cotas y referencias de otros maiceros, No. uno a. [¿Medellín?, Imp. Oficial, 1936]. 211 p. 29½ cm.

Contiene prosa y verso de carácter popular.
LC

— Arrume folklórico: de todo el maíz; suplemento ... Medellín, Colombia, Imp. Deptal. 1949. 87 p., 1 h. IV p. ilus., lám. música. 23½ cm.

"The present supplement contains the music and works of 39 folksongs of various types and narrative passages from literary works. First edition, 1944; revised edition, 1948. The poem on growing corn (published first in 1866) [*Memoria sobre el cultivo del maíz en Antioquia,* de G. Gutiérrez González] is extensively annotated by Roberto Jaramillo Arango". *(Hdbk'*49).
ICC, BN

— Gente maicera. Mosaico de Antioquia la grande. Publicado y anotado por B. A. Gutiérrez. Medellín, Edit. Bedout, 1950. 296 p.
ICC / LC

— Serie típica colombiana. Medellín, Edit. Bedout, 1952. 94 p. 17 cm.

Incluye prosa y verso de carácter folklórico.
BN / LC, UCLA

JARAMILLO LONDOÑO, AGUSTÍN, 1923-

Cosecha de cuentos (Del folklore de Antioquia). 1ª ed. Medellín, Edit. Bedout, 1958. 201 p. ilus. 22 cm. (*An*'57-58)

* LEÓN REY, JOSÉ ANTONIO, 1903-
Espíritu de mi Oriente; cancionero popular, recogido, clasificado y anotado. Bogotá, Imp. Nacional, 1951-53. 2 v. ilus. 25 cm.

"Obra laureada por la Academia Colombiana de la Lengua en el concurso de 1940".

Contiene más de 4.000 coplas y cantares.

ICC / LC, Y, UCLA

LÓPEZ GUEVARA, MAX, 1925-
Retablo aborigen (Leyendas). Prólogo de Lucio Pabón Núñez. [Bogotá, Prag, s. f.]. 119 p. ilus. 27½ cm.

Ilustraciones de David Parra C. (*An*'51-56)

* MEDINA, JOAQUÍN R.
Cantas del Valle de Tenza. Estudio preliminar de J. Vargas Tamayo, 3 tomos. Bogotá, Biblioteca del Folklore Colombiano, [1949]. XLVII, 270; 276; 194 p. música. 20 cm.

"This folklore material is a mine of information [...] Vol. 3 (p. 161-193) contains an alphabetical list of Colombian regionalisms". (*Hdbk*'49).

ICC / UCLA

OSPINA N., FRANCISCO.
... Coplas colombianas, compiladas por Francisco Ospina N. Bogotá, [Edit. Minerva], 1951. 216 p. ilus. 24 cm. (Folklore Nacional, II). (*An*'51-56)

* PABÓN NÚÑEZ, LUCIO, 1914-
Muestras folklóricas del Norte de Santander. Bogotá, Edit. Cosmos, 1952. 172 p., 3 h. 21 cm. (Biblioteca de Autores Colombianos, 21).

Contiene narraciones tradicionales, Cuentos, Leyendas, Romances tradicionales, Ensaladillas, Cantares, Coplas, Canciones varias, Canciones de cuna, etc.

ICC

QUIÑONES PARDO, O., *Cantares de Boyacá ...; Otros cantares de Boyacá ...; Refranero de Boyacá ...* *V.* p. 715.

* RESTREPO, ANTONIO JOSÉ, 1855-1923.

El cancionero de Antioquia, coleccionado y anotado por Antonio José Restrepo, con una introducción del mismo sobre la poesía popular. Contribución al estudio del folklore de Antioquia y Caldas; tonadas típicas campesinas, relatos y bailes populares, recogidos y publicados por Benigno A. Gutiérrez. Medellín, Edit. Bedout, 1955. 563 p., ilus., 17 cm. (Colección Popular de Clásicos Maiceros, III: De la Tierra Colombiana).

Hay varias ediciones.

ICC, BN / LC, Y, UCLA

SÁNCHEZ MONTENEGRO, VÍCTOR, 1903- *comp.*

El cancionero de Túquerres. [Bogotá, Edit. Minerva, 1955]. s. p. ilus. 24 cm. (Entregas de Poesía Popular Colombiana, Serie 1ª, 3).

ICC

SOLARTE MEJÍA, LIBARDO.

Tierra vallecaucana. Cali, 1961. 131 p. 23 cm.

Coplas, cuentos, refranes y leyendas del folclor del Cauca.

(*An*'61)

2. LITERATURA GENERAL

AGUILERA, ANA MARGARITA.

El cancionero infantil de Hispanoamérica. La Habana, "Biblioteca José Martí", 1960. 92 p., 2 h. música. 21 cm.

ICC

* COLUCCIO, FÉLIX, *ed.*

Antología ibérica y americana del folklore. Prólogo de Antonio Castillo de Lucas. Buenos Aires, Kraft, 1953. 320 p.

"An excellent presentation of a number of themes or motifs in the folklore of Spain, Portugal, and the Americas". *(Hdbk,* Nº 20).

LC

— Folklore de las Américas, primera antología. Prólogo de Augusto Raúl Cortázar. Portada de Edelmiro Volta. Buenos Aires, El Ateneo, 1949. 466 p. ilus. 21 cm.

ICC

CORTÉS, JUAN DE JESÚS.

Lira poética. Selección escogida de poesías, canciones y coplas. Director Juan de Jesús Cortés. Bogotá, [Librería Clásica], 1924. Serie 1, núm. 1-12. 1 v.

BLAA

JIJENA SÁNCHEZ, LIDA ROSALÍA DE.

Poesía popular y tradicional americana. Buenos Aires, Espasa Calpe, 1952. 218 p. 18 cm. (Colección Austral, 1114).

Prólogo, por Juan Alonso Carrizo p. [11]-13.
Para Colombia, p. [57]-64.
UCLA

JIJENA SÁNCHEZ, RAFAEL, 1904- *ed.*

Cancionero de coplas; antología de la copla en América, con un estudio preliminar, por Rafael Jijena Sánchez y Arturo López Peña. Buenos Aires, Edit. Abies, 1959. 266 p. 20 cm.

Fuentes bibliográficas, p. 257-61.
Estudio sobre el folklore, la poesía y la copla, p. 9-60.
ICC / LC, USC

— Hilo de oro, hilo de plata, selección hecha por Rafael Jijena Sánchez de letras y cantares infantiles recogidos de la tradición popular hispanoamericana. [Buenos Aires], Ediciones Buenos Aires, 1940. 3 h.. p. 9-184, [6] p. ilus. 21 cm.

Obras consultadas: p. 183-[85].
LC

MAIRENA, PEPITO DE.

Cancionero hispanoamericano. Jotas, seguidillas, polos, soleares, peteneras, danzas, bailes, guajiras, rumbas, guarachas, tangos argentinos y milongas. Barcelona, Publicaciones Mundial, [s. f.]. 208 p.

Coplas y canciones populares españolas e hispanoamericanas.
UCLA

* ONÍS, HARRIET DE, *ed. y tr.*

The golden land. An anthology of Latin American folklore in literature. Selected, edited, and translated by Harriet de Onis. New York, Knopf, 1948. 395 p.

"Selections from forty-four writers ably translated by Mrs. Onis who is also the author of the brief critical introductions to each writer represented". (*Hdbk*'48).

LC, UVa, KU, UCLA

RODRÍGUEZ MARÍN, FRANCISCO, 1855-1943, *comp.*

Cantos populares españoles, recogidos, ordenados e ilustrados por Francisco Rodríguez Marín. Madrid, Ediciones Atlas, [1882]. 5 v. 19 cm.

ICC

SALAZAR, HERNANDO, *Poesía popular* ... *V*. p. 564-65.

III. ESTUDIOS

1. LITERATURA COLOMBIANA

* AÑEZ, JORGE.

Canciones y recuerdos. Conceptos acerca del origen del bambuco y de nuestros instrumentos típicos y sobre la evolución de la canción a través de sus más afortunados compositores e intérpretes. Bogotá, Imp. Nacional, 1951 [1952]. 485 p., ilus.

"History and theories concerning the origin of the bambuco and Colombian popular music in general [...] The third part contains the words of 470 Colombian songs, mostly bambucos". (*Hdbk*'52).

LC

ARCE, MARGOT.

La poesía popular colombiana, en *Atenea* (Chile), XXXIV (junio de 1936), p. 292-311.

"Lecture given at Middlebury college. Numerous quotations illustrating the various characteristics of the poetry in question". (*Hdbk'36*).

LC, PU

* ARIAS, JUAN DE DIOS, 1896-

... Folklore santandereano ... [Bogotá, Edit. Cosmos, 1954]. t. II: 188 p. 22½ cm. (Biblioteca Santander, XXIV).

El primer vol. se publicó en 1942, en la Imp. Departamental de Bucaramanga.

ICC

— El romance en la tradición santandereana, en Revista *Bolívar* (Bogotá), núm. 16 (1953), p. 137-65.

ICC, BN, BLAA / LC

— Romances y dichos santandereanos, en *Revista Javeriana* (Bogotá), XX, núm. 98 (septiembre de 1943), p. 116-23.

"Gives texts of *El ajedrez* and *Las hijas del moro,* and studies some sayings of folkspeech". (*Hbdk'44*).

BN, BLAA

BEUTLER, GISELA.

Adivinanzas de tradición oral en Antioquia (Colombia). Bogotá, Instituto Caro y Cuervo, 1963. 43 p. 23 cm.

Separata de *Thesaurus* (Bogotá), XVIII (1963).

ICC / LC

— Adivinanzas de tradición oral en Nariño (Colombia). Bogotá, Instituto Caro y Cuervo, 1961. 87 p. 23 cm.

Separata de *Thesaurus,* Boletín del Instituto Caro y Cuervo, XVI, núm. 2, 1961.

ICC / LC

— Adivinanzas de tradición oral en Norte de Santander (Colombia). Bogotá, Instituto Caro y Cuervo, 1963. 24 p. 23 cm.

Separata de *Thesaurus* (Bogotá), XVIII (1963).

ICC / LC

ESCOBAR URIBE, ARTURO, 1911-

Rezadores y ayudados (Contribución al estudio del folclor nacional). 1ª ed. Bogotá, Imp. Nacional, 1959. 154 p., 1 h. ilus. 23½ cm.

ICC

EXBRAYAT, JAIME.

Cantares de vaquería; del folclor cordobés y bolivarense. 1ª ed. Medellín, Edit. Bedout, [1959]. 115 p., 2 h. 24 cm.

ICC

* FLÓREZ, LUIS, 1916-

El habla popular en la literatura colombiana, en *Boletín del Instituto Caro y Cuervo* (Bogotá), año 1, núm. 2 (mayo-agosto de 1945), p. 318-61.

"A number of extracts from twentieth-century *costumbristas* (Pimentel y Vargas [...] Quiñones Pardo, Buitrago, Velásquez Ortiz, Arias Trujillo, Carrasquilla, Posada, etc.) followed by a study of their linguistic forms ... ". *(Hdbk'45)*.

ICC / LC

— Habla y cultura popular en Antioquia; materiales para un estudio. Bogotá, Instituto Caro y Cuervo, 1957. 489 p., 2 h. láms. 23 cm. (Publicaciones del Instituto Caro y Cuervo, XIII).

ICC, BLAA / LC

— El provincialismo en la literatura colombiana, en *Educación* (Bogotá), núm. 4 (1942), p. 357-78.

BN

GALINDO, JULIO ROBERTO.

Boyacá en la leyenda indígena ... Tunja (Colombia), Imp. del Dpto., 1965. 91 p., 1 h. 16½ cm.

Contiene 10 leyendas.

ICC

GARCÍA, JULIO CÉSAR.

Contribución al refranero colombiano, en *Revista de Folklore* (Bogotá), núm. 3 (julio de 1948), p. 231-47.

"Some 400 proverbs or variants not included in L. A. Acuña's *Refranero calombiano* (Bogotá, 1947). Most of them of peninsular origin". (*Hdbk*'48).

BN

GÓMEZ VALDERRAMA, PEDRO, 1923-

Muestras del diablo, justificadas por consideraciones de brujas y otras gentes engañosas en el reino de Buzirago, y El Engaño. Bogotá, [Antares, 1958]. 219 p., 2 h. front. 17½ cm. (*An*'57-58)

HERNÁNDEZ DE ALBA, GUILLERMO, 1906- *Poesía popular y poesía culta ante la emancipación colombiana (1781-1829)* ... *V.* p. 574.

JARAMILLO LONDOÑO, AGUSTÍN, 1923-

Testamento del paisa ... [Medellín], Edit. Bedout, 1961. 544 p. ilus. 23 cm. (*An*'61)

KELLER, JEAN P.

Popular poetry in Colombia, en *Hisp.*, XXXV (November, 1952), p. 387-91.

ICC / LC, PU, USC, UCLA

LIMA, EMIRTO DE.

Folklore colombiano. Barranquilla, 1942. 210 p.

"Collection of essays and lectures on various phases of Colombian folkmusic, musical instruments, songs, dances, street cries, festivals, riddles, etc., with illustrative music and verses. 50 music notations". (*Hdbk*'43).

LC

MONSALVE MARTÍNEZ, MANUEL.

El Tolima y su poesía popular, en Revista *Universidad de Antioquia* (Medellín), III (1936), p. 231-39.

"Short samples, with comment". (*Hdbk*'36).

ICC, BN, BLAA

MONTES, JOSÉ JOAQUÍN, 1926-

Algunos aspectos del habla popular en tres escritores caldenses. Bogotá, Instituto Caro y Cuervo, 1961. 36 p. 24 cm.

Separata de *Thesaurus* (Bogotá), XV (1960).

ICC / LC

— Apuntes sobre el café y su cultivo en la literatura colombiana. Bogotá, Instituto Caro y Cuervo, 1964. 10 p., 1 h. 23 cm.

Separata de *Thesaurus,* Boletín del Instituto Caro y Cuervo, XIX, núm. 2, 1964.

ICC / LC

PARDO TOVAR, ANDRÉS, 1911-

Los cantares tradicionales del Baudó ... Bogotá, [Sección de Imprenta de la Universidad Nacional de Colombia], 1960. 41 p., 1 h. ilus., mapas, música. 22 cm. (Conservatorio Nacional de Música. Centro de Estudios Folclóricos y Musicales, 1).

ICC

PARDO TOVAR, ANDRÉS, y PINZÓN URREA, JESÚS.

Rítmica y melódica del folclor chocoano, por Andrés Pardo Tovar y Jesús Pinzón Urrea. Bogotá, [Imp. de la Universidad Nacional], 1961. 72 p. música. 22 cm. (Conservatorio Nacional de Música. Centro de Estudios Folclóricos y Musicales, 2).

ICC

PÉREZ ARBELÁEZ, ENRIQUE.

Literatura popular del Magdalena, en *Rev. América* (Bogotá), junio de 1945, p. 378-84; dic. de 1945, p. 360-67.

ICC / PU

PÉREZ SILVA, VICENTE, 1929-

Breve panorama del villancico colombiano, en *Bol. Cult. y Bibl.* (Bogotá), VII, núm. 12 (1964), p. 2185-94.

ICC, BN, BLAA / LC, UCLA

* QUIÑONES PARDO, OCTAVIO.

Cantares de Boyacá. Libro de crónicas. Bogotá, Tip. "Colón", [1937]. VII-XIV, 222 p. ilus. 17½ cm.

Sin música.

LC, UCLA

— Otros cantares de Boyacá. Bogotá, Edit. A B C, 1944. 234 p. 17 cm.

Estudio con selección de poesía popular.

Algunos conceptos sobre el libro "Cantares de Boyacá", p. [9]-11.

ICC / UCLA

— Refranero de Boyacá. Maravillas de la poesía popular. Tunja, Talleres de la Imprenta Departamental, 1944. 157 p. 18 cm.

Ejemplos en prosa y verso.

Indice de refranes, p. 19-23.

LC, UCLA

QUIÑONES PARDO, OCTAVIO, *Interpretación de la poesía popular* ... *V.* p. 578.

* RAMÍREZ SENDOYA, PEDRO JOSÉ, *Pbro.*

Refranero comparado del Gran Tolima; estudio sobre mil doscientos refranes y mil trescientas frases proverbiales del Huila y del Tolima, comparados con los refranes del mundo. Bogotá, Edit. Minerva, 1952. xx, 314 p. 24 cm.

ICC

RESTREPO, ANTONIO JOSÉ, 1855-1923, *El cancionero de Antioquia* ... *V.* p. 706.

* REVISTA colombiana de folclor, núm. 1-7, nov., 1947- sept., 1951; 2ª época, núm. 1- dic. 1952- Bogotá, Colombia. v. ilus. rets. 25 cm. irregular.

Publication suspended 1954-58.

Organ, 1947-51, of the Selección de Estudios Folklóricos (called 1947-49, Comisión Nacional de Folklore) of the Instituto Colombiano de Antropología.

Title varies: 1947-52, *Revista de folklore;* 1953; *Revista colombiana de folklore.*

Contiene importantes estudios sobre folclor colombiano.

V. Caro Molina, Fernando, *Indice bibliográfico de la Revista de Folklore colombiano,* p. 784.

ICC / LC

ROBE, STANLEY L.

Colombia y Panamá: coincidencias en su poesía popular. Bogotá, Instituto Caro y Cuervo, 1961. 23 p 22½ cm.

Separata de *Thesaurus* (Bogotá), XVI (1961).

ICC / LC

ROCHA CASTILLA, CESÁREO.

Prehistoria y folclor del Tolima ... [Ibagué], Imp. Deptal. 1959. 96 p., 8 h. música. 23½ cm. (Publicaciones de la Dirección de Educación). *(An'*59-60)

RODRÍGUEZ DE MONTES, MARÍA LUISA.

Cunas, andadores y canciones de cuna en Bolívar, Antioquia y Nariño (Colombia). Bogotá, Instituto Caro y Cuervo, 1962. 38 p. ilus. láms. mapa. 22½ cm.

Separata de Thesaurus (Bogotá), XVII (1962).
ICC / LC

SAMPER ORTEGA, DANIEL, 1895-1943.
Elements of the theater in Colombian folkways, en *Bull.* (Washington), LXXIII (1939), p. 313-15.
LC, PU, USC

SÁNCHEZ MONTENEGRO, V.
Panorámica folclórica de Nariño, en *Revista de Folklore* (Bogotá), núm. 4 (febrero de 1949), p. 47-75.
BN

VELÁSQUEZ, R.
Cuentos de la raza negra, en *Revista Colombiana de Folklore* (Bogotá), 2ª época, núm. 3 (1959), p. 1-63.
ICC

2. LITERATURA GENERAL

ARROM, JOSÉ JUAN, 1910- *Imágenes de América en la poesía folclórica española* ... *V.* p. 421.

BERTINI, G. M.
Romanze novellesche spagnole in America. Torino, Quaderni Ibero-Americani, 1957. 75 p.

Se incluyen algunos romances recogidos en el Departamento de Nariño por Víctor Sánchez Montenegro.
USC

CARRERAS Y CANDI, FRANCISCO, 1863- *ed.*

Folklore y costumbres de España. Barcelona, A. Martín, 1931-33. 3 v. ilus., rets., facsíms. 28 cm.

USC

CORTÁZAR, AUGUSTO RAÚL.

Folklore y literatura ... Buenos Aires, Edit. Universitaria, [1964]. 125 p. 19 cm. (Cuadernos de Eudeba, 106).

ICC

GIESE, WILHEM, 1895-

Los pueblos románicos y su cultura popular. Guía etnográfico-folclórica. Bogotá, [Imp. Patriótica del Instituto Caro y Cuervo], 1962. XII, 458 p. ilus., mapas 22 cm. (Publicaciones del Instituto Caro y Cuervo, XVI).

ICC, BLAA / LC

LIDA, MARÍA ROSA, *El cuento popular hispanoamericano y la literatura* ... *V.* p. 635.

MENDÍA, CIRO.

En torno a la poesía popular. Medellín, Colombia, A. J. Cano, 1927. XII p., 1 h. 121 p., 2 h. 18½ cm.

A manera de prólogo, por C. M., p. VII-XII.

Ensayo sobre la poesía popular. Ejemplos españoles, hispanoamericanos y, especialmente, del folclor colombiano.

LC

MENDOZA, VICENTE T.

La canción mexicana. Ensayo de clasificación y antología. México, D. F., Universidad Nacional Autónoma de México, Instituto de Investigaciones Estéticas, 1961. 671 p. 1 h., láms., música 22 cm. (Estudios de Folklore, 1).

ICC

* MENÉNDEZ PIDAL, RAMÓN, 1869-

Romancero hispánico (hispano-portugués, americano y sefardí). Teoría e historia. Madrid, Espasa Calpe, 1953. 2 v. facsíms. 23 cm. (Obras Completas, 9-10).

Bibliographical footnotes.

LC

— Los romances de América, y otros estudios. Buenos Aires - México, Espasa-Calpe Argentina, S. A., [1939]. 2 h. p., 7-187 p., 1 h. 18 cm. (Colección Austral, [55]).

Contenido: Los romances tradicionales en América (p. 7-50); Poesía popular y poesía tradicional en la literatura española; Los orígenes del romancero; Un nuevo romance fronterizo; El lenguaje del siglo XVI.

LC

LITERATURA RELIGIOSA

I. BIBLIOGRAFIAS

1. LITERATURA COLOMBIANA

* MESANZA, ANDRÉS, *Fray*, 1878-1959.

Bibliografía de la provincia dominicana de Colombia. Caracas, Edit. Sur-Americana, 1929. 337 p. 23 cm.

"Obra básica para el estudio de la orden en Colombia y su producción bibliográfica". (*Bbcs*).

LC

PACHECO, J. M., *S. J.*

Reseña bibliográfica de la provincia colombiana (1885-1940), en *La Compañía de Jesús*. Bogotá, Imp. del Corazón de Jesús, 1940, p. 251-58.

BLAA / LC

RELIGIÓN, en *Anuario bibliográfico colombiano, 1951-1962*. Compilado por Rubén Pérez Ortiz, y en su continuación: *Anuario bibliográfico colombiano «Rubén Pérez Ortiz», 1963-* Compilado por Francisco José Romero Rojas. Bogotá, Instituto Caro y Cuervo. Departamento de Bibliografía, 1951-

Sección destinada a registrar las obras de carácter religioso.

ICC, BN, BLAA / LC, UCLA

RESTREPO, DANIEL, *S. J.*, 1871-

Obras principales de los padres de la Compañía, en *La Compañía de Jesús en Colombia.* Bogotá, Imp. del Corazón de Jesús, 1940, p. 433-34.

BLAA

* RESTREPO OSPINA, OCTAVIO, *Pbro.*

Bibliografía crítica mariológica colombiana ... Excerpta ex dissertatione ad lauream in philosophia et litteris in Facultate Philosophica, Pontificiae Universitatis Catholicae Xaverianae. Bogotá, Edit. "Prensa Católica", 1954. 144 p. 24 cm. (Tesis Nº 61).

ICC

2. LITERATURA GENERAL

* BACKER, AUGUSTIN, 1809-1873, y BACKER, ALOYS DE.

Bibliothèque de la Compagnie de Jésus. Premiére Partie: Bibliographie par les Pères Augustin et Aloys de Backer. Seconde Partie: Histoire par le Père Auguste Carayon. Nouvelle édition par Carlos Sommervogel, S. J. ... Bruxelles-Paris, 1890-1909. 10 v. 32½ cm.

Contenido: 1 Ptie.: bibliographie, 1890-1909. 10 v. t. I-VIII: A-Thon; t. VIII: Thor-Z; Supplément: A-Casale; t. IX. Supplément: Casali-Z, Anonymus, pseudonimes. Index géographique des auteurs et des domicilles; t. X. Tables de la première partie, par P. Bliard.

V. Ernest M. Rivière, *Corrections et additions á la Bibliothèque de la Compagnie de Jésus.* Supplément au "De Backer-Sommervogel". Tolouse, L'auteur, 1911-17, en esta sección.

LC

CABALLERO, RAIMUNDO DIOSDADO.

Bibliotheca scriptorum Societatis Jesu supplementum primum [et alterum]. Romae, 1814-16. 2 v.

"A estudiar la vida y la obra de esos jesuítas expulsados de España y América y que se establecieron en Italia están destinados los dos suplementos". (José Toribio Medina).

CARAYON, AUGUSTE.

Bibliographie historique de la Compagnie de Jésus; ou, Catalogue des ouvrages relatifs à l'histoire des jésuits, depuis leur origine jusqu'a à nos jours. Paris, A. Durand [etc.], 1864. VIII, 612 p.

Contenido: *1 Ptie.*: *Génaralités; 2 Ptie.*: Histoire des cinq assistances de la Compagnie; *3 Ptie.*: Histoire des missions; *4. Ptie.*: Biographies particulières; *5 Ptie.*: Satires, pamphlets, apologies, etc.

LC

HURST, JOHN FLETCHER, 1834-1903.

Bibliotheca theologica: a select and classified bibliography of theology and general religious literature. London, R. D. Dickinson, 1883. XVI, 417 p. 23 cm.

USC

MORAL, BONIFACIO, *Fray,* 1850-

Catálogo de escritores agustinos españoles, portugueses y americanos y sus obras por orden alfabético de autores. Valladolid, *Revista de la Ciudad de Dios,* 1881-92. Suplemento, 1906-1908. (*Bbcs*)

MURRAY, JOHN LOVELL.

A selected bibliography of missionary literature [Rev. ed.]. New York, Student Volunteer Movement, [1920]. 58 p. 23 cm.

Latin America, p. 33-35.
LC

* RIVIERE, ERNESTO M., *S. J.*, 1854-1919.

Corrections et additions à la Bibliothèque de la Compagnie de Jésus. Supplement au "De Backer — Sommervogel". Tolouse, L'auteur, 1911-1917.

V. Backer, Augustin y Aloys en esta sección.
LC

* SAN ANTONIO, JUAN DE.

Bibliotheca universa franciscana, sive alumnorum trium ordinum S. P. N. Francisci, qui ab ordine seraphico condito, usque ad praesentem diem, latina sive alia quavis lingua scripto aliquid consignarunt, encyclopedia. Matriti, 1731-33. 3 v.

"Una fuente abundante y segura de información relativa a libros y escritores americanos". (J. T. Medina). (*Bbcs*)

* SANTIAGO VELA, GREGORIO DE, 1865-1924.

Ensayo de una biblioteca iberoamericana de la Orden de San Agustín. Obra basada en el catálogo bio-bibliográfico Agustiniano del P. Bonifacio Moral. Madrid, Imp. del Asilo de Huérfanos, 1913-1931. 8 v. 28 cm.
LC

SOTO, JUAN DE, *Fray*.

Bibliotheca Universa Franciscana. Madrid, 1732. 2 v.

(*Bbcs*)

* URIARTE, JOSÉ EUGENIO DE, 1842-1909.

Catálogo razonado de obras anónimas de autores de la Compañía de Jesús, pertenecientes a la Antigua Asistencia Española, con un apéndice de obras de los mismos, dignas de especial estudio bibliográfico (28 sept. 1540 al 16 ag. 1773). Madrid, Estab. Tip. "Sucesores de Rivadeneyra", 1904-1916. 5 v. 20½ cm.

"Obra fundamental sobre la bibliografía de la Compañía de Jesús". (*Bbcs*).

LC

URIARTE, JOSÉ EUGENIO DE, y LECINA, MARIANO.

Biblioteca de escritores de la Compañía de Jesús pertenecientes a la Antigua Asistencia de España, desde sus orígenes hasta el año de 1773. Madrid, Imp. de la viuda de López del Horno, 1925- v. 28½ cm.

Contenido: Pte. 1ª, t. 1: Escritores de quienes se conoce algún trabajo impreso.

LC

II. ANTOLOGIAS Y COMPILACIONES

1. LITERATURA COLOMBIANA

ACADEMIA CARO, *Bogotá*.

Homenaje que la Academia Caro de Bogotá tributa a Jesucristo con ocasión del Primer Congreso Eucarístico Nacional; piezas literarias recitadas en la velada celebrada en el teatro de Colón la noche del 7 de septiembre de 1913. [Bogotá], Imp. de "La Unidad", [s. f.]. 3 h. p., 49 p. rets. 15½ cm.

Prefacio, s. p.: "En la solemne velada literaria que se celebró en el Teatro de Colón, fueron leídos por sus autores los discursos y las poesías que en seguida se insertan, cuya publicación fue ordenada por expreso acuerdo de la Corporación...".

Contiene prosa y verso.

BLAA

ACCIÓN CULTURAL POPULAR, *Bogotá.*

... Cancionero de las Escuelas Radiofónicas. (Primer cuaderno). Recuerdo de la canonización de San Pío Décimo, apóstol de la música y del canto sagrados. 29 de mayo de 1954. Año Santo Mariano. (Bogotá, Edit. Argra), 1954. 63 p. 16½ cm. (*An*'51-56)

* AGUILAR, ENRIQUE, 1897-

Antología de poesías franciscanas (autores colombianos) ... Manizales, A. Zapata, [1938]. 198 p. 23½ cm.

"Aquí hemos recogido [...] todos, o casi todos los poemas escritos en loor de San Francisco durante los últimos años". (*Introducción*).

Se incluyen noticias biográficas sobre casi todos los poetas.

BLAA / LC

ANDRÉS BERNARDO, *Hno.*

Antología lasallana. Medellín, Tip. Bedout, 1949. 361 p.

Compilación de escritos sobre San Juan Bautista de La Salle. Contiene prosa y verso.

BN

ENSAYO literario compuesto y declamado por alumnos de 5º y 6º curso del Colegio Nacional de San Bartolomé, en honor de su angélico patrono San Luis Gonzaga (21 de junio de 1906). Bogotá, Imp. de "La Luz", [1906]. 93 p. ret. 19 cm.

Contiene prosa y verso.

BLAA

ESCRITOS y poesías escogidos entre los presentados a los Juegos Florales de Rionegro, con motivo de la coronación canónica de Ntra. Sra. del Rosario de Arma. [Medellín, Edit. Granamérica], 1959. 56 p. ilus. 24 cm.

ICC

HOMENAJE a la Santísima Virgen del Rosario de Chiquinquirá en el tercer centenario de la renovación de su imagen. Bogotá, M. Rivas, 1886. 1 h. p., 164 p. 19 cm.

Prólogo, por Fidel Casas Rojas y Orencio Fajardo Pinzón, p. [3]-28.

Contiene prosa y verso.

BLAA

LOS JÓVENES oradores sagrados: Jorge Murcia Riaño, Alvaro Sánchez, José Manuel Díaz y José Eusebio Ricaurte. Bogotá, Edit. Minerva, [1936]. 194 p. 20 cm. (Selección Samper Ortega, 80).

ICC, BN, BLAA / LC, PU, Y, USC, UCLA

MARGARITA DE BELÉN, *Hna.*

Brevísima antología de la poesía religiosa en el Instituto de las Hermanas de la Presentación en Colombia, en *La poesía religiosa granadino colombiana,* por la Hna.

Margarita de Belén. [Bogotá, Edit. San Juan Eudes], 1960, p. 279-302.

ICC, BLAA / LC, USC

ORADORES sagrados de fin de siglo: Carlos Cortés Lee, Francisco Javier Zaldúa y Juan Buenaventura Ortiz. Bogotá, Edit. Minerva, [1936]. 188 p. 20 cm. (Selección Samper Ortega, 76).

ICC, BN, BLAA / LC, PU, Y, USC, UCLA

ORADORES sagrados de la generación del centenario. Bogotá, Edit. Minerva, [1936]. 187 p. 20 cm. (Selección Samper Ortega, 79).

ICC, BN, BLAA / LC, PU, Y, USC, UCLA

[ORTIZ, JOSÉ JOAQUÍN], 1814-1892.

Corona poética de la Virgen María; recuerdo del 8 de diciembre de 1872. Bogotá, Imp. de El Tradicionista, 1872. 72 p. 12½ cm.

2ª ed. [reimpresión]: Bogotá, Imp. Comercial, 1913. 68 p. Contiene prosa y verso.

BN (1ª y 2ª eds.), BLAA (1ª ed.)

PÉREZ SILVA, VICENTE, 1929-

Sonetos para Cristo. [Homenaje al Primer Congreso Eucarístico Arquidiocesano de Popayán, enero 23 a 27 de 1957]. Popayán, [Edit. del Departamento], 1957. 145 p., 2 h., ilus. 24½ cm.

ICC

RESTREPO, FÉLIX, *S. J.*, 1887-1965.

Florecillas franciscanas en el Nuevo Reino, por el P. Félix Restrepo, S. J. Bogotá, Imp. del C. de Jesús, 1926. p. 239-281. 16½ cm. (Flores Selectas, serie 8ª, Nº 94).

Colección de leyendas en prosa.

ICC

RESTREPO POSADA, JOSÉ, *Pbro.*, 1908-

Antología del Ilustrísimo señor Manuel José Mosquera Arzobispo de Bogotá, y escritos sobre el mismo. Bogotá, Edit. Sucre, 1954. XXIV, 619 p. lám., rets. 24 cm. (Biblioteca de Historia Eclesiástica "Fernando Caycedo y Flórez". Academia Colombiana de Historia, 1).

Homenaje de la Academia Colombiana de Historia con motivo del primer centenario de la muerte del Ilustrísimo señor Manuel José Mosquera.

Además de escritos de M. J. Mosquera se incluyen prosas de los siguientes colombianos: Rafael María Carrasquilla (*Mons.*); José Vicente Castro Silva (*Mons.*); Diego María Gómez Tamayo, *Pbro.;* Pablo Correa León, *Pbro.;* Horacio Rodríguez Plata; Manuel Antonio Bueno y Quijano.

ICC

* RUANO, JESÚS MARÍA, *S. J.*, 1878-1928.

Florilegio. Poesías a la Virgen, de autores colombianos, escogidas por el P. Jesús M. Ruano, S. J. Bogotá, Imp. de San Bernardo, 1919. IX, 133 p. láms. 15 cm

Al lector, por Antonio Gómez Restrepo, p. [V]-VIII.

"No es ésta una recopilación de carácter histórico, ni habría podido dársele fácilmente esta forma, porque nuestra literatura antigua, tan pobre en el ramo de la poesía, no ofrece ninguna pieza de inspiración mariana. Es el Parnaso moderno el que rinde la florida cosecha..." (*El lector,* p. [V]).

ICC, BN, BLAA

* Ruiz, Félix A.

Jesucristo en la literatura colombiana; prosa y verso; compilación hecha por Félix A. Ruiz. Medellín, Tip. Bedout, 1935. 8 h. p., 400 p. 16½ x 25 cm.

Apéndices, p. 361-400.
Contiene prosa y verso.
BN, BLAA

* Trujillo Gutiérrez, Eduardo, *Pbro.*

Antología mariana, [2ª ed.]. Bogotá, [Edit. Santafé], 1954. 429 p. 21 cm. (Biblioteca de Autores Colombianos, 70).

1ª ed. con el título: *La madre de Dios en la literatura colombiana.* Usaquén, Edit. San Juan Eudes, 1942. 344 p.
[*Introducción*], p. 7-8.
"Este libro fue publicado originalmente en 1941 [*sic*], con ocasión del Congreso Mariano Nacional que al año siguiente se celebraba y como trabajo de grado del R. P. Trujillo Gutiérrez en las Facultades Eclesiásticas de la Universidad Javeriana". ([*Introducción*], p. 7).
ICC (1ª y 2ª eds.), BLAA (2ª ed.) / LC (1ª y 2ª eds.), PU (2ª ed.)

2. LITERATURA GENERAL

Album literario de "Colombia Cristiana" ... Bogotá, Imp. de vapor de Zalamea Hnos., 1892, 2 t. en 1 v. 25 cm. (v. I, 364 p.; v. II, 208 p.).

Contiene prosa y verso, original y en traducción.
BN

Album poético-relijioso; colección de poesías escojidas, destinadas al bello sexo ... Tunja, Imp. de Torres, 1872. 2 h. p., 188 p. 20½ cm.

Nuestro propósito, p. [I]-II.
BLAA

[BORDA, JOSÉ JOAQUÍN], 1835-1878.

Aguinaldo relijioso de "El Catolicismo". [Colección de artículos en prosa y verso]. Bogotá, Imp. de Torres Amaya, [1858]. 132 p.

Contiene prosa y verso de carácter religioso.
BN

CASTRO Y CALVO, JOSÉ MARÍA.

La Virgen y la poesía. Barcelona, Universidad de Barcelona, Secretaría de Publicaciones, 1954. 425 p. 24 cm.

La Virgen y la poesía [Estudio preliminar], p. 5-51.
LC

MUÑOZ, ISMAEL DE J.

Florilegio mariano de poesías castellanas, arreglado por el *Pbro.* Ismael de J. Muñoz ... Sonsón, Imp. de El Popular, 1919. 2 t. en 1 vol. 18 cm.

Introducción, por Ismael de J. Muñoz, p. [VII]-XXVII.
Advertencia preliminar, p. [XXIX]-XXXI.
"Para mejor comodidad de los lectores de este Florilegio, lo hemos dividido en cuatro partes, y en cada una de ellas aparecen, generalmente, primero los autores españoles, después los americanos y por último los colombianos, casi siempre por orden de antigüedad". (*Advertencia,* p. [XXIX]).
BN / LC

* RENGIFO, FRANCISCO M[ARÍA], 1870-1959.

Segadores; florilegio eucarístico ... por Francisco M. Rengifo ... Con un preliminar del doctor Rafael M.

Carrasquilla. Bogotá, Imp. de San Bernardo, 1913. 1 h. p., XIII, 291 p. 21½ cm.

Laureado con el primer premio ofrecido por el Excmo. S. Presidente de la República en el Certamen Literario abierto con motivo del Primer Congreso Eucarístico Nacional.

Preliminar, por R. M. Carrasquilla, IV p.

Lista de autores con notas biográficas, p. 275-84.

BN, BLAA

* RUANO, JESÚS MARÍA, *S. J.*, 1878-1928.

Florilegio eucarístico. Colección de poesías colombianas, españolas y otras latinoamericanas sobre la eucaristía, escogidas y ordenadas por el P. Jesús María Ruano, S. J. ... Con un prólogo del doctor A. Gómez Restrepo. Bogotá, Imp. del Corazón de Jesús, [1913]. XV, 537 p. ilus., láms. 21½ cm.

A guisa de prólogo, por A. Gómez Restrepo, p. [XI]- XV. *Introducción,* por Jesús María Ruano S. J., p. 1-10.

ICC, BN, BLAA

III. ESTUDIOS

1. LITERATURA COLOMBIANA

* BIBLIOTECA de historia eclesiástica "Fernando Caycedo y Flórez". Bogotá, Academia Colombiana de Historia, 1954- v.

ICC (Colección incompleta)

* BORDA, JOSÉ JOAQUÍN, 1835-1878.

Historia de la Compañía de Jesús en la Nueva Granada. Poissy, S. Lejay et Cie., 1872. 2 v. 22 cm.

LC

BRONX, HUMBERTO, *seud.* de JAIME SERNA GÓMEZ.

Historia de Jesús. 1ª ed. [Medellín], Edit. Bedout, 1961. 605 p., 4 h. 14 láms. 22 cm.

BLAA

— Jesucristo en la poesía y el arte colombianos. Capítulos de la obra "Historia de Jesús" ... [Medellín], Edit. Bedout, 1961. 55 p. ilus. 21½ cm. (*An*'61)

CASSANI, JOSÉ.

Historia de la provincia de la Compañía de Jesús del Nuevo Reyno de Granada en la América, descripción, y relación exacta de sus gloriosas misiones en el reyno, llanos, Meta, y río Orinoco, almas, y terreno que han conquistado sus misioneros para Dios ... Su autor el padre Joseph Cassani ... Madrid, Imp. M. Fernández, 1741. 2 v. en 1. mapa 30 cm.

Contenido. - Libro 1º: Historia de la provincia del Nuevo Reyno de Granada de la Compañía de Jesús, en la América; *Libro 2º*: Memoria debida a algunos varones ilustres de la provincia, dibujada en la relación de sus vidas.

LC

CASTELLVÍ, MARCELINO DE.

Historia eclesiástica de la Amazonia colombiana, en *Universidad Católica Bolivariana* (Medellín), X, núm. 36 (abril-junio de 1944), p. 355-74; núm. 37 (julio-sept. de 1944), p. 483-506; núm. 38 (oct.-nov. de 1944), p. 38-89.

"Rather than a finished history, this is an outline of data for the possible writing of such a history. The amount of material is impressive and covers a wide range of subjects [...]. The [work] is notable for its extensive bibliography and collection of relevant materials". (*Hdbk*'44).

BN, BLAA

LA COMPAÑÍA de Jesús en Colombia: homenaje de la Provincia colombiana de la Compañía de Jesús a San Ignacio de Loyola, su padre fundador y maestro, con ocasión del IV centenario de su muerte, 1556-1956. Bogotá, Librería Claver, 1956. 202 p., 3 h. ilus., rets. 28 cm

(*An*'51-56)

LA CONMEMORACIÓN del cuarto centenario de los franciscanos en Colombia, 1550-1950 ... Bogotá, Imp. del Departamento, 1953. 458 p. (rets.). 24½ cm.

(*An*'51-56)

FERNÁNDEZ, JESÚS MARÍA.

Obra civilizadora de la iglesia en Colombia. Bogotá, Librería Voluntad, S. A., [1936]. 771, [2] p. 23½ cm.

LC, PU

GÓMEZ HOYOS, RAFAEL, *Pbro.,* 1913-

La Iglesia en Colombia. Postura religiosa de López de Mesa en el Escrutinio sociológico de la historia colombiana ... Bogotá, Edit. Kelly, 1955. 86 p., 1 h. 22 cm. (Ediciones del Instituto de Cultura Hispánica).

(*An*'51-56)

HERNÁNDEZ DE ALBA, GUILLERMO, 1906- *Aspectos de la cultura en Colombia ... V.* p. 679.

JIMÉNEZ LÓPEZ, MIGUEL.

La obra científica y cultural de la Compañía de Jesús, en *RCMRos* (Bogotá), XXXII (1937), p. 685-701.

"A brief summary which includes the scientific and cultural achievements of the Jesuits in Colombia from the sixteenth century to the present". (*Hdbk*'37).

ICC, BN, BLAA

MARGARITA DE BELÉN, *Hna., La poesía religiosa granadino-colombiana ... V.* p. 575-76.

MATUTE, SANTIAGO, 1857-1915.

Los padres candelarios en Colombia, o Apuntes para la historia ... Bogotá, Tip. de E. Pardo, 1897-1903. 6 v. 23½ cm.

LC

* MESANZA, ANDRÉS, *Fray,* 1878-1959.

Apuntes y documentos sobre la Orden dominicana en Colombia. (De 1680 a 1930). Caracas, Parra León Hnos., 1936. xv, 368 p.

"This work was written to serve as a supplement or continuation of P. Alonso de Zamora's *Historia de la Provincia de San Antonio del Nuevo Reino* (Reimpresión, Caracas, 1930)". (*Hdbk*'37).

LC

MOSQUERA GARCÉS, MANUEL.

La ciudad creyente. [¿Bogotá?, Edit. Centro, S. A., ¿1938?]. 228 [1] p., 1 h. 24 cm.

"Ministerio de Ed. Nal. Sección de Publicaciones. Edición conmemorativa del cuarto centenario de la fundación de Bogotá".

Contenido: España en Indias; Tres semblanzas: Hernando Arias de Ugarte, Paúl y su tiempo, Bernardo Herrera Restrepo; La literatura religiosa de Santa Fé.

LC, PU

* PACHECO, JUAN MANUEL, *S. J.*

Los jesuítas en Colombia. t. I (1567-1654). Bogotá, D. E., Edit. "San Juan Eudes", [1959]. 622 p. 24½ cm.; t. II (1654-1696). [Burgos, Hijos de Santiago Rodríguez, 1963]. 542 p. 24½ cm.

"Fundamental work based upon extensive research in European and American archives". (*Hdbk* Nº 23).

LC

PARDO VERGARA, JOAQUÍN, *Obispo de Medellín,* 1843-1904.

Datos biográficos de los canónigos de la Catedral Metropolitana de Santafé de Bogotá ... Bogotá, Imp. de Antonio María Silvestre, 1892. v, 1948 p. 21 cm.

ICC

PÉREZ, RAFAEL.

La compañía de Jesús en Colombia y Centro-América después de su restauración ... Valladolid, L. N. de Gaviria, 1896-98. 3 v. 23½ cm.

Contenido: *Pte. 1*: Desde el llamamiento de los P.P. de la Compañía de Jesús á la Nueva Granada en 1842, hasta su expulsión y dispersión en 1850; *Pte. 2*: Desde el restablecimiento de la Compañía de Jesús en Guatemala en 1851, hasta su segunda expulsión de la Nueva Granada en 1861; *Pte. 3*: Desde la segunda expulsión de la Nueva Granada en 1861 hasta la de Guatemala el año de 1871; *Pte. 4*: Desde la expulsión de Nicaragua en 1881 con los tres últimos años de existencia en Costa Rica.

LC

LA POESÍA franciscana, en *El Gráfico* (Bogotá), sept. 17 de 1938, p. 11, 31.

BN / PU

* RESTREPO, DANIEL.

La compañía de Jesús en Colombia, compendio historial y galería de ilustres varones. Bogotá, Imp. del Corazón de Jesús, 1940. 459 p.

"Published as a contribution to the celebration of the fourth centenary of the founding of the Company of Jesus, this work by a member of the Jesuit Order chronicles the vicissitudes of the Jesuits from the time of their first arrival in New Granada in 1589 until the present day. Based largely on secondary sources, the volume is essentially an apology for the Jesuit Order and an arraignment of the governments which have been responsible for the various expulsions of the Order". (*Hdbk'*41).

ICC / LC

RESTREPO POSADA, JOSÉ, 1908-

Arquidiócesis de Bogotá; datos biográficos de sus prelados ... Tomo II, 1823-1868. Bogotá, Edit. Lumen Christi, 1961, 1963, 1966. 3 v. 24 cm. (Academia Colombiana de Historia. Biblioteca de Historia Eclesiástica "Fernando Caycedo y Flórez", 2, 3, 5).

ICC

RESTREPO, VICENTE, *Apuntes para la biografía del fundador del Nuevo Reino de Granada y vidas de ilustres prelados, hijos de Santafé de Bogotá ... V.* p. 203.

RIVERO, JUAN DE, *S. J.*, 1681-1736.

... Teatro de el desengaño. Bogotá, Empresa Nacional de Publicaciones, 1956. XXXIX, 381 p. 24½ cm. (Biblioteca de la Presidencia de Colombia, 26).

Prólogo del R. P. Mario Germán Romero.

ICC, BN, BLAA / LC

RUBINOS, JOSÉ, *S. J.*

Literatura mariana de Colombia, por el P. José Rubinos, S. J. ... Bogotá, Imp. del Corazón de Jesús, 1929. 67 p. 16½ cm. (Flores selectas, Nº 111).

ICC

— La literatura mariana en Colombia. [s. p. i.]. p. 541-46. 23½ cm.

De *El Mensajero,* Sección Literaria.

ICC

SALAZAR, JOSÉ ABEL, *Fray.*

Los estudios eclesiásticos superiores en el Nuevo Reino de Granada (1563-1810). Madrid, Consejo Superior de Investigaciones Científicas - Instituto Santo Toribio de Mogrovejo, 1946. XXIII, 781 p.

"Obra fundamental para el conocimiento de la cultura universitaria neogranadina". (*Bbcs*).

* URIBE VILLEGAS, GONZALO.

Los arzobispos y obispos colombianos desde el tiempo de la colonia hasta nuestros días ... Bogotá, Imp. de "La Sociedad", 1918. 3 h. p., [III]-V [5], 792 p. 24 cm.

LC

ZAMORA, ALONSO DE.

Historia de la provincia de San Antonino del Nuevo Reyno de Granada del Orden de Predicadores. Barcelona, Imp. de J. Leopis, 1701. 10 h. p. 537 p.

2ª ed.: Bogotá, [Ministerio de Educación de Colombia, 1945] 4 v. (Biblioteca Popular de Cultura Colombiana, v. 62-65).

ICC

2. LITERATURA GENERAL

AGUILAR, ENRIQUE.

El cristo de la Edad Media ... Manizales, Colombia, Casa Edit. y Talleres Gráficos A. Zapata, [1937]. xxviii, 181 p. 17½ cm.

Contenido: San Francisco y su influencia en la sociedad; San Francisco y sus discípulos en la poesía italiana; San Francisco y las florecillas; Jesucristo, San Francisco y la mujer; San Francisco en la literatura colombiana; San Francisco y la navidad; Bibliografía (p. [178]-81).

LC

BAYLE, CONSTANTINO, *Notas acerca del teatro religioso en la América colonial* ... *V*. p. 660.

CARRASQUILLA, RAFAEL MARÍA, 1857-1930.

La Virgen María en la literatura castellana, en *Estudios y discursos*. [Bogotá, Edit. Santafé, 1952], p. 64-81. (Biblioteca de Autores Colombianos, 14).

ICC, BN, BLAA / LC, UCLA

FABO, PEDRO.

Historia general de la orden de los agustinos recoletos, por Fr. Pedro Fabo del Corazón de María ... t. V [VI]. Madrid, Imp. del Asilo de Huérfanos del S. C. de Jesús, 1918-19. 2 v. 25½ cm.

LC

FURLONG, GUILLERMO, *S. J.*, 1889-

Los jesuítas y la imprenta en América Latina. Buenos Aires, Academia Literaria del Plata, 1940. 58 p.

Separata de la revista *Estudios.*
"Para Santa Fé de Bogotá, cap. VII". (*Bbcs*).

GÓMEZ HOYOS, RAFAEL, *Pbro.,* 1913-
La Iglesia de América en las leyes de Indias, por Rafael Gómez Hoyos Pbro. [Madrid, Instituto Gonzalo Fernández de Oviedo: Instituto de Cultura Hispánica de Bogotá, 1961]. 243 p. 24½ cm.
BLAA

GONZÁLEZ DÁVILA, GIL.
Teatro eclesiástico de la primitiva iglesia de las Indias occidentales, vidas de sus arzobispos y obispos y cosas memorables de sus sedes. Madrid, D. Díaz de la Carrera, 1649-55. 2 v. (*C. K. Jones*)

HURST, GEORGE LEOPOLD.
An outline of the history of Christian literature ... New York, MacMillan Co., 1926. IX, 547 p. 22½ cm.
USC

KLINEFELTER, RALPH ALBERT, 1916-
The catholic tradition in literature. [Pittsburgh, Duquesne University, [¿1952?]. 22 p. 28 cm.
USC

* MEDINA, JOSÉ TORIBIO, 1852-1931.
Noticias bio-bibliográficas de los jesuítas expulsados de América en 1767 ... Santiago de Chile, Imp. Elzeviriana, 1914. 327 p. ilus. 23 cm.

"Contiene numerosas e interesantes noticias sobre los jesuítas expulsados del Nuevo Reino". (*Bbcs*).

LC

MIRANDA, JOSÉ MIGUEL.

La Virgen del Carmen en la literatura, en *El Siglo - Página Literaria* (Bogotá), 15 de julio de 1951, p. 2-4.

BN / LC

* MOELLER, CHARLES.

Literatura del siglo XX y Cristianismo. Versión española de Valentín García Yebra. Madrid, Edit. Gredos, [1955]. 2 v. 17 cm.

ICC

* ROPS, DANIEL, *seud.* de HENRY PETIOT, 1901-

Veinte siglos de Iglesia, por Daniel Rops y varios. Traducción de Manuel Alcover V., con apéndice sobre historia de la Iglesia en Colombia por el académico Dr. A. Sánchez. [Bogotá], Ediciones Paulinas, [1960]. 194 p., 6 h. 16½ cm. (Colección "Sé y Creo", 12).

(*An*'59-60)

TRADUCCIONES

I. BIBLIOGRAFIAS

1. TRADUCCIONES COLOMBIANAS

* TRADUCCIONES, en *Anuario bibliográfico colombiano, 1951-1952.* Compilado por Rubén Pérez Ortiz, y en su continuación: *Anuario bibliográfico colombiano «Rubén Pérez Ortiz», 1963-* Compilado por Francisco José Romero Rojas. Bogotá, Instituto Caro y Cuervo, Departamento de Bibliografía, 1951-

Sección destinada a las traducciones de escritores colombianos y a las obras colombianas traducidas a otras lenguas.

ICC, BN, BLAA / LC, UCLA

2. TRADUCCIONES GENERALES

ENGLEKIRK, JOHN E.

Bibliografía de obras norteamericanas en traducción española. México, 1944. 118 p.

"Esta bibliografía aspira a satisfacer ciertos fines prácticos y a servir de guía al investigador en el campo de la literatura comparada. Con tal motivo proporciona datos que se espera sean útiles al lector, al librero y al bibliotecario que se interesen por obtener nuestros libros y familiarizarse con nuestra producción literaria. Pero por otra parte el presente trabajo ha de revelar mucho también con respecto a las relaciones culturales entre este país y los de lengua española". (p. 4).

Contenido de interés: 1ª parte: Literatura (Biografía, cuento, drama, ensayo, poesía, viajes).

KU, UCLA

— Obras norteamericanas en traducción española. Primera parte, en *Revista Iberoamericana* (México), VIII, núm. 16 (noviembre de 1944), p. 379-450.

"This section deals only with literature. Arranged alphabetically by authors, [...]" *(Hdbk*'44).

LC, PU / USC, UCLA

Fletcher, Williams H., and Liman, William W.

A guide to Spanish American literature in translations Los Angeles, Junior College, 1936. 115 p.

UC

Flores, Angel.

Spanish literature in English translation; a bibliographical syllabus ... With an introduction by Edward Everett Hale, jr.... New York, The H. W. Wilson Co., 1926. 28 p. 19 cm.

UC

Granier, James A.

Latin American belles-lettres in English translation. Selective and annotated guide. Washington, The Library of Congress, 1942, ii, 38 p.

"Mimeographed. The titles include reference sources in English, prose fiction, poetry and drama, essays, forthcoming books". *(Hdbk'* 42).

HAMILL, HUGH, M., and LEONARD, IRVING A.
A select list of paperbacks on Latin America, en *Hisp.*, XLVII (March, 1964), p. 114-17.
ICC / LC, PU, USC, UCLA

HULET, CLAUDE L., *comp.*
Latin American poetry in English translation: a bibliography. Washington, Pan American Union, Division of Phylosophy and Letters, 1965. 192 p. (Basic Bibliographies, 2).

"Lists translations, beginning with the colonial period and coming up to 1963. The appendix contains recent titles not included in the text". *(Hdbk,* Nº 28).
Colombia, p. 58-63.
LC, PU, UCLA

— Latin American prose in English translation: a bibliography. Washington, Pan American Union, Division of Philosophy and Letters, 1964. 191 p. (Basic Bibliographies, 1).
LC, PU, UCLA

INDEX translationum: Répertoire international des traductions: International Bibliography of Translations. Paris, UNESCO, 1949- v.

En curso de publicación. Reemplazó la publicación del mismo título: Nº 1-31, July, 1932- January, 1940. Paris, International Institute of Intellectual Cooperation, [1932-40]. 32 Nos. en 4 v.
LC

JONES, WILLIS KNAPP, *Latin America through drama in English* ... *V.* p. 649.

JONES, WILLIS KNAPP.

Latin American writers in English translation, a tentative bibliography. Washington, D. C., 1944. VI, 141 p. (Pan American Union. Bibliographic Series, 30).

"Un annotated list of translations arranged under heads: History and travel, Essays, Poetry, Drama, Fiction, and by country within each group. Includes an author index. Useful for reference purposes". *(Hdbk'44)*.

LC, PU

— Spanish-American literature in translations, a selection of poetry, fiction, and drama since 1888. New York, Ungar, [1963], XXI, 469 p. 22 cm.

Bibliography, p. 465-66.

V. r. de Robert G. Mead, en *Hisp.,* XLVII(May, 1964), p. 445-46.

LC, PU

LEAVITT, STURGIS E., 1888- *Hispano-American literature in the United States; a bibliography of translations and criticism ... V.* p. 38.

LIBRARY OF CONGRESS. *Hispanic Foundation.*

A provisional bibliography of United States books translated into Spanish. Washington, The Library of Congress, 1957. 411 p. (Hispanic Foundation Bibliographical Series, 3).

LC

— Spanish and Portuguese translations of United States books, 1955-1962; a bibliography. Washington, Library of Congress, 1963. XV, 506 p. 26 cm. (Hispanic Foundation Bibliographical Series, Nº 8).

LC, PU

MANCHESTER, P. T.

A bibliography and critique of the Spanish translations from the poetry of the U. S., en *George Peabody College for Teachers Contributions to Education*, Nº 41, Nashville, Tenn., 1927. 67 p.

UVa, KU

— American poetry in Spanish translation, en *Hisp.*, XIV (November, 1931), p. 341-46.

LC, PU, USC, UCLA

MENÉNDEZ Y PELAYO, MARCELINO, 1856-1912.

Bibliografía hispano-latina clásica. Edición preparada por Enrique Sánchez Reyes ... [Madrid], Consejo Superior de Investigaciones Científicas. Santander, Aldus, 1950-52. (Edición Nacional de las Obras Completas de Menéndez y Pelayo, v. 44-53).

LC, KU

OKINSHEVICH, LEO, 1898- *Latin America in Soviet writings, 1945-1958, a bibliography* ... *V.* p. 42.

PAN AMERICAN UNION.

Literature in Latin America. Washington, [1950]. 112 p. 27 cm. (Club & Study Fine Art Series).

Selected list of English translations and histories of Latin American literature: p. 104-10.

LC

PANE, REMIGIO U.

A selected bibliography of Latin American literature in English translation, en *Modern Language Journal,* XXVI (1942), p. 116-22.

LC, USC

— English translations from the Spanish, 1484-1943, a bibliography. New Brunswick, Rutgers Univ. Press, 1944.

V. r. de Herman Hespelt, en *Hisp.,* XXVIII (August, 1945), p. 451-56.

LC

— Two hundred Latin American books in English translation; a bibliography, en *Modern Language Journal,* XXVII (1943), p. 593-604.

"A revision of [...] 'A Selected Bibliography of Latin American lit. ...".

LC, USC

PETRICONI, HELLMUTH, *Spanisch-Americanische Romane der Gegenwart* ... *V.* p. 639.

PHELAN, MARLON.

A bibliography of Latin American fiction in English. Phoenix, Arizona, Latin American Area Research, 1956. 47 p.

LC

PHILLIPS, WALTER T.

Latin American literature in English, en *Hisp.,* XXIV (May, 1941), p. 155-56.

LC, PU, USC, UCLA

* REID, DORCAS WORSLEY.

Latin American novels in English translation, en *Inter-American Quarterly,* III (1941), p. 55-71.

LC

SACKS, NORMAN.

Hispanic literature and civilization in English translation, en *Hisp.,* XLII (December, 1959), p. 567-90.

ICC / LC, PU, USC, UCLA

SÁNCHEZ ESCRIBANO, F.

Some recent children's books in English on Hispanic America, en *Hisp.,* XXIV (October, 1941), p. 309-10.

— A bibliographical note on books for children in English on Hispanic America, *Ibid.,* XXV (February, 1942), p. 101.

LC, PU, USC, UCLA

WILGUS, ALVA CURTIS, 1897- *Latin America in fiction. A bibliography of books in English for adults* ... *V*. p. 601.

WOGAN, DANIEL S., *A literatura hispano-americana no Brasil, 1871-1944* ... *V*. p. 53.

II. ANTOLOGIAS Y COMPILACIONES

1. TRADUCCIONES COLOMBIANAS

CAMP, JEAN.

La guirnalda colombiana; 22 sonetos colombianos traducidos en sonetos franceses, por Jean Camp. Bogotá, Imp.

Patriótica del Instituto Caro y Cuervo, 1967. (Colegio Máximo de las Academias de Colombia, 4).

ICC

EUROPE (París). Revue mensuelle, 42 Année, No. 423-24, Juillet-Août, 1964.

Contiene una antología (prosa y verso) de autores nacionales con selecciones traducidas al francés.

Traducciones y noticias biográficas de Julián Garavito.

ICC

HEREDIA, JOSÉ MARÍA DE, 1842-1905.

Los trofeos. Antología de traductores colombianos. Bogotá, [Imp. Nacional], 1958. 332 p. ilus., ret. 33 cm.

Antología bilingüe. Contiene traducciones de Heredia al español compuestas en su mayoría por colombianos.

Heredia, cubano y francés, por Carlos López Narváez, p. 11-28.

ICC

LÓPEZ NARVÁEZ, CARLOS, 1898-

Giosué Carducci. Bogotá, Istituto Italiano di Cultura in Colombia, 1959. 63 p. 20 cm. (Traductores colombianos de poetas italianos. Cuaderno núm. 1).

Preámbulo, por E. Mendoza Varela, p. I-III.

Carducci (Conferencia en la Biblioteca Nacional al conmemorarse el cincuentenario de la muerte del poeta), por Carlos López Narváez, p. 11-28.

"Con esta entrega dedicada a Giosué Carducci, se inicia una serie de publicaciones similares que presentarán periódicamente un panorama de la mejor poesía italiana traducida por autores colombianos". *(Preámbulo,* p. 1).

ICC

PHANTOMAS: Colombie. [Bruxelles, s. edit., s. a., No. 35-36]. 28 p., ilus., 20 cm.

Traductions d'André van Wassenhove.
ICC

LOS POETAS (de otras tierras. Bogotá, Edit. Minerva, [1936]. 160 p. 20 cm. (Selección Samper Ortega, 90).
ICC, BN, BLAA / LC, PU, Y, USC, UCLA

TRADUCCIONES teatrales por Roberto McDouall y Victor E. Caro. Bogotá, Edit. Minerva, [1936], [5]-164 p. 1 h. 20 cm. (Selección Samper Ortega, 96).
ICC, BN, BLAA / LC, PU, Y, USC, UCLA

WASSENHOVE, ANDRÉ VAN.

La poésie colombienne; textes recueillis, traduits et présentés par André Van Wassenhove. [Liège, Editions Roger Gadeyne, 1963]. 10 p. 44 cm.

Nos. 22-23 de la revista *L'Essai,* Juillet-Octobre, 1963.
ICC

2. TRADUCCIONES GENERALES

ALLEN, JOHN HOUGHTON.

A Latin-American miscellany. [Dallas], Priv. print. [Kaleidograph Press], 1943. 77 p. 20 cm.

Contiene prosa y verso.
LC

AMY, FRANCIS J.

Musa bilingüe ... San Juan, Puerto Rico, Press of "El Boletín Mercantil", 1903. 329 p.

Contiene trads. del inglés al español y del español al inglés.
LC

ARCINIEGAS, GERMÁN, 1900- *ed.*

The green continent. A comprehensive view of Latin America by its leading writers. Translated by Harriet de Onis. New York, Alfred A. Knopf, publ., 1944. xxii, 533 p.

"The selections are divided into the following classifications: Landscape and man; The march of time; Bronzes and marbles; The cities; The color of life. The passages have been well chosen and give an excellent picture of life and literature in Latin America". (*Hdbk*'44).

LC, VMI, USC, UCLA

BELLINI, GIUSEPPE, 1923- *La letteratura ispano-americana. I. Dalle origini al modernismo; II. Il novecento ... V.* p. 270.

BLACKWELL, ALICE STONE, 1857-

Some Spanish-American poets; translated by Alice Stone Blackwell; with an introduction and notes by Isaac Goldberg, Ph. D. Philadelphia, University of Pennsylvania Press; London, H. Milford, Oxford University Press, 1937. xii, 559 p. 21 cm.

Esta edición es reimpresión de la 1ª: New York and London, D. Appleton and Co., 1929, 559 p.

Original y traducción en página opuesta. Algunas traducciones en prosa.

LC, PU, VMI, NTSU, USC

CATALOGUE *of books relating to America, includes a large number of rare works printed before 1700 ... V.* p. 439.

CRAIG, GEORGE DUNDAS, *The modernist trend in Spanish American poetry; a collection of representative poems of the modernist movement and the reaction, translated into English verse* ... *V*. p. 479.

CREEKMORE, HUBERT, 1907-

A little treasure of world poetry; translations from the great poets of other languages, 2600 B.C. to 1950 A.D. New York, Scribner, 1952. 904 p., ilus. 17 cm. (The Little Treasury Series).

Introduction, por Hubert Creekmore, p. XXII-XL.
LC

CHICAGO. DEPT. OF EDUCATION. *Latin America good will curriculum committee.*

Units for the study of Latin-American literature for Chicago public high-schools ... Dr. William H. Johnson, superintendent of schools. Chicago, Bureau of curriculum, Board of Education, 1943. 1 v. 28 cm.

Contenido. - Unit I. Latin American literature-Colombia; *Unit II.* Latin American literature - Mexican poems.
Colombia, p. 1-11.
Contiene prosa y verso.
LC

DÍEZ-CANEDO, E.

La poesía francesa. Del romanticismo al superrealismo ... Antología. Buenos Aires, Edit. Losada, 1945. 719 p. 24 cm.

"La primera edición ... [fue publicada] en Madrid, el año 1913". (p 5).
Contiene numerosas traducciones de autores latinoamericanos.
ICC, BN, BLAA

FITTS, DUDLEY, 1903-

Anthology of contemporary Latin American poetry. Norfolk, Conn., New Directions, [1947]. XXI, 677 p. 23 cm.

Antología bilingüe. 1ª ed.: 1942.
Preface, por Dudley Fitts, p. X-XII.
Biographical and Bibliographical Notes, por H. R. Hays, p. 589-649.

BN (1ª ed.), BLAA (2ª ed.) / LC (1ª y 2ª eds.), UVa (2ª ed.), VMI (2ª ed.), KU (2ª ed.), NTSU (2ª ed.), USC (1ª y 2ª eds.)

FLAKOLL, DARWIN J., *New voices of Hispanic America, an anthology* ... *V.* p. 274.

FLORES, ANGEL, and DUDLEY POOR, *trads.*

Fiesta in november. Stories from Latin America. With an introduction by Katherine Anne Porter. Boston, Houghton Mifflin Co., 1942. VI, 608 p. ilus.

LC

GOLDBAUM, WENZEL.

Südamerikanishe Lyrik. Sammlung hispanoamerikanischer Lyrik seit der Conquista bis auf die Gegenwart. Zürich, Verlag Scientia, 1949. 112 p. 18 cm. (Bleibendes Gut, 18).

Einführung, por Wenzel Goldbaum, p. 5-21.

LC

GREEN, ERNEST S.

Mexican and South American poems (Spanish and English). Tr. by Ernest S. Green and Miss H. von Lowenfels ... San Diego, Calif., Dodge & Burbeck, 1892. 398 p. 21 cm.

Introduction, p. 7-8.

USC

HAYS, HOFFMAN REYNOLDS.

12 Spanish American poets, an anthology. English translations, notes and introduction by the Editor. New Haven, Yale U. Press, [1944]. 5 h. p., 336 p. 21 cm.

Se publicó por primera vez en septiembre de 1943.
Primera reimpresión: noviembre de 1943.
Segunda reimpresión: diciembre de 1943.
Se incluyen el original español y la traducción inglesa.
Contiene breves noticias bio-bibliográficas sobre los poetas.

PU, UVa, WLU, USC, LAPL

HENRÍQUEZ UREÑA, PEDRO, 1884-1946.

Odas y epodos de Quinto Horacio Flaco ... Buenos Aires, Edit. Losada, 1939. 260 p. 18 cm. (Las cien obras maestras de la literatura y del pensamiento universal, 20).

Contiene traducciones e imitaciones en español.
Introducción, por María Rosa Lida, p. 7-11.

ICC / LC

HISPANIC SOCIETY OF AMERICA.

Translations from Hispanic poets. New York, 1938. XVI, 271 p.

La antología se divide en dos secciones principales: Spain and Portugal; Central and South America.

LC, KU

THE INTERNATIONAL unbound anthology. Consul's Series. [New York, The Poets' Guild, 1930]. [260] p. 24 cm.

"The anthology consists of a 4-page leaflet for each country, having title, edition note and 1 page of text".

LC

JESUALDO.

Antologia, poeziei latino-americane. Bucaresti, Editura Pentru Literatura Universala, 1961. XI, 776 p. 21 cm.

Nota Asupra Editei, p. [V]-XII.

Cultura literarã latino-americana: *Studiu introductiv*, por Jesualdo, p. [XIII]-XL.

Poemas latinoamericanos traducidos al rumano.

Se incluyen noticias bio-bibliográficas sobre los poetas.

ICC, BN

JOHNSON, MILDRED EDITH, 1893- *Swan, cygnets and owl; an anthology of modernist poetry in Spanish America* .. *V*. p. 479.

LESCOET, HENRI DE, 1907-

La vie et la mort dans la poésie hispano-américaine d'aujourd'hui, par Henri de Lescoet. Quelques poètes bresiliens, par A. D. Tavares Bastos. [Nice, 1956]. [51] p. 21 cm.

Traducciones al francés.

USC

MARTIN, MICHAEL RETHA.

The world's love poetry. New York, Bantam Books, 1960. 370 p.

LC

NEUENDORFF, GEORG H. *ed. and tr.*

Der schatz der Mayas; indianische und kreolische geschichten ausgewählt, übersetzt und erklärt von Georg H. Neuendorff. Saarlonis, Hausen Verlagsgesellschaft m. b. h. [c1933]. 189 p. ilus. 20½ cm.

Angaben uber die verfasser, p. 185-87.
Traducciones al alemán. Se incluye un fragmento de *La vorágine,* de Rivera.
LC

— Morpho, Spanischamerika im Selbstzeugnis. Wiesbadem, Limes Verlag, [1948]. 135 p. 19 cm.

De interés: Amerika im Anfang, von German Arciniegas; *Der Reiherwald,* von J. E. Rivera.
LC

ONÍS, FEDERICO DE.

Anthologie de la poésie ibéro-américaine. Choix, introd. et notes de Federico de Onís, présentation de Ventura García Calderón. Paris, Editions Nagel, [1956]. 391 p. 23 cm. (Collection UNESCO d'oeuvres représentatives. Serie Ibéro-américaine, No. 9).

Poemas en español y portugués y sus traducciones francesas.
Présentation: Constellation sur l'Amérique latin, por Ventura García Calderón, p. 7-13.
Introduction, p. 15-38.
LC, UCLA

ONÍS, HARRIET DE, *The golden land. An anthology of Latin American folklore in literature ... V.* p. 708-709.

ORICO, OSVALDO.

Jóias da poesía hispanoamericana. Selecção, tradução e notas de Osvaldo Orico. Lisboa, Livraria Bertrand. 1945. 225 p.

Traducciones al portugués. Los poetas se agrupan por países. [*Prólogo*], por O. O., p. 7-8.
Se incluyen breves noticias biográficas sobre los poetas.
UCLA

PAN AMERICAN UNION.

Literature in Latin America. Washington, [1950]. 112 p. 27 cm. (Club and Study Fine Art Series).

Foreword, s. p.: "This volume does not pretend do more than offer a small sampling of the great store of Latin American writing, which has been accumulating for four centuries".
Contiene prosa y verso en traducción.
LC, USC

— The literature of Latin America ... rev. ed. ... Washington, D. C., Pan American Union, 1944. 4 h. p., 64 h. 27½ x 21½ cm. (Club and Study Series, No. 3).

Introduction, s. p.: "The present volume contains translations of the literature of the Republics of Latin America ...
Unless otherwise indicated, all the material contained in this volume is reproduced from the *Bulletin* of the Pan American Union ...".
Contiene prosa y verso.
LC

PATTERSON, HELEN WOHL.

Poetisas de América. Antología compilada, traducida e ilustrada por Helen Wohl Patterson. [Washington, Mitchell Press, 1960]. 219 p., ilus. 21 cm.

Traducciones al inglés. Se incluyen los originales en español, portugués y francés.

Prólogo, por Jesús Flórez Aguirre, p. 8-15.

Traducir la poesía, por H. W. P., p. 206-207.

LC

PILLEMENT, GEORGES, *ed.*

Les conteurs hispano-américains, par Georges Pillement ... Paris, Delagrave, 1933. 427 p. 16½ cm. (Collection Pallas).

Each selection preceded by a bio-bibliographical sketch of the author.

Se incluye una selección de *La vorágine* de J. E. Rivera.

LC

POOR BLAKE, AGNES.

Pan American poems. An anthology compiled by Agnes Blake Poor. Boston, The Gorham Press, 1918. 80 p. 19½ cm.

Preface, por Agnes Blake Poor, p. 5-[9].

Traducciones al inglés.

LC, UCLA

RESNICK, SEYMOUR.

Spanish-American poetry, a bilingual selection. Illustrated by Anne Marie Jauss. Irvington-on-Hudson, N. Y., Harvey House, [1964]. 96 p., ilus. 21 cm.

Preface, por S. R., p. 7-9.

"Since a prime consideration in choosing the poems was that they be popular favorites that have endured, the editor has not attempted to include examples of poetry written during the past thirty years". (*Preface,* p. 7-8).

Se incluyen noticias bio-bibliográficas sobre los poetas.

LC, PU

RIVAS GROOT, JOSÉ MARÍA, y SOFFIA, JOSÉ ANTONIO.

Victor Hugo en América; traducciones de ingenios americanos, coleccionadas por José Antonio Soffia y José Rivas Groot. Bogotá, M. Rivas, 1889. 1 h. p., [v]-c, 1 h. p., 511 p. 21 cm.

Estudio preliminar, por J. Rivas Groot, p. [v]-c.

Las traducciones se agrupan en las siguientes secciones: Odas; Las orientales; Las hojas de otoño; Los cantos del crepúsculo; Las voces interiores; Los rayos y las sombras; Los castigos; Las contemplaciones; Las canciones de calles y bosques; La leyenda de los siglos; Los cuatro vientos del espíritu.

ICC, BN, BLAA / Y, TU

SÁNCHEZ PESQUERA, MIGUEL.

Antología de líricos ingleses y angloamericanos. Madrid, Librería de los Sucesores de Hernando, 1915- 7 v.

Traducciones del inglés.

LC

STANFORD UNIVERSITY. Dramatists' Alliance, *Plays of the southern Americas ...; Short plays of the southern Americas ...* *V.* p. 652.

TORRES-RÍOSECO, ARTURO, 1897- *Short stories of Latin America ...* *V.* p. 613.

UNDERWOOD, EDNA WORTHLEY.

Anthology of Mexican poets from the earliest times to the present day. Portland, Maine, The Mosher Press, 1932. 331 p.

Incluye a Porfirio Barba Jacob.

LC

WALSH, THOMAS, 1875-1928.

Hispanic anthology; poems translated from the Spanish by English and North-American poets ... New York and London, G. P. Putman's Sons, 1920. 3 h. p., [III]-XII, 779 p. 17 cm.

Foreword, por Thomas Walsh, p. V-VII.
The translators, p. IX-X.
Se incluyen noticias bio-bibliográficas sobre los poetas.
LC, KU

— The Catholic anthology, by Thomas Walsh ... Rev. ed. with additional poems selected by George N. Shuster. New York, The Mac Millan Co., 1932. XI p., 2 h., 3-584 p. 20½ cm.

1ª ed.: 1927.
Preface to the second edition, by G. N. S., p. VII-VIII.
Preface, por T. W., p. IX-XI.
Biographical data, p. 515-64.
LC, KU

III. ESTUDIOS

AMOS, FLORA ROSS.

Early theories of translation. New York, 1920. 184 p. 21 cm. (Columbia University Studies in English and Comparative Literature).

LC

CARO, MIGUEL A., 1843-1909.

Virgilio en España, en *El Repertorio Colombiano* (Bogotá), III, núm. 13 (julio de 1879), p. 35-58; núm. 14 (agosto), p. 150-154; núm. 15 (septiembre), p. 193-209; núm. 16 (octubre), p. 276-94.

"Apuntes bibliográfico - críticos sobre los traductores de Virgilio en España y América, del siglo XV al XIX, destinados a Menéndez Pelayo". (J. J. Ortega Torres).
ICC / LC

— Del metro y la dicción en que debe traducirse la epopeya romana, en *Obras completas,* II, Bogotá, Imp. Nal., 1920, p. 223-33.
ICC

COOPER, F. T.

The tecnique of translating, en su *The craftsmanship of writing.* New York, 1911, p. 243-68.
LC

ENGLEKIRK, JOHN E., *Edgar Allan Poe in Hispanic literature* ... *V.* p. 427; *Notes on Longfellow in Spanish America* ... *V.* p. 428.

HAGGARD, JUAN VILLASANA, 1905-

Handbook of translators of Spanish historical documents, by J. Villasana Haggard ... assisted by Malcom Dallas McLean ... [Austin, Tex.]. Archives collection, The University of Texas, 1941. VII, 198 p. (facsíms.) 22½ cm.
ICC

HEBERT, ANNE, and SCOTT, F. R.

The art of translation, en *Tamarack Review* (Toronto), No. 24 (1962), p. 65-90.
LC

HOLGUÍN, ANDRÉS, 1918-

Prólogo a *La guirnalda colombiana;* 22 sonetos traducidos en sonetos franceses por Jean Camp. Bogotá, Imp. Patriótica del Instituto Caro y Cuervo, 1967, p. VII-XVI.

ICC

ICAZA, F. A. DE.

Heine y sus traductores al castellano, en *Nosotros* (Buenos Aires), XLII (1922), p. 123-26.

LC

MAYMI, PROTASIO.

General concepts or laws in translation, en *Modern Language Journal,* XL (1956), p. 13-21.

LC, USC

MENÉNDEZ Y PELAYO, MARCELINO, 1856-1912.

Horacio en España, solaces bibliográficos. 2ª ed. refundida. Madrid, A. Pérez Dubrull, 1885. 2 v. (Colección de Escritores Castellanos, vols. [27, 33]).

Sobre los traductores de Horacio. Comenta algunos traductores colombianos.

KU

— Adiciones a "Horacio en España", en *El Repertorio Colombiano* (Bogotá), IX, núm. 51 (septiembre de 1882), p. 187-208.

"Preceden breves líneas sobre el autor. Se reproduce el capítulo II de dichas *Adiciones, traductores americanos,* y de Colombia se estudian una mala versión anónima, Mariano del Campo Larraondo, Rafael Pombo y Miguel Antonio Caro, a quien llama 'rey de nuestros modernos traductores de Virgilio' ". (J. J. Ortega Torres).

ICC / LC

MERCADO, J.

Errores comunes de traducción [inglés-español], en *Hisp., V* (1922), p. 157-63.

LC, PU, USC, UCLA

IMPRENTA Y PERIODISMO

I. BIBLIOGRAFIAS

1. IMPRENTA Y PERIODISMO EN COLOMBIA

BIBLIOTECA NACIONAL, Bogotá, *Catálogo de periódicos y libros de la Biblioteca Nacional. Edición oficial ... V.* p. 69.

* BIBLIOTECA NACIONAL, *Bogotá.*

Catálogo de publicaciones periodísticas editadas en Colombia, enero a diciembre de 1940. [Bogotá, 1941]. 25 p. 21 cm.

Multigraphed list.
LC

— Catálogo de todos los periódicos que existen desde su fundación hasta el año de 1915, inclusive, formado por Rafael Casas F. Edición oficial. Bogotá, Imp. Nacional, 1917. 366 p.

BN

— Catálogo de todos los periódicos que existen desde su fundación hasta el año de 1935, inclusive. Bogotá, 1936. 2 v.

"Incluye periódicos colombianos y extranjeros". (*Bbcs*).
Contenido: t. I: Periódicos nacionales. Letras A-P; t. II: Pe-

riódicos nacionales. Letras R-Z. Periódicos extranjeros. Letras A-Z.

BN / LC, CU, NYPL

CATÁLOGO de publicaciones del interior de Colombia ... s. p. [¿19-?]. v. 21 x 35 cm. Copia mecanografiada.

LC

BOGOTÁ. Biblioteca Nacional, *Directorio intelectual de la ciudad* ... *V*. p. 166.

HEMEROTECA nacional, en *Revista de la Biblioteca Nacional de Bogotá* (Bogotá), núm. 2-3 (1923), p. 87-99; núm. 6-7, p. 222-46.

"Fichas bibliográficas de las publicaciones periódicas, oficiales y privadas, que aparecían en Colombia en 1923, por orden de Departamentos". (*Bbcs*).

BN / LC

IMPRENTA NACIONAL, *Bogotá*.

Informe del director de la Imprenta Nacional al señor Ministro de Gobierno (1º de mayo de 1934 a 30 de abril de 1935). Bogotá, 1935. 26 p.

"Se enumeran 121 obras publicadas por la Imprenta en dicho lapso y 15 periódicos". (*Bbcs*).

BN

INSTITUTO DE INVESTIGACIONES TECNOLÓGICAS, *Bogotá*.

Publicaciones periódicas existentes en algunas bibliotecas de Bogotá y Chinchiná. [Bogotá, 1959]. 62 p. 28 cm. (*An*'59-60)

* LAVERDE AMAYA, ISIDORO, 1852-1903.

Movimiento periodístico de Bogotá, capital de la República de Colombia, en 1891, en *Colombia Ilustrada* (Bogotá), I, núm. 22 (7 de agosto de 1891), p. 348-50.

ICC / PU

— Movimiento periodístico de Colombia en 1892, en *Revista Literaria* (Bogotá), III, entrega 25 (1892), p. 72-74.

"Lista de los periódicos publicados en el territorio de la República en el año citado". (*Bbcs*).

— Movimiento periodístico de Colombia en 1893, en *Revista Literaria* (Bogotá), III, entrega 35 (1893), p. 609-12.

"Lista de los periódicos que se publicaban en Colombia en 1893, por orden de Departamentos". (*Bbcs*).

ICC, BN

LÓPEZ, FANNY, *comp.*

Publicaciones periódicas colombianas existentes en el Departamento de Bibliotecas de la Universidad del Valle. Elaborado por Fanny López y Daissy Sanabria. Cali, (Colombia), 1965. 54 p. 27½ cm. Mimeografiado.

ICC

MARÍN, STELLA, y OCAMPO J., ARTURO.

Catálogo de las revistas colombianas de la Biblioteca general de la Universidad de Antioquia. Medellín, 1962. XVI, 32 h. 27 cm. Mimeografiado.

(*An*'62)

* McMURTRIE, DOUGLAS CRAWFORD, 1888-

A preliminary check list of published materials relating to the history of printing in Colombia ... Chicago,

Committee on Invention of Printing, 1942. 7 p. 21 cm.

PU

MEDELLÍN, *Colombia. Universidad de Antioquia.*

Catálogo de publicaciones editadas por la Imprenta Universitaria, 1960- Medellín, Imp. Universidad de Antioquia, 1962- v. 25 cm.

PU

* MEDINA, JOSÉ TORIBIO, 1852-1931.

La imprenta en Bogotá (1739-1821). Notas bibliográficas. Santiago de Chile, Imp. Elzeviriana, 1904. 101 p. 24 cm.

"Describe 85 publicaciones aparecidas entre 1739 y 1821. Introducción y documentos". (*Bbcs*).

LC, UVa, CU, KU

— La imprenta en Cartagena de Indias (1809-1820). Notas bibliográficas. Santiago de Chile, Imp. Elzeviriana, 1904. XLIX, 70 p. 24 cm.

"Anota 33 obras aparecidas entre 1809 y 1820. Introducción histórica y documentos valiosos". (*Bbcs*).

CU, UCLA

— Notas bibliográficas referentes a las primeras producciones de la imprenta en algunas ciudades de la América Española (1754-1823). Santiago de Chile, Imp. Elzeviriana, 1904. 116 p.

"Noticias sobre la imprenta en Popayán, Santa Marta y Tunja, aparte de otras ciudades americanas". (*Bbcs*).

MESANZA, ANDRÉS, *Fray,* 1878-1859.

Apuntes sobre publicaciones hechas en Cartagena en el siglo XVIII, en *Boletín Historial* (Cartagena), II, Nº 21 (1917), p. 349-353. (*Bbcs*)

* OTERO MUÑOZ, GUSTAVO, 1894-1957.

Descripción bibliográfica de los periódicos de la época de la Gran Colombia pertenecientes al Fondo Quijano Otero de la Biblioteca Nacional, en *Catálogo del "Fondo José María Quijano Otero".* Bogotá, Edit. "El Gráfico", 1935, p. 258-318.

BN / LC, NC, CU

* PERIÓDICOS que salen actualmente en Bogotá, en *El Mosaico* (Bogotá), III, núm. 24 (1864), p. 192.

"Se anotan 15 periódicos". (*Bbcs*).

ICC

* POSADA, EDUARDO, 1862-1942.

La imprenta en Santafé de Bogotá en el siglo XVIII. Madrid, V. Suárez, 1917. 153 p. 27½ cm.

"Describe 88 publicaciones aparecidas entre 1739 y 1800". (*Bbcs*).

LC, Dth, UC

LA PRENSA colombiana, en DIEGO MONSALVE, *Colombia cafetera.* [Barcelona, Artes Gráficas, S. A., Sucesores de Heinnch y Cía., 1927], p. 907-22.

En la sección *Hemeroteca nacional* se incluye, por departamentos, la lista de periódicos en existencia.

BLAA

* PUBLICACIONES periódicas [Nuevas publicaciones periódicas colombianas], en *Anuario bibliográfico colombiano, 1959-1962*. Compilado por Rubén Pérez Ortiz, y en su continuación: *Anuario bibliográfico colombiano «Rubén Pérez Ortiz», 1963-* Compilado por Francisco José Romero Rojas. Bogotá, Instituto Caro y Cuervo. Departamento de Bibliografía, 1959-

Sección destinada a registrar las nuevas publicaciones periódicas colombianas.

ICC, BN, BLAA / LC, UCLA

SAMPER Y GRAU, TULIO.

Periódicos oficiales en Colombia, 1810-1910, en *Boletín Historial* (Cartagena), I, Nº 6 (1915), p. 163-165.

(*Bbcs*)

VÉREZ DE PERAZA, ELENA.

Directorio de revistas y periódicos de Medellín. Medellín, Ediciones Anuario Bibliográfico cubano, 1962. 21 p. 25 cm. (Biblioteca del Bibliotecario, 64).

LC

2. IMPRENTA Y PERIODISMO (GENERAL)

ADVERTISER'S guide to Latin American markets. How and where to sell today in South America, Central America, Mexico, Cuba, Dominican Republic, Haiti [and] Puerto Rico; including advertising rates, and data on newspapers, magazines, trade publications and radio stations. Compiled and published by Allied Publishing Company. Chicago, [c1935]- v. 27 cm.

Foreword in English & Spanish.

V. para Colombia, p. 129-37 [contiene información sobre un buen número de periódicos colombianos].

LC

ALISKY, MARVIN.

Latin American journalism. Bibliography. México, Fondo de Publicidad Interamericana, 1958. 59 p.

"Annotated bibliography which serves as an introduction to the study of mass media in Latin America: radio and television newscasts". (*Hdbk,* Nº 23).

LC

AMERICAN LIBRARY ASSOCIATION. *Committee on Library Cooperation with Latin America.*

List of Latin American serials; a survey of exchanges available in U. S. libraries. Prepared for the A. L. A. Committee on Library cooperation with Latin America by Abel Plenn. Chicago, American Library Association, 1941. 70 p. 23 cm.

LC, UVa

BABCOCK, CHARLES EDWIN, 1879-

Newspaper files in the library of the Pan American Union, by C. E. Babcock ... [Durham, N. C., Duke University Press, 1926]. p. 288-303. 25½ cm.

"Reprinted from the Hispanic American Historical Review, vol. VI, Nº 4. November, 1926, p. 288-303.

The list is contained in p. 288-291; the other pages are given to 'Notes' and additions to the Library".

LC

BLEZNICK, DONALD W.

A guide to journals in The Hispanic field, 1966. 14 p.

Separata de *Hispania* (October, 1966).
LC, USC, UCLA

BRITISH UNION, catalogue of periodicals. A record of the periodicals of the world from seventeenth century to the present day in British Libraries ... Edited by James D. Stewart, Muriel E. Hammond and Erwin Sanger. London, Butterworths Scientific Publications, 1955-1958. 4 v.
LC

BUENOS AIRES. *Biblioteca Nacional.*

Un siglo de periódicos en la Biblioteca Nacional (políticos); catálogo por fechas 1800-1899. Buenos Aires, Imp. de la Biblioteca Nacional, 1935. 74 p. 26½ cm.

Contenido. - Europa - América. - Argentina.
LC

* CARTER, BOYD GEORGE, 1907-

Las revistas literarias de Hispanoamérica, breve historia y contenido. [1ª ed.] México, Ediciones de Andrea, 1959. 282 p. 22 cm. (Colección Studium, 24).

"El objeto del presente libro es proporcionar a los estudiantes, maestros, investigadores, redactores, bibliotecarios, críticos y otras personas interesadas en ello, un conjunto de informes y datos sobre las revistas literarias de Hispano América y la literatura que en ellas se ha publicado y que no son accesibles en ninguna otra fuente semejante de las que tenemos conocimiento". (*Palabras preliminares,* p. 7).

Contenido general: *Parte 1ª*: Historia, datos, enfoques, valores, problemas; Cap. I: revistas y periódicos: enfoques y problemas del investigador; Cap. II. Literatura hispanoamericana en la prensa periódica. *Parte 2ª*: "Pequeños estudios" de 50 revistas literarias; *Parte 3ª*: "Bibliografía escogida" de títulos tomados de 125 revistas literarias; ordenación de materias; *Parte 4ª*: Bibliografía general; ordenación de materias.

Una fuente de referencia de primer orden. Incluye útiles bibliografías. Carece de índice onomástico.

V. r. de Frank Dauster, en *Hisp.*, XLIII (May, 1960), p. 296-97.

LC

DIARIOS y revistas en lenguas hispánicas, en *Anuario del Libro y de las Artes Gráficas* (Barcelona, 1935), p. 280-388.

LC

* DIRECTORY of current Latin American periodicals. UNESCO, [Paris, 1958].

"This tri-lingual list of 3375 periodicals is arranged according to the Universal Decimal Classification, with two indexes-by country of origin and by subject". (*Hdbk*, Nº 22).

LC

* ENGLEKIRK, JOHN E.

La literatura y la revista literaria en Hispanoamérica, en *Revista Iberoamericana* (México), 1961-1963.

LC, PU, USC, UCLA

* FERNÁNDEZ POUSA, RAMÓN.

Catálogo de los diarios y revistas existentes en la Hemeroteca Nacional ... Madrid, Subsecretaría de Educación Popular, [s. a.]. 118 p. 21 cm.

ICC

* FREITAG, RUTH S.

Union lists of serials: A bibliography. Washington, D. C., U. S. Govt. Printing Office, 1965.

LC

*GROPP, ARTHUR E., 1902- *comp.*

Union list of Latin American newspapers in libraries in the United States. Washington, D. C., Pan American Union, 1953. x, 235 p. 27 cm. (Columbus Memorial Library. Bibliographic Series, 39).

"A list of more than 5000 newspapers representing the holdings of 56 libraries". (*Hdbk,* Nº 22).

"Para Colombia p. 63-69 con más de cien títulos publicados en varias ciudades del país". (*Bbcs*).

LC, PU, UVa, KU, USC, UCLA

GUÍA periodística argentina y de las repúblicas latinoamericanas, edición 1929-1930. Buenos Aires, [¿193-?]. 192 p. 20 cm.

LC

IBERO American Red Book (Press Directory). Anuario de la Prensa Ibero-Americana, 1930. New York, Pan American News Service, 1930. 167 p.

"Para Colombia Sec. I, p. 62-70, Sec. II, p. 142-144. Se anotan los diarios y revistas que aparecían en Colombia en aquel año". (*Bbcs*).

LC

* INDICE general de publicaciones periódicas latinoamericanas; humanidades y ciencias sociales. Index to Latin American periodicals; humanities and social sciences. Boston, G. K. Hall, 1961- v. 1- 26 cm.

Editor: Jorge Grossman.

"Quarterly with annual cumulations. Prepared by the Columbus Memorial Library of the Pan American Union and the New York Public Library".

V. r. de Hensley C. Woodbridge, en *Hisp.,* XLV (December, 1962), p. 828.

LC, USC

INTERNATIONAL BUREAU OF THE AMERICAN REPUBLICS, *Washington, D. C.*

Newspaper directory of Latin America ... [Washington, Gvt. Print. Off., 1892]. 1 h., 38 p. 22½ cm. (Bulletin Nº 42. January, 1892).

—— *id.,* 1897. 41 p. 23½ cm. ([Bulletin] Nº 90. September, 1897). [Revision of Bulletin Nº 42].

LC, PU, KU

INTERNATIONAL index to periodicals devoted chiefly to the humanities and sciences. A cumulation of annual volumes ... author and subject index to a selected list of the periodicals of the world ... v. [1]- 1907-

vol. 1 covers the years 1907-15; v. 2 1916-19; v. 3 1920-23.

Title varies; v. 1-2, *Reader's guide to periodical literature supplement;* v. 3, *International index to periodicals ...*

LC

* KENISTON, HAYWARD, 1883-

Periodicals in American libraries for the study of the Hispanic languages and literatures, comp. by Hayward Keniston. New York, The Hispanic Society of America, 1927. [66] p. 16½ cm.

Compiled by a committe appointed by the Spanish language group of the Modern Language Association of America, Hayward Keniston, Chairman.

LC, UVa

* LATIN America in periodical literature. Los Angeles, Univ. of California, Center of Latin American Studies. v. 1, Nº 1, Jan., 1962- Monthly.

"About 150 articles on a great variety of subjects are abstracted in each issue from an average of 300 periodicals published in the United States and other countries". (*Hdbk,* Nº 24).

LC, PU, UCLA

LIBRARY OF CONGRESS.

Latin American periodicals currently received in the Library of Congress and in the library of the Department of Agriculture. Charmion Shelby, editor. Washington, The Library of Congress, 1944. VII, 249 p. 23 cm. [Latin American Series, Nº 8].

'Lista general de periódicos latinoamericanos, con valiosas informaciones bibliográficas. Indice por países y materias". (*Bbcs*).

LC, PU

LIBRARY OF CONGRESS. *Hispanic Foundation.*

Latin American periodicals current in the Library of Congress, prepared by Murray M. Wise, with the aid of Anyda Marchant, Virginia Brewer [and] Joseph V. Butt. Washington, The Hispanic Foundation. The Library of Congress, 1941. VIII, 137, IX, XV h. 26½ cm.

Reproduced from type-written copy.
Selected bibliography: p. IX-XV.

LC

MEAD, ROBERT G., JR., 1913-

A select list of periodicals of interest to hispanists, en *Hisp.*, XXXVIII (Nov., 1955), p. 426-429.

ICC / LC, PU, USC, UCLA

* MADRID. *Biblioteca Nacional.*

Publicaciones periódicas existentes en la Biblioteca Nacional. Catálogo redactado y ordenado por Florentino Zamora Lucas y María Casado Jorge. Madrid, Ministerio de Educación Nacional, Dirección General de Archivos y Bibliotecas, Servicio de Publicaciones, 1952. 718 p., ilus.

"A useful guide to the large collection of Spanish periodicals in the Biblioteca. Foreign publications are included also, but they are chiefly odd issues and small runs. Topically arranged entries and a title index. Newspapers are listed in a separate section". (*Hdbk*'52).

LC

* MEDINA, JOSÉ TORIBIO, 1852-1931.

Notas bibliográficas referentes a las primeras producciones de la imprenta en algunas ciudades de la América española (Ambato, Angostura, Curazao, Guayaquil, Maracaibo, Nueva Orleans, Nueva Valencia, Panamá, Popayán, Puerto España, Puerto Rico, Querétaro, Santa Marta, Santiago de Cuba, Santo Domingo, Tunja y otros lugares), 1754-1822, por J. T. Medina. Santiago de Chile, Imp. Elzeviriana, 1904. 116 p. 24½ cm.

"Tirada de 200 ejemplares".

[*Prólogo*], p. [v]-VI.

LC, UC

PAN AMERICAN UNION. *Columbus Memorial Library.*

A list of literary and cultural magazines received in the Columbus Memorial Library of the Pan American Union. Washington, D. C., 1940. 27 p. (Bibliographical Series, Nº 22).

"Para Colombia, p. 9-12; se anotan 18 publicaciones periódicas". (*Bbcs*).

LC, UVa

— Catalogue of newspapers and magazines in the Columbus Memorial Library of the Pan American Union. Washington, D. C., 1931. 3 h. p., 2-112 h. 27½ cm. (Bibliographical Series, Nº 6 ...).

"Revised edition". Mimeographed.

Arranged by countries of publication.

LC, KU, USC

— Current periodicals printed in English relating exclusively to Latin America received in the library of the Pan American Union. Washington, D. C., 1939. 1 h. p., 12 h. 28 x 22 cm.

Reproduced from typewritten copy.

LC

* — Index to Latin American periodical literature, 1929-1960. Compiled in the Columbus Memorial Library of the Pan American Union. Boston, G. K. Hall, 1962. 8 v. 37 cm.

PU, USC

— Latin American newspapers (other than official) received in the library of the Pan American Union ... [Washington, 1942]. 11 h. 28 x 21½ cm.

Reproduced from type-written copy.

LC

— List of daily newspaper files in the Columbus Memorial Library of the Pan American Union ... [Washington, ¿1942?]. 11 h. 28 x 21½ cm.

Reproduced from type-written copy.

LC

— List of newspapers and magazines in the library of the Pan American Union. Washington, D. C., 1929. 3 h. p. 2-80 h. 35½ cm.

Arranged by countries of publication.

LC

— Magazines and newspapers received currently in the Columbus Memorial Library of the Pan American Union. (Rev. to Sept. 1, 1942). [Washington, 1942]. 55 p. 28 cm. Mimeografiado.

"Arranged by country. Gives title, place of publication, and frequency". (*Hdbk'*42).

LC, PU

PAN AMERICAN UNION. *Division of Intellectual Cooperation.*

A selective list of periodicals of general interest published in Latin America, 1940. Washington D. C. Division of Intellectual Cooperation, Pan American Union [1940]. 30 h. 28 x 22 cm.

Reproduced from type-written copy.

"Sobre Colombia, p. 9-11. Menciona ocho revistas de cultura general con comentarios". (Gabriel Giraldo Jaramillo).

LC

* — Latin American university journals and serial publications, a tentative directory by Katherine Leonore Morgan, research assistant. Washington, D. C., Division of Intellectual Cooperation, Pan American Union, 1944. II-IV, 74 h. 27 x 21 cm.

Reproduced from type-written copy.

LC, PU

* PAN AMERICAN UNION, *Washington.*

Repertorio de publicaciones periódicas actuales latinoamericanas. Directory of current Latin American periodicals. Repertoire des periodiques en cours publiés en Amérique Latine. Paris, UNESCO, 1958. xxv, 266 p. 21½ cm. (Manuales Bibliográficos de la UNESCO).

"Registra 165 publicaciones periódicas colombianas". (*Bbcs*).

LC, USC

POMBO, JORGE.

Biblioteca de Jorge Pombo. Catálogo de la sección historia y geografía de América (Obras escogidas), 1906. Bogotá, Imp. de "La idea", [1906]. 58 p. 25 cm.

"The Pombo Library was sold in 1913, most of the material being acquired by the John Crerar Library".

De interés: la sección *Periódicos americanos referentes a América,* p. 57-60 [figuran numerosos periódicos colombianos y extranjeros].

LC, PU

SEVILLA. *Exposición Iberoamericana, 1929-1930.*

Prensa Iberoamericana. Indice de las publicaciones antiguas y modernas editadas en lenguas ibéricas, que figuran en el Pabellón de la Prensa Iberoamericana de la Exposición de Sevilla. Madrid, Oficina de Información y Prensa de la Secretaría General de Asuntos Exteriores, 1929. 335 p. 21½ cm.

LC

* ULRICH'S periodicals directory; a classified guide to a selected list of current periodicals. Directorio de publicaciones periódicas Ulrich; Guía clasificada y seleccionada de publicaciones de la actualidad. Inter-American ed. Ed. inter-Americana ... 1943- New York, R. R. Bowker Company, 1943- v. 26 cm.

Editor: 1943- Carolyn F. Ulrich.
10th ed.: New York, R. R. Bowker, 1964.

LC

* VALLE, RAFAEL HELIODORO, 1891-1959.

Bibliografía de la imprenta en América, en *Revista Iberoamericana* (México), III, núm. 6 (mayo, 1941), p. 465-512.

LC, PU, USC, UCLA

— Bibliografía del periodismo de América Española, en *Hdbk*'41, Nº 7. Cambridge, Massachusetts, Harvard University Press, 1942, p. 559-91.

"Para Colombia, p. 576-577. Señala 11 obras colombianas sobre periodismo con detalles de su contenido". (*Bbcs*).

ICC / LC, PU, USC, UCLA

* VINDEL, FRANCISCO.

Ensayo de un catálogo de ex-libris ibero-americanos de los siglos XV-XIX. Madrid, 1952. 2 v.

"With 640 facsimiles, and bibliographical information, describes 1093 bookplates current among peninsular Spaniards and Spanish Americans before 1900". (*Hdbk*'52).

LC

WATKINS, GEORGE THOMAS.

Bibliography of printing in America; books, pamphlets, and some articles in magazines relating to the history of printing in the New World ... Boston, The compiler, 1906. 31 p. 24½ cm.

LC

YALE UNIVERSITY. *Library.*

A list of newspapers in the Yale University Library. New Haven, Yale Univ. Press, 1916. VIII, 216 p. 23½ cm.

Y, USC

* ZIMMERMAN, IRENE, 1905-

A guide to current Latin American periodicals, humanities and social sciences, by Irene Zimmerman ... Gainesville, Florida, Kallman Publishing Company, 1961. x, 357 p. 23½ cm.

Colombia, p. 79-92.
Bibliography, p. 332-34.
V. r. de Ronald Hilton, en *Hisp.,* XLV (March, 1962), p. 163-64.

LC, PU, USC, UCLA

— Latin American periodicals of the mid-twientieth century as source material for research in the humanities and the social sciences. Ann Arbor, University Microfilms, [1957]. ([University Microfilms, Ann Arbor, Mich.]. Publication Nº 21, 381).

Microfilm copy (positive) of typescript. Made by University of Michigan Library Photo-duplication Service.

Collation of the original: iv, 390 l.

Thesis - University of Michigan.

Abstracted in Dissertation Abstracts, v. 17 (1957), Nº 12, p. 3027.

Basic list of Latin American periodicals: leaves 266-282; *Supplementary list*: leaves 285-301; *Annotated list of three star titles*: leaves 307-364; *Bibliography*: leaves [381]-90.

LC

II. INDICES DE REVISTAS Y PUBLICACIONES PERIODICAS

1. COLOMBIANAS

* ACADEMIA COLOMBIANA, *Bogotá*.

Anuario. Bogotá, [Academia Colombiana de la Lengua], 1874-19- v.

"En el vol. X se encuentra un índice alfabético de los volúmenes aparecidos hasta entonces". (Bbcs)".

ICC, BN, BLAA / LC

ARIAS, JUAN DE DIOS, 1896-

Revista *Estudio* [índice], en *Una institución cultural santandereana* (1929-1954). Bogotá, Imp. Nacional, 1954, p. 85-181.

"Indice por autores y materias de esta importante publicación, órgano de la Academia de Historia de Santander". (*Bbcs*).

BLAA / LC

Bohórquez C., José Ignacio, 1922-

Indice analítico de las Páginas Literarias [de *El Siglo*] 1951, en *El Siglo* - Páginas Literarias (Bogotá), 13 de enero de 1952, p. 2-3.

BN

Caro Molina, Fernando, 1929-

Indice bibliográfico de la *Revista de Folklore Colombiano,* en *Cuadernos de Cultura* (Cali), I, núm. 1, junio de 1953, p. 25-28.

(*An*'51-56)

— Indice del *Boletín de la Academia de Historia del Valle del Cauca, 1932-1952.* [Cali, Imp. Vargas, 1953]. 28 p. 24 cm.

"Cuidadoso índice por autores de esta importante publicación histórica, acompañado de referencias bio-bibliográficas de los miembros de la Academia de Historia del Valle del Cauca". (*Bbcs*).

ICC

Hojas de Cultura Popular Colombiana. Indice general, por autores. Bogotá, [Empresa Nacional de Publicaciones], 1957. 14 h. 34 cm.

"Indice del contenido de los números 1-79 de *Hojas de Cultura Popular,* publicación dirigida por Jorge Luis Arango". (*Bbcs*).

* [Ocampo Jiménez, Pedro].

Indice general de los colaboradores de la Revista *Universidad de Antioquia,* desde su primer número hasta el 143, en Revista *Universidad de Antioquia* (Medellín),

XXXVI, núm. 143 (octubre-diciembre de 1960), p. 1015-1115.

En orden alfabético de autores, con indicación de título, páginas y tomo.

ICC, BLAA

* ORTEGA RICAURTE, DANIEL, 1894-

Indice general del *Boletín de Historia y Antigüedades,* vols. I-XXXVIII, 1902-1952. Bogotá, Academia Colombiana de Historia, 1953. 518 p. 24 cm.

"Este índice cuidadosamente elaborado constituye por sí mismo una valiosa bibliografía histórica de Colombia". (*Bbcs*).

"Corresponde a 50 años. Son 38 volúmenes con 446 números y 31.852 páginas".

ICC, BN, BLAA / LC

* ORTEGA TORRES, JOSÉ J., *Pbro.,* 1908-

Indice de "El Repertorio Colombiano", Estudio preliminar de Fernando Galvis Salazar. Bogotá, [Imp. Patriótica del Instituto Caro y Cuervo], 1961. 172 p. 23 cm. (Publicaciones del Instituto Caro y Cuervo. Serie Bibliográfica, III).

Breve historia de "El Repertorio Colombiano", por Fernando Galvis Salazar, p. 7-19.

ICC, BN, BLAA / LC

— Indice del "Papel Periódico Ilustrado" y de "Colombia Ilustrada". Estudio preliminar de Héctor H. Orjuela. Bogotá, Instituto Caro y Cuervo, 1961. 243 p. 23 cm. (Publicaciones del Instituto Caro y Cuervo. Serie Bibliográfica, IV).

Estudio preliminar, por Héctor H. Orjuela, p. 7-21.

ICC, BN, BLAA / LC

* RODRÍGUEZ H., JOSÉ.

Indice acumulativo de la Revista *Universidad Pontificia Bolivariana.* Alfabético — por materia y autores, del volumen I al XX, en *Universidad Pontificia Bolivariana* (Medellín), XXI, Nº 76 (abril-agosto de 1956). Repertorio Bibliográfico, vol. III, Nº 3. 43 p.

ICC, BLAA / PU

2. EXTRANJERAS

BIBLIOGRAFÍA de revistas, en *Boletín de Bibliotecas y Bibliografía* (Madrid), vol. 2 [1935], p. 122-80, 251-308.

LC

BULLETIN of Hispanic Studies; a record and review of their progress. v. 1- (Nº 1- Dec. 1923-). Liverpool. v. 24 cm. Quarterly.

Title varies: 1923-48, Bulletin of Spanish Studies.
Publ. by the Instituto of Spanish Studies, 1935-
Editor: Dec. 1923- E. A. Peers.
Indexes: Vols. 1-5, 1923-28 1 v.
Vols. 6-10, 1929-33 1 v.
Hay índices posteriores.
LC

* BUTLER, RUTH LAPHAM, *ed.*

Guide to the *Hispanic American Historical Review,* 1918-1945. Durham, North Carolina, Duke University Press, 1950. 251 p.

"An indispensable substitute for a consolidated index to this valuable periodical. Lists articles under a variety of headings, with a general index to the authors and editors of all the items". (*Hdbk*'50).

V. Gibson, Charles, Guide to the *Hispanic American Historical Review,* en esta sección.

LC

* CIRUTI, JOAN.

Index to *El Cojo Ilustrado* y *La Alborada.* Tesis M. A. (inédita). University of Oklahoma, 1954. 1017 p.

Indices de dos importantes revistas venezolanas.

* FLORES, ANGEL.

Indices de *Cuadernos Americanos,* 1942-1952. México, Ediciones de Cuadernos Americanos, 1953. 172 p.

"Subject and author index of the Mexican literary journal". (*Hdbk,* Nº 19).

LC, PU

FOSTER, MERLIN H., *comp.*

An index to Mexican literary periodicals. N. Y., The Scarecrow Press, 1966. 276 p.

"Indice de las revistas: Antena; Contemporáneos; Estaciones; Fábula; La Falange; Forma; El Hijo pródigo; México Moderno; Poesía; Prometeus; Romance; Ruta; Sagitario; Taller; Tierra Nueva y Ulises". (*Hdbk,* Nº 28).

V. r. de Sturgis E. Leavitt, en *Hisp.,* L (September, 1967), p. 614.

LC, PU

* GIBSON, CHARLES, 1920- *ed.*

Guide to the *Hispanic American Historical Review,* 1946-1955. Edited by Charles Gibson with the assistance of W. V. Niemeyer. Durham, N. C., Duke University Press, 1958. 178 p. 24 cm.

"Successor to the Guide to the Hispanic American historical review, 1918-1945, compiled by Ruth L. Butler". *V.* p. 787.

LC

* GRASES, PEDRO, 1909-

Tres empresas periodísticas de Andrés Bello. Bibliografía de la *Biblioteca Americana* y el *Repertorio Americano.* Caracas, 1955. 64 p. 22 cm.

"Brief discussion of periodicals published by Bello in Caracas, London, and Chile; with descriptive index of the *Biblioteca Americana* and *Repertorio Americano* (London, 1820's)". (*Hdbk,* Nº 21).

LC, UVa

HISPANIA; a teacher's journal devoted to the interests of the teaching of Spanish and Portuguese. v. I- Feb., 1918- 24 x 26 cm.

Published by the American Association of Teachers of Spanish and Portuguese.

Indexes: v. 1-5, 1918-22 (Suppl. to. v. 5); v. 6-10, 1923-27 (Suppl. to. v. 11); v. 11-20, 1928-37 (Suppl. to. 21); v. 21-30, 1938-47 (Suppl. to v. 32); v. 31-40, 1948-57 (Suppl. to v. 42).

ICC / LC, USC, UCLA

* HISPANIC REVIEW. v. 1- Jan., 1933-

Philadelphia, Dept. of Romance Languages of the University of Pennsylvania, [etc.] v. 24 cm. Quarterly.

Founded and for some years edited by J. P. W. Crawford.
Indexes:
vols: 1-25, 1933-57 (suppl. to v. 25) 1 v.

LC, USC

INDICE general de la *Revista Americana* de Buenos Aires, 1924-1937, *Ibid.*, t. 71 (1937), p. 8-160.

LC

* INDICE general del *Mercurio Peruano; Ibid.*, t. 26, núm. 219. Tirada aparte. Lima, 1945. 31 p.

LC

INDICES de *El Renacimiento,* semanario literario mexicano (1869). Estudio preliminar de Huberto Batis. México, D. F., Centro de Estudios Literarios, 1963. 238 p. 23 cm. (Publicaciones del Centro de Estudios Literarios, 9).

V. r. de Luis Leal, en *Hisp.*, XLVIII (May, 1965), p. 394.
ICC / LC

INDICES de *El Domingo,* revista literaria mexicana (1871-1873). Elaborados por Ana Elena Díaz y Alejo, Aurora M. Ocampo Alfaro y Ernesto Prado Velásquez ... México, D. F., Imp. Universitaria, 1959. 116 p., 2 h. 23 cm. (Publicaciones del Centro de Estudios Literarios, 5).

ICC / LC

INDICES de la *Revista de Indias,* 1940-1952, números 1-50, en *Revista de Indias* (Madrid), XIII (1953), supl., 123 p.

"A highly classified arrangement of articles by type and by periods and / or other subdivisions". (*Hdbk,* Nº 20).
LC

* LEAVITT, STURGIS ELLENO, 1888- *comp.*

Revistas hispanoamericanas; índice bibliográfico, 1843-1935. Recopilado por Sturgis E. Leavitt ... con la colaboración de Madaline W. Nichols y Jefferson Rea Spell ... Homenaje al Sesquicentenario de la independencia nacional, 1810-1960, I. Santiago de Chile, Fondo Histórico y Bibliográfico José Toribio Medina, 1960. XXIII, 589 p. ret. 28 cm.

"De Colombia contiene: El Mosaico, Papel Periódico Ilustrado, Repertorio Colombiano, Revista de Bogotá, Revista Literaria y Santafé y Bogotá". (*An'* 59-60).

V. r. de George E. Smith, en *Hisp.*, XLV (March, 1962), p. 163.

ICC / LC, USC, UCLA

LONDOÑO M., FRANCISCO A., *comp.*

Indice de los artículos humanísticos en nuestra hemeroteca, en Revista *Universidad Pontificia Bolivariana* (Medellín), XX-XXII, núms. 77-81 (febrero, 1957 a agosto, 1958).

V. Restrepo Osorio, Jaime, p. 792.

ICC, BN, BLAA / PU

LUNA, JOSÉ LUIS.

La *Revue de l'Amérique Latine* y la literatura hispanoamericana, en *Revista Iberoamericana* (México), IV (1941), p. 223-34.

"Alphabetical list of authors and list of articles on Hispanic American literature contained in The *Revue*". (Shasta M. Bryant).

LC, PU, USC, UCLA

McDONALD, JAMES K.

Indice de la revista *Taller*, en *Revista Iberoamericana* (México), XXIX, núm. 56 (julio-diciembre, 1963), p. 325-40.

LC, PU, USC, UCLA

* McClean, Malcolm D.

Contenido literario de *El Siglo Diez y Nueve*. México, Secretaría de Hacienda y Crédito Público, 1965. 357 p.

Hay dos ediciones anteriores.
LC

Modern Languages Association of America.

Publications. v. I. 1884 85- Menasha, Wisc., [etc.], 1886-196- v. ilus. 22½ cm.

cover-title, 1929- PMLA

Indexes:
v. 1-33, 1884/85-1918 (Suppl. to. v. 34).
v. 1-50, 1884/85-1935.
v. 51-55, 1936-40, en v. 55.
v. 51-60, 1936-46, en v. 60.
v. 51-79, 1936-64, 1 v.
LC, USC

* Nichols, Madaline W. y Kinnaird, Lucia Burk.

Bibliografía hispánica, Revista *Nosotros* (1ª época, 1907-1934), artículos sobre literatura hispanoamericana. New York, Instituto de las Españas en los Estados Unidos, 1937.
LC

* Pan American Union. *Columbus Memorial Library.*

Indice de la *Revista Iberoamericana* (mayo 1939 a enero 1950). Memorias del Congreso Internacional de Catedráticos de Literatura Iberoamericana. ... Washington, 1954. 51 p. (Bibliographical Series, 42).
ICC / LC, KU

— Indice general de *Atenea,* revista mensual de ciencias, letras, y artes publicada por la Universidad de Concepción (Chile), 1924-1950. Washington, 1955. 205 p. (Bibliographical Series, 44).

— Indice general de la Revista *Sur,* 1931-1955. Washington, 1955. (Bibliographical Series, 46).
LC, PU

PERAZA Y SARAUSA, FERMÍN, 1907- *comp.*
Indice de la *Revista Cubana.* La Habana, Depto. de Cultura, 1939. 79 p.
LC

* POLLIN, ALICE M. y KERSTEN, RAQUEL.
Guía para la consulta de la *Revista de Filología Española* (1915-1960). New, York, New York University Press, 1964. 835 p.

Contenido general: Autores de artículos; Autores de reseñas; Obras reseñadas; Necrologías; Noticias; Bibliografías; Categorías de artículos: Historia, Literatura, Lingüística, Música y musicología; Categorías de reseñas: Sección bibliográfica; Historia; Literatura; Lingüística; Música, Bellas Artes y Arqueología.
ICC / LC

RESTREPO OSORIO, JAIRO, *comp.*
Indice de artículos humanísticos en nuestra hemeroteca, en Revista *Universidad Pontificia Bolivariana* (Medellín), XXIII, Nº 82 (septiembre-diciembre, 1958 — enero-marzo, 1959); Nº 83 (abril-julio, 1959); Nº 84 (agosto-septiembre 1959). Boletín Bibliográfico: Nº 9, 15 p.; Nº 10, 16 p.; Nº 11, 15 p.

V. Londoño M., Francisco A., p. 790.
ICC, BLAA / PU

REVUE hispanique. Recueil consacré à l'étude des langues, des littératures et de l'histoire des pays castillans, catalans et portugais. t. 1- mars, 1894- Paris, A. Ricard et fils, 1894-19- v. ilus., mapas, facsíms. 25½ cm.

Tables des tomes 1 à XXV (1894-1911). N. Y., The Hispanic Society of America, [¿1912?]. 144 p. 25 cm.

Tables des tomes I à L, 1894-1920. [N. Y., G. P. Putman's Sons, 1920]. 185 p. 25½ cm. [With Revue hispanique. N. Y., 1920 v. 50]. Issued with v. 50, Nº 118, Dec. 1920.

LC

SIMÓN DÍAZ, JOSÉ.

Revista de Estudios Hispánicos (Madrid, 1935-1936). Madrid, Consejo Superior de Investigaciones Científicas, 1947. xv, 30 p. 24 cm.

UVa

* TORTAJADA, AMADEO, y AMANIEL, C. DE.

Materiales de investigación. Indice de artículos de revistas del Consejo Superior de Investigaciones Científicas, Biblioteca General, 1952. 2 v.

"A much needed and well handled guide to a mass of periodical literature which is none too well known outside of Spain. Each article is entered under author and under subject". (*Hdbk'52*).

LC

WILSON, H. W. *Firm, publishers.*

How to use the Reader's guide to periodical literature and other indexes. New York, [s. a.] 16 p. 25 cm.

ICC / LC

III. ESTUDIOS

1. IMPRENTA Y PERIODISMO EN COLOMBIA

ANTOLOGÍA de periodistas. Bogotá, Edit. Minerva, [1936]. 238 p. (Selección Samper Ortega, 70).

"Selections from thirty-one writers". (*Hdbk'36*).
ICC, BN, BLAA / LC, PU, Y, USC, UCLA

* ARBOLEDA, GUSTAVO, 1881-1938.

Apuntes sobre la imprenta y el periodismo en Popayán, 1813-1899. Guayaquil, Talleres Poligráficos de "El Grito del Pueblo", 1905. IV, 56 p. 18 cm.
BN / LC

— La imprenta en el occidente colombiano, en *Boletín de Estudios Históricos* (Pasto), I, Nº 8 (1928), p. 227-30; - en *Bol. Hist. Ant.* (Bogotá), XVII (1928), p. 353-56.
ICC, BN, BLAA / LC

— La imprenta en el Valle y los escritores vallecaucanos, en *Boletín Histórico del Valle,* entregas Nos. 8-9, p. 321-416; Nº 14, p. 82-89; Nº 20, p. 337-339. Cali, 1933-1934.

"Completa información sobre la imprenta, el periodismo y en general de la bibliografía del occidente colombiano". (*Bbcs*).

— El periodismo nacional, en *Boletín Histórico del Valle* (Cali), II (1934), p. 243-245. (*Bbcs*)

— La prensa en Manizales, en *Boletín Histórico del Valle* (Cali), I (1933), p. 212-218. (*Bbcs*)

ARCINIEGAS, GERMÁN, 1900-

Journalism in Colombia, en *Quarterly Journal of Inter-American Relations* (Washington), I (1939), p. 89-95.

"The remarkable freedom of the press in Colombia is explained and some account given of the most important newspapers".

LC

* BIBLIOTECA "LUIS ANGEL ARANGO", *Bogotá.*

Incunables bogotanos — siglo XVIII. Bogotá, Imp. del Banco de la República, 1959. 240 p. facsíms. 24 cm.

"*Contenido*: El libro y la imprenta en la cultura colombiana, por Gabriel Giraldo Jaramillo. - La imprenta en Santa Fe de Bogotá, siglo XVIII, por Mario Germán Romero. - Fichas bibliográficas, por Rubén Pérez Ortiz". (*Bbcs*).

ICC / LC

BIBLIOTECA NACIONAL, *Bogotá.*

La Biblioteca Nacional y su exposición del libro. Bogotá, Edit. A B C, 1940, 141 p. ilus. 25 cm.

Contenido: Ultimo informe del director de la biblioteca; *Orígenes de la imprenta,* por Aníbal Currea; Exposición del libro.

NYPL

BRIAN, MARIANO y S.

Para la historia del periodismo de Manizales, en *Archivo Historial* (Manizales), Nº 36 (1923), p. 379 82.

(Bbcs)

CACUA PRADA, ANTONIO, 1932-

La libertad de prensa en Colombia. Bogotá, [Edit. "Prensa Católica"], 1958. XXIV, 302 p. 24 cm.

BLAA

CAICEDO ROJAS, JOSÉ, 1816-1898.

Recuerdos y apuntamientos, o cartas misceláneas. Bogotá, Imp. de A. Silvestre, 1891. 288 p.

"En las p. 40-54 de esta obra se encuentra un interesante estudio sobre los orígenes de la imprenta en América y el Nuevo Reino". *(Bbcs).*

ICC / PU

CÁRDENAS ACOSTA, PABLO ENRIQUE, 1885-

La imprenta en Tunja. Las publicaciones periódicas de la localidad en una centuria, en *Historia de Tunja,* compilada y dirigida por Ramón C. Correa, tomo III, Tunja, Imp. Departamental, 1948, p. 7-25.

"Historia del periodismo en Tunja de 1825 a 1913 y revista de los periódicos aparecidos en ese lapso". *(Bbcs).*

V. Correa, Ramón C., en esta sección.

BLAA

COLOMBIA, *Leyes, decretos, etc.*

Régimen de propiedad intelectual y de prensa. Leyes, decretos y resoluciones vigentes sobre la materia. Compilación, concordancia y notas de Eduardo Santa. Bogotá, Imp. Nacional, 1962. 283 p. 20 cm.

Publicación del Ministerio de Gobierno.

BLAA

CORREA, RAMÓN C., 1896-

Periodismo tunjano, en *Historia de Tunja,* compilada y dirigida por Ramón C. Correa, t. III, Tunja, Imp. Departamental, 1948, p. 25-50.

V. Cárdenas Acosta, Pablo Enrique, en esta sección.

BLAA

CUERVO, LUIS AUGUSTO, 1893-1954.

El primer año de la imprenta en Santafé, en *Bol. Hist. Ant.* (Bogotá), XXX (1943), p. 874-77.

"Estudio bibliográfico de las obras publicadas en Bogotá en 1738". *(Bbcs).*

ICC, BN, BLAA / LC

CURREA RESTREPO, ANÍBAL.

La imprenta en Santafé de Bogotá, en *Bol. Hist. Ant.* (Bogotá), XXIV (1937), p. 197-213.

ICC, BN, BLAA / LC

DOLLERO, ADOLFO, *Cultura colombiana ... V.* p. 677.

EXBRAYAT, JAIME.

Periodismo monteriano, en *Reminiscencias monterianas,* Montería, Edit. Esfuerzo, 1939, p. 185-89. *(Bbcs)*

FORERO BENAVIDES, ABELARDO, 1912-

"El Espectador", Diario de la tarde, por A. Forero Benavides. Bogotá, Edit. Santafé, 1936. 320 p.

BN

* FORERO, MANUEL JOSÉ, 1902-

Incunables bogotanos. Bogotá, Edit. Minerva, 1946. 47 p. 17 cm.

"Referencia histórico-bibliográfica de 14 publicaciones bogotanas aparecidas entre 1738 y 1812". *(Bbcs).*

BLAA / LC, PU

FRIEDE, JUAN, 1901-

Sobre el origen de la imprenta en el Nuevo Reino de Granada, en *Revista Interamericana de Bibliografía* (Washington), VII, núm. 3 (Julio-Sept. de 1957), p. 255-58.

LC, PU, USC, UCLA

GARCÍA, JUAN C., *Pbro.,* 1883-

Los incunables de la Biblioteca Nacional, en *América Española* (Barranquilla), VIII, núm. 29 (1940), p. 191-96.

(Bbcs)

* GIRALDO JARAMILLO, GABRIEL, 1916-

El grabado en Colombia. Bogotá, Edit. A B C., [1960], 224 p., bibl. ilus.

"History of print-making in Colombia in the colonial period and 19th and 20th centuries. Forty-nine illustrations give examples from 18th century to 1959. Good bibliography". *(Hdbk,* Nº 24).

BLAA / LC

— El libro y la imprenta en la cultura colombiana, en *Revista Nacional de Cultura* (Caracas), XXI, núm. 136 (septiembre-octubre, 1959), p. 67-81.

LC

IBÁÑEZ, PEDRO MARÍA, 1854-1919.

La imprenta en Bogotá desde su introducción hasta 1810, en *Revista Literaria* (Bogotá), núm. 7, p. 59-64; núm. 8 (1890), p. 108-16.

Reimpreso en *La Gaceta Municipal de Guayaquil,* agosto 13 y oct. 1º de 1898.

"Buen estudio de conjunto sobre los orígenes de la imprenta en Bogotá". *(Bbcs).*

ICC / BN

IMPRENTA NACIONAL. *Bogotá.*

Informe del Director de la Imprenta Nacional al señor Ministro de Gobierno. (1º de mayo de 1934 a 30 de abril de 1935). Bogotá. 26 p.

"On p. 8-14 are enumerated briefly 121 publications and 15 periodicals issued by the Imprenta Nacional during the previous year". *(Hdbk'35).*

BN

— Informe del Director de la Imprenta Nacional al señor Ministro de Gobierno, mayo 1º de 1936 a abril 30 de 1937. Bogotá, Imp. Nacional. 29 p.

"S. Correal Torres, director. Includes a brief list of the 178 Colombian official publications issued during the year". *(Hdbk'37).*

BN

LATORRE MENDOZA, LUIS.

Prensa, en *Historia e historias de Medellín,* Medellín, Imp. Departamental, 1934, p. 219-35.

"Breve historia del periodismo en Medellín desde el año de aparición del primer periódico, *Gaceta Ministerial* (1812), hasta fines del siglo XIX". *(Bbcs).*

LÓPEZ NARVÁEZ, CARLOS, 1898-

Temas de investigación — El periodismo colombiano en el siglo XIX, en *Bol. Cult. y Bibl.* (Bogotá), VI, núm. 9 (1963), p. 1368-73.

ICC, BN, BLAA / LC, UCLA

* MARTÍNEZ DELGADO, LUIS, y ORTIZ, SERGIO ELÍAS.

El periodismo en la Nueva Granada, 1810-1811 ... Bogotá, Edit. Kelly, 1960. xxxix, 538 p. láms. 23 cm. (Academia Colombiana de Historia, Biblioteca "Eduardo Santos", 22).

"Estudio de los periódicos La Constitución Feliz, Diario Político de Santafé de Bogotá, Aviso al público, y sus suplementos". (*An*'59-60).

ICC, BLAA / LC

* ORTIZ, SERGIO ELÍAS, 1894-

Noticias sobre la imprenta y las publicaciones del Sur de Colombia durante el siglo XIX. Pasto, Imp. del Departamento, 1935. iii, 276 p. (Suplemento Nº 2 del *Boletín de Estudios Históricos,* vol. VI, Nos. 66 y 67).

"Publicada inicialmente en *Boletín de Estudios Históricos* a partir del vol. IV, Nos. 43 y 44 con el título "Imprenta y Bibliografía del Sur de Colombia". Pasto, 1931.

Excelente trabajo sobre la imprenta y el periodismo en el Departamento de Nariño". (*Bbcs*).

LC, PU

* OTERO MUÑOZ, GUSTAVO, 1894-1957.

Historia del periodismo en Colombia, desde la introducción de la imprenta hasta el fin de la reconquista española (1737-1819). Bogotá, Edit. Minerva, 1925. 222 p.

"La más completa historia del periodismo nacional en su etapa inicial. Abundante material bibliográfico". (*Bbcs*).

BN, BLAA

— Historia del periodismo en Colombia. Bogotá, Edit. Minerva, [1936]. xiii, 281 p. (Selección Samper Ortega, 61).

"Resumen crítico de la historia del periodismo nacional desde 1791 hasta 1890". *(Bbcs)*.

ICC, BN, BLAA / LC, PU, Y, USC, UCLA

— Primeros periódicos colombianos, en *Senderos* (Bogotá), I (1934), p. 31-36.

BN

PERIODISMO (Eduardo, Enrique y Gustavo Santos). Bogotá, Edit. Minerva, [1936]. 232 p. 20 cm. (Selección Samper Ortega, 69).

ICC, BN, BLAA / LC, PU, Y, USC, UCLA

PERIODISTAS de los albores de la República (Jorge Tadeo Lozano, Fray Diego Francisco Padilla, José María Salazar y Juan García del Río). Bogotá, Edit. Minerva, [1936]. 198 p., 1 h. 20 cm. (Selección Samper Ortega, 62).

ICC, BN, BLAA / LC, PU, Y, USC, UCLA

PERIODISTAS liberales del siglo XIX. (Felipe Pérez, Santiago Pérez, Tomás Cuenca, Felipe Zapata y Fidel Cano). Bogotá, Edit. Minerva, [1936]. 198 p. 20 cm. (Selección Samper Ortega, 64).

ICC, BN, BLAA / LC, PU, Y, USC, UCLA

PLAZA, JOSÉ ANTONIO, 1809-1854.

Bosquejo de la historia de la prensa granadina, en *La Regeneración* (Bogotá), núms. 4 y 5 (1852).

"Uno de los primeros ensayos sobre la historia del periodismo nacional". (*Bbcs*).

* POSADA, EDUARDO, 1862-1942.

Primeras imprentas en ciudades de Colombia, en *Bol. Hist. Ant.* (Bogotá), XVII, núm. 193 (julio de 1928), p. 48-52.

"Se refiere a la aparición de la imprenta en Medellín, Honda, Sabanilla, Ibagué, Popayán, Duitama, Cartagena, Cúcuta y Caloto". *(Bbcs).*

ICC, BN, BLAA / LC

PUERTA G., BERNARDO, 1891-

Los primeros cincuenta años del periodismo en Medellín, en *Repertorio Histórico* (Medellín), I, núm. 9-12 (1913). *(Bbcs)*

PUERTA, LUIS EDUARDO.

El periodismo en Manizales, en *Bol. Hist. Ant.* (Bogotá), núm. 301-302 (noviembre-diciembre de 1939), p. 863-78.

"Resumen de la historia de la prensa en Manizales, desde 1874 hasta 1930". *(Bbcs).*

ICC, BN, BLAA / LC

RODRÍGUEZ PLATA, HORACIO, 1915-

Apuntes para una historia del periodismo en Santander, en *Conferencias dictadas en el Centro de Historia de Santander,* Bucaramanga, Imp. del Departamento, 1942, p. 11-39. (Biblioteca Santander, XIV).

"Visión de conjunto del periodismo santandereano desde sus orígenes hasta 1942". *(Bbcs).*

RODRÍGUEZ, MARCO TULIO.
La gran prensa en Colombia. Bogotá, Edit. Minerva, 1963. 183 p. 20 cm.

Apéndice: "Informe sobre el movimiento y orientación general de los periódicos colombianos".
BLAA

SALDANHA, E. DE, *seud.* de ENRIQUE OTERO D'COSTA.
Orígenes de la imprenta en Cartagena, en *Boletín Historial* (Cartagena), II, núms. 20 y 21 (1916), p. 319-36.

"Historia de la fundación de la imprenta en Cartagena de Indias; anota las obras publicadas entre 1774 y 1818". (*Bbcs*).

2. IMPRENTA Y PERIODISMO (GENERAL)

AMNER, F. DEWEY.
Hispanic American magazines, en *Hisp.,* XXV (December, 1942), p. 405-14.
LC, PU, USC, UCLA

BUSHNELL, DAVID.
The development of the press in Great Colombia, en *Hisp. Am. Hist. Rev.* (Durham), XXX (November, 1950), p. 432-52.

"Revista de los periódicos publicados en Colombia y Venezuela entre 1818 y 1828, con indicación de nombres, filiación política, contenido, duración, etc.". *(Bbcs).*
LC, USC, UCLA

CARTER, BOYD GEORGE, 1907- *Las revistas literarias de Hispanoamérica, breve historia y contenido* ... *V.* p. 772-73

COESTER, ALFRED.

Periodicals in Spanish, en *Hisp.*, I (Feb., 1918), p. 26-30.

LC, PU, USC, UCLA

ENGLEKIRK, JOHN E., *La literatura y la revista literaria en Hispanoamérica* ... *V.* p. 773.

FURLONG, GUILLERMO, *S. J.*, 1889- *Los jesuítas y la imprenta en la América latina* ... *V.* p. 739-40.

GRASES, PEDRO, 1909-

La primera editorial inglesa para Hispanoamérica. Caracas, 1955. [30] p. ilus. 24 cm.

"Sobretiro de la Revista Shell, Nº 15, Caracas, junio de 1955".

LC

HARRISSE, HENRI, 1830-1910.

Introducción de la imprenta en América; con una bibliografía de las obras impresas en aquel hemisferio desde 1540 á 1690. Madrid, Rivadeneyra, 1872. 59 p. facsíms. 24 cm.

"Traducción castellana por los señores Manuel R. Zarco del Valle y José Sánchez Rayón, adicionada". *(Bbcs).*

LC

HINESTROSA, ANDRÉS, y FERNÁNDEZ DE CASTRO, JOSÉ ANTONIO.

Periodismo y periodistas de Hispanoamérica. México, Secretaría de Educación Pública. 150 p. 20 cm.

Bibliografía, p. 145-50.
"Historical synthesis of journalism in Latin America, from the earliest broadsides of Juan Pablos (1542) to the present time". (*Hdbk*'47).
LC

KLUGE, FRANZ HERMANN.
Iberoamerikanische grosszeitungen, von F. H. Kluge. Mit 4 abbildungstafeln. Hamburg, Hansischer gildenverlag, 1940. 177 p. facsíms. 22½ cm.
LC

LEVY, KURT.
Hispanoamérica y el periodismo peninsular del siglo XIX, en *Actas del primer congreso internacional de hispanistas.* Oxford, 1964, p. 343-48.
LC

MARTÍNEZ, JOSÉ LUIS.
La investigación del periodismo literario, en Memoria, 4º congreso, Instituto de Literatura Iberoamericana, en *Revista Iberoamericana* (México), abril de 1949, p. 235-37.
LC, PU, USC, UCLA

* MEDINA, JOSÉ TORIBIO, 1852-1931.
Historia de la imprenta en los antiguos dominios españoles de América y Oceanía. Prólogo de Guillermo Feliú Cruz. Complemento bibliográfico de José Zamudio Z. Santiago, Fondo Histórico y Bibliográfico José Toribio Medina, 1958. 2 v., facsíms., ilus.
LC

MERRIL, JOHN C.

A handbook of the foreign press. Baton Rouge, Louisiana State Univ. Press, 1959. 394 p.

Colombia: p. 305-307. Se mencionan algunos periódicos y revistas nacionales.

Rev. ed.: John C. Merril *et al., The foreign press, id.*, 1965.

LC, PU

NAVARRO, NEPOMUCENO J., 1834-1890.

Historia de la fundación de la imprenta en América, en *La Tarde* (Bogotá), núms. 5 y 6 (1874).

"Uno de los primeros estudios sobre la materia con valiosos datos desconocidos". (*Bbcs*).

* OSWALD, JOHN CLYDE.

Printing in the Americas. The Gregg Publishing Company. New York, W. F. Hall Company, [c1937]. XII, 565 p. XVII-XLI p.

"Historia general de la imprenta en América. Para Colombia, Cap. LXXVII". *(Bbcs)*.

LC

* OTERO, GUSTAVO ADOLFO.

La cultura y el periodismo en América. 2. ed., aumentada y rev. Quito, Liebmann, 1953. 545 p.

1ª ed.: con el título *El periodismo en América* ... Lima, 1946.

"Essays on urban culture in Hispanic America followed by summaries of the history of journalism in each nation". (*Hdbk,* Nº 19).

LC (1ª y 2ª eds.)

Patiño Rodríguez, Gloria Cecilia.

El periodismo y su influencia social y política ... Bogotá, Imp. Nacional, 1963. 76 p. 25 p.
(*An'*63)

Posada, Eduardo, 1862-1942.

Manual del librero hispanoamericano, en *Bol. Hist. Ant.* (Bogotá), XVI, núm. 191 (noviembre de 1927), p. 641-45.

"Comenta la obra de D. Antonio Palau y Dulcet y se refiere a la fundación de la imprenta en varias ciudades colombianas: Armenia, Ipiales, Riohacha, Pasto, Silos, Duitama, Natagaima, Pacho, Lorica, etc.". *(Bbcs).*

ICC, BN, BLAA / LC

Shepherd, William Robert, 1871-

La literatura y el periodismo en la América del Sur; conferencia con proyecciones luminosas pronunciada en la segunda velada del "Círculo literario hispano" de Nueva
[1] p. 20½ cm.
York ... New York, Imp. "Las Novedades", 1911. 25,

LC

Thomas, Isaiah, 1749-1831.

The history of printing in America, with a biography of printers, and an account of newspapers ... By Isaiah Thomas ... 2ª ed. with the author's corrections and additions, and a catalogue of American publications previous to the revolution of 1776. Publ. under the supervision of a special committee of the American Anticuarian Society ... Albany, N. Y., J. Munsell, printer, 1874. 2 v. 24½ cm.

Especialmente sobre la imprenta en los Estados Unidos.
LC

* THOMPSON, LAWRENCE S.

Printing in colonial Spanish America. Hamden, Conn., The Shoe String Press, 1962. 108 p. ilus.

"A descriptive summary of the origin and early development of printing in Spanish America. It is one of the most important studies in the field since those by Toribio Medina ..." *(Hdbk,* Nº 28).

LC

* TORRE REVELLO, JOSÉ, 1893-

El libro, la imprenta y el periodismo en América durante la dominación española. Buenos Aires, Casa Jacobo Peuser, 1940. 269, CCXXXVIII p. 28 cm.

"La mejor obra de conjunto sobre la imprenta en América, a base de documentos inéditos". *(Bbcs).*

LC

— Los orígenes del periodismo en la América española, en *Boletín de la Academia Nacional de Historia* (Buenos Aires), XII (1939), p. 37-75.

LC

INDICES

INDICE ONOMASTICO

CORRIGENDA

Página	*Línea*	*Dice*	*Corríjase*
18	24	CcCormick	McCormick
35	12	*Revivew*	*Review*
37	21	lits	list
49	23	critism	criticism
135	21	dissertationes	dissertations
151	10	1549	1954
174	12	Lengual	Lengua
184	5	quartely	quarterly
186	14	bio-bibliogrjfica	bio-bibliográfica
212	29	buy	but
268	21	AMUCHÁSTEGU	AMUCHÁSTEGUI
313	10	Guiseppe	Giuseppe
318	5	CARVALJO	CARVALHO
361	20	WASHINTON	WASHINGTON
425	22-23	Guadama	Guadarrama
441	6	*Bigliographical*	*Bibliographical*
462	11	da	la
474	18	ANERSON	ANDERSON
592	28	and	an
604	27	Educacción	Educación
636	22	eépoca	época
669	18	BALLESTEROS	BALLESTER
743	5	*1952*	*1962*
745	8	Phylosophy	Philosophy
762	10	tecnique	technique
791	7	LANGUAGES	LANGUAGE

INDICE GENERAL

Páginas

Páginas

Páginas

EL DIA 6 DE AGOSTO DE 1968,
ANIVERSARIO DE LA FUNDACION
DE BOGOTA POR GONZALO JIME-
NEZ DE QUESADA, INICIADOR DE
LAS LETRAS COLOMBIANAS, SE
ACABO DE IMPRIMIR ESTA OBRA
EN LA IMPRENTA PATRIOTICA
DEL INSTITUTO CARO Y CUERVO.

LAVS DEO

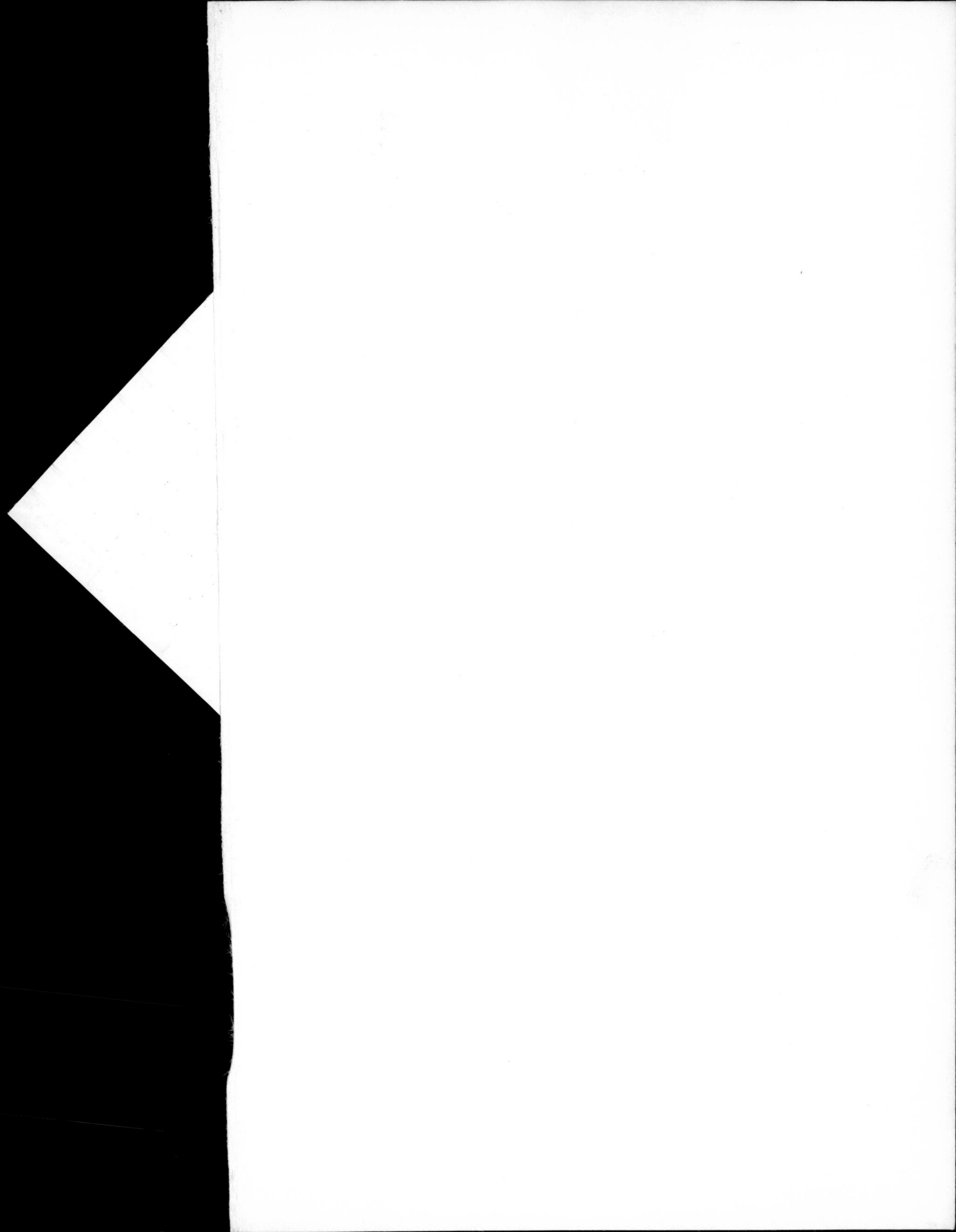

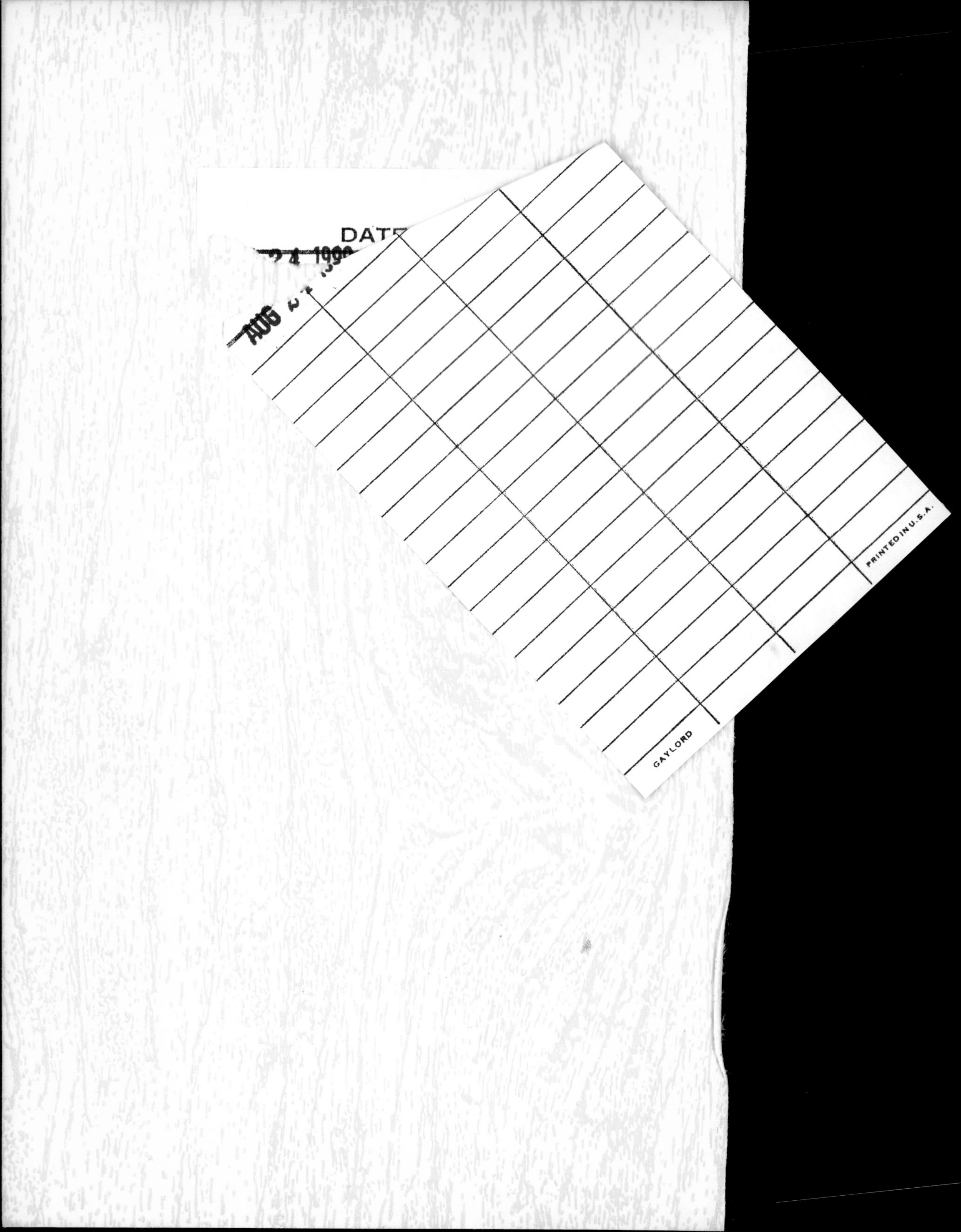

DATE
GAYLORD
PRINTED IN U.S.A.